Le **Pays** de la

Terre perdue

Tome V- LE RETOUR

Suzie Pelletier

Le **Pays** de la

Terre perdue

Tome V- LE RETOUR

Éditions **V**éritas Québec

Catalogage avant publication de Bibliothèque et Archives nationales du Québec et Bibliothèque et Archives Canada

Pelletier, Suzie, 1954-

 Le pays de la Terre perdue

 L'ouvrage complet comprendra 6 v.

 Sommaire : t. 5. Le retour.

 ISBN 978-2-89571-122-3 (v. 5)

 I. Titre. II. Titre : Le retour.

PS8631.E466P39 2013 C843'.6C2012-942845-0

PS9631.E466P39 2013

Révision : Sébastien Finance et Thérèse Trudel

Infographie : Marie-Eve Guillot

Photographie de l'auteure : Sylvie Poirier

Éditeurs : Les Éditions Véritas Québec

    2555, avenue Havre-des-Îles, suite 715

    Laval, (QC) H7W 4R4

    450 687-3826

    www.leseditionsveritasquebec.com

    www.enlibrairie-aqei.com

Dépôt légal : Bibliothèque et Archives nationales du Québec

     Bibliothèque et Archives Canada

ISBN : 978-2-89571-122-3 version imprimée

   978-2-89571-123-0 version numérique

À mes petits-enfants, Zoé, Allison, Alek
Et les autres qui s'ajouteront peut-être
Car ils donnent un nouveau souffle
Aux rêves de la vie

Si l'Humain retournait à la nature

Il devrait accomplir à l'inverse

Le chemin effectué en 25 000 ans

Pour développer la technologie

Afin de survivre

Partie 1

La Nomade

Chapitre 1

Jour 714 — 28 juin

— Lou ! Je dois attendre encore un jour, deux peut-être. Puis, je pourrai partir… cette fois, ce sera pour de vrai. Je retourne enfin chez moi…

La nomade habillée de peaux scrute le ciel bariolé de nuances mornes de cette fin de nuit. Un air triste s'affiche sur son visage et un long soupir s'échappe de sa bouche. « Est-ce que j'admire mon royaume pour la dernière fois ? » Le cœur lourd, elle contemple le sol que ses pieds ont foulé si souvent et elle sent monter un élan de gratitude pour chaque brin d'herbe qui a absorbé ses pleurs. Le soleil se lève comme un artiste qui fait surgir les couleurs éclatantes de l'arrivée du jour. Quelques rubans de nuages flottent encore dans le ciel. Une farandole émouvante et volatile se barbouille de rose et de safran; une indication que l'orage a bel et bien assouvi sa colère et qu'il ne reviendra pas avant quelques semaines. Bientôt, le décor tournera au jaune clair puis la voûte céleste s'illuminera de ce bleu intense si particulier du Pays de la Terre perdue.

Nadine sait qu'elle devra essuyer au moins un autre orage avant de partir pour de bon. La violence de ces tempêtes est telle que les nuages noirs et menaçants crachent les éclairs qui en profitent pour zigzaguer dans l'air jusqu'au sol, foudroyant sans pitié tout ce qui se trouve sur leur passage. D'habitude, le confinement dans un abri pendant deux ou trois jours la rend fébrile, chaque minute de cette rage atmosphérique lui volant une précieuse tranche de sa vie. Cette fois, devant l'importance de l'évènement étroitement lié à son plan de retour, il lui semble au contraire que chaque seconde qui s'égrenait la rapprochait des siens; elle en ressentait un bonheur immense. Elle s'est activée à terminer les derniers préparatifs en vue de son voyage vers le mont Logan, là où son portail s'ouvrira... bientôt, elle l'espère.

Nadine s'attarde à remplir ses poumons d'air frais, ce qui l'aide à éclaircir ses idées. Elle veut prendre la mesure de cette terre dont elle a fait son royaume. En souveraine de la nature, elle a conquis cette contrée à coup d'efforts, de sang, de sueur et de batailles serrées. Pour survivre, elle s'est rapprochée d'autres membres du règne animal et elle a résolu des conflits intérieurs qui brûlaient son âme.

Cet univers étonnant la ravit toujours autant, même après presque deux ans de confrontation. L'humaine et ce monde fantastique ont passé une grande partie de ce temps à s'entre-déchirer dans une guerre sans fin. À tour de rôle, les antagonistes se sont marqués de façon indélébile. Nadine plaçait son empreinte là où elle osait s'imposer face à un milieu sauvage. Le Pays de la Terre perdue la bousculait sans vergogne, lui infligeant des aventures qui la forçaient à défendre âprement sa peau. Il semble que la nomade a fini par gagner le combat inégal; du moins, les dernières semaines lui ont démontré que ce cosmos ne pourrait plus la retenir *ad vitam aeternam*.

Pourtant, une peur viscérale bien pire que celle engendrée par n'importe quel orage la bouscule. Son regard rivé sur les flammes de son feu, Nadine tremble de tous ses membres. « Et si ma famille ne voulait plus de moi... Marie leur aura raconté mes aventures de sorcière et Alex aurait pris la décision de m'oublier et de refaire sa vie. Il aurait vendu ma voiture, changé les codes de mes comptes de banque et offert mes vêtements à l'Armée du Salut... »

Malgré la douceur de la nuit, le relent de son dernier cauchemar la fait frissonner jusqu'au fond de son âme. Abandonnée par sa famille et ses amis à son retour, sans-le-sou, Nadine était devenue l'un des nombreux sans-abri qui circulent dans les rues de Montréal. Recroquevillée sous une boîte de carton à la station Berri-UQÀM, elle écoutait la rame de métro qui passait régulièrement.

De retour d'exil, elle a perdu sa liberté de vivre au jour le jour. Elle regrette amèrement son départ de cet univers si riche en produits naturels. Incapable de subvenir à ses besoins dans une ville qui nécessite plus de dollars que d'ingéniosité pour survivre, elle est révoltée de voir ce qu'elle est devenue. Du bout d'un doigt sale, elle touche la dent cariée qui la fait souffrir. Puis, dans un geste presque continu, elle gratte son cuir chevelu pour écrabouiller quelques poux qui s'évertuent à pondre des centaines de rejetons. « Je n'ai jamais attrapé de ces bestioles au Pays de la Terre perdue. Il faut croire que ça prend des humains pour les transmettre... » Puis, ses yeux s'attardent à ses vêtements crottés et ses bottes trouées. « Je n'ai pas d'argent pour acheter du fil et une aiguille pour les réparer... » Quand deux voyous se déplacent vers elle, chaînes et couteaux en mains, elle hurle sa terreur.

Sursautant hors du cauchemar qui la laisse pantoise et en colère, elle étouffe dans son antre sous la terre. Elle sort à l'extérieur et grimpe sur le toit de sa grotte. Munie de ses pierres à pyrites, elle a allumé son feu d'une main experte. Puis elle s'assoit sur une roche, le regard perdu dans les flammes pendant un long moment.

« Je dois conjurer le sort... » Dans la lueur de l'aube, Nadine replace la peau de renard sur ses épaules et respire profondément le vent frais de juin. Elle frotte son visage puis se lève pour s'approcher du rebord du monticule, au-dessus de l'entrée de son gîte. D'un geste vif, elle monte le poing dans les airs.

— MAUDITPAYSDEMERDE! QUANDCESSERAS-TU DE ME TORTURER ? J'ai confiance en ma famille ! Marie saura leur expliquer ! Elle les convaincra que j'ai gardé mon humanité ! Ils comprendront ! J'en suis certaine !

Ce cri du cœur lui fait du bien. Si le doute reste pernicieux, elle réussit à reprendre courage. « Ça achève. Il vaut mieux attendre, voir d'abord ce qui va se passer, avant de paniquer. » Elle se penche pour flatter son compagnon d'exil.

Comme elle l'a fait si souvent depuis plus de vingt-trois mois, Nadine regarde cette contrée féérique se demandant si le prochain pas lui apportera un danger à affronter ou une merveille qui l'émouvra. La tasse fabriquée avec des outils néolithiques, qu'elle tient à deux mains, est remplie d'une tisane qui a eu le temps de refroidir tant sa réflexion était intense. Cette boisson chaude qu'elle se prépare régulièrement est une vieille tradition qui l'habite depuis bien avant son aventure sur ce bout de terre fort étrange; elle lui procure un peu de réconfort pour amorcer cette période trouble alors qu'elle vit un nouveau déracinement. Elle se sent coincée entre deux mondes : il y a celui du Pays de la Terre perdue qu'elle s'apprête à quitter dans quelques semaines, et l'autre qui l'attend à nouveau avec sa famille à Montréal. Le premier lui apporte de nombreux défis qu'elle doit affronter dans la solitude la plus totale; le deuxième est rempli de questions reliées à la présence d'une trop grande civilisation. Un désir inaccessible la tiraille. « Pourquoi n'y a-t-il pas une simple porte entre ici et là-bas ? Pourquoi dois-je choisir ? » Nadine voudrait garder l'accès aux deux univers, circuler librement de l'un à l'autre au gré de ses besoins.

Celui d'ici lui procure tant de bonheur; il l'a conditionnée à une existence difficile, mais si élémentaire qu'elle ressent cette communion entre toutes les parties de son être : les vibrations de son corps, de son esprit, de son âme et de son cœur s'harmonisent. Elle s'est intégrée à cette nature parfois insensée, souvent magnifique et un tantinet enchantée.

Là-bas, une communauté de gens qui l'aiment l'attend. Du moins, elle l'espère. Elle désire les rejoindre à tout prix; ce fut d'ailleurs sa raison de lutter pour survivre. Elle imagine les pleurs de joie de ses enfants à son apparition dans la cour de sa maison et le sourire de ses petits-enfants. Il y a Alex, Marie aussi. La femme solitaire repousse les larmes qui remplissent ses yeux et voilent son regard. « Je crains que le passé se soit envolé… deux ans d'absence… j'ai tellement changé… plus rien ne sera pareil. Voudront-ils encore de moi ? » L'idée d'être rejetée par ses amis et sa famille lui fait terriblement peur, mais elle sait au fond de son cœur que son retour est la voie à prendre. Elle veut vivre ses dernières années auprès des siens. « J'ai survécu deux ans ici en développant les outils dont j'avais besoin ! Je trouverai le moyen là-bas de reprendre ma place dans leur vie ! Marie a promis de m'aider... »

La femme devenue nomade depuis deux ans est déchirée par sa décision pourtant logique. Parce que choisir l'un lui fera perdre l'autre. Que se passera-t-il avec sa famille d'ici ? Bien sûr, Lou, Allie, Jack, Plumo, Blondie, Louise, Max, Anatole et Tigré survivront à son départ. Elle en est certaine. Par contre, que leur arrivera-t-il dans les prochaines années alors qu'elle ne sera plus là pour les protéger ? De toute évidence, ce sera le dernier affront que lui fera ce pays, en brisant définitivement le lien qu'elle a bâti avec cette terre devenue son royaume.

Alors que la lumière du soleil tourne au jaune éclatant, la guerrière retourne auprès du feu et place sa tasse toujours pleine en bordure du foyer pour réchauffer sa tisane. Soudain, une odeur la dérange. « Ça sent le café... ça ne se peut pas... » Elle renifle le contenu de son gobelet néolithique et n'y trouve qu'un effluve de genévrier. « Mon cerveau me joue des tours. Il me lance des odeurs en anticipation de ce que je vivrai dans quelques semaines. Combien de fois ai-je rêvé de mon retour alors qu'Alex m'accueille avec un bock de café ? Je songe plus souvent à ce breuvage bourré de caféine qu'au champagne aux bulles pétillantes... C'est complètement fou ! »

Nadine décide de rester sur son patio quelques minutes de plus. De toute façon, tout est prêt pour son départ. Elle n'attendait que l'essoufflement de cet orage qui vide encore sa rage loin dans la mer. Elle devait le laisser passer avant d'entreprendre la prochaine étape de son voyage vers la maison : se rendre à la première caverne en radeau.

L'humaine ferme les yeux un moment pour chasser le vertige qui l'afflige soudainement. Son dos se courbe, ses muscles se crispent et ses traits se durcissent. Elle a la tête pleine de doutes. La théorie qu'elle et Marie ont développée au cours des dernières semaines a fonctionné pour les visiteurs. Cependant, ils ne sont restés que trente-sept jours au Pays de la Terre perdue. Par contre, elle vit dans cette contrée depuis si longtemps... est-ce que son portail, celui du mont Logan, apparaîtra à nouveau après deux ans ? Elle n'a aucune façon de savoir si les autres sont retournés au bon endroit... sauf peut-être le visage serein de son amie quand elle a fermé le faisceau lumineux.

Nadine ouvre les yeux pour glisser son regard effaré dans les flammes de son feu. Il y a tellement de choses qu'elle ignore de ce curieux mécanisme qui l'a entraînée dans ce pays. Les battements de son cœur accélèrent au point qu'une douleur lancinante s'installe sur ses tempes. Elle tombe dans un état de fébrilité intense chaque fois qu'elle réfléchit à ce phénomène. Pourtant, ces deux années ici lui ont démontré qu'elle ne peut se laisser abattre par la peur de l'inconnu. Elle est effrayée, mais elle doit essayer. L'exilée serre les dents et son regard prend la couleur vive de sa détermination. « Je me rendrai au mont Logan et je tenterai ma chance. Agir autrement ne serait que consentir à mourir ici, à petit feu, loin des miens... ce serait totalement inacceptable ! »

Dans la tiédeur de cette fin de juin, Nadine se met à trembler. Ses mains sont glacées tant son âme est bousculée par toutes sortes d'émotions vives et contradictoires. Depuis le départ des autres, elle vit avec une peur continuelle qui s'accroche avec impertinence au milieu son ventre. Néanmoins, elle a si hâte que l'évènement crucial se présente enfin qu'elle doit s'efforcer d'attendre le bon moment. Son cœur se remplit de cet espoir qui a si souvent nourri sa témérité. Pourtant, assagie par deux ans de bataille intérieure, elle utilise maintenant sa profonde détermination pour ne pas s'élancer à la course vers le mont Logan. Puis il y a cette crainte sourde qui s'agrippe à ses tripes… l'effet de son retour sur les siens… elle appréhende douloureusement le rejet.

Sentant qu'elle perdait le contrôle sur le flot de larmes, Nadine ferme les yeux pour tenter de retrouver une respiration plus régulière. Elle souffle lentement pour redonner à son corps l'énergie dont il a besoin pour subir ces contre-coups émotifs. Elle voudrait crier, ou rire aux éclats, mais elle n'arrive pas à décider laquelle des deux réactions la soulagera le mieux.

Pour changer le cours de sa réflexion, la nomade reprend sa tasse de tisane à peine réchauffée et se dirige vers le bord de l'amoncellement, près du sentier qui monte vers le nord. « Tout est si calme, vu d'ici; ce doit être à cause de l'aube… » Aucun vent n'agite la petite forêt en bordure de la falaise, là où elle a si souvent chassé le lièvre; elle n'a pas remis ses collets façonnés avec des branches de saules et des bouts de lanière de cuir. Elle n'en a plus besoin. « Je pars bientôt… je ne chasse maintenant que pour mes besoins quotidiens. » Elle sourit en se remémorant toutes ces perdrix qui ont perdu la vie pour avoir simplement croisé son chemin. « Plusieurs centaines, sûrement… un millier ? Non, je refuse ce chiffre… ce serait horrible… tout ça pour qu'une seule humaine survive… » Elle se souvient de sa première fronde fabriquée à la première caverne; elle n'arrivait pas à toucher un arbre à dix mètres. Maintenant, elle est devenue une chasseuse redoutable, tuant sans un regret ou un remords.

Elle balaie de son regard pénétrant ce plateau qu'elle aperçoit au nord-est. Combien de fois a-t-elle foulé ce sol dur ? Les herbes qui y poussent sont déjà hautes pour la saison. Bientôt, les chevreuils et les chevaux sauvages s'en régaleront. Même si elle ne la voit pas, elle sait qu'un peu plus loin, il y a la caverne d'Ali Baba, ce lieu qu'elle a découvert au hasard du premier orage qu'elle et Lou ont subi ici. Plus au nord encore, se trouvent l'anse à Lou, la rivière aux loups et la première caverne; elle les visitera lors de son prochain périple. Puis, un peu à l'est de la fosse aux saumons, le mont Logan l'attend… ainsi que le portail. « J'espère qu'il s'ouvrira pour moi aussi... ouf ! »

Espoir et doute s'entremêlent dans un soupir douloureux, une indication que son cœur bat la chamade. « Je vais y arriver. Un pas à la fois. Lentement mais sûrement… » Puis, pour reprendre le contrôle, elle marche vers ce point de l'amoncellement qui est plus à l'est. Juste en dessous, elle aperçoit l'endroit où elle a construit la cage pour tuer Brutus. « Moi, Nadine l'écologiste, j'ai assassiné un ours qui menaçait ma survie et celle de Lou et Allie… Avais-je le choix ? C'était un cas de légitime défense… votre honneur ! »

Elle observe à perte de vue son royaume qui s'étend à l'est. Elle imagine parfaitement, après l'avoir parcouru maintes fois, ce qu'elle ne peut voir en raison de la distance. À quelques kilomètres, une rocaille longe la cascade qui descend du lac au brochet. Un peu plus loin se trouve le pont qu'elle a construit. Puis, il y a la chute qui tombe de l'immense paroi et qui a bloqué sa route, il y a presque deux ans. C'est aussi le territoire où chassent Louise, Max et Anatole. Comment va la famille d'aigles royaux ? Elle s'inquiète de Tigré, le lynx boiteux qu'elle a secouru à cet endroit l'an dernier; comment se tire-t-il d'affaire maintenant qu'il a migré vers la forêt qui entoure le lac aux brochets ? « C'est certain que mes amis vont survivre à mon départ, mais je m'ennuierai énormément de leur présence rassurante… »

Nadine sent monter sa nostalgie. « Que de chemin j'ai parcouru au cours de ces deux années remplies d'aventures rocambolesques… » Si la trekkeuse marchait en direction nord-est-est, elle trouverait vite la vallée aux noisettes, le champ de tournesols et le barrage des castors. Au fond de la forêt, il y a la chute enragée qui émerge de la falaise; n'a-t-elle pas risqué sa vie dans ces flots tumultueux, il y a quelques semaines ?

Lentement, elle place ses pieds sur le rebord de la paroi, juste au-dessus de l'entrée de sa grotte, pour mieux examiner le côté sud de son domaine. Ses yeux découvrent la rivière dont les eaux vives l'ont forcée à construire un pont afin d'avoir accès à la péninsule et à toutes ses merveilles. Directement en avant de sa position, il y a cette forêt où elle a tué un couple de lynx, l'hiver dernier. Machinalement, Nadine porte sa main gauche sur son bras droit à l'endroit où se trouvent les cicatrices laissées par l'un d'eux. « Si Lou n'avait pas été là, je n'aurais pas survécu à cette attaque vicieuse. » Les prédateurs affamés menaçant la tranquillité de la harde de chevaux à la fourrure foncée, la femme n'a pas eu d'autres choix que de les combattre.

Un peu plus au sud-est, dans la forêt aux érables, il y a une hutte en pierres et en peaux ainsi qu'un appareillage presque moderne pour produire son sucre d'érable. Elle sourit en pensant à la dizaine de morceaux qu'il lui reste. « Marie ! Tu avais réussi à en cacher dans un coin de la grotte, dans une pochette imperméabilisée, sous un tas de fourrure non tannée. Tu avais compris l'importance de cette provision exceptionnelle pour moi; tu savais que jamais les autres visiteurs ne toucheraient à ces peaux puantes… Dès que j'arrive chez moi, je t'appelle pour te remercier ! »

Plus loin encore, il y a cette pointe de terre, entourée d'eau sur trois côtés, qu'elle a nommé la péninsule sud. Un véritable club Med ! « Je devrais plutôt avoir honte… un jour, j'ai voulu mourir dans les vagues de l'océan qui bloquait indéniablement ma route. » Du bout du doigt, elle touche la petite pochette attachée à son cou et qui contient cette obsidienne, une roche luisante et très noire qui lui rappelle sa promesse de survivre à tout prix. « Je me suis reprise de belle façon… j'y ai construit un domaine qui m'a permis de prendre de belles vacances, me baigner dans les eaux calmes du lagon, marcher dans la forêt… et bien sûr chasser le chevreuil. » C'est aussi par ce coin de pays qu'elle a eu accès à la Terre juchée, ce haut plateau qui s'étend entre deux immenses falaises. C'est là qu'elle a trouvé le lac juché qui, par la grande chute, donne vie à la rivière aux brochets. « Sans l'arrivée des visiteurs, j'aurais certainement continué mon exploration vers le nord en construisant des huttes à chaque demi-journée de marche... » Un sourire ravive son visage. « J'étais tellement déterminée à laisser mon empreinte partout... »

Fronçant les sourcils, ses yeux deviennent bleu foncé, presque noirs. « Comme je retourne chez moi, cette vie de nomade et d'exploratrice s'achève... » Nadine pioche du pied pour chasser la forte tension qui s'infiltre malicieusement sous sa peau. « Est-ce que les visiteurs auraient survécu sans mon aide ? Pire encore ! Sans leur rencontre, je n'aurais jamais compris comment repartir ! » Elle se penche vers son compagnon pour le flatter, pour se rassurer aussi.

— Est-ce que tu m'en veux de partir ? Je soupçonne que tu ne m'accompagneras pas sur ce radeau qui te rend malade... puis il y a eu ce bain forcé dans la mer du sud. Je comprends, tu sais...

À pas saccadés, nerveusement même, elle s'approche de la bordure ouest de son patio. Maintenant que le soleil est levé, elle profite de ce temps clair qui suit les orages pour observer cette ligne anthracite distincte qui s'étire du nord au sud, au-delà de la mer. « Vu de ma position actuelle, le contour de ce continent est gris, mais là-bas la couleur émeraude prime tellement que j'ai nommé ce coin de pays, la Terre de la Forêt verte. » Tant d'images lourdes de sens défilent dans sa tête. Les quelques semaines qu'elle a passées de ce côté de l'océan ont été remplies de dangers. Malgré ses efforts, l'expédition ne lui a apporté qu'une suite d'échecs dans sa quête pour trouver d'autres humains qui l'aideraient à retourner chez elle. Elle redresse son dos alors que certains souvenirs heureux refont surface. « Je ne reverrai plus jamais cette rivière Azur si charmante... Il faisait bon y vivre en bordure de son lit... » L'image de ce trou dans le sable qu'elle a dû creuser pour se protéger de l'attaque des lynx roux lui revient en tête. Elle secoue les épaules pour chasser le malaise. « Ouf ! Quelle expérience horrible ! »

Lentement, Nadine revient vers son feu et s'assoit sur cette pierre où elle a placé un bout de cuir pour protéger ses vieux os. « 57 ans... ce n'est pourtant pas si âgé ! Est-ce que le Pays de la Terre perdue m'a fait vieillir plus vite ? C'est difficile à évaluer... je crois qu'il m'a profondément changée... » D'un geste machinal, elle flatte la riche fourrure de Lou; elle note que le poil gris du loup ayant pris la couleur de l'adulte, il s'est parsemé de brins noirs et beiges.

— Tu es si beau. Tu es fort aussi. Tu survivras après mon départ. J'en suis certaine.

Le cœur gonflé de souvenirs, elle observe Lou ouvrir les yeux, renifler puis se rendormir. Si elle l'a adopté à sa naissance, son protégé a atteint la maturité et il n'a plus besoin d'elle. D'ailleurs, il s'est transformé en défenseur au cours de la dernière année, la sauvant plusieurs fois de la mort.

Nadine poursuit sa réflexion. Même si le soleil est déjà haut dans le ciel, elle ne se presse pas pour accomplir toutes ses activités quotidiennes. Elle soupire bruyamment. « À quoi bon ressasser toutes ces émotions vives ? Je sais ! Ma mère dirait que je suis née comme ça et qu'il faut juste que j'apprenne à vivre avec ce trait de caractère ! » Non seulement ce pays a servi d'amplificateur à ses états d'âme, mais il a aussi nourri les contradictions. Combien de fois a-t-elle dû gérer en même temps le bonheur le plus démesuré et l'horreur la plus cruelle ? Dans ce monde, la beauté côtoie la brutalité, le désir de protéger s'oppose à celui de tuer pour continuer d'exister. La chaîne alimentaire s'impose.

Pourtant, les vingt-trois derniers mois auraient dû l'habituer à vivre avec ce tumulte qui chavire autant son cœur que son âme. Encore aujourd'hui elle se fait prendre au jeu. Deux options se livrent une guerre sans merci au fond de son être : d'un côté, elle veut retourner à Montréal et, de l'autre, elle souhaite ardemment rester ici. Toutefois, son instinct de survie l'aide à confirmer sa décision : « Je rentre chez moi... c'est sûr. » Elle sait maintenant comment procéder pour atteindre son but. Parce que demeurer dans ce monde, même s'il est fort exceptionnel, n'aurait aucun sens pour cette humaine qui a besoin de son clan. « Je préfère prendre le risque du rejet, même si l'éventualité me hante de plus en plus. »

Pendant que l'astre du jour fait son chemin dans le ciel, l'exilée prend une gorgée de tisane puis, laissant les chauds rayons courir sur sa peau, elle reste immobile pour mieux revoir dans sa tête, les différentes étapes de sa vie au Pays de la Terre perdue.

Nadine s'est retrouvée en cet endroit sans le vouloir et elle a survécu presque deux ans, toute seule, dans ce monde inhabité. Elle se souvient de ses premières constatations, lors de cette longue marche entre le mont Logan et la péninsule sud. Pour se rassurer, elle cherchait une trace d'avion dans le firmament, un bateau sur la mer, une empreinte de pas, un emballage de chocolat ou un cœur de pomme abandonné au hasard d'une randonnée par un autre humain. « Je n'ai pourtant trouvé aucun de ces indices et j'aurais dû comprendre dès mon arrivée... mais j'étais trop naïve... non ! C'est réellement l'aventure qui n'a pas d'allure... » Au fil de ces 35 premiers jours, la citadine s'est endurcie petit à petit au contact de cette existence de liberté absolue, mais terriblement difficile.

Si les évènements de ce périple l'ont souvent forcée à défendre sa vie, ils ont été riches en petits bonheurs. Sur son trajet, elle a trouvé un bébé loup qu'elle a arraché à une mort certaine. Il a d'abord été son protégé, puis son compagnon d'aventure jusqu'à ce qu'il se transforme en frère de solitude et d'allié lors des derniers combats. Puis il y a eu Allie qui, laissée seule sur le plateau à la suite d'une attaque de prédateurs sur sa famille, a décidé d'attacher sa destinée à celle de Nadine. La pouliche devenue jument s'est intégrée à la harde de Jack, quelques mois plus tard.

Sa route bloquée par l'océan, la saison froide s'immisçant dans son quotidien, Nadine n'a eu d'autre choix que de se sédentariser. Retournant à la grotte découverte par Allie au hasard d'un orage, la prisonnière du pays a préparé la venue de l'hiver dont elle ne connaissait ni son commencement, sa durée ou sa rigueur. Elle a travaillé dur et subi six longs mois caractérisés par une difficile déchirure dans son espoir de retrouver sa famille. Au fil des semaines, chacun des anniversaires de ses enfants et petits-enfants lui rappela amèrement son éloignement. Par sa grande détermination, la travailleuse acharnée est sortie de l'hiver en vie et, surtout, en santé. Elle avait hâte de poursuivre sa quête.

Elle avait tout vu des alentours. Alors elle a eu l'idée de reprendre son exploration par la mer. Animée par le désir profond de retourner chez elle, la femme solitaire a construit un radeau et s'est improvisée navigatrice. Téméraire, elle a poussé ses expéditions vers la rive d'en face où se trouve la Terre de la Forêt verte, pour continuer sa recherche d'un chemin vers Montréal. Une quête insensée remplie d'aventures, de dangers, de périls, de blessures physiques et morales et, surtout, d'échecs. L'hiver s'installant à nouveau, la prisonnière des glaces a dû relever un défi supplémentaire. Elle a accepté de vivre pour le reste de ses jours au Pays de la Terre perdue, plutôt que de sombrer dans la dépression qui tue l'âme.

C'est ainsi que la vie a encore bouleversé ses plans. Alors que Nadine poursuivait son exploration de la Terre juchée, quatre visiteurs sont apparus dans son univers paisible. Elle réprime le tremblement que la colère réveille en elle. « Pourtant, tout allait si bien… » Elle apprenait à survivre avec sa nouvelle philosophie : la destination de ses voyages cédait de son importance au profit du bonheur associé au périple lui-même. Une sorte de rage canalisée la poussait à mettre son empreinte partout où elle le pouvait. Elle voulait construire des huttes de pierres jusqu'à ce que le pays la reconnaisse en souveraine. Elle se proposait de bien vivre sa solitude.

Un jour, sur la plage du lagon, quatre personnages sortent d'un faisceau lumineux si étrange qu'elle a encore de la difficulté à bien saisir la véracité de l'évènement. « Est-ce que cela s'est véritablement passé ? Ne serait-ce que le fruit de mon imagination ? » Lentement, d'une poche de pantalon, elle retire le briquet d'André que Jean-Pierre s'était approprié dès les premiers jours de leur périple commun. Un vol qualifié. Le gros homme a même réussi à y inscrire deux lettres imprécises : un J et un P. Elle frotte les marques, comme pour les effacer. « Oui, ils sont bien venus ici, bousculant ma vie bien rangée de nomade... »

Issus du passé de Nadine, les visiteurs ne la connaissaient pas encore. À leur arrivée, ils avaient 30 ans. Quinze années supplémentaires s'écouleront avant que le destin les ramène ensemble. Elle ferme les yeux pour mieux se rappeler les curieux personnages : Marie, son amie; André, égoïste et mauviette; Lucette, la névrosée victime de son manque d'amour; Jean-Pierre, son ancien patron narcissique et tortionnaire. Elle n'aurait jamais invité cet échantillon d'humanité sur son territoire, mais elle a tout de même décidé de s'occuper d'eux. Soupçonnant que ces individus détenaient le secret de son propre retour, elle les a aidés à repartir chez eux. En observant leur apparition, puis en planifiant leur traversée vers Montréal, l'exilée a trouvé les indices dont elle avait besoin pour comprendre ce qui lui était arrivé. Ces visiteurs ont disparu de ce monde il y a dix jours à peine, laissant son royaume sens dessus dessous.

— Maintenant, c'est à mon tour...

Sur le toit de sa grotte, Nadine se lève puis tape du pied sur le sol pour chasser l'excitation qui la pousse trop souvent tête baissée dans des actions qui peuvent la tuer. Ainsi, en ce moment, elle sait comment retourner chez elle. Elle a hâte de s'élancer vers le nord, mais elle a promis d'être patiente, de ne rien faire sur un coup de tête et de freiner sa témérité. « Je suis si près du but... je dois utiliser tout le temps qu'il faut, éviter de prendre des risques inutiles... » Comme aujourd'hui... elle refuse de commencer son voyage immédiatement, à la vitesse grand V.

Elle aimerait partir tout de suite au galop, comme un cheval libéré de ses entraves. Pour y arriver plus rapidement, éviter quelques endroits plus dangereux comme la rivière aux loups, Nadine devra utiliser le radeau pour se rendre jusqu'à la première caverne. La navigatrice expérimentée lève le nez dans les airs. « Non ! Le vent vient encore de l'est... il pousserait l'embarcation vers le large... je dois attendre encore un peu... demain matin peut-être. » C'est toujours comme ça les jours qui suivent un gros orage, avant que le vent change de direction. De plus, aujourd'hui, la bourrasque file plutôt vers le sud. Ces mauvaises rafales l'éloigneraient de son but. Soudain, au souvenir de son escapade sur la mer du sud, son corps se ramollit et une sueur froide glisse sur sa peau. Repoussant profondément l'image douloureuse dans sa mémoire, elle redresse les épaules et secoue ses pieds pour y dégager un peu d'énergie. Elle attendra un jour, peut-être deux, avant de pouvoir naviguer avec des vents favorables.

— Il n'est pas question que je me retrouve loin sur cet océan comme l'été dernier ! Je ne veux plus vivre cela ! J'ai failli perdre Lou ! Jamais !

À l'éclat de voix vif, le loup lève la tête et dresse les oreilles; ses yeux hagards démontrent qu'on vient de le tirer de son sommeil. Notant que sa mère adoptive n'est pas en danger, il replace sa gueule sur ses pattes avant et ferme les paupières. Le son qui sort de sa gorge donne l'impression que l'animal s'exprime sarcastiquement : « Ah ! Ces humains sont si émotifs... » Nadine éclate de rire. Puis, voyant Lou retourner à son repos, elle poursuit son monologue.

— C'est mieux que je m'arme de patience ! Ce serait stupide de mourir ici, en route vers chez moi !

Du coin de l'œil, Nadine remarque que son feu est presque éteint. Ce n'est pas grave. Elle respire à pleins poumons cet air déjà chaud qui indique que l'été est arrivé pour de bon. Elle laisse les images d'un autre monde prendre toute la place dans sa tête. Un sourire s'étire sur ses lèvres. « Je retourne à ma retraite... » Elle avait choisi de cesser de travailler quelques semaines avant le début de son aventure. Nadine appréciait sa carrière, sauf pour cette longue année à l'Agence Écho Personne, il y a de ça sept ans. Jean-Pierre, son patron, s'avéra un goujat de la pire espèce. Il lui a fait vivre un cauchemar, ne lui laissant d'autre choix que de quitter son emploi. Elle en a voulu longtemps à cet homme narcissique et malveillant !

Un sourire machiavélique s'étire sur le visage de Nadine. Au souvenir des dernières semaines, ses yeux bleus jettent un regard vif chargé de sens. « Ici, j'ai remis à Jean-Pierre la monnaie de sa pièce. » Un grand malaise se glisse sur son âme. Le malotru est reparti avec le nez cassé et Nadine a eu mal partout pendant des jours, à la suite d'une correction vigoureuse qu'elle a réussi à lui infliger. Elle l'aurait probablement tué de ses mains nues si Marie ne s'était pas interposée, tellement sa rage la propulsait, décuplant ses forces. Fronçant les sourcils, la femme soupire.

— C'est de ta faute, maudit pays ! Tu m'as rendue si dure que, pendant un moment, j'ai cru que cette fureur excessive me soulagerait. J'avais tort à ce sujet. Non seulement je n'ai pas perdu ma colère intense envers l'homme après la raclée, mais la honte s'est installée dans mon cœur. Si j'avais eu un miroir, j'aurais refusé de m'y regarder...

Parmi les valeurs que ses parents lui ont enseignées, elle avait oublié que la violence ne donne jamais le résultat recherché. Cette fois, elle en avait eu la preuve. Elle a mis des jours pour accepter ce qu'elle était devenue, une femme nomade, dure, sauvage et irascible. Puis, dans sa détermination de retourner les visiteurs chez eux, Nadine a axé son énergie sur le but à atteindre, apprenant au passage à neutraliser les machinations de Jean-Pierre. Comprenant l'insignifiance de ce personnage narcissique, lui refusant ce pouvoir de corrosion dans sa vie, l'exilée a permis à sa colère de se transformer peu à peu en une indifférence froide. Elle ne ressent plus cette animosité maladive qui l'étranglait auparavant juste à penser à son ancien patron. C'est ainsi qu'elle a pu enfin remiser ces évènements associés à sa dernière année à l'Agence là où ils vont, c'est-à-dire bien classés dans son passé. Du coup, elle a enlevé au gros homme toute capacité de la blesser.

La meilleure chose qu'il lui reste de ces années de travail avec cette équipe demeure son affection inébranlable et réciproque pour Marie. Nadine songe à cette relation si précieuse, se souvenant de l'expression si douce de son amie. Oui, elles forment un duo sous ses paupières, deux femmes aux prunelles vertes avec leur visage plein de taches de rousseur, celle de 30 ans et l'autre de 55 ans. Marie lui sourit, comme d'habitude. Un peu fébrile face à cette double vision, la nomade porte finalement son regard sur la lumière vive de cette magnifique journée d'été, pour chasser le vide laissé par l'absence de la rouquine.

Nadine croyait qu'elle et Marie s'étaient croisées pour la première fois au début de son emploi à l'Agence Écho Personne. Elle a compris l'étrange impression qu'elles étaient des amies sincères depuis très longtemps avec l'arrivée des visiteurs. Marie l'avait d'abord connue au moment de son exil au Pays de la Terre perdue, 15 ans avant que les deux collègues commencent à travailler ensemble. Par contre, Nadine a rencontré la femme de 45 ans il y a douze ans alors que le passage de la Marie plus jeune s'est terminé il y a dix jours à peine. Seul le retour des deux amies dans leur futur commun pourra leur permettre d'éclaircir tous ces points restés imprécis par l'obligation de l'une et de l'autre de garder le silence, pour éviter de menacer leur destinée. « Aïe ! Encore cette distorsion de temps qui me donne une céphalée ! Assez ! »

L'exilée secoue la tête pour chasser le malaise. « J'ai mal au cœur quand j'essaie de clarifier les effets de cette torsade compliquée, entre les évènements de chacune de nos vies, provoquée par le voyage à travers le portail. » Que fait Marie en ce moment ? Étant au fait que Nadine connaît le moyen de revenir, elle aide sûrement Alex, Dominique et Anne à comprendre la tourmente provoquée par la disparition de Nadine. La rouquine leur a-t-elle raconté sa propre visite dans ce monde étrangement similaire à celui du Québec, mais aussi très différent ? Possiblement. La prisonnière est un peu rassurée de savoir que son amie convaincra sa famille de patienter le temps qu'il faudra pour la revoir. Est-ce qu'Alex l'attend encore ? « Non ! Il ne faut pas que je me fasse d'idées ! Deux ans c'est très long ! Il serait normal de douter que je revienne un jour… »

Pour changer le cours de sa réflexion, elle se lève et se déplace de quelques pas pour atteindre le point le plus haut de l'amoncellement. Soudain, comme si son passé revenait par vagues, elle fredonne cette merveilleuse chanson de Jean Ferrat. « Je n'avais pourtant que sept ans… papa la chantait régulièrement… ce n'est donc pas étonnant qu'elle m'ait marquée autant… » Il s'agit d'une poésie qui resurgit de temps en temps dans sa tête, quand le cœur lui en dit. Le moment lui semble bien choisi… Fermant les yeux un instant pour mieux se concentrer, Nadine entame de sa voix rauque les mots de son espérance : « C'est beau, la vie1 ».

Le vent dans tes cheveux blonds
Le soleil à l'horizon
Quelques mots d'une chanson
Que c'est beau, c'est beau la vie

Un oiseau qui fait la roue
Sur un arbre déjà roux
Et son cri par-dessus tout
Que c'est beau, c'est beau la vie.

1   *C'est beau la vie.* Paroles de Claude Delecluse et Michelle Senlis. Album « *Nuit et Brouillard* » paru sous l'étiquette Barclay en 1963.

Tout ce qui tremble et palpite
Tout ce qui lutte et se bat
Tout ce que j'ai cru trop vite
A jamais perdu pour moi

Pouvoir encore regarder
Pouvoir encore écouter
Et surtout pouvoir chanter
Que c'est beau, c'est beau la vie.

Le jazz ouvert dans la nuit
Sa trompette qui nous suit
Dans une rue de Paris
Que c'est beau, c'est beau la vie.

La rouge fleur éclatée
D'un néon qui fait trembler
Nos deux ombres étonnées
Que c'est beau, c'est beau la vie.

Tout ce que j'ai failli perdre
Tout ce qui m'est redonné
Aujourd'hui me monte aux lèvres
En cette fin de journée.

Pouvoir encore partager
Ma jeunesse, mes idées
Avec l'amour retrouvé
Que c'est beau, c'est beau la vie.

Pouvoir encore te parler
Pouvoir encore t'embrasser
Te le dire et le chanter
Oui c'est beau, c'est beau la vie.

« C'est beau ici, mais je veux rentrer chez moi. Bientôt, je retrouverai moi aussi l'homme que j'aime et nous pourrons enfin savourer la vie ensemble. Je suis certaine qu'il m'attend… Marie l'aura convaincu. » Soudain, Nadine sent ses muscles se crisper; ses sourcils se froncent et la bile remonte dans sa gorge. Le doute persiste à briser sa respiration… réussira-t-elle vraiment à revenir chez elle ? Elle hurle sa douleur dans le vent.

— Non ! Assez de cette rage ! Si ce pays de merde a tenté de me voler mon bonheur, j'ai trouvé le moyen de le récupérer ! Calme-toi, ma fille, retourne à la chanson. La vie continue en merveille… tu vas y arriver… une étape à la fois !

Les bras en croix, laissant la brise jouer dans ses cheveux et les rayons du soleil glisser sur sa peau, elle tourne sur elle-même. Elle admire son royaume qui, à la lueur du jour, affiche ses couleurs merveilleusement vives. « C'est si beau, ici ! Chez moi, j'ai tout ce qu'il faut pour dessiner toute cette splendeur… est-ce que je coucherai aussi sur papier, en mots, mes aventures insensées ? Peut-être que je voudrais tout simplement oublier… écrire plutôt sur d'autres sujets… » À l'aube de sa retraite, elle planifiait donner plus de place dans sa vie à l'écriture et au dessin, deux grandes passions maintenues comme des activités de loisirs jusqu'à présent. « C'est certain que mes plans ont quelque peu été retardés par cette aventure bizarre… » On a plongé la nouvelle retraitée bien malgré elle dans d'autres projets qui demandaient tout de même une ingéniosité considérable et qui la gardaient constamment dans le monde de la création.

Lentement, elle avale les dernières gorgées de sa tisane, savourant avec bonheur le goût fruité et un peu sucré du liquide chaud. « Il n'y a rien comme ça à Montréal… je pourrais toujours trouver les plantes, mais ce ne serait pas pareil… » Elle respire à fond pour absorber toutes les odeurs de son domaine.

Puis, sa réflexion se porte sur Alex. Nadine ne peut éviter une larme qui coule subrepticement sur sa joue. L'homme est son grand amour. Ils ont accumulé 35 ans de vie commune avant que l'épouse ne disparaisse un matin de 2011 et que le destin les sépare. La femme ressent une douleur intense face à cet éloignement, qu'elle subit depuis presque deux ans, et qui, bien qu'involontaire, lui déchire le cœur.

Les membres de sa famille ont certainement vieilli; les petits-enfants surtout. Est-ce que ces longs mois difficiles ont ajouté des rides au visage de son mari ? A-t-il un peu plus de cheveux gris depuis l'évènement ? Nadine ricane, se souvenant que l'homme l'a si souvent taquinée, comparant sa tignasse épaisse et toujours brune à la tête blanche de sa conjointe. Son fils Dominique, chercheur en génétique, a eu 32 ans il y a quelques jours. Lui et sa femme Nathalie ont deux enfants; Chloé a six ans et Xavier a maintenant trois ans. Anne, sa fille de 29 ans, suit les traces de son père; elle travaille avec lui dans sa firme d'ingénieurs-conseils. Elle et son conjoint Étienne ont également deux rejetons; Anne-Pier a cinq ans et Pierre-Louis en a trois. Est-ce qu'un autre petit bout de chou s'est ajouté ? Une gamine ? Un garçon ?

Elle a si hâte de les serrer dans ses bras que l'attente lui fait mal. Elle tremble de joie, mais aussi de peur. Son cœur est rempli de craintes. Est-ce qu'ils la trouveront changée au point de ne pas la reconnaître ? Elle ne pourrait pas supporter qu'ils refusent de l'accepter telle qu'elle est devenue. Reprendra-t-elle simplement son existence comme si rien ne s'était passé ? Elle en doute. L'expérience avec les visiteurs lui a démontré que sa transformation est très profonde. « Je devrai refaire le chemin inverse pour me réadapter à ma modernité d'avant... un autre défi... bah ! J'en ai vu d'autres ! »

Certes, elle peut réapprendre à côtoyer la société, mais elle a perdu sa naïveté et ça, elle ne la retrouvera jamais. Son périple a servi à solidifier une facette de son tempérament qu'elle aime beaucoup et qu'elle souhaite garder comme telle. Cette assurance fière qui la définit maintenant a été bâtie à vivre intensément, à construire, à voyager et à affronter les dangers; surtout, à gagner pour survivre. Il n'est pas question que ce trait de caractère disparaisse de sa vie. Ce serait comme lui retirer une partie de son âme. Elle ne peut pas. Elle ne veut pas.

Par contre, le Pays de la Terre perdue l'a forcée à développer un côté animal, sans pitié, allant jusqu'à tuer sans remords. Ça, bien que l'exilée en ait encore besoin pour survivre les prochains jours, elle espère que sa réaction de tuer sans merci s'estompera après son retour. « Il le faut, pour le bien des autres. Combien de fois ai-je retenu mon geste pour éviter de me débarrasser de Jean-Pierre durant son séjour ici ? Je dois m'éloigner de ce comportement… sinon je me retrouverai vite en prison… »

Secouant cette notion meurtrière de sa tête, Nadine laisse son esprit vagabonder. Est-ce que les deux dernières années viendront éteindre sa passion pour le trekking, ces randonnées pédestres de plusieurs jours en forêt qu'elle et Alex affectionnent depuis si longtemps ? La vie des coureurs de bois les attire une dizaine de fois chaque année; ainsi, ils ont gravi des montagnes en Europe, en Amérique du Sud, aux États-Unis et au Canada. Ils partagent cet enthousiasme avec deux couples de collaborateurs : Bernard, l'ami d'enfance de Nadine et Claudine, son épouse; Claude, le partenaire d'affaires d'Alex, et sa femme Martine.

« Maintenant que j'ai connu la liberté de vagabonder sans limites au Pays de la Terre perdue, de vivre dans une nature vraiment sauvage, est-ce que j'arriverai à limiter mes allées et venues sur des sentiers balisés ? Même à travers le monde ? » Ce n'est pas du tout certain que la citadine devenue nomade accepte facilement les contraintes imposées par la civilisation. Peut-être que ses deux ans ici ont tellement comblé son besoin de vie de plein air, qu'elle choisira de s'enfermer dans sa maison, à l'abri des intempéries. Quoiqu'elle doute que cette sédentarité extrême soit pour elle, Nadine jongle un moment avec l'idée de passer l'hiver, assise dans sa berceuse, les pieds sur la bavette du foyer… en compagnie de sa tablette *Kobo* qui contient tous ces livres qu'elle se promet de lire depuis si longtemps… « Ouais ! Je placerais aussi une petite table pour mon ordinateur et mon carnet à dessins… je chausserai mes pantoufles… non ! Je porterai les mocassins que j'ai confectionnés pour la grotte ! Je boirai ma tisane… mais elle ne sera pas aussi bonne que celle d'ici. C'est sûr... » L'odeur du café sort de sa mémoire pour chatouiller ses narines… « Ça aussi ! Du chocolat aussi ! » Puis sa bouche se remplit d'un autre goût salé presque oublié. « Des croustilles ! Bon sang ! Ça me donne la faim et je n'ai que des bouts de chevreuil… merde ! »

Nadine se sent soudainement prisonnière quelque part entre les deux mondes et son cœur s'emballe. Elle baisse la tête sur le désarroi que lui apporte cette réflexion décousue. De toute évidence, son âme flotte bizarrement entre sa volonté de reprendre sa vie heureuse de Montréal et l'appréhension d'abandonner tant de bonheur ici. Nadine ferme les yeux et laisse les images de sa famille et de ses amis l'envahir. Elle sent une grande paix pénétrer tout son corps. Puis, quand la femme ouvre les paupières, elle regarde longuement autour d'elle. Si sa réflexion intense l'a transportée chez elle pendant quelques minutes, elle voit bien qu'elle n'est pas encore à Montréal, mais plutôt sur son patio, au-dessus de sa grotte, au Pays de la Terre perdue.

Elle penche la tête pour mieux observer Lou étendu à ses pieds. Il est rendu tellement autonome. Nadine ne se fait plus de mauvais sang quand il part chasser seul. Mais elle savoure chaque minute qu'ils passent ensemble, sachant maintenant que Lou ne la suivra pas à Montréal. Comme pour Allie, son existence doit se dérouler ici, dans ce royaume qui l'a vu naître. Le loup ne pourrait pas à s'adapter à la vie en ville. « Un autre déchirement que m'impose ce pays sans compassion. »

Nadine a l'impression de vivre dans ce pays depuis si longtemps. Le soir venu, elle ajoutera une 714ᵉ encoche à son journal de bois. Néanmoins, elle savoure l'idée qu'il ne lui reste que quelques jours avant de retourner chez elle. La nomade se place à genoux devant son énorme camarade d'aventure puis elle prend la grosse tête dans ses mains; elle plonge son regard bleu dans les prunelles grises de l'animal.

— Jure-moi que tu vas survivre à mon départ. Tu dois te trouver une compagne, une vraie, de ta race. Puis vous mettrez des petits loups au monde. Tu leur transmettras ce que nous avons appris ensemble… tes yeux clairs aussi.

De sa grande langue rose, Lou lèche le visage de sa mère adoptive puis il jappe joyeusement. L'humaine flatte longuement la fourrure grise marbrée de tons ambrés, puis, son naturel revenant au galop, elle a besoin de bouger. Elle se lève d'un bond puis elle s'engage allègrement dans le sentier qui descend du patio vers le nord.

— Assez procrastiné ! Je veux faire une promenade ! Est-ce que tu m'accompagnes, Lou ? Préfères-tu plutôt faire le paresseux et dormir toute la journée ?

Comme s'il était insulté, l'énorme canidé grogne son désaccord, s'étire à la manière d'un gros chat, secoue sa tignasse et la suit. Les oiseaux qui volent haut dans le ciel font planer leur ombre sur l'humaine et le loup qui profitent de l'ambiance magnifique et ensoleillée pour fouler une dernière fois le sol du plateau.

Chapitre 2

Jour 715 — 29 juin

— Merde ! Ce monde de fou abuse de ma patience ! Il m'impose encore une période d'attente interminable et difficile à endurer !

Depuis que les visiteurs sont partis, Nadine a l'impression de tuer le temps et cela l'agace. Dotée d'un tempérament impulsif, elle n'aime pas rester oisive; elle voudrait plonger tout de suite dans l'action. Pourtant, depuis deux ans, le Pays de la Terre perdue lui a durement montré qu'il lui fallait être tolérante et respecter les éléments de cette nature indomptable. Bien sûr, elle saisit fort bien qu'elle devait attendre le passage d'un orage avant de naviguer vers la première caverne. C'est fait maintenant. Pourquoi le vent tardait-il à virer de sens sinon pour l'embêter ?

— Contrôle tes émotions ! Tu savais qu'il y aurait de ces moments d'oisiveté à subir entre les étapes du voyage. Du calme !

Ce matin, l'impatience la rend fébrile. Elle a d'abord marché jusqu'au bord de la falaise pour vérifier l'état de la mer. Si l'océan bleu l'attire, les bourrasques viennent toujours de l'est et poussent légèrement vers le sud. Nadine devra donc attendre une autre journée avant de naviguer vers la première caverne.

De retour dans sa grotte, elle tourne en rond. Elle a déjà complété tout ce qu'elle voulait accomplir avant son départ. « Je suis prête à partir ! Demain. Peut-être. » Elle le souhaite. Les mains sur les hanches et les pieds écartés, Nadine se tient debout au milieu de sa résidence. Une mèche de cheveux glisse sur son front et lui fait froncer les sourcils. Elle rumine et tente de maîtriser son côté rebelle. Elle voudrait hurler sa fureur devant ce délai supplémentaire. Elle lève la tête vers le plafond. Puis la nomade souffle bruyamment, pour remplir le silence qui lui tape sur les nerfs. Soudain, elle a peur de cette impatience qui nourrit son audace. « Je dois résister à cette envie de partir à la course vers le nord… » Avec des gestes brusques, comme si elle essayait d'étouffer sa témérité avant qu'elle n'éclate, elle prend des vêtements, son savon, son peigne, des tissus qui lui servent de serviettes, son chaudron cabossé, ses roches à feu ainsi qu'une chaudière; puis elle s'adresse à son compagnon d'aventure qui l'observe de ses yeux gris fatigués, alors que son cerveau est branché quelque part entre le sommeil et l'inquiétude.

— Lou ! Je descends à la plage. Un long trempage dans l'eau tiède de mon bain de pierre m'aidera peut-être. Est-ce que tu viens avec moi ? Préfères-tu dormir ?

Sans attendre de réponse, elle sort de la grotte et dépose tous ses objets sur son travois à roue; puis elle emprunte le chemin tracé par tous ses voyages entre le monticule de roches et le début du sentier de la falaise. Pendant que ses pieds font culbuter rageusement tous les cailloux qui traînent sur son passage, elle tente de se calmer. « Je dois m'y faire. Ici, dans ce pays qui me rend parfois complètement cinglée, j'ai appris à planifier mes déplacements en tenant compte de la météo. » D'abord, il y a les ouragans qui durent deux ou trois jours. Puis, la pluie s'arrête et le vent plus calme finit par virer de bord… c'est toujours comme ça, ici; il ne reste qu'à attendre !

« C'est aussi ce que j'ai expliqué à Marie : deux orages passeront avant mon retour; dix à douze jours entre les tempêtes, parfois moins, rarement plus de deux semaines. Je ne pourrais donc traverser vers chez moi qu'entre la 723e et la 733e journée après mon arrivée dans ce monde. Ces calculs sont approximatifs, mais Marie saura comment trouver la date… je lui fais confiance. »

L'humaine remarque que Lou marche péniblement à ses côtés. Il a chassé au cours de la nuit et ses activités nocturnes ralentissent ses pas de jour. Ainsi fatigué, normalement, il dormirait jusqu'à la brunante. Par contre, ces jours-ci, il suit Nadine partout, ne restant loin d'elle que très peu de temps à la fois. Il mange même avec elle, ce qu'il a rarement fait depuis un an. Un souvenir fait son chemin…

— Lou ! À la maison, je pourrais utiliser l'auto pour t'emmener rapidement à la piscine municipale ou la plage du Cap-Saint-Jacques… wow ! Je m'imagine peser sur l'accélérateur… pour arriver plus vite ! C'est excitant !

L'idée lui rappelle qu'elle mettrait aussi tous ses effets dans le coffre arrière de sa Corolla rutilante au lieu de traîner son travois à force de bras. L'image vive s'estompe aussi subitement qu'elle est apparue, laissant Nadine dans l'obligation de reprendre sa marche, un pas à la fois.

Nadine est persuadée que Lou comprend d'instinct que quelque chose d'important se trame dans la vie de sa mère adoptive. Il a toujours été capable de décoder ses émotions. Depuis qu'il est adulte, il la protège. Elle sourit en se souvenant de ce premier soir après le départ des visiteurs; l'animal avait chassé pour l'humaine, revenant avec un lièvre fraîchement tué qu'il a déposé à ses pieds. Nadine a apprécié le geste. Le long de la route vers la grotte, constamment perdue dans ses pensées, elle trouvait la présence du loup, à ses côtés, fort réconfortante.

En ce moment, elle tente d'accélérer le débit des nombreuses secondes de cette journée sans fin. Elle prépare lentement son foyer qui servira de petit poêle pour chauffer son eau. Elle détourne la cascade rendue furieuse par la dernière pluie afin qu'elle ne coule pas dans la cuve creusée par l'effet continu des millions de gouttes qui s'y sont déversées au fil des siècles. Elle remplit son chaudron d'une eau cristalline tombée de la chute et dépose le contenant directement sur le feu pour hâter le processus.

Bouchant le trou naturel dans le fond du bassin à l'aide d'un bout de tissu, elle utilise d'abord sa chaudière pour verser de l'eau froide, presque glaciale, dans le bain. « La technique est tellement longue ! Chez moi, je n'aurai qu'à ouvrir le robinet pour avoir un flot bouillant… quelques semaines encore, puis ce sera mon retour à la modernité… » Soupirant dans l'anticipation, elle remplit à nouveau le récipient de chêne et le place à côté des flammes pour que son contenu réchauffe sans que le seau s'embrase pour autant.

Sans besoin réel cette fois, la femme marche dans la forêt aux épinettes pour trouver du bois mort; elle cherche seulement à brûler son énergie débordante. Elle prend le temps de se rendre de l'autre côté, là où des rosiers sauvages lancent leur parfum suave dans l'air. Tenant quelques branches dans ses mains, elle se dirige vers le bassin naturel. Elle vide le contenu chaud de son chaudron dans la cuve de pierre à moitié pleine de liquide glacé. L'ayant rempli à nouveau, elle remet l'outil sur le feu. Elle ajoute les pétales de fleurs dans son bain. Tous ces gestes précis, mais d'une lenteur bénéfique, aident à la calmer un peu.

Nadine se dénude et s'assoit dans l'eau plus froide que tiède. Elle nettoie méticuleusement sa peau avec une lingette qu'elle a auparavant frottée sur son savon artisanal. Elle savoure ce moment de plaisir sachant qu'au Pays de la Terre perdue, elle n'aura pas ce bonheur ailleurs qu'ici au bord de la mer. « Un spa comme ça, c'est unique au monde ! » Elle sourit en pensant qu'elle prendra son prochain bain chaud… ou plutôt une douche… chez elle à Montréal. Les gestes lents et répétitifs laissent son cerveau vagabonder dans une direction différente…

« J'ai enlevé les traces de mes visiteurs partout où ils en avaient laissé, ou presque. J'ai tout nettoyé… » Pendant qu'elle ajoute de l'eau tiède dans son bassin, l'humaine se remémore le ménage qu'elle a dû faire pour remettre de l'ordre dans les campements afin d'effacer complètement le séjour de ces êtres qui ont bousculé sa vie pendant un moment. Ils sont partis il y a onze jours alors que leur aventure ici a duré un peu plus de cinq semaines. « Ça s'est passé si vite… est-ce que ces dernières semaines dignes de quelques épisodes de la série de *Star Trek*[2] ont bel et bien eu lieu ? Peut-être que j'ai rêvé tout ça ? Ils ne seraient jamais venus ici... » Non ! Elle a rencontré Marie, battu Jean-Pierre, détesté André et enduré Lucette. Leur présence dans son royaume a laissé beaucoup de dégâts, tant autour d'elle que dans son cœur.

Nadine défait ses longues nattes et applique le savon directement sur ses cheveux; puis elle ajoute de l'eau pour obtenir une belle mousse. Grattant son cuir chevelu de ses ongles, elle savoure son bonheur. Si l'extérieur de sa tête revient à l'ordre, l'intérieur est habité par de nombreux doutes. Pour éviter que sa peur prenne trop de force, elle permet à sa mémoire de la ramener dix jours plus tôt, le lendemain du départ des visiteurs.

— Lou ! As-tu vu ça ? Peux-tu m'expliquer comment quelques personnes peuvent faire autant de dégâts ? Même un troupeau de chevreuils aurait fait moins de ravage !

Nadine se tient au milieu de son campement du sud, les mains sur les hanches; elle tente de donner un sens à ce qu'elle note : des pierres de son foyer central ne sont plus en place; les séchoirs pour ses aliments sont détruits; l'intérieur de la hutte pue; son mur de roches qui délimite la zone définie pour ses installations a l'air d'un château écossais en ruines; des branches et quelques pièces de peau traînent un peu partout sur le terrain. Bien sûr, il fallait compter sur l'orage pour bousculer son environnement; par contre, ce dernier a fait beaucoup moins de dommages en trois jours que ses visiteurs au cours des sept jours qu'a duré l'attente. Quels mufles !

— Heureusement qu'ils sont partis hier pour de bon ! Je n'en pouvais plus !

Ce matin, Nadine a mis quelques heures à ramasser ses outils et ses ustensiles éparpillés tout autour et elle a aéré l'intérieur de la cabane. Elle a rangé son vieux travois à roue derrière le campement, bien renversé sur le muret de

---

2   Série télévisée de science-fiction créée par Gene Roddenberry qui a fasciné plusieurs générations d'adeptes de science-fiction.

pierre. Elle n'en a pas besoin pour son prochain bout de chemin; de toute façon, elle en a un autre à la grotte. En nettoyant la hutte, elle a trouvé un bouton de chemise et un bas noir d'homme. Pourquoi un seul ? Elle n'aura peut-être jamais la réponse et elle s'en fout. Elle a tout brûlé.

En ce moment, elle s'affaire encore à remettre de l'ordre. Elle termine la réparation de l'étagère que ces rustres ont démolie. Puis, sachant qu'elle coucherait ailleurs le soir venu, elle accroche les peaux attachées en paquet par une sangle, à un poteau au centre de la cabane. Elle remonte la plateforme qui lui sert de lit. Pendant qu'elle travaille, un objet brillant attire son attention. Elle découvre le briquet d'André, enfoui en partie dans la terre battue. Le Zippo appartenait au gaillard, mais le méchant Jean-Pierre y a tracé, bien maladroitement d'ailleurs, les lettres « J » et « P » pour en confirmer sa propriété. « Quel goujat ! Pourquoi a-t-il fait cela ? Par narcissisme. Hum… il aurait utilisé une clé… C'est ça ! Marie m'a informée qu'il traînait un trousseau dans ses poches… »

Le réservoir du briquet étant plein aux deux tiers, elle met l'outil précieux dans son sac à dos. Elle s'est tellement ennuyée de ce genre de technologie qu'elle ne se résigne pas à laisser cet objet encore utile dans le campement de la péninsule sud. Quand elle glisse son doigt sur le métal froid, le bidule l'aide à placer l'aventure avec les visiteurs dans la réalité, lui évitant ainsi qu'elle s'imagine avoir rêvé toute l'histoire.

Son geste la fait réfléchir. « Je vais le rapporter à Montréal 27 ans plus tard… Est-ce que je le donnerai à Jean-Pierre ou à André ? Bon, je verrai cela au moment opportun. Pour l'instant, je fais disparaître toutes les autres traces… »

Sur la nouvelle étagère, Nadine laisse une pochette contenant du matériel d'allumage ainsi que quelques ustensiles, des outils supplémentaires, et des dards. Elle range du branchage, tant à l'intérieur qu'à l'extérieur de la hutte. Elle remplit plusieurs sacs imperméabilisés avec de la nourriture séchée : du poisson, du chevreuil chassé au cours de l'automne, de l'apios, de la farine de quenouille et des fruits. Des roches à feu, comme celles qu'elle traîne dans ses bagages, décorent aussi l'armoire, à côté des quelques petits paniers que les visiteurs n'ont pas réussi à détruire.

Elle a fait un dernier tour du campement pour s'assurer que tout était en ordre. C'est ainsi qu'elle se rend compte de l'incongruité de tous ces gestes qu'elle vient de poser. Elle éclate de ce rire nerveux qui dénote que sa tête rationnelle tente de donner un sens à toutes les émotions qui l'assaillent. Elle cherche son protégé des yeux.

— Lou, explique-moi un peu ! Pourquoi suis-je en train de ranger toutes ces choses ? Pourquoi laisser de la nourriture et faire le ménage ? Je ne reviendrai plus jamais ici…

Bien sûr, elle est convaincue qu'elle ne reverra pas ce campement, sinon dans sa mémoire. Mais, l'habitude vieille de deux ans d'assurer sa survie à tout prix ne se perd pas aussi vite. Il y a également toutes ces déceptions associées à ses recherches infructueuses; ainsi, une attitude pessimiste s'est développée en elle au cours des derniers mois. Son comportement lui indique qu'elle a toujours des doutes sur son retour à Montréal. Alors elle préfère assurer ses arrières… juste au cas où ce qu'elle planifie ne se déroulerait pas comme prévu. Elle laisse s'échapper un soupir.

— De toute façon, si je n'ai pas besoin de faire ça, au moins cela m'occupe… ça tue le temps… j'ai encore plusieurs jours à patienter avant le prochain orage.

Puis, quand le soleil atteint le zénith, sachant qu'elle n'y reviendrait plus, l'humaine fait un dernier tour de son domaine. Elle ajoute de nombreux détails dans son cerveau en mémoire des jours heureux tout comme ceux plus horribles de son séjour ici. Elle ferme la hutte en rabattant toutes les toiles et en les fixant avec les lanières prévues à cet effet.

— Bon ! Tout est à nouveau à l'ordre; comme j'aime le faire. C'est PARFAIT !

Puis, la nomade met son sac à dos sur ses épaules et, satisfaite d'avoir effacé le passage des visiteurs dans cette partie de son royaume, elle s'élance à travers les arbres sur la route qui mène à la forêt aux érables. Elle marche allègrement en examinant le feuillage et les bosquets. Nadine tente d'absorber le jeu de la lumière qui filtre à travers les branches. Chaque coin de sentier lui arrache un regret. « C'est si beau ! J'aimerais tellement pouvoir mettre ce pays dans mes bagages ! » Elle avance lentement, observant attentivement tous les mouvements et toutes les couleurs. Elle imprègne son cerveau de ces images qu'elle dessinera sur papier quand elle retournera chez elle. « Je vais me remettre à la peinture... ce sera plus beau, plus vrai... »

Elle écoute chaque son : les cris des oiseaux, le froissement des feuilles par le jeu du vent léger, le ruissellement des eaux gonflées par le dernier orage. « Une magnifique symphonie. J'aimerais capter les sons pour les faire entendre aux autres. Mon iPhone ! Je pourrais enregistrer l'ambiance audible si facilement ! » Une musique qu'elle interprète comme un adieu. Un chant joyeux qui parle de la vie qui continue ici, alors que sa propre existence se poursuivra à Montréal.

Elle absorbe toutes les odeurs de la forêt, des animaux et des plans d'eau. Elle sait qu'aucune chandelle parfumée ni aucune huile naturelle ne réussiraient à imiter adéquatement les effluves du Pays de la Terre perdue.

Puis, elle s'arrête un moment. Comme elle l'a fait à maintes reprises depuis son arrivée, elle discute directement avec ce monde qu'elle a régulièrement accusé de lui en faire voir de toutes les couleurs, de tenter de la tuer même. Cette fois, les larmes qui coulent sur ses joues sont remplies d'amour.

— Au cours des deux dernières années, tu m'as obligée à mener toutes sortes d'aventures plus bizarres les unes que les autres. Je t'ai maudit tellement souvent ! Pourtant, tu es magnifique et vivant ! Si, au passage, j'en ai perdu ma naïveté, je ne t'en veux plus. Tu m'as forcée à faire face à mes peurs, à utiliser toute ma vitalité pour me sortir d'affaires. Bref, je l'avoue, j'ai appris à t'aimer.

Essuyant ses larmes, Nadine poursuit sa route en se permettant de dire adieu à cette partie de son royaume. Puis, arrivée au campement de la forêt aux érables, elle remet d'abord sa hutte en ordre. Les intrus ayant habité la cabane seulement quelques heures, à deux occasions comme poste de transit, elle a été moins brisée que celle de la péninsule sud où les malotrus ont résidé sept jours d'affilée. Ayant allumé un feu dans le foyer extérieur, elle brûle quelques effets des visiteurs qui traînaient ici et là, dont un deuxième bas d'homme; celui-là étant brun, il n'était donc pas le frère de l'autre détruit sur le bord de la mer.

Dans un arbre, elle a trouvé le jupon de Lucette; celui-là même que la femme aux cheveux châtains a cherché ardemment dans la péninsule sud. « Voyons donc ! C'est complètement fou ! » Ce n'est pas étonnant que Jean-Pierre fût passablement irrité du comportement plaignard de la jeune Lucette. Finalement, de sa manière exécrable de tout traiter avec de l'argent, le gros homme lui a signifié d'un air hautain : « Maudite folle ! Je t'en achèterai un autre en arrivant à Montréal ! »

Au matin, la nomade se promène longuement dans cette érablière qui lui rappelle de si bons souvenirs. Elle se baigne une dernière fois sous la cascade, puis elle marche entre les arbres qu'elle a entaillés au printemps, touchant du doigt les cicatrices qui marquent les écorces. Elle sourit. « Ils porteront l'empreinte de ma gourmandise encore quelques années. Puis la nature reprendra le dessus et ces petits indices de ma vie d'ici disparaîtront... »

Elle laisse tous ses accessoires pour faire du sucre d'érable bien rangés sur l'étagère à l'intérieur de la hutte, à côté des outils et des ustensiles qu'elle a fabriqués spécifiquement pour ce campement. Deux roches à feu s'ajoutent à cet ensemble. Là aussi, elle place des pochettes remplies de matériel d'allumage ainsi que de nourriture séchée. Elle dépose du bois de chauffage à l'intérieur comme à l'extérieur.

— Vraiment ! C'est ridicule ! Je ne peux pas faire autrement ! Comme si j'allais revenir un jour. Par habitude... par peur de rater mon départ, également.

C'est ainsi qu'en milieu d'après-midi de sa 706e journée d'aventure au Pays de la Terre perdue, elle prend la route vers la hutte près du pont, où elle passera deux nuits. « De toute façon, j'ai le temps... encore plusieurs jours avant le prochain orage. » Dès son arrivée au camp, elle vérifie le ponceau, nettoie la cabane, brûle ce qui traîne et, comme pour les deux autres, elle laisse l'endroit comme si elle avait l'intention de l'utiliser plus tard.

Pour son plus grand bonheur, elle savoure de longues heures en compagnie de la harde de Jack. Ayant rempli deux sacs de tubercules d'apios trouvés en bordure du ruisseau, elle devient particulièrement populaire auprès des chevaux qui raffolent de ces petites racines. Prenant Allie par le cou et flattant doucement sa fourrure, Nadine explique à sa protégée qu'elle doit retourner chez elle à Montréal, pour rejoindre sa vraie famille et poursuivre la vie qui lui revient de droit.

— Je ne m'inquiète pas pour toi; tu es maintenant en sécurité avec la harde de Jack. Blondie, ton amie, te changera les idées... si tu t'ennuies trop de moi. Lou viendra te voir, j'en suis certaine. Puis... il y a Plumo dont tu dois t'occuper.

Elle rit aux éclats à observer le poulain faire l'enfant terrible pour avoir accès à sa tétée. Nadine réalise que c'est la dernière fois qu'elle visite Allie, Jack, Plumo et Blondie; une fois qu'elle aura quitté la vallée aux chevaux, elle n'y reviendra plus jamais. Elle est heureuse de retourner chez elle, mais cela la chagrine tout autant de savoir qu'elle ne reverra plus ses amis qui habitent au sud de la rivière aux brochets.

Nadine ferme les yeux et serre la jument très fort. « Encore ces émotions contradictoires ! Elles me donnent si souvent un pincement au cœur depuis le départ des visiteurs. » La nomade aime sa famille élargie du Pays de la Terre perdue, même si elle l'a fondée par hasard. Sa place, sa vraie place, n'est pas ici. Elle a hâte de retrouver cette vie qui l'attend à Montréal.

— Allie ! Jamais je ne t'oublierai ! Jamais ! Tu m'entends !

Puis, à l'aube de la 708e journée de son aventure, elle reprend la route. Sachant le désordre qu'elle devra affronter à la grotte, elle décide de retarder l'échéance en se dirigeant plutôt vers la falaise au nord-est. « Il n'est pas question que je parte sans dire adieu à tous mes amis. » Partant avant le lever du soleil, elle veut atteindre sa destination en milieu d'avant-midi.

Elle marche d'abord vers l'ouest pour trouver un autre protégé. L'idée du détour la fait sourire. « Je tiens à savoir tout de suite s'il va bien… je l'ai adopté, lui aussi. » C'est ainsi que, deux kilomètres au-delà de la rivière, elle est accueillie par Tigré qui habite maintenant la forêt entre le lac au brochet et le pont. Elle éclate de rire en se souvenant de l'air effaré de Jean-Pierre quand il a vu le lynx. N'a-t-il pas dit qu'un gros chat s'était emparé de la sorcière pour courir vers le sous-bois ? Les autres s'étaient d'ailleurs moqués de lui lorsque la nomade était réapparue au milieu de leur route. Seule Marie, qui connaissait l'existence de Tigré, a compris ce qui s'était passé.

Pour éviter que l'animal saute encore dans ses bras, Nadine dépose un genou par terre. Puis, sous les regards d'un canidé fort désabusé, peut-être même un peu jaloux, elle a longuement flatté le félin et vérifié sa patte blessée.

— Tu as grossi ! Ça veut dire que tu chasses et que tu manges bien ! Je suis fière de toi.

Tout en reprenant le sentier qui, au-delà du pont, longe la rivière pour atteindre la grande falaise, elle marche en compagnie d'un lynx et d'un loup. Le sourire aux lèvres, la femme réfléchit à toute la subtilité de sa relation avec ces bêtes qui devraient lui être hostiles. En acceptant de s'occuper de Lou et de Tigré, elle a permis le développement d'une amitié entre ces deux prédateurs qui sont généralement en compétition dans la nature. Quand elle les voit, trottant côte à côte comme deux frères, elle se demande si ce comportement interracial se poursuivra dans les générations suivantes. Un vent de tristesse bouscule son âme. « Je ne serai pas là pour constater le résultat… »

Clic !

Son pied a fait bondir un objet devant elle. Nadine s'arrête brusquement. Elle vient d'entendre un son qui provient d'un autre monde. Avec une curiosité non contenue, elle fouille le sol meuble autour d'elle avec le bout de sa chaussure.

Clic !

« Ça sonne comme du métal… » Elle s'accroupit pour mieux observer. Un rayon de soleil frappe un morceau d'argent qui sort de l'herbe et le fait briller intensément. Lentement, Nadine dégage les alentours de l'objet puis elle éclate de rire.

— Lou ! Tigré ! Regardez-moi ça ! Il y a un de mes énergumènes qui a échappé ses clés ici !

Délicatement, un peu comme si elle venait de trouver un trésor d'un autre temps, Nadine prend le trousseau dans ses mains pour l'examiner à la lumière. L'anneau reliant quatre minuscules pièces métalliques porte le symbole BMW. « Hum… pourtant, ces voitures coûtaient très cher en 1986. Qui d'entre mes personnages auraient pu s'en payer une ? Aucun, j'en suis sûre… »

Observant un peu mieux l'ensemble, elle note qu'un des trucs est estampillé de la marque « Chevrolet ». Une image de ses années à l'Agence Écho Personne lui revient en tête pour la faire sourire. Elle se souvient de Jean-Pierre qui plaçait son porte-clés à moitié sorti de sa poche de pantalon. De cette façon, on apercevait, clairement en évidence, le logo d'une voiture haut de gamme. Au cours des années 2000, il choisissait ainsi la marque Ferrari ou Porsche. Pourtant, tout le monde savait qu'il conduisait une vieille Mazda.

— Voyez-vous mes amis ? L'homme narcissique avait déjà pris l'habitude de tromper les gens de cette manière, même en 1986. Croyez-vous que je devrais lui retourner le trousseau ? Juste pour le torturer peut-être ? Ça n'a plus vraiment d'importance... je vais réfléchir quelques jours avant de décider ce qu'il convient de faire.

Elle tourne sur elle-même pour identifier l'endroit où elle se trouve. À gauche, elle voit le bris de feuillage où elle a plongé avec le lynx dans les bras il y a quelques jours à peine. Le pont est à un kilomètre un peu plus à l'est. La courbe que cachait son retour sur le sentier, ce jour où Jean-Pierre l'a brusquée, est juste devant elle.

— Ha ! C'est ici que le goujat a tenté de me prendre mon couteau ! Il aurait perdu ses clés en me bousculant. Tombant dans l'herbe, elles n'auraient fait aucun bruit.

Tout en plaçant l'objet dans son havresac, Nadine se demande à quoi servent les autres pièces. « Une pour la maison ou l'appartement, sûrement. Peut-être que celle-ci sert pour le bureau. » La quatrième ressemble à une clé de cadenas, comme celle qu'elle utilise pour verrouiller son casier quand elle va à la piscine municipale. « Non, je ne vois pas Jean-Pierre nager... ce n'est pas un sport assez éclatant. Il n'a pas, non plus, le physique de quelqu'un qui s'entraîne... » Elle tape son front lorsqu'une information sort de sa mémoire.

— Le golf ! Ça doit être ça. Il doit prendre une case pour y mettre ses vêtements et ses souliers à clous.

André et lui en parlaient souvent. À sa manière narcissique, Jean-Pierre se définissait comme un quasi professionnel... juste parce qu'il ne gagnait pas sa vie à ce sport. André prétendait plutôt que le gros homme ne jouait qu'avec des gens qu'il pouvait battre facilement. Nadine n'avait aucun doute... le gaillard avait sûrement raison.

Un sourire narquois se dessine sur ses lèvres, pendant qu'elle poursuit sa route. L'image de Jean-Pierre qui, à son retour à Montréal, resterait éberlué de ne pas trouver son trousseau... et surtout son porte-clés, s'immisce dans son cerveau. Curieusement, elle ne ressent ni amertume ni satisfaction face à l'idée de l'homme confondu. Juste de l'indifférence. Elle laisse la sensation de bien-être couler sur son âme. Elle peut maintenant passer à autre chose. « Yes ! »

Elle s'évertue à nettoyer le Pays de la Terre perdue des traces des intrus; ainsi, il est normal que cet objet d'un autre monde disparaisse de son royaume. Puis, une pensée saugrenue lui fait manquer un pas. Elle trébuche pour se retrouver assise par terre, ses deux amis affichant un air plutôt incrédule qui semble énoncer : « Cette humaine n'est même pas capable de marcher ! Quelle idée de se tenir sur ses pattes arrière aussi ! » Le jappement léger, presque un rire, est suivi d'une sorte de miaulement.

— Hé ! Donnez-moi une chance ! Je viens juste de trouver comment me débarrasser des clés sans avoir à les remettre à ce malade ! Bon ! Comme vous vous bidonnez de ma culbute, je ne vous dirai pas ce que j'en ferai ! Allez ! On se magne ! Je veux rendre visite à mes amis ailés ! Par là-bas !

C'est ainsi qu'elle se rend à une clairière sise en bordure de la forêt qui s'étend au pied de la falaise. Même si la chute se trouve à un kilomètre plus loin, Nadine l'entend clairement tomber avec fracas du lac juché directement dans la rivière aux brochets. Sur le coup, le rappel amer de cette journée, il y a deux ans, quand sa route a été bloquée par cette cataracte infranchissable, revient lui briser le cœur; elle serre les dents sur la crainte que son prochain projet lui apporte encore l'échec et le désarroi. « Non ! Je dois m'éloigner de ces idées noires ! Je m'en suis bien sortie jusqu'à maintenant ! J'y arriverai, c'est certain ! Cette fois, je sais comment ! Je réussirai ! »

Elle s'arrête au milieu de la clairière et respire un grand coup. Pour se calmer, elle secoue ses bras et pioche du pied pour forcer l'énergie à circuler dans ses jambes. Rassurée, elle met ses mains en porte-voix et appelle ses amis.

— Louise ! Max ! Anatole ! Je suis ici ! Olé !

Puis, glissant une peau sur le sol, elle s'assoit au milieu du champ où elle sait que les énormes oiseaux prédateurs pourront se poser facilement. Ses deux acolytes se couchent de chaque côté d'elle, pour obtenir un peu de caresses. C'est ainsi que la famille d'aigles royaux la trouve. Un coup de trompette incite Nadine à lever la tête. Un magnifique sourire éclaire le visage de l'exilée. Les trois rapaces atterrissent en douceur juste en avant d'eux. Même Anatole, le rejeton, effectue une arrivée presque parfaite.

— Hé ! Tu as appris à te poser en champion ! Bravo !

Mais la candeur chez l'aiglon s'arrêtait là. S'aidant de ses grandes ailes, il se précipite vers l'humaine dans un mouvement si brusque que Lou grogne. Néanmoins, il en aurait fallu beaucoup plus pour que Nadine ait peur. Elle rit de bon cœur devant toute cette fougue juvénile. Le petit s'approche pour se faire flatter le dessus de la tête, puis, d'un saut, il grimpe sur l'épaule de la femme.

— Attention ! Tu as des griffes acérées ! Tu risques de déchirer mes vêtements sinon ma peau ! Allez ! Descends de là !

Elle roule un bout de tissus épais sur son avant-bras puis elle le présente à Anatole qui se déplace allègrement sur ce nouveau perchoir. Pendant toute la manœuvre, Tigré s'était reculé un peu plus loin. Même plus gros qu'un chat domestique, le lynx est tout de même l'une des proies préférées de ces immenses oiseaux carnassiers. Puis, il se couche près du loup, comme s'il voulait que ce dernier le défende. Nadine rit aux éclats à la vue de cette situation plutôt incongrue :

— Je suis entourée de prédateurs qui pourraient me tuer d'un claquement de gueule ou d'un coup de griffe; mais ici, ils sont mes protégés. Quel monde étonnant !

Songeant un instant au contexte pour le moins bizarre, elle s'exclame d'une façon qui exprime toute sa fierté.

— Non ! Cher royaume ! Tu es vraiment magnifique ! Par contre, JE SUIS LA SEULE RESPONSABLE de cette situation si extraordinaire. En dépit de tes efforts pour m'embêter d'ailleurs !

Comme si le pays voulait la contredire, son cri du cœur frappe la paroi rocheuse pour lui revenir de façon dénaturée, en morceaux hétéroclites. Nadine écoute le vent dans les arbres, le chant d'un pinson, le mouvement rapide de petits rongeurs. Elle absorbe avec amour tous ces sons si typiques qui se mêlent aux bruits de la cataracte. « Le Pays de la Terre perdue n'est jamais silencieux. Sa vie intense grouille toujours, en tous sens et avec fracas… »

Quand les rois de la voltige s'envolent à nouveau, Nadine reprend la route, cette fois vers le lac aux brochets, là où elle veut passer un peu de temps. Bien sûr, Lou et Tigré l'accompagnent pour ce bout de chemin qui la ramène progressivement vers la grotte. Assise au bord de l'eau calme d'une petite baie, elle observe les grenouilles minuscules sauter d'un nénuphar à l'autre. Puis, elle relève la tête et porte son regard autour d'elle. De ses yeux vifs, elle admire cette oasis paisible qu'elle a si souvent visitée en toutes saisons depuis deux ans. « D'autres scènes merveilleuses… des couleurs extraordinaires… dommage que je ne puisse mettre des sons sur une toile… je devrai les décrire en mots… »

Elle ferme les yeux pour mieux entendre la cascade en bruit de fond, le pépiement des oiseaux au-dessus de sa tête, le vent qui siffle dans les branches et les écureuils qui s'agitent dans le sous-bois. Elle tente d'imprégner son cerveau de toutes ces images magiques. « De retour chez moi, je les dessinerai, une par une, pour faire revivre ce Pays que je ne visiterai plus jamais. Pour me souvenir… pour m'assurer de ne rien oublier… »

Assise sur une peau de renard, elle remonte les genoux vers son menton, puis elle les entoure de ses bras. Ses yeux humides brillent de larmes et elle a de la difficulté à respirer. Cet arrêt dans ce lieu paisible lui fait prendre conscience de toutes les émotions qui l'assaillent. « J'ai haï ce pays qui me retenait contre mon gré et je lui en ai voulu de m'avoir marquée si profondément; physiquement et psychologiquement. » L'exilée s'est tellement acharnée à modifier le Pays de la Terre perdue qu'il aura besoin de beaucoup de temps pour effacer, une par une, toutes les traces de l'humaine en colère. Maintenant qu'elle s'apprête à le quitter, elle réalise à quel point ce monde l'a profondément touchée. Il a absorbé ses larmes et son sang, entendu ses cris de rage tout comme ses rires puissants. Il a été généreux et menaçant. Nadine a dû apprendre à le respecter avant de pouvoir l'aimer.

Une fois cette réflexion pénible épuisée, elle n'avait plus de raison de retarder l'inévitable. Elle se lève, roule la couverture et l'attache sous son sac puis elle laisse échapper un long soupir.

— La grotte maintenant ! Lou ! Viens ! Le plus gros du ménage nous y attend ! Vaut mieux y aller tout de suite, sinon je n'aurai pas terminé quand l'orage éclatera !

Tigré se dirige sur la droite, vers la profondeur de la forêt où, elle l'imagine, il a installé sa tanière. Elle le regarde partir alors qu'une larme glisse sur sa joue.

— Est-ce la dernière fois que je te vois ? Peut-être que je reviendrai pour pêcher ici dans quelques jours… si le Pays de la Terre perdue m'en donne le temps avant le prochain ouragan… sinon, adieu…

Le loup sur les talons, Nadine poursuit sa route pour rentrer à son logis sous le monticule de roches. Elle n'était pas revenue dans son abri de pierres depuis son départ vers la vallée aux noisettes avec Marie. Aujourd'hui, devant l'étendue des dégâts que le groupe de visiteurs a laissés, elle est découragée.

— Quelle horreur ! As-tu vu ce qu'ils ont fait ?

À l'extérieur, la bécosse pue. La toile qui ferme l'entrée de son gîte est presque arrachée. « C'est comme s'ils avaient joué à Tarzan, se servant de la courtepointe comme d'une liane. Je sais ! Ils tentaient probablement de grimper sur le toit... quels imbéciles ! » Son foyer central intérieur, qui la rendait si fière, est complètement à l'envers, le tour en pierres défait, une de ses roches de cuisson cassée en deux. Plusieurs panneaux qui entouraient son petit coin douillet ne sont plus là; les visiteurs les auront probablement brûlés, car il n'y a plus aucun morceau de bois pour le feu. Plusieurs des étagères qu'elle a si minutieusement fabriquées ont disparu. Tout son matériel si patiemment confectionné est pêle-mêle sur le plancher de la grotte, au point de ne plus voir la peau d'ours. Il ne reste absolument plus rien à manger. Quelques paniers, des bols en bois et deux chaudières ont résisté aux assauts.

— Merde ! Quels monstres !

Nadine sent monter en elle une rage noire. Elle a de la misère à contenir cette colère qu'elle a ressentie durant le dur périple vers le sud avec les visiteurs. Bien sûr, elle se concentrait sur l'essentiel afin de retourner les intrus dans son passé en ouvrant le portail et en les y faisant traverser; ainsi, elle avait réussi à garder son calme pendant le voyage. Le fait qu'elle restait loin du groupe avait certainement contribué à un meilleur contrôle sur ses émotions fortes qui auraient pu la transformer en meurtrière.

Aujourd'hui, alors qu'elle voit l'anéantissement de tous ses efforts pour vivre décemment, elle ressent leurs actions comme une grande violence à son égard. Cela lui fait aussi mal que si on la frappait avec une massue. « S'ils en avaient eu le temps, les imbéciles auraient annihilé leur propre survie. » Elle ferme les poings et tente de limiter les tremblements.

— Quels ignorants ! En détruisant ainsi mon matériel, ils augmentaient d'autant leur risque de mourir. Ils n'ont jamais compris que leurs vies étaient en danger. Quels morons ! Heureusement que je n'aurai plus à les supporter. Jamais ! Cette fois, Jean-Pierre, André et Lucette se retrouvent dans mon passé pour y rester.

Elle ferme les yeux un bon moment, pour reprendre le contrôle sur ses émotions. Les visiteurs sont repartis; ainsi, leurs actions de destruction n'ont plus la moindre importance. Maintenant, Nadine doit concentrer ses efforts vers un seul but : son propre retour chez elle. Elle doit cesser de perdre de sa précieuse énergie à cause de ces imbéciles. Peu à peu, respirant profondément et lentement, elle sent le calme revenir sous sa peau. Ses mains, qu'elle avait crispées trop fort, lui font mal. Elle les secoue pour délier les muscles et soulager la douleur. Elle projette son regard sévère tout autour, pour mieux identifier ce qu'elle doit faire.

— J'ai encore quelques jours avant de partir. Je vais tenter de remplacer ce que j'ai perdu par toute cette destruction. Je peux y arriver. Je ferai disparaître toutes les traces de ces idiots !

Curieusement, un autre bout de mémoire la frappe de plein fouet, comme si son retour éventuel la forçait à se souvenir de ce qui lui a tant manqué dans ce monde sauvage. Un effluve agressant de javel s'immisce dans ses narines, se mêlant à l'odeur de lavande d'une chandelle parfumée. Bien sûr, elle devra se contenter du savon du Pays et d'eau lancée à la chaudière. Elle sourit de sa façon espiègle.

— Alex ! J'ai besoin de la balayeuse électrique ! Pourrais-tu me l'apporter s'il te plaît ?

Dans les jours qui suivirent, Nadine a fait le grand ménage à sa manière excessive. Une dernière fois sans tous ces appareils modernes si utiles. Elle a vidé la bécosse en se remémorant que sa maison avait l'eau courante. Elle a lavé son plancher en se souvenant que, chez elle, il y avait des vadrouilles de type *Swiffer* pour faciliter son travail.

Certains cuirs étaient tellement salis qu'on aurait pu penser que quelqu'un avait vomi dessus. Plusieurs fois. Elle les a brûlées dans son foyer extérieur, loin de la grotte. La fourrure d'ours était tailladée comme si elle avait servi pour des entraînements de tirs de javelots. Nadine a réussi à la nettoyer et recoudre les pires entailles. Ensuite, elle a remis la peau de Brutus à sa place, en avant de l'âtre central qu'elle a reconstruit du mieux qu'elle a pu; elle a aussi remplacé la roche cassée.

Plusieurs lances et dards avaient disparu; des pointes de flèche gisaient sur le sol, en morceaux. Ces êtres sans cervelle ont probablement brûlé les parties en bois de ses javelots. « J'aurais aimé pouvoir les utiliser dans les prochains jours… »

L'artisane a refait des étagères pour renouveler celles démolies par les intrus. Puis elle y a transféré les réserves de nourriture qu'elle avait cachées dans la petite forêt au nord. « Je ne fais jamais rien à la légère… j'en avais tellement mis de côté que je pourrais vivre un hiver complet sans chasser… » Elle n'aura pas le temps de reconstruire tous les panneaux de treillis qui lui servaient de paravent ainsi que de fabriquer les chaudières et les paniers détruits. Mais il lui en reste assez pour que, une fois nettoyés et rangés à leur place, ces objets lui donnent l'impression que les traces des malotrus avaient disparu.

D'un autre côté, elle ne s'est pas résignée à brûler les vêtements d'hiver des visiteurs. Nadine se souvient de la discussion qu'elle avait eue avec Marie; pour ramener les manteaux chez eux, elles auraient dû utiliser le travois lors de leur voyage vers le sud. Les deux femmes avaient convenu que le chariot trop encombrant présenterait des occasions pour que Jean-Pierre s'en prenne à la sorcière. Il était donc dans leurs intérêts de laisser les paletots dans la grotte. Marie s'était contentée de ramasser les habits qui étaient absolument nécessaires pour traverser le portail vers un monde plus moderne.

Maintenant, les manteaux étaient là, sur des cintres accrochés à une étagère dans l'entrée. Ils faisaient piètre figure à côté de ses propres vêtements de cuir confectionnés avec tant de dextérité. Une grande fierté l'envahit. « Ouais ! Maman, tu serais fière de moi ! Même sœur Crochet n'en reviendrait pas ! » Elle rit en tentant d'imaginer le visage surpris de cette religieuse qui lui a enseigné la couture lors de sa huitième année. « C'était si pénible… j'ai cru que je n'avais aucun talent pour ce métier… Si j'avais su ! »

Nadine touche les vêtements modernes du bout du doigt et analyse la qualité du tissu. « Ils m'auraient été si utiles lors de mon premier hiver ici… » Bien que très différents du *Kanuck* qu'elle possédait en 2011 à Montréal, ces paletots des années 80 étaient tout de même confectionnés d'une laine aussi épaisse que du feutre. Celui que portait Lucette, plus court et plus petit, s'agençait très bien avec sa mini-jupe marine. L'écharpe et les gants d'un rouge flamboyant étaient glissés dans une manche. Le manteau anthracite de Marie était plus long, plus pratique ; sa crémone et ses mitaines coordonnées, d'un gris plus clair, mais sobre, mettaient en valeur sa lourde chevelure de rouquine.

Il y avait les paletots des hommes, d'allure plutôt standard pour l'époque ; de couleur brun foncé, ils étaient assez larges pour porter par-dessus un complet ; du coup, Nadine se souvient qu'elle a dû brûler les vestons des gars en raison de l'odeur qui s'en échappait et de la condition de délabrement intense des vêtements. Leurs manteaux d'hiver, de style « croisé » si populaire dans ces années 80, étaient encore en bon état. Elle se rappelle qu'Alex en avait un semblable, sauf qu'il était noir. L'écharpe de laine d'André était d'un jaune très voyant ; Nadine soupçonne que Lucette l'avait choisie. Quant à celle de Jean-Pierre, elle était beige avec des lignes de la couleur du charbon de bois. Elle a fourré les deux foulards dans les manches pour ne pas les perdre. Bien sûr, en bons spécimens de leur genre, ni l'un ni l'autre ne portait de gant à leur arrivée, malgré le froid de février.

Pendant un long moment, Nadine caresse les tissus d'un monde différent et d'une autre époque. Fabriqués en utilisant un moulin à coudre industriel, ils mettaient en perspective toute la difficulté de se confectionner des habits dans un environnement sans technologie. « J'ai dû chasser le chevreuil, tanner la peau, tailler le cuir et fabriquer du fil avec les tendons… mon outil pour coudre était en os. Ouf ! Je n'aurai plus à faire cela maintenant. » Consciente de l'importance d'avoir des vêtements modernes pour se protéger des froids d'hiver, elle refuse de détruire ceux de ses visiteurs. Elle choisit de les garder dans son antre de roches. Si elle souhaite ne plus jamais revoir cet endroit, elle tient à garantir ses arrières « au cas où ». Cette décision lui rappelle à quel point elle craint de ne pas réussir. Si elle ne peut pas retourner chez elle, elle devra revenir ici, dans sa grotte. Ces vêtements lui seront alors très utiles. D'un geste brusque, elle secoue la tête. « Je ne veux pas y penser… »

Puis, elle a brûlé tout le reste dans son foyer extérieur : deux vestons, deux cravates, des bas de nylon troués, des mouchoirs en tissus, une chemise. Elle sourit en se souvenant du grand gaillard en camisole sur la plage du sud alors qu'ils attendaient l'ouverture du portail. André a tempêté contre Marie qui, selon lui, « avait oublié sa chemise à la grotte ». La sorcière a ressenti une profonde satisfaction à faire disparaître ces choses. Elle a regardé les flammes les détruire, une à une, jusqu'à ce que l'odeur du feu de bois brûlé lui signifie qu'il n'existait plus la moindre parcelle de ces traces d'humains. Sa rancune contre ces gens désagréables s'est diffusée peu à peu alors que leurs vêtements s'envolaient en fumée.

Puis l'orage a frappé. Cette fois, Nadine était soulagée. Une autre étape s'annonçait. Elle a occupé son temps patiemment à préparer son prochain voyage en mer, jusqu'à ce que la rage de la nature se déplace vers l'ouest. Depuis, elle attend que le vent change de bord…

— Aïe !

Du plat de la main, Nadine écrase vicieusement le moustique qui venait de la piquer. Une coulisse minuscule de sang coule sur son bras. Elle s'empresse de la faire disparaître en y frottant sa débarbouillette. D'une geste brusque du poignet, elle repousse hargneusement un maringouin qui bourdonne près de son oreille. « Je devrais me rappeler que ce mâle siffle, mais que c'est une femelle silencieuse qui vient de trouer ma peau… » Soudainement, malgré la chaleur agréable de l'eau, elle frissonne en se souvenant qu'à la première caverne, ce seront des mouches à orignal qui la harcèleront… « J'arriverai en juillet… peut-être que la saison des frappe-abords sera terminée… comme au Québec… »

Assise dans son bain, Nadine laisse un soupir mélancolique s'échapper de sa bouche. Elle ajoute une dernière fois le contenu de son chaudron chauffé à l'eau tiède du bassin. Puis elle lève ses mains ouvertes pour les mettre juste sous ses yeux. Ses doigts plissés indiquent la durée du repos qu'elle vient de s'accorder.

— Wow ! Ça fait longtemps que j'ai vu ma peau aussi ratatinée ! C'est vrai qu'ici, je suis toujours trop occupée pour me tremper comme ça pendant des heures… Quelle oisiveté !

Elle est satisfaite de sa réflexion. Ce rappel des derniers jours a contribué à calmer le tumulte qui alourdissait son âme; ainsi, elle peut maintenant se concentrer sur les préparatifs que nécessite son prochain voyage. Habillée de vêtements propres, tous ses effets remis sur son travois, Nadine marche allègrement vers sa grotte. Elle remarque

que le vent devient favorable à la navigation vers le nord. « Enfin... Il était temps ! » Cette constatation lui apporte une grande joie.

— Viens, Lou ! On se grouille ! C'est le temps de remplir le radeau ! Je veux partir demain matin ! Dès l'aube !

Chapitre 3

Jour 715 — 29 juin

— Enfin ! Voilà ce que j'attendais ! Demain, à la première heure, je prends la mer ! Je rentre à la maison mes amours !

Debout sur son patio, le nez relevé pour mieux sentir la bourrasque, Nadine constate avec satisfaction que le vent s'oriente dans la direction favorable à son voyage. Son radeau, le Liberta, filera vers le nord à toute allure.

Nerveusement, ouvrant les lèvres légèrement, elle expire; puis elle inspire avec force. Elle concentre ses efforts pour supporter les prochaines heures. Parce que, en ce moment, il fait déjà trop sombre pour amorcer ce périple. « L'attente sera interminable ! Encore ! Merde ! » De sa main elle touche la petite pochette qui pend à sa gorge et qui contient la roche noire, témoin de sa détermination à survivre. Elle a juré de la porter en signe de persévérance. Elle y arrivera !

— Maman ! Si tu étais ici, tu pourrais m'épauler ! Tu es tellement meilleure que moi pour agir avec patience… Je me souviens si bien de ce devoir de couture. Tu m'as si bien enseignée à rester calme et à besogner lentement, pour accomplir un travail presque parfait…

La nomade ne sait pas si sa mère est toujours vivante. Irène aurait 95 ans; c'est très vieux. Son cœur se serre à l'idée qu'elle soit morte sans connaître le sort de sa petite dernière. Puis, Nadine se tord de douleur à la suite d'une pensée qui vient de la frapper comme une masse en plein front… « Est-ce que ma disparition, le chagrin de ne pas savoir, l'aurait fragilisée, entraînant la perte de sa santé et brisant son désir de vivre ? »

— Maudit pays ! Si tu m'as enlevé ma mère, je reviendrai pour te le faire payer !

Elle secoue ses bras et bouge ses jambes pour tenter de chasser la brûlure vive sur son âme. Elle regarde le ciel pour trouver l'étoile du Nord.

— Maman, j'aurai tellement besoin de toi à mon retour. Ce ne sera pas facile... je sais que toi, tu ne me rejetteras jamais. L'amour maternel est totalement inconditionnel. S'il te plaît, essaie de survivre jusqu'à ce que je revienne chez moi... plus tard, tu pourras partir comme tu le souhaites... J'aimerais te parler encore, te dire merci encore.

Si elle s'en veut de demander autant de celle qui lui a donné la vie, son coup de gueule lui a fait du bien. Elle est convaincue que sa mère, celle qui fut son héroïne de tous les temps, l'attendra. « Je dois y croire... sinon ce serait trop dur. » Lentement, Nadine retourne auprès de son feu qui éclaire la pénombre de plus en plus opaque. Assise sur sa peau de renard, elle étire la main pour prendre sa tasse de tisane qu'elle avait placée en bordure du foyer pour la garder tiède.

Pendant que les étoiles s'allument dans le firmament et que la reine de la nuit fait son chemin, l'humaine revoit dans sa tête les travaux de cette longue journée qui s'achève; c'est la dernière qu'elle passera à la grotte. Elle a d'abord vérifié les choses qu'elle transportera avec elle pour la portion de la navigation, pour la marche dans la forêt vers le mont Logan, ainsi que pour la « traversée » vers Montréal.

« Je porterai mes vêtements du Québec pour passer le portail. » C'est un peu comme si elle voulait maintenir cette distance temporelle et physique entre les deux mondes. Ce qui appartient au Pays de la Terre perdue y restera, sauf pour quelques objets qu'elle apportera pour se souvenir de ses aventures bien sûr, mais aussi pour prouver son expérience et illustrer son exil dans cette contrée fort étrange. Quelque part, elle n'est pas certaine que sa famille va la croire sur parole quand elle leur racontera ses péripéties.

« Je ne goberais pas cette histoire de fou si je ne l'avais pas vécue moi-même… je ne peux pas demander aux autres un acte de foi sans preuve. »

Elle baisse la tête et tente de repousser l'image du cauchemar qu'elle a fait si souvent depuis quelques semaines. De retour, après deux ans d'absence, elle se voit sonner nerveusement à l'entrée de chez elle et attendre impatiemment qu'on vienne lui répondre. Cette fois, une étrangère à la peau basanée et aux yeux en amande ouvre la porte et, apercevant la sauvage vêtue de cuir qui se dresse sur le perron, elle se met à hurler à fendre l'âme. Son rêve se brisant sur des paroles énoncées dans une autre langue, elle n'apprend rien sur cette personne. Est-ce une invitée de son mari ou le signe qu'il n'habite plus cette maison ? Habillée dans une tenue plus récente, même déchirée, elle aura une allure moins... rébarbative, de vieille sorcière !

Il y a quelques jours, Nadine a retrouvé ses effets qu'elle avait cachés dans la forêt au nord de la grotte. « Heureusement, j'ai eu l'idée de les camoufler ! Les monstres auraient tout détruit ! Puis cela aurait donné des indices que Marie aurait pu interpréter trop facilement… le risque sur la vie de l'une ou de l'autre était beaucoup trop grand… » Elle a récupéré son sac de montagne tout défraîchi, la vieille tente orange, le tapis de sol troué, le filtre à eau. Elle vérifie les vêtements de Montréal qui sont encore utilisables : un pantalon vert, un chandail jaune, sa ceinture, son chapeau mou, ses lunettes de soleil, ses bottes usées, ses habits contre la pluie. Elle a dû brûler les autres devenus hors d'usage, comme les bas et les camisoles, au fur et à mesure. Suivront aussi dans ses bagages, son chaudron cabossé, sa tasse, son assiette ainsi que ses ustensiles en métal. « Est-ce que j'apporte un gobelet sculpté dans un bout de branche ? Plutôt mes cuillères aux longs manches ! Je pourrais les employer en faisant du barbecue ! »

Alors que la nuit faisait descendre une onde fraîche qui l'apaisait, Nadine sourit en se souvenant de ses travaux pour rapiécer ses vêtements du début. L'effort lui a confirmé à quel point elle avait développé des techniques de couture incroyablement raffinées en l'absence de technologie. Au cours de son premier hiver, elle n'aurait pu raccommoder son pantalon qui portait des marques un peu trop évidentes d'usure. Hier, avec une aiguille très fine, sculptée avec une patience infinie dans un os de lièvre, et un brin de fil mince fabriqué avec des tendons du même animal, elle a reprisé ses habits; elle a d'abord refermé les accrocs et, ensuite, elle a ajouté des pièces de cuir là où des trous avaient fait leur place.

« Si je détestais la couture en arrivant, j'ai poussé cette activité à un niveau quasi artistique. Je suis la meilleure couturière du monde, ici ou là-bas ! J'ai raison d'être fière de moi ! Hum… est-ce que je vais continuer de coudre une fois que je serai revenue à Montréal ? Pour le plaisir peut-être ? » se demande-t-elle tandis que le visage grimaçant de sœur Crochet s'immisce dans sa tête, à côté de la mine taquine de sa mère.

— Hé ! Vous deux ! Ne vous méprenez pas ! Cette tâche n'est pas un loisir, ici, mais une nécessité ! Une fois de retour chez moi, je ne voudrai plus jamais coudre !

Le fou rire éclate dans l'air cristallin de la nuit naissante. « Il me semble que j'ai déjà dit ça… J'avais à peine 13 ans… si je me souviens, ma mère avait souri… hum ! »

Elle prend une gorgée de la boisson chaude puis ses traits se durcissent. « J'aurais tant aimé pouvoir utiliser mon sac de couchage sur la route ! Maudits emmerdeurs ! » Pourtant, l'outil sophistiqué avait très bien enduré deux ans d'utilisation intense, mais, malheureusement, Nadine n'a pu le retirer assez vite de la grotte pour lui éviter les traitements ravageurs que lui ont infligés les visiteurs. Elle a dû le brûler tant il était sale, déchiré et malodorant.

Elle porte sa main à la machette qu'elle accroche toujours à son mollet avant de sortir de son antre. L'étui d'origine n'a pas duré longtemps, mais celui confectionné avec du cuir souple du pays a survécu à toutes ses aventures rocambolesques. En outre, la gaine de son couteau, celle qu'elle avait en arrivant, est encore en bon état. La boussole réside dans sa pochette de peau fabriquée ici. Tout ce matériel reviendra à Montréal avec elle. « Je pense que je vais aussi rapporter ma fronde et mon sac de cailloux... oui ! Ce sera une bonne façon d'expliquer comment j'ai fabriqué des armes. Je me demande comment réagirait Alex si je revenais avec des lances... Non. Ça n'aurait pas d'allure... quelques pointes en os suffiront. »

Elle a abandonné, sous un cairn dans la péninsule sud, trois outils modernes devenus inutiles dans ce monde sans quincaillerie : le réchaud, le briquet et la bonbonne de gaz. Ce tas de roches est tellement significatif de cette première partie de son exil, qu'elle a décidé de le laisser là, comme un gardien de ces objets qui avaient perdu leur utilité ici; ainsi, elle ne les ramènera pas à avec elle. Se souvenant des nombreux éclats de Jean-Pierre qui résolvait tous les problèmes de la même façon, elle pouffe de rire. Puis, elle imite le gros homme le plus sérieusement du monde en énonçant :

— Alex ! Ne t'en fais pas pour ces choses... je t'en achèterai de bien meilleures au MEC[3] !

Sur l'étagère qu'elle a dû reconstruire dans l'entrée, à côté des paletots de laine des visiteurs, se trouvent des vêtements confectionnés pour sa vie de nomade et qu'elle n'utilisera pas sur la route. Ils seraient totalement hors contexte au Québec. Il y a son manteau d'hiver en cuir de chevreuil, ses mitaines en peau de renard, un passe-montagne, deux crémones en fourrure de lynx, deux paires de bottes qu'elle porte durant la saison froide ainsi que quelques chemisiers et pantalons. « Je change de vie

---

3   Mountain Equipment Coop

à nouveau ! Je retourne à la retraite ! Je vais enfin me reposer ! » Elle touche les vêtements cousus de ses mains, comme pour se convaincre qu'elle en est l'artisane.

— Oui, je m'étais confectionné une riche garde-robe ! Je suis si fière ! De tout cela, je n'apporterai que mes mocassins. Je tiens à montrer à maman la qualité de mon travail. Puis, ils sont si confortables qu'ils me serviront de pantoufles dans la maison.

Elle reste songeuse un moment. Il y a aussi cette chemise qu'elle a cousue un jour de tempête de neige l'hiver dernier et qu'elle a décorée avec des aiguilles noires de porc-épic et des filaments rouges. Elle se souvient de ce trempage dans une solution d'eau, de gras et de rouille obtenu en grattant des roches ferreuses. « D'accord, je l'amène également. Pourquoi restreindre le poids de mon sac de voyage ? »

Au cours des derniers jours, elle voulait occuper son esprit et son corps et garantir aussi que sa grotte pourra la recevoir à nouveau... « Si jamais je dois revenir… NON ! Ne pense pas à ça ! » Elle a remis du bois en entreposage, tant à l'intérieur qu'à l'extérieur. Sur une étagère, elle a déposé des roches à feu, deux lampes à graisse, quelques poinçons qu'elle a utilisés pour coudre, plusieurs paniers remplis de lanières. D'autres bols contiennent de la nourriture séchée qu'elle a préparée depuis son retour il y a une semaine et dont elle n'aura plus besoin. Puis, il y a tous ces ustensiles qu'elle a patiemment sculptés et que les visiteurs ont épargnés de la casse.

Sa première fronde et un sac de cailloux sont accrochés à une excroissance rocheuse sur le mur, un peu comme une décoration. Quelques lances, anciennes et récentes, sont accotées ici et là sur la paroi; elles serviront également d'apparat pour ornementer la grotte. À côté de la garde-robe, elle a rangé un carquois contenant des dards, ceux qu'elle n'emportera pas avec elle sur le radeau. Elle aurait aimé y laisser aussi son bâton de pèlerin qu'elle avait utilisé lors de son premier périple du mont Logan vers le sud; elle ne l'a pas retrouvé. « On l'aura mis dans le feu… » Elle est déçue, car elle avait gardé cet objet en souvenir de ce temps rempli de souffrances; si le morceau de bois était marqué de coups de couteau qu'elle avait faits dans sa manière de l'écorcer, il portait également des tâches qui représentaient des épisodes de sa vie d'exil. « C'était MON sang et MA sueur ! De quel droit ont-ils détruit ce souvenir ? »

Sur une étagère, elle laissera aussi le briquet d'André. Après mûre réflexion, elle demeure convaincue qu'elle ne l'utilisera pas sur le bout de route qu'il lui reste à accomplir. Après 27 ans, elle s'imagine mal à redonner le Zippo à André ou à Jean-Pierre. Puis, se rappelant à quel point ce fut difficile d'apprendre à vivre sans cet outil précieux, elle hésite à en faire usage, préférant ses roches, une façon de garder ses habiletés. Alors, cet allume-cigarette restera derrière en témoignage de cette civilisation tant cherchée; ironiquement, la société est apparue sous les traits de Jean-Pierre, d'André, de Lucette et de Marie il y a quelques semaines. Puis, une idée jaillit dans sa tête. Elle se lève d'un bond et, dans un geste enfantin qui la caractérise si bien, elle monte ses bras dans les airs et saute à cloche-pied.

— Pourquoi pas ? Je vais aussi apporter mes pierres à feu à Montréal ! Ça les étonnera !

Elle a refait deux séchoirs parce qu'elle devait préparer des paquets de nourriture déshydratée dont elle se servira lors de la navigation vers la première caverne et la randonnée vers le mont Logan. Puis, elle a tanné les peaux de lièvres qu'elle a chassés quotidiennement pour s'alimenter. Elle ne voulait pas les brûler. « De toute façon, l'exercice fait passer le temps plus vite. » Ainsi, elle les a installées sur une étagère près du foyer. Ces tissus demeureront à la grotte, car elle n'en aura pas besoin sur la route vers Montréal.

Elle a pris quatre jours pour remettre son logis en ordre et faire disparaître au mieux le passage des intrus. Il restera encore quelques empreintes de pas ici et là, mais les orages successifs arriveront à les oblitérer complètement.

Aujourd'hui, elle a également complété ses bagages afin de pouvoir partir le lendemain, bien avant le lever du jour, avec la première marée. Dans son sac de montagne bleu, elle a placé les objets qu'elle veut rapporter à Montréal en plus des vêtements qu'elle enfilera une fois rendue au mont Logan. Elle y a aussi déposé une peau de lynx, en l'honneur des batailles qu'elle et Lou ont gagnées, dans le nord et à la Terre de la Forêt verte.

La peur de périr violemment ressentie à l'époque l'assomme d'un seul coup. Son corps est secoué par un tremblement sévère et elle peine à en maîtriser l'ampleur. Ainsi, il est important d'apporter ce scalp en rappel qu'un manque de vigilance ici, entraîne la mort. De ses doigts, elle touche son bras droit pour trouver les trois cicatrices tordues. « Sans l'intervention de Lou, je serais morte… »

Elle apporte un outil fabriqué de ses mains. Elle choisit un couteau en schiste. Bien sûr, elle prend aussi son journal de bois. Plusieurs marques, laissées à côté des encoches qu'elle traçait quotidiennement, sont très significatives : la découverte de Lou; l'arrivée d'Allie dans sa vie comme celle des aigles; la menace de l'ours; la naissance de Plumo; le sauvetage de Tigré; la raclée qu'elle a infligée à Jean-Pierre; et, également, le débarquement et le départ des visiteurs. Il est lourd, mais elle l'apportera quand même. C'est sa mémoire, sa preuve de cette existence difficile.

— Je suis prête ! Mon radeau est en bon état ! Mes bagages sont faits ! DEMAIN, je navigue vers la civilisation ! Je serai bientôt de retour à la maison !

Pour s'assurer que personne ne s'en empare, elle avait camouflé le mât, la voile, les rames ainsi que le gouvernail dans la forêt au nord de la grotte. Elle les avait déposés entre deux rochers, dans une talle de cèdres serrés, tout en les recouvrant d'une toile et de branchages en tous genres.

Elle se félicite de cette précaution. Les rustres ayant saisi le contrôle de son gîte, ils auraient certainement utilisé le bois pour alimenter le feu. Pire, ils auraient pu comprendre à quoi servaient toutes les pièces et chercher le radeau… Elle ne peut s'imaginer ce qui serait arrivé s'ils étaient partis en mer… pour y mourir ou ne jamais revenir. Son passé aurait changé; elle ne pouvait prendre ce risque.

Heureusement, le pont du Liberta, caché au creux d'une petite baie au nord de la forêt aux épinettes, était en sécurité contre tout envahisseur. Elle avait bien camouflé le sentier qui mène à l'anse. De toute façon, les visiteurs se fiant entièrement à la sorcière pour subvenir à leurs besoins, ils étaient peu aventureux. Ils restaient autour de l'amoncellement rocheux. Seule Marie savait… Nadine se souvient de l'expression d'horreur sur le visage de sa comparse quand elle lui a expliqué qu'elle naviguerait entre la grotte et la première caverne… sur un radeau mesurant cinq mètres sur deux. Marie s'est offusquée contre cette méthode de voyage qui la faisait douter que sa nouvelle amie revienne à Montréal saine et sauve. Nadine lui a simplement parlé de la rivière aux loups où elle a livré bataille pour s'en sortir vivante *in extremis*. La rouquine a ravalé un haut-le-cœur et frotté ses bras pour chasser un frisson. Les deux femmes ont évité le sujet par la suite.

Aujourd'hui, Nadine a également préparé son voilier. Elle a réinstallé le mât et le gouvernail, fixé les pagaies et vérifié chacune des attaches de cuir qui retiennent tous les morceaux de bois composant le navire. Puis elle a placé son bagage dans la boîte de transport du bateau. Le Liberta était paré à bourlinguer.

— Tout est prêt ! Il ne reste qu'à attendre… quelques heures de plus ne me tueront pas !

Lentement, pour ne briser aucune pièce, Nadine retire un sachet imperméabilisé de la poche de son chemisier. Elle ouvre délicatement le gousset et prend un cube de sucre d'érable qu'elle dépose sur sa langue pour le laisser fondre. Elle ferme les yeux pour mieux savourer.

— Miam ! Marie, merci beaucoup d'avoir réussi à sauver quelques morceaux de mes gâteries préférés ! Ces goinfres les auraient dévorés sans les apprécier.

Elle compte les carrés minuscules : il y a douze parcelles de la même grosseur que l'ongle de son petit doigt. Un mauvais souvenir assombrit ses traits : la disparition d'André, un jour de corvée. Lucette l'avait trouvé sur le toit, un sac de sucreries vide à ses pieds. Le glouton avait mangé les trois quarts de sa réserve d'un seul coup.

En arrivant à la grotte avec les visiteurs, Nadine avait déposé la pochette machinalement sur une étagère. L'ogre s'en était emparé à la première occasion. « J'ai vraiment cru que je n'en mangerais plus jamais… » La nomade est très reconnaissante envers Marie pour avoir mis un petit paquet à l'abri des dents gourmandes de ses collègues. « Est-ce que j'en aurai assez jusqu'au portail ? Hum… Peut-être… je devrai me rationner… ça aiguisera ma patience… »

Sa gourmandise rassasiée, elle examine longtemps cette mer bleue qui noircissait dans la pénombre. « Demain, je naviguerai sur tes eaux… » Puis, alors qu'un rayon de lune frappe les flots et dégage un faible faisceau photogène, Nadine revient sur le départ des visiteurs; la lumière vive et les traces de brûlures sur la roche ont réveillé sa mémoire sur les moments qui ont précédé et suivi sa propre « traversée ». Le choc du passage avait, de toute évidence, effacé ce bout d'aventure de sa mémoire.

Elle se revoit, dehors, en face de sa maison, à l'aube du 24 avril 2011. Elle était en train de mettre le matériel de leur randonnée pédestre dans la Outback d'Alex. Ce matin-là, ils se préparaient à partir pour les Great Smokey Mountains, un parc national américain qui chevauche les états du Tennessee et de la Caroline du Nord. Ils avaient rendez-vous avec leurs amis pour y faire leur première excursion de trekking de la saison; à la fin d'avril, c'est presque l'été à Montréal, mais il y avait encore de la neige dans les montagnes. Ils devaient amorcer leur périple en pleine nuit, mais un violent orage les avait contraints à attendre quelques heures avant même de placer les bagages dans l'auto.

Nadine a maintenant une vision très claire de l'instant précis de sa disparition. Alex était resté dans la résidence afin de vérifier la sécurité des lieux avant de partir. La femme venait de ranger les deux pochettes de soins personnels sur le siège arrière de la voiture, car ils les utiliseraient sur la route. Son sac de montagne était bien campé sur ses épaules et son chapeau était juché précairement sur sa tête; malgré la pénombre, ses lunettes de soleil trônaient sur le bout de son nez. C'était une façon bien à elle de faire moins de voyages entre la maison et la Outback. Ainsi, ses mains pouvaient donc tenir la petite tente que les trekkeurs traînent toujours, par précaution, lors de leur randonnée. La vieille machette, le poêle au gaz, la bonbonne et le filtre à eau, qu'Alex avait oublié de mettre dans son bagage, étaient installés sur le dessus. Elle s'apprêtait à déposer ces objets dans le coffre arrière de l'auto. Sur le gazon, tout à côté, elle apercevait les raquettes de type « pattes d'ours » qu'elle et Alex avaient décidé d'apporter au cas où la neige tomberait en abondance.

L'orage avait laissé une forte odeur de soufre qui se mélangeait à l'arôme sucré des jonquilles. Sous la fenêtre du salon, à l'avant de la maison, elle regardait avec une énorme fierté son *hortensia,* une sorte d'*hydrangée,* qui avait survécu à son premier hiver. Planté au cours de l'automne dans un sol particulièrement acide pour obtenir des fleurs bleues, le jeune arbuste montrait sa résistance par ses nombreux bourgeons. C'est à ce moment que Nadine a entendu un grand fracas et qu'elle a vu une lumière blanche et très vive s'ouvrir à côté d'elle. Elle a eu un geste de recul; happée par le portail, elle s'est retrouvée par terre, son front cognant durement sur une roche. Les objets qu'elle tenait dans ses mains s'éparpillèrent autour d'elle. De sa maison, de l'auto, des bagages, il ne restait plus rien. Elle avait un mal de tête effroyable et une forte envie de vomir.

Maintenant, elle se souvient d'avoir monté péniblement la tente, d'y avoir mis son sac de couchage et le matelas ainsi que d'avoir installé la lampe-chandelle qu'elle avait trouvée, comme d'habitude, camouflée dans le tissu de l'habitacle. Elle n'est pas certaine de comprendre la raison exacte qui l'a amenée à agir ainsi, sauf qu'elle avait un grand besoin de dormir. « Comme les visiteurs à leur arrivée... Jean-Pierre a même dormi une journée complète... » Quand elle s'est réveillée, un peu plus tard, la mémoire des heures précédentes s'était évaporée de son cerveau. Avec sa témérité habituelle, elle s'est jetée tête baissée dans cette aventure qui a duré deux années dans un monde dépourvu de civilisation.

Maintenant qu'elle comprend tout cela, Nadine est persuadée que sa théorie sur le portail est la bonne. Le fait que les visiteurs ont pu quitter le Pays de la Terre perdue, comme les deux comparses l'avaient prévu, le prouve. Marie était en contrôle du faisceau. Elle a attendu que Nadine pousse Jean-Pierre dans l'ouverture, puis elle lui a fait un signe de la main pour lui signifier que tout allait bien, juste avant de fermer le passage dans un geste volontaire.

Les deux femmes avaient eu plusieurs conversations en vue de préparer leur retour éventuel. Nadine reste convaincue que le mécanisme de lumière au sud était celui de Marie et que le voyage de Lucette, André et Jean-Pierre n'était que le fruit du hasard. Le fait que le gros homme ait dû « sauter » pour suivre les autres soutient cette théorie. L'exilée a hâte d'en discuter à nouveau avec son amie. Bientôt. La rouquine l'attendra et l'aidera.

Ainsi, son idée basée sur l'analyse de l'expérience de Marie, Nadine espère pouvoir contrôler sa traversée quand ce sera son tour. Elle ne veut rien échapper de ses aventures au Pays de la Terre perdue, pas même une seule seconde. Une fois de retour, elle aura besoin de toute cette information pour écrire et dessiner. Malgré son enthousiasme, elle ressent une grande angoisse face à sa propre situation. Deux ans se sont écoulés depuis son arrivée. Est-il trop tard ? Est-ce que le temps a effacé les liens de Nadine avec son monde d'origine au point d'empêcher le portail de s'ouvrir ?

Quand elle laisse ainsi vagabonder son esprit, toutes sortes de questions bombardent son cerveau. Est-ce qu'il y a d'autres faisceaux lumineux comme ceux que Nadine et Marie ont empruntés ? Est-ce possible de les contrôler ou de les utiliser à volonté ? Peut-on aller ailleurs qu'au Pays de la Terre perdue ? « Je pourrais revenir un jour avec Alex pour lui montrer mon royaume... j'aimerais bien... j'arriverais peut-être à donner un sens à toute cette aventure... »

Puis, une autre idée se dessine dans les méandres de son cerveau. Est-ce qu'elle devait vivre deux ans, ici, seulement dans le but d'aider les visiteurs à retourner chez eux ? « Ouf ! Ça, c'est encore plus excentrique ! » Est-ce que le mécanisme du portail est un phénomène aléatoire ? Unique ? Est-ce que quelqu'un a le contrôle ? Des extraterrestres ? Elle a tourné ces idées de nombreuses fois dans sa tête au cours des derniers jours, au point d'en avoir la nausée. Elle en discutera avec Marie; à deux, elles comprendront mieux... peut-être. « Quand je serai de retour à Montréal ! Mais d'abord, pour y arriver, je dois compléter mon voyage vers le nord... »

Elle a remarqué une chose plutôt curieuse aujourd'hui. Depuis sept ans, chaque fois qu'elle préparait un projet, il y avait toujours une ombre au tableau : elle se demandait comment Jean-Pierre s'y prendrait pour ridiculiser ses idées, détruire ses plans ou simplement mépriser ses accomplissements. Elle comprend que cette réaction faisait suite à cette année catastrophique à travailler sous les méthodes brutales et condescendantes de son surveillant. Par contre, depuis le départ du goujat du Pays de la Terre perdue, Nadine n'a plus ces questionnements qui la chaviraient en rappel de cet échec monumental dans sa carrière. Au cours des 37 jours de l'exil du malotru narcissique,

Nadine a appris à neutraliser l'effet des paroles vitriolées de son ancien patron. Elle en retire une énorme fierté. Elle aura finalement gagné la guerre, celle de l'indifférence.

Elle se souvient d'une conversation avec sa mère en 2006, quelques semaines suivant sa démission. Elle n'était pas capable d'admettre que sa colère l'empêchait de passer au-delà de l'incident et de grandir de l'échec. « Maman avait raison… j'aurai mis tellement de temps pour comprendre. Est-ce que je serai capable de répéter mon comportement si je le rencontrais après mon retour ? »

D'un bond, la nomade se lève et marche vers le bord de la paroi qu'elle voit très bien sous les reflets lunaires. Le Pays de la Terre perdue s'étend à ses pieds, éclairé par la reine de la nuit. Pendant que les prédateurs nocturnes chassent, les animaux diurnes se reposent en attendant que la lumière du jour les réchauffe à nouveau. Cette continuité de la vie l'impressionne toujours, lui rappelant que sa propre existence est éphémère dans l'immensité de l'univers qu'elle habite. Sous les milliards d'étoiles qui brillent dans le ciel depuis le début des temps, elle ne peut que poursuivre sa destinée, à son rythme, en faisant de son mieux. Elle respire profondément l'air de ce pays à grosses gorgées, sachant qu'elle n'en aura plus d'aussi pur à son retour sur cette autre Terre que les humains ont si malmenée.

« Je reviens chez moi et j'en suis heureuse. Par contre, est-ce que toutes les expériences vécues ici altèreront mon comportement là-bas ? » Malgré la chaleur de la douce soirée, un frisson douloureux parcourt sa peau. Elle ferme les poings et lève la tête vers l'ouest. Elle laisse sa rage sortir de son corps…

— MAUDIT PAYS DE MERDE ! Il n'est pas question que tu m'embêtes jusque chez moi ! Je veux garder plutôt en mémoire ta beauté, cette liberté d'être, ce paysage grandiose et démesurément spectaculaire.

Chapitre 4
Montréal – 18 octobre 2006

Irène prend une autre bouchée de macaroni aux trois fromages, une spécialité de son gendre Alex. Malgré cet âge avancé qui effrite l'efficacité des sens, elle goûte intensément le gruyère, le cheddar et le parmesan. Il y a aussi cette épice qu'elle ne peut définir… elle claque ses lèvres ensemble alors qu'un sourire s'affiche sur son visage. « Dire que j'ai élevé mes enfants à ne pas saper… j'ai 88 ans et je viens de vaincre un cancer… j'ai tous les droits. » Irène prend une autre bouchée et ferme les yeux pour mieux se concentrer.

— J'ai trouvé ! C'est de la muscade !

— Hum ? répond Nadine en sortant à peine de sa bulle.

Irène observe sa benjamine pendant un moment. Elle note que cette dernière est très calme… Non. La vieille dame décode mal ce qu'elle voit. En fait, Nadine est plutôt tendue. Elle est si préoccupée qu'elle s'enferme dans sa tête. La mère n'est pas dupe. Elle sait que sa fille ne veut tout simplement pas lui expliquer ce qui la met autant à cran. Irène tente de comprendre sa morosité.

— Je suis contente d'avoir choisi de déménager ici… il y a plusieurs beaux résidents qui me content fleurette.

— Hum ? OK.

— Nadine ! Sors de ta bulle ! Je viens quasiment de t'annoncer que je vais épouser le voisin de palier et tu me réponds avec un « OK ». Voyons donc !

La femme aux cheveux poivre et sel soupire. Elle n'écoutait pas ce que sa mère disait. Il y a trois semaines, elle a dû donner sa démission et elle trouve cette situation difficile à vivre. Elle n'a pas été congédiée, mais elle sentait qu'elle n'avait pas le choix de quitter un emploi qu'elle adorait. Son patron l'avait ciblée comme une indésirable et, plutôt que de prendre une décision qu'il ne pouvait justifier, il s'acharnait à la détruire. Le harcèlement était insupportable et Nadine ne voulait pas y perdre sa santé. Elle aurait souhaité se battre contre ce goujat, mais toute l'équipe en aurait subi le contrecoup. Elle sentait qu'elle n'avait aucune autre solution à sa portée que de faire exactement ce que cherchait Jean-Pierre, c'est-à-dire partir.

— Je suis désolée, Maman. Tu me parlais de ta décision de déménager dans cette maison de retraite. C'est ça ? Aimes-tu ta chambre ?

— Tout est parfait. Après ma bataille contre le cancer, je voulais me retrouver plus en sécurité. J'ai bien fait de vous faire confiance. Eugénie et toi avez choisi un endroit très bien organisé. Nous sommes bien traités. Le personnel est sympathique. Savais-tu qu'il y a un bus spécial qui nous amène en ville pour visiter des musées ?

— Oui. C'était écrit dans la brochure.

« Une autre réponse courte… normalement, Nadine aurait voulu savoir si je l'avais emprunté, quels musées j'avais l'intention de visiter… c'est sûr que quelque chose ne va pas. » Irène prend une bouchée de macaroni et elle cherche un thème qui pourrait intéresser Nadine.

— Le personnel me dit que je mange mieux quand quelqu'un de ma famille m'amène des repas faits maison.

— Est-ce que la nourriture de l'institution est si mauvaise, répond Nadine sur un ton alarmé, pour que tu ne t'alimentes que lorsqu'on vient te visiter ? Si c'est le cas, peut-être devrions-nous trouver une autre résidence ?

Irène est contente du résultat. Sa fille s'intéresse à la situation, même si elle fronce les sourcils à force d'inquiétude. Elle sourit et la rassure doucement.

— Non, Nadine. Je suis très bien ici. Je pense que ma faim est plus grande quand j'ai quelqu'un qui passe une heure ou deux avec moi. C'est la présence d'un membre de la famille et le désir d'avaler quelque chose de familier qui me fait saliver.

Irène mange généralement avec appétit, car elle se sait choyée. Elle peut comparer sa situation avec celle de plusieurs autres pensionnaires; certains n'ont pas rencontré leurs descendants depuis des années alors qu'ils demeurent à quelques kilomètres de la résidence. Par contre, Irène reçoit de la visite plusieurs fois par semaine. Ses enfants font un voyage spécial de Québec, de Sherbrooke et même de la Suisse pour la voir. L'aïeule sait tout de la vie de ses petits-enfants et elle connaît tous ses arrière-petits-enfants.

Le jeudi appartient à sa plus jeune. Ce soir-là, Alex participe à une rencontre d'affaire pour son entreprise et Nadine en profite pour passer du temps avec sa mère. Elle arrive avec un repas qu'il suffit de réchauffer pour le savourer. Marchant bras dessus, bras dessous, les deux femmes se rendent lentement jusqu'à la petite salle réservée pour elles. D'habitude, Nadine installe une musique de fond, différente à chaque visite pour faire plaisir à la doyenne; l'atmosphère est à l'humour dans la bonne entente. Depuis quelques semaines, Irène note l'air morose de sa benjamine. Bien sûr, elle comprend que sa fille veut la protéger en refusant de lui dire ce qui ne va pas. Pourtant, ce silence est bien pire. Irène s'imagine qu'un cancer ronge le corps de sa petite dernière; ainsi, quand elle la rencontre, elle cherche la perte de poids ou le teint laiteux, mais elle ne voit rien de tout cela. Est-ce qu'Alex, Dominique ou Anne serait malade ? L'un des conjoints peut-être ? Irène aimerait bien savoir…

De toute façon, la mère inquiète en a assez. Elle doit découvrir ce qui taraude sa fille. Elle dépose sa fourchette sur le bord de son plateau. Nadine réagit automatiquement.

— Tu n'as plus faim ? Veux-tu autre chose ?

— C'est ton air morose qui me coupe l'appétit. Que me caches-tu, Nadine ?

Nadine plonge son regard dans celui de sa mère. Elle s'est promis de ne pas l'inquiéter avec ce qui la ronge. De toute évidence, elle a tout gâché… Elle tente une dernière fois.

— Tout va bien, maman. Ne t'en fais pas pour moi. Allez, mange ce qu'Alex a cuisiné spécialement pour nous deux…

Irène ne veut pas abandonner le sujet, mais elle connaît sa benjamine. Si elle pousse trop, l'autre se butera; coincée, elle ruera et la mère ne sera pas plus avancée. La vieille dame réfléchit un moment, puis elle plante ses prunelles bleues dans celles de sa fille. Quand elle voit la nervosité monter d'un cran sur le visage de Nadine, la doyenne penche la tête, prend une bouchée de macaroni puis elle change de tactique.

— J'aime l'ensemble que tu portes. C'est nouveau ça. Ça fait très professionnel.

— Je l'ai acheté la semaine dernière. Je me sens bien quand je l'ai sur mon dos.

— De quel endroit arrives-tu, pour être si bien habillée ?

— D'une entrevue d'emploi…

Nadine mord sa lèvre. « Merde ! J'ai parlé trop vite ! » Sa mère l'a prise par surprise. Elle a presque dévoilé son trouble…

— Pourquoi cherches-tu un autre job ? demande Irène d'un air qu'elle veut détaché.

Nadine fixe Irène avec des yeux si tristes que la vieille dame s'avance un peu pour toucher la main de sa fille.

— Allez, ma puce ! Raconte-moi tout. Ça ira mieux après, tu auras le cœur léger.

La femme de 50 ans prend quelques secondes pour ramasser ses idées puis, encouragée par le visage serein de sa mère, elle entame lentement le récit de ses dernières semaines. Elle ferme les paupières un instant, respire profondément puis s'explique par petites phrases.

— Te souviens-tu de ce que tu m'as affirmé quand j'ai commencé à travailler avec Jean-Pierre ?

— Tu parles ! Comme si c'était hier ! Je t'ai dit que cet homme allait trouver la manière de te faire beaucoup de mal.

— C'est en plein ce qui est arrivé et j'ai dû quitter l'Agence Écho Personne. Sinon il m'aurait détruite. Complètement.

Nadine relate les conditions des dernières semaines d'emploi avec Jean-Pierre, son projet ultime dont elle était si fière et le fait que le goujat a démoli ses idées devant le conseil d'administration de l'Agence Écho Personne. Au fur et à mesure qu'elle parle, sa hargne augmente et son ton monte. La doyenne écoute attentivement et laisse tout le fiel sortir des propos de sa fille. Épuisée par ses efforts douloureux pour expliquer cet épisode pénible de sa carrière, Nadine termine son récit en levant les mains en l'air, dans un geste de dépit.

— C'était il y a trois semaines. J'ai donné ma démission sur-le-champ. Depuis, je me cherche un autre emploi.

Irène reste silencieuse. Elle a de la difficulté à comprendre pourquoi ces circonstances particulières rendent Nadine si morose. On dirait que celle qui a la capacité de rebondir comme un chat dans toute situation n'arrive pas à tourner celle-ci à son avantage. Elle la sent si bouleversée…

— Tu ne parles pas, maman ?

— Je me demande seulement quelle est la différence entre ce patron-là et les deux infirmières qui t'ont incitée à quitter tes études en 1975.

— Ce n'est pas pareil. Dans le temps, le métier que j'avais choisi n'était pas pour moi. Par leur attitude, Nadeige et Germaine m'ont permis de réaliser plus rapidement à quel point j'aurais été malheureuse si j'avais terminé mes études. De plus, à cette époque, mon avenir n'était pas défini. Avec Jean-Pierre, la situation est différente; c'est toute ma carrière qui est éclaboussée. J'aimais l'Agence et je trouvais le travail très stimulant. J'ai dû laisser tomber mes collègues... ça me désole d'avoir eu à démissionner à cause de ce goujat.

— Hum... pourtant, je crois que tu es terriblement en colère contre Jean-Pierre parce qu'il t'empêche de faire ce que tu veux; l'homme bloque ton chemin.

— C'est pire que ça ! Si j'étais restée, toute l'équipe en aurait souffert ! Que dis-je ? Toute l'organisation ! Je n'avais pas le choix !

— Je comprends aussi que, à ta manière de chercher l'harmonie partout, tu es déçue de ne pas avoir réussi à bâtir une meilleure relation avec ce patron. Il est responsable certes de l'échec, mais il ne faudrait pas que ta rage contre lui embrouille ton cerveau. Ça ne donne rien de bon et on s'empêtre dans un nœud qui contrecarre notre volonté de développer une solution plus valable.

— Non ! Je ne suis pas aveugle, voyons ! Je la connais la réponse à l'énigme ! C'est pour ça que je m'efforce de trouver un autre emploi.

Irène observe sa benjamine avant de poursuivre sur un ton calme. Elle espère que la lenteur avec laquelle elle parlera aide sa fille à ne pas fermer son cœur à ce qu'elle essaie de lui faire comprendre.

— Quand ton père est mort, j'en ai voulu énormément au chauffard qui a causé l'accident. Ça obnubilait tout. J'étouffais. J'ai mis des années à saisir que l'incident lui-même était insignifiant. Je souffrais terriblement de l'absence de Thomas, mais je n'arrivais pas à guérir tant j'étais emprisonnée dans ma colère.

Nadine regarde Irène avec des yeux qui garrochent des éclairs : « Comment peut-elle comparer la mort de mon père avec les agissements de Jean-Pierre ? Voyons donc ! »

Mais avant de continuer la conversation, la femme en furie prend quelques secondes afin de calmer son cœur qui bat un peu trop fort. Elle ne veut surtout pas blesser sa mère. Vivement, elle baisse la tête et change le sujet.

— On verra, maman. Entretemps, terminons ce repas pendant que c'est encore chaud.

Pour le reste du dîner, la mère et la fille se sont efforcées de garder l'atmosphère plus cordiale; ainsi, elles ont surtout parlé de ce bébé qui s'annonce pour le mois de décembre. Elles ont planifié quelques heures pour magasiner la semaine suivante, allant même jusqu'à prévoir une liste d'achats. Si Chloé n'était pas encore née, elle occupait déjà un espace important dans la famille. Au fur et à mesure des discussions, Nadine se calmait. L'idée de cette enfant qu'elle bercera sous peu lui faisait oublier toute cette histoire trouble.

Puis, alors qu'Irène marche lentement le long corridor qui la ramène à son appartement, son bras bien attaché à celui de sa fille, elle tente de revenir sur la question délicate… par un détour de conversation, bien sûr.

— Dis-moi, est-ce que ça va bien avec les entrevues ? N'est-ce pas un peu difficile à ton âge de changer de compagnie ?

Nadine éclate de rire.

— Maman ! Je n'ai que 50 ans !

Puis, se remémorant ces dernières semaines, elle ajoute d'un ton un peu moins enjoué.

— Tu as un peu raison. Je n'ai eu aucune réponse de mes premières demandes d'emploi, mais ça prend du temps tout ça. L'entrevue d'aujourd'hui est différente. L'organisation reçoit des services de l'Agence et son CEO a entendu dire que j'avais démissionné. Il me connaît et son directeur des ressources humaines sera à la retraite dès janvier prochain. Il cherche quelqu'un d'expérience. Je pense que ça va marcher.

— Tant mieux ! Parce que je sais que ce n'est pas très bon pour ta santé de ne pas besogner ! Je remarque que tu broies du noir depuis quelques semaines. J'espère que cette firme t'engagera bientôt… pour réduire ton stress.

— Si je me morfonds comme ça, ce n'est pas à cause du manque de travail, mais plutôt par la faute de Jean-Pierre…

Nadine se mord la lèvre. Décidément, sa mère est ratoureuse et l'enfant qu'elle est toujours vient de tomber dans le panneau une deuxième fois. Elle se raidit pour ne plus discuter de ce sujet inconfortable. Irène cherche encore à l'amadouer.

— C'est certain que ta tête a identifié une solution qui te convient, c'est-à-dire d'obtenir un autre job. Par contre, tu ne desserres pas les dents en raison de la colère qui t'étouffe. Comment réussiras-tu à te débarrasser de toute cette rage inhabituelle chez toi ?

— C'est pourtant facile à comprendre. Je dois trouver cet emploi et oublier Jean-Pierre.

— Je sens de l'amertume dans le ton de…

— Maman ! C'est certain que je suis amère…

— Ça va, Nadine ! Ne te fâche pas. Il n'y a rien de mal à ressentir une grande colère contre quelqu'un pour un moment. Par contre, si tu refuses de la reconnaître, cette émotion vive et destructrice mettra beaucoup de temps à disparaître.

— Comment t'y es-tu pris avec le chauffard qui a tué papa ?

— J'ai demandé à le rencontrer. Ton frère Marc est venu avec moi. Ça n'a pas été facile, mais j'ai compris que l'incident et l'homme qui l'a causé n'avaient pas d'importance. L'essentiel de ma douleur résidait dans la mort de ton père. J'ai commencé mon deuil à ce moment précis.

— J'ai l'impression que je m'en souviens. C'était le printemps. Tu as changé à la suite de ce voyage. Tu as planté toutes sortes de fleurs très colorées dans les platebandes. Tu as appris à conduire et tu as aussi acheté une nouvelle garde-robe. À l'époque, j'ai même pensé qu'un gars te tournait autour…

— Un homme, hein ? Non, ma fille ! J'avais simplement décidé de ne plus être en colère.

— Oui, mais pour Jean-Pierre, j'ai mille raisons de le haïr. C'est lui, le problème; personne d'autre n'est responsable de ce qu'il m'a fait vivre.

Irène admet que Nadine est encore trop prisonnière de sa rage pour accepter d'office la sagesse de ses paroles. Elle tente une approche différente.

— Nadine, promets-moi au moins de réfléchir à ce que je t'ai raconté.

— Je jure d'y jongler, maman. Par contre, sache que tu t'en fais pour rien.

De retour dans la chambre de la résidente, Nadine aide sa mère à se mettre au lit puis elle la borde avec amour. « Elle a tellement fait ça pour moi… c'est à mon tour de l'aimer autant. » De sa main ridée, Irène retient Nadine qui veut s'échapper un peu trop vite, un indice que les paroles de la doyenne ont touché quelques cordes sensibles.

— Ma petite fille, sache que c'est plus difficile de vivre avec la colère. Ça aveugle et altère notre façon de voir la vie. C'est comme si le bonheur nous fuyait…

— Tu es si philosophe… Je t'assure que tout va bien… J'aurai un nouvel emploi bientôt et je sortirai complètement ce goujat de ma mémoire.

— Ce n'est pas de l'oubli dont tu as besoin, mais surtout d'apprendre une bonne méthode pour neutraliser ce qui te met dans une telle agitation.

Nadine sourit à la vieille femme. Puis, au moment de lui donner un dernier baiser, elle lui dit d'un ton enfantin.

— Je te considère comme mon héroïne depuis que tu m'as aidée à la couture quand j'avais 13 ans. Tu es toujours mon mentor et je t'aime beaucoup. Je vais réfléchir à tes paroles. Allez, dors bien.

Nadine ne peut faire autrement que de taquiner sa mère. Juste avant de fermer la porte, elle chuchote :

— En passant, j'ai aperçu ton voisin tantôt… il est beau avec son nœud papillon multicolore autour du cou… c'est de valeur qu'il n'ait pas de dents…

Nadine s'est satisfaite de voir Irène rire aux éclats. Si la soirée avait été pénible pour elle, il n'était pas question que la vieille dame en subisse les conséquences. Cette dernière rebuffade amènera l'aïeule au pays de Morphée avec un sourire au cœur et non pas un souci dont elle ne peut trouver la solution.

Chapitre 5

Jour 718 — 2 juillet

— Nadine ! Dépêche-toi de revenir ! Je veux te revoir avant de mourir !

— Maman ! Ne me fais surtout pas ça ! Attends-moi encore un moment ! Je fais mon possible. Ce maudit pays m'en fait baver pour l'instant, mais j'y arriverai... tu me connais... je vais rebondir ! Je te le promets !

Le visage ridé et paré de deux yeux bleus très vifs devient fluide et, sous l'effet du vent, le corps vaporeux flotte dans l'espace rempli de fumée jusqu'à disparaître complètement. Trempée de sueur, la prisonnière sort brusquement de son rêve. Elle se dresse, laissant tomber la courtepointe en fourrure de renard de ses épaules. Sa respiration est saccadée. Soudain, la peur que sa mère meure avant son retour lui noue la gorge. « Comment puis-je faire plus vite ? » Elle s'assoit devant son feu, calcule un moment. « Quand je suis partie, c'était 2011 et je suis restée absente deux ans... 2013... maman est née en 1918... elle a 95 ans. »

— Maman ! Attends-moi encore un peu ! Je veux avoir la chance de te dire que tu avais raison pour Jean-Pierre. Ma colère contre lui m'aveuglait totalement. J'aurai mis sept ans pour comprendre ce que tu as si généreusement tenté de m'expliquer dans le temps. J'ai trouvé la solution... Marie m'a aidée... je vais te raconter à mon retour... tu seras fière de moi !

Pendant qu'elle parlait, Nadine regardait ce coin de mur où l'ombre de sa mère lui était apparue en rêve. À moitié réveillée, la nomade prend note de son environnement. Elle a froid. Il fait nuit encore. Elle passe ses mains sur son visage pour en enlever les signes de sommeil. « C'est certain que Jean-Pierre me traiterait d'imbécile s'il savait dans quel pétrin je me retrouve… encore ! Maudit pays de merde ! Ma rage est tournée vers toi maintenant ! » Nadine se lève d'un bond et plonge son regard dans le coin sombre de l'abri et souffle fort pour retrouver un peu de calme. « Maman a raison… si je m'accroche à ma colère contre ce pays, je n'arriverai pas à m'en sortir… il faut transformer cette énergie négative en action positive… » Elle ferme les yeux et soupire. « C'est certain qu'Irène n'avait aucune idée de ce qui m'attendait ici… »

La nomade frotte nerveusement ses mains l'une contre l'autre. Elle marche jusqu'au bord de la pierre qui sert de support à son antre et regarde à travers la nuit toujours aussi opaque. Les feux qu'elle a installés sur la plage lancent encore des flammes brûlantes qui éclairent les environs de lueurs fantomatiques. Les sons de la mer toute proche lui parviennent sans qu'elle ne puisse la voir. Rien d'autre. « Ils sont partis… je peux maintenant relaxer… »

L'intérieur de la première caverne est éclairé faiblement par le feu qui se meurt. Rapidement, elle ajoute du bois dans le foyer pour que les flammes, à défaut de faire cesser les tremblements qui secouent le corps de la prisonnière, réchauffent son âme. Elle s'assoit lentement sur son lit. « Est-ce que ma mère est déjà morte ? J'arriverai trop tard pour lui dire adieu… je ne veux pas la perdre… »

Elle entend encore les paroles d'Irène, quelques jours avant sa disparition, lui rappelant que la vieille dame était d'un âge vénérable et qu'elle pouvait mourir n'importe quand. D'une voix forte marquée de toute la détermination dont elle est capable, Nadine porte ses mots directement dans le feu, comme pour les faire s'envoler vers l'autre monde.

— Maman ! Je sais que tu prendras soin de ma famille. Tu es une femme de caractère et tu as vaincu le cancer à 88 ans; tu attendras mon retour avant de partir. J'en suis certaine !

Cette pensée lui fait du bien. Elle se couche sur son lit et glisse la couverture sur ses épaules. Elle écoute attentivement les bruits de la forêt. « Ils sont retournés dans leur tanière. » Lou s'approche et lèche son visage. Ce geste calme et doux finit de la rassurer. Elle ne dormira plus, mais au moins, les tremblements de son corps ayant cessé, elle pourra se reposer un peu. « Maman ! Je vais y arriver ! Quelque temps encore ! » En attendant que le soleil se lève, sa mémoire revisite les derniers jours.

La veille, en fin d'après-midi, la navigatrice a vu l'anse de la première caverne apparaître en avant de sa route sur l'océan. Utilisant la marée montante, elle réussit à faire avancer le radeau sur une distance de cent cinquante mètres dans la rivière située à trois cents mètres au nord de l'abri de pierre. Quand la mer baissera, son navire sera coincé, comme en cale sèche. Nadine s'assure de l'amarrer solidement à deux arbres, souriant au passage de son habitude de faire toujours les choses le mieux possible tout le temps. Lorsqu'elle aura vidé le rafiot, le Liberta aura terminé son voyage ultime.

Nadine s'évertue à prévoir le pire; parce que ce trait de caractère lui a sauvé la vie si souvent au cours des deux dernières années. Ainsi, elle place la voile, le mât et le gouvernail en sécurité dans le fond de la première caverne, bien à l'abri des intempéries. Dans ses bagages, elle avait emporté une toile imperméabilisée avec du suif pour en recouvrir le matériel du radeau afin de le protéger. Elle n'a plus besoin de ces choses, mais elle ne peut s'empêcher de les mettre à l'abri. « Peut-être que je reviendrai avec Alex... Qui sait ce que l'avenir me réserve ? »

Profitant de cette fin d'après-midi gavée de soleil, elle transfère tout son matériel dans la première caverne. Puis, comme à son habitude, elle allume son feu, vérifie la plateforme fabriquée lors de sa dernière visite qui lui sert de lit. Elle secoue les peaux qu'elle utilisera comme matelas et couverture durant la nuit. « Tout est en ordre… Il est vrai qu'aucun malotru n'a pénétré dans cet endroit… sauf quelques rongeurs inoffensifs… »

Le voyage en mode navigation a énergisé la nomade tout en réduisant son stress qu'elle accumulait depuis le départ des visiteurs. L'attente de l'orage, puis l'impatience face au vent qui ne virait pas de bord assez vite, avaient exacerbé sa témérité qu'elle maintenait en échec par sa seule force de caractère. Comme toujours, pour cette femme rebelle à l'esprit vif, l'action est garante de santé mentale. Ainsi, sur son radeau qui flottait entre ciel et mer, elle a pris plaisir au fait que chaque bourrasque sur l'océan la rapprochait de sa famille. Ses aventures au Pays de la Terre perdue s'achèvent.

Dans ce voyage ultime, elle a senti le calme prendre beaucoup de place dans son âme; le grand air marin a rempli son corps d'énergie. Elle est prête à entreprendre la dernière portion de son exil dans ce monde étrange; c'est-à-dire les trois jours de marche dans une forêt dense en pleine montagne. En forme et en santé, elle est certaine de pouvoir accomplir ce périple sans inconvénient. Même si ses souvenirs de cette zone boisée lui rappellent quelques dangers, elle prendra son temps, quitte à attendre le passage d'un orage supplémentaire. « Il vaut mieux quelques jours de plus qu'une fin bête et abrupte… »

Debout en face de cette mer qu'elle a affrontée pour la dernière fois, alors que le vent joue dans les mèches de cheveux aussi rebelles que leur propriétaire, elle respire profondément l'air salin. Sa plus grande appréhension face à son retour s'est estompée avec l'arrivée de Marie. « Je craignais qu'Alex se décourage et qu'il me croie morte quelque part; j'avais surtout peur qu'une autre femme prenne ma place dans son cœur. » Elle sait maintenant que son amie soutiendra Alex pour qu'il soit patient. L'exilée se permet d'envisager que leur amour survivra à ses deux années d'absence…

— Alex, j'ai tellement hâte de te revoir. J'ai un peu changé, mais, quand je t'expliquerai, je suis certaine que tu comprendras...

Son arrivée tardive à la première caverne l'empêchait de partir le jour même pour la dernière étape de son voyage de retour. Elle veut donc attendre l'aube du lendemain pour parcourir la plus grande distance possible dès le premier jour de cette ultime randonnée à travers la forêt luxuriante vers le mont Logan. Comme il est encore tôt et que la navigation lui a laissé de l'énergie, elle fait une longue balade sur la plage sous le chaud soleil de juillet. Lou, qui la suit pas à pas depuis le début de cette expédition commencée dans la péninsule sud, marche à côté d'elle.

Étonnamment, elle a été surprise quand son protégé a sauté sur le radeau, il y a de cela trois jours. Elle voulait profiter du retrait de la marée pour pousser le navire en mer; alors elle était prête à entreprendre ce voyage bien avant l'aube. Tout son bagage était d'ailleurs attaché dans la boîte de transport depuis la veille. Une lampe à graisse posée sur son quai naturel lui permettait d'apercevoir suffisamment le pont du Liberta et les alentours pour terminer ses préparatifs de départ.

Durant tout ce temps, Lou se tenait debout à côté d'elle, sur l'embarcation. Quand la marée a commencé sa descente, Nadine enlève une première amarre. Lou la regarde faire, sa langue rose sortie de la gueule. Il avait vu ses manœuvres si souvent qu'il comprenait instinctivement l'intention de sa mère adoptive de prendre la mer. Il ne bronche pas d'un poil. La navigatrice libère le deuxième cordage et le pont flottant bouge en suivant le mouvement de l'océan. Lou va se coucher sous la grande toile. « Wow ! Sa décision est claire... » Malgré tout ce que son protégé a vécu sur ce rafiot, il accepte d'accompagner Nadine au cours de ce voyage ultime. La nomade est très heureuse de ce nouveau tournant dans sa relation avec le gros canidé. Les larmes de joie rendent ses yeux si brillants que cela nuit momentanément à sa vision.

— Merci Lou ! Ça me fait énormément plaisir que tu fasses ce bout de chemin avec moi. Je sais que tu es malade en bateau et que tu fais un énorme effort.

Avec une rame, Nadine pousse le radeau vers la mer et elle met la voile. Elle s'assoit à côté de son protégé, sur ce petit banc fixé au pont et sur lequel elle a attaché une fourrure de lièvre pour ménager ses vieux os. Ainsi, pendant que le vent favorable la fait naviguer facilement vers le nord et que le soleil caresse sa peau, elle observe la côte intensément. « Je ne reviendrai plus ici… vaut mieux que mon cerveau se gave de toutes ces images rendues magiques sous le lever du soleil… elles font mon bonheur. »

Nadine et Lou atteignent l'anse de la caverne d'Ali Baba un peu après que le soleil soit au zénith. Elle a envie de poursuivre sa route, en cherchant une autre baie située plus au nord, pour accélérer le voyage. Mais, fidèle à sa promesse de rester en sécurité, elle s'efforce de suivre son plan de navigation. Étant parvenue au but prévu par cette première journée, elle n'irait pas plus loin. Elle accoste donc le radeau en bordure de la grève. Puis elle grimpe vers la corniche pour vérifier ce trou dans la paroi qu'elle a nommé la caverne d'Ali Baba au moment de sa première visite. Cherchant à se cacher pour éviter les fougues menaçantes d'un orage, elle et Lou l'avaient trouvée par hasard. Elle sourit en se souvenant du confinement qu'elle et Marie ont subi il y a quelques semaines pour se protéger d'un autre violent ouragan. Alors que les deux femmes étaient coincées entre la falaise, la mer et le ravin rempli d'eau, leurs pénibles confidences ont permis de mettre en commun les informations nécessaires à leur retour, chacune utilisant son portail, dans leur temps respectif.

Tout comme elles l'ont fait pour le campement de la vallée aux noisettes, Nadine et Marie avaient laissé ce lieu magique en bon ordre; nul autre visiteur n'a d'ailleurs pénétré dans l'enceinte. Ainsi, aujourd'hui, elle n'avait aucun nettoyage à faire.

Constatant qu'il restait encore plusieurs heures avant la nuit, elle devait bien les occuper pour réduire son impatience. Pendant un instant, elle regrette d'avoir abandonné le havresac fabriqué de peaux et de morceaux de bois dans le fond de la grotte. Sachant qu'elle devait traverser avec ses vêtements de Montréal, elle avait choisi de n'apporter que son vieux sac de montagne d'un bleu défraîchi. Même usé, l'outil moderne ferait l'affaire pour les quelques jours de randonnée à travers la forêt et les collines jusqu'au mont Logan. Refusant de se laisser prendre par la nostalgie subite, elle met son bagage à l'armature de métal sur ses épaules et part marcher sur le plateau.

Soudain, une sorte de cafard lui fait ralentir le pas. Elle réalise que le temps lui manquera pour retourner à la vallée aux noisettes. Heureusement, elle l'a habitée un bon moment avec Marie; quand elle a fait son dernier tour, elle savait qu'elle n'y reviendrait plus. Ainsi, avant de dire au revoir à cet eldorado, elle a fait le plein d'images, de sons et d'odeurs.

Aujourd'hui, elle veut donc s'offrir quelques heures pour faire aussi ses adieux à l'immense plateau qui s'étend entre la falaise qui tombe dans la mer à l'ouest, et la grande forêt qui s'étire loin à l'est, jusqu'à l'énorme paroi.

En bordure de la zone boisée, dans une petite vallée protégée des bourrasques, elle retrouve la harde de chevaux à la fourrure pâle. Ils sont plus farouches que les membres du groupe de Jack. Nadine ne peut les approcher, surtout avec le gros loup qui la suit partout. Par contre, elle se donne un moment pour les admirer. Il s'agit d'un large troupeau; elle compte rapidement trente-cinq bêtes matures et une dizaine de poulains nés de l'année. Son observation lui permet de bien identifier leur chef. Plus costaud que les autres, l'étalon a la même fourrure qu'Allie, d'une couleur de miel doré. Son père ? Son frère ? Nadine sourit. « Mes habitudes humaines n'ont pas toutes disparu… quel nom pourrais-je donner à cette grosse bête qui m'observe de loin avec des yeux noirs et confiants ? »

— Billy ! Oui, ce nom te va très bien ! Je m'en souviendrai quand je dessinerai ton port fier et presque hautain.

Si elle restait plus longtemps au Pays de la Terre perdue, elle apprivoiserait ces chevaux, pour devenir leur amie. « Je suis certaine que Billy apprécierait les tubercules d'apios. » Au moment de quitter cette large plaine surélevée pour la dernière fois, Nadine se contente de lui crier de loin :

— Adieu Billy ! Prends bien soin de ta harde !

Puis, l'humaine décide de chasser avec le loup; bien sûr, elle espère manger de la viande fraîche pour le dîner, mais, surtout, elle refuse que Lou se retrouve à circuler seul sur le plateau au cours de la prochaine nuit. Connaissant bien le grand nombre de prédateurs qui y vivent, elle les imagine aussi agressifs que ceux de la Terre de la Forêt verte. Curieusement, elle n'a pas voulu tuer le lièvre qui s'est presque enfargé dans ses souliers; elle n'aurait pas eu le temps de tanner la peau et elle aurait dû la brûler. « Je ne ferai pas de gaspillage ! »

Nadine demeure longtemps songeuse devant un nouveau bosquet. Elle voit les restes de l'orme gigantesque que l'éclair a terrassé lors du premier orage qu'elle a vécu ici. La foudre avait frappé si fort à quelques dizaines de mètres de sa position qu'elle en avait perdu l'équilibre. Aujourd'hui, quelques plantes naissantes poussent tout à côté : un petit érable, deux sapins et quelques arbrisseaux encore remplis de bleuets. « Comme après un feu chez nous… la nature continue d'exister. La disparition d'un arbre laisse la place à d'autres. » Elle fait un pas de côté pour apercevoir un nid perché dans le creux du tronc calciné. Elle reste émerveillée devant cette autre preuve que la vie continuera après son départ. Ici, rien ne meurt vraiment; tout est une question de transformation. Une grande nostalgie l'afflige soudainement. « Je dois retrouver les miens. Par contre, le prix de mon départ est élevé; je ne verrai plus ces petits changements qui s'effectuent tous les jours. »

Elle reprend sa route et revient à son gîte avec la carcasse d'une perdrix. Comme à son habitude, elle a laissé les plumes et les entrailles aux charognards. Juste avant d'atteindre le ravin qui mène vers la caverne d'Ali Baba, elle cueille des herbes pour se faire une tisane. Au bord d'un ruisseau, elle ramasse des tubercules et des cœurs de quenouille qui accompagneront très bien la viande de volaille.

La nomade porte minutieusement attention à chacun de ses gestes en se rappelant qu'elle les accomplit pour la dernière fois en ce lieu. Son âme oscille entre l'envie de rester un jour de plus, ce qu'elle ne pouvait se permettre bien sûr, et la hâte de pousser ses pas directement vers le mont Logan à travers la forêt. Occupée à préparer son dîner gastronomique, elle comble les minutes qui auraient pu nourrir son angoisse. Quelques heures plus tard, elle déguste son festin, assise au bord de la corniche. Les deux pieds flottant dans le vide, elle regarde l'astre du jour disparaître à l'horizon. Pour son grand bonheur, Lou partage son repas, ce qui lui confirme qu'il passera toute la nuit avec elle, loin des dangers qui rôdent sur le plateau.

Tôt le lendemain matin, Nadine pousse le radeau dans la marée descendante sous un soleil radieux. Curieusement, sautant sur l'embarcation bien avant elle, Lou démontre sa détermination de suivre sa mère adoptive dans son voyage. Les vents favorables permettent au voilier de parcourir le chemin entre la caverne d'Ali Baba et l'anse à Lou en quelques heures seulement. Ainsi, en milieu d'après-midi, elle voit poindre la magnifique plage étendue entre les deux lignes de rochers.

L'anse à Lou est une très jolie petite baie protégée des rafales, tant celles qui viennent de l'immense plateau que celles de l'océan. Comme il n'y a pas de grotte ou de caverne à cet endroit, Nadine cherche le foyer qu'elle a installé il y a presque deux ans. Une surprise l'y attendait. Une crevasse profonde coupait son site en deux. De toute évidence, le dernier orage avait forcé l'eau abondante à traverser agressivement la plage vers la mer. Ce nouveau sillon qui laisse la roche à découvert la fait frémir. Le Pays de la Terre perdue lui passe-t-il un message ? « Regarde, je peux détruire facilement tes installations ! Si je peux laisser une telle cicatrice sur mon propre sol, je peux facilement souffler ta vie. Gare à toi ! »

D'un pas décidé, la femme s'éloigne vers une talle d'arbres qui la protégera mieux, refait un foyer avec des pierres et y allume un feu. Lentement, elle se redresse et lève les yeux vers le ciel. Les mains sur les hanches, elle laisse sa colère éclater.

— Tu crois vraiment me faire peur avec cette rigole ? Maudit pays de merde ! Tu n'as pas encore compris que je suis capable de rebondir !

Nadine et Lou passent le reste de la journée à jouer sur le sable blanc, à regarder la marée monter puis redescendre plus tard en soirée. Nadine se gave de palourdes; elle fait une soupe qu'elle épaissit avec de la farine de quenouille, puis elle ajoute de la salicorne trouvée en haut de la grève ainsi que quelques tubercules d'apios coupés en dés. Pour dessert, elle a droit à des fraises de champ qui poussent abondamment tout juste au-dessus de la plage, en bordure de la zone boisée.

Avec des gestes mesurés, elle place quelques peaux tout à côté. Elle sait que son sommeil sera léger au cours de cette nuit, mais elle se contente de son sort. Elle observe Lou s'élancer vers cette forêt qui l'a vu naître, pour chasser. Peut-être a-t-il simplement décidé de faire une tournée pour vérifier la sécurité des lieux ? Veut-il laisser son odeur un peu partout pour marquer son territoire et éloigner les autres prédateurs ?

Le matin suivant, l'excitation faisant frémir son âme, l'exilée se tient fébrilement sur son embarcation, pour entreprendre le dernier bout de cette aventure sur l'océan avec son voilier. Nadine et Lou étaient prêts très tôt, bien avant l'aube d'ailleurs. Ils attendaient patiemment que la marée redescende. S'accordant au mouvement de retrait, le radeau glisse lentement vers le large, la navigatrice le guidant juste avec une rame. Il y a long à voyager entre l'anse à Lou et la première caverne, mais le vent poussait presque directement en direction nord, facilitant la progression, et ce, malgré le ciel un peu nuageux. Le Pays de la Terre perdue avait donc décidé d'être généreux pour ces trois jours de manœuvres en mer et Nadine l'appréciait beaucoup.

Ainsi, en fin d'après-midi, l'humaine et le loup parviennent à cette baie plutôt sablonneuse où elle a construit son premier abri de pierre. L'exilée était fort satisfaite des derniers jours qui, par leur candeur, lui ont permis de dire adieu à tous les endroits qui demeureront précieux dans sa mémoire. De retour à Montréal, elle sortira ses fusains et ses pastels pour fixer ces belles images sur papier.

Assise devant son feu, le lendemain de son arrivée, Nadine affiche un air déçu, rempli d'amertume et de désarroi. « Tout allait si bien jusque-là, comme si le Pays de la Terre perdue avait décidé de me laisser partir sans faire de troubles... » Un soupir s'échappe du corps encore tendu de la prisonnière. Dans la lueur des flammes orange qui se réverbèrent sur les murs de sa cellule de pierre, Nadine observe son environnement. La veille, elle a repris possession de la première caverne. Pour combien de temps ? « Heureusement que j'ai fait cette marche dans la forêt... sinon, je serais déjà morte... » Elle ferme les yeux pour se rappeler l'évènement.

Gourmande, elle voulait manger du saumon frais, son poisson préféré. Quelques dards dans une main et une longue lance dans l'autre, elle se dirige vers cette enclave dans la rivière qui coule à 300 mètres de sa résidence du nord. Lou, qui la suit de près, semble nerveux, mais elle n'en fait pas de cas. « Il est toujours aussi protecteur... » Maintenant fort habile avec ses outils, Nadine pêche rapidement deux beaux spécimens qu'elle partagera avec son protégé... s'il ne part pas chasser, bien sûr. De toute façon, la nomade appréciera le mets, même réchauffé, au cours de sa route vers le mont Logan; elle entreprendra ce tronçon de son périple de retour dès que la lumière du matin éclairera suffisamment les alentours pour qu'elle puisse observer facilement où elle met les pieds.

Comme à son habitude après la capture, elle prend le temps de vider les poissons; puis elle dépose les entrailles sur la roche au sacrifice, celle qu'elle a identifiée lors de son voyage l'automne dernier. Les charognards du coin, quelques corneilles et plusieurs goélands, se sont déjà habitués à la voir abandonner ces restes que, de toute évidence, ils trouvent très savoureux. « Chacun, son goût ! Moi, je préfère la chair rosée... »

Dans le noir qui remplit la première caverne, le corps de Nadine est secoué par de nouveaux tremblements, au souvenir de sa trouvaille suivante. « Il fait chaud dans la caverne, mais j'ai si froid... C'est la peur bien sûr, mais aussi la rage contre ce pays qui refuse encore de me libérer de son emprise... » Peut-être que sa mère lui dirait simplement de mieux gérer sa colère... Irène avait raison pour Jean-Pierre. Aussitôt que Nadine a compris comment neutraliser l'effet que le goujat avait sur elle, la nomade a cessé d'avoir mal et l'homme est devenu insignifiant. « Maman, j'aimerais que tu sois ici pour m'aider à mieux comprendre ce qui se cache au fond de mon cœur... »

Ses pièces de saumon bien placées dans son havresac, c'est en revenant vers la plage qu'elle aperçoit les pistes. Ses mains se crispent sur les lances au point de blanchir ses jointures et lui faire mal aux doigts. Elle a de la difficulté à respirer tant elle est tendue. Une rage noire envahit soudainement son âme. Impossible de se tromper. Il y a des loups dans le coin. Ils sont beaucoup trop nombreux. Ils vivent trop près de la première caverne. Lou a aussi vu les traces et il les renifle longuement. Interprète-t-il que ces animaux sont de sa famille ? Est-ce qu'il se souvient de la bataille dans la mer au nord ?

Comment pourrait-elle entreprendre la dernière portion du voyage, à travers la zone boisée, sur des sentiers de gibiers avec de tels prédateurs agressifs qui rôdent autour ? Comment pourrait-elle dormir en forêt avec ces monstres qui chassent dans les environs ? La peur étreignant sa gorge même en plein jour, Nadine se dépêche de retourner à son gîte, exigeant que Lou la suive.

Depuis des semaines, avec une joie incommensurable, elle sentait l'espace entre les barreaux imaginaires de sa prison s'agrandir peu à peu; elle se voyait quitter ce lieu tel un papillon libéré de son cocon. Mais, tout d'un coup, un filet aux fines mailles s'installe, réduisant les mouvements de son affranchissement... La colère brûlant son énergie, elle tempête, hurlant sa hargne à qui voulait l'entendre. Quelques oiseaux cessent leurs chants si enjoués, comme s'ils comprenaient que le bonheur de Nadine venait d'être entaillé malicieusement... irrémédiablement peut-être...

— Maudit pays de merde ! Tu as encore trouvé le moyen de saper mon désir de partir ! JE TE HAIS !

Une fois sur la plage, l'exilée se sentant à nouveau prisonnière tombe à genoux. Les mains cachant son visage, elle se met à pleurer, laissant ainsi son cœur hurler son désarroi devant cette dernière tuile garrochée sur sa vie. Lou se contente de rester près d'elle, sans pouvoir faire quoi que ce soit pour chasser cette nouvelle menace qu'il comprend mal. Il place simplement sa tête sur les genoux de Nadine, l'observant de ses grands yeux gris, jusqu'à ce que la tempête quitte le corps de sa mère adoptive. La femme se sent prise au piège. Elle ne peut aller au nord par la mer ni s'enfoncer dans la forêt en direction du mont Logan.

Elle a l'impression de se retrouver dans une souricière. Deux avenues qui peuvent lui apporter la mort : si elle rebrousse chemin vers la grotte, elle y périra, un jour ou l'autre, là-bas, sans revoir sa famille; si elle livre une bataille impossible avec des loups, elle pourrait perdre la vie ici, maintenant, sans retourner chez elle. Son âme veut exploser devant l'horreur qui la confronte. D'un bond, elle se lève et, dirigeant son poing à l'est vers la grande forêt, elle hurle à pleins poumons :

— Sale monstre ! Maudit pays de merde ! Tu n'es pas Jean-Pierre ! JE NE DÉMISSIONNERAI PAS ! JAMAIS ! Je ne rebrousserai pas chemin pour me terrer dans la grotte en abandonnant ma quête. Je mourrai ici en essayant de survivre à cette nouvelle provocation de mon ennemi juré !

Pendant que les larmes vident son cœur de la rage qui l'habite, sa force de rebelle revient à la surface. Repensant à cette conversation avec Irène au moment où elle a quitté son emploi avec l'Agence Écho Personne, Nadine tente de chasser une partie de la douleur qui l'ébranle.

— Maman, tu avais raison. Cette colère me fait mal. Elle m'aveugle au point que j'ai envie d'en découdre avec ces loups tout de suite. Je dois neutraliser cette ire… ou plutôt utiliser l'énergie pour mieux canaliser ma détermination...

Suivant l'exemple de sa mère qui a confronté le responsable de l'accident de son mari pour guérir, Nadine a bravé cette brûlure sur son âme qui l'affecte tant. Elle comprend que le pays n'a pas d'importance : sa colère réside dans l'impossibilité de poursuivre sa route. Une fois la source de son malaise identifiée, la guerrière sent la douleur s'estomper. Sa grande force de caractère la propulse à nouveau vers l'action. Si elle ne voit pas encore comment tourner cette situation à son avantage, elle est suffisamment calme et résolue pour essayer. « Pour le moment, je dois survivre… coûte que coûte… » Son instinct reprend le dessus. Une main accrochée à la petite pochette qui pend à son cou pour trouver la détermination nécessaire, flattant son compagnon de voyage de l'autre, elle retrouve l'initiative et décide de ce qui convenait pour l'immédiat.

— D'abord, nous devons survivre à cette nuit qui s'en vient. Ça me donnera le temps de réfléchir, de développer une solution pour sortir de ce mauvais pas.

À planifier ses mouvements du moment, l'humaine sent ses muscles se détendre lentement. Sa rage se transforme en une grande volonté d'affronter cette nouvelle épreuve. Une attitude froide, contre ces loups, l'envahit peu à peu. « Bien sûr, je les tuerai tous si nécessaire… sans hésiter… mais pour le moment, ça peut attendre… » Plongeant dans l'action, elle laisse s'échapper toute l'adrénaline qui s'était accumulée dans son corps sur le coup de la colère. D'abord, en prévision de la nuit, il lui fallait éclairer les lieux de plusieurs feux. Elle s'affaire durant près de deux heures à bâtir six cercles de pierres autour de la caverne, puis elle y monte des monticules de branchages. En marchant de la plage jusqu'à l'orée de la forêt, elle ramasse tout ce dont elle a besoin pour faire une immense réserve de bois.

Une fois cette tâche effectuée, elle prépare son repas. S'il devait à l'origine être une sorte de festin d'adieu pour ce coin de pays, le dîner devient plutôt une activité essentielle qu'elle doit accomplir pour rester en vie. Le saumon prend même un goût fade. Sa joie de gourmande est considérablement altérée par l'urgence de survivre à cette horrible période nocturne qui approche à pas de loup.

Lorsque le soleil plonge dans la mer et que la pénombre s'installe, l'humaine allume ses feux. Elle occupe une bonne partie de la nuit à les nourrir lentement pour garder une lumière constante, dosant judicieusement l'usage du bois pour que les flammes durent le plus longtemps possible. Puis, après chaque passage, elle retourne se poster au bord de la caverne pour mieux observer les alentours.

L'attente que l'aube se présente fut extrêmement stressante. Lou est resté avec elle. Pour la protéger ? Peut-être. Comme toujours, l'animal ressent le désarroi et la peur chez sa mère adoptive. Assis l'un à côté de l'autre, ils ont entendu des hurlements plusieurs fois au cours de la période nocturne. Même s'ils étaient loin dans la zone boisée, Nadine les trouvait beaucoup trop proches. Lou se contentait de tendre l'oreille à chaque cri.

Ce matin, la réalité la frappe de plein fouet et ajoute un cran à sa rage nourrie par cette nuit sans sommeil. Elle ne peut pas accomplir tout de suite la dernière partie de son voyage de retour. Elle devra résoudre ce problème causé par la présence des prédateurs dans le coin, avant de pouvoir prendre la route qui, elle le sait, l'obligera à coucher en forêt.

Alors que les foyers s'éteignent un par un et que le jour éloigne le danger, Nadine tente de dormir, ne serait-ce que pour une heure ou deux. La tension qu'elle ressent suite à cette nuit d'attente l'en empêche. Elle se lève lentement, jette quelques bouts de bois sur le feu dans la première caverne et place sa tasse en métal à proximité pour laisser infuser sa tisane. Aujourd'hui, sa bataille sera tout autre. « Ma témérité et mon côté rebelle veulent prendre le dessus. Ça me donne l'impression que de m'élancer tout de suite en pleine forêt serait la solution idéale… pourtant, je sais très bien que ce serait suicidaire d'écouter ces mauvais conseillers… »

La colère ressentie contre cette nature qui lui bloque à nouveau le chemin pour retourner vers les siens est toujours présente. À défaut de ne pouvoir blâmer quelqu'un, elle assigne cette rage violente contre les loups. La brume de l'ire qui s'est installée dans son cerveau l'aveugle et l'empêche de voir le côté irrationnel de ce comportement. Si elle a mis sept ans à comprendre la sagesse dans les propos de sa mère, elle réalise qu'il lui sera laborieux de maîtriser la technique une deuxième fois. Bien sûr, Nadine voudrait frapper de sa lance, peu importe qui, mais ce geste diminuerait grandement le contrôle sur ses émotions brutes qu'elle maintient en échec si difficilement.

Son côté rationnel lui répète que l'action de partir à l'épouvante, un puissant javelot à la main, augmenterait considérablement les chances qu'elle finisse dans la gueule d'un loup. Qu'arriverait-il à son protégé dans tout cela ?

Elle ne pourrait pas supporter que Lou meure par sa faute. Elle doit attendre. « Je pense que c'est mieux pour moi d'écouter ma mère… »

— Maman ! Tiens bon ! Je vais être un peu en retard ! Ce maudit pays me pose un lapin et je dois trouver une solution… J'aurai ma revanche, je le jure ! Qui a dit : « La vengeance est un plat qui se mange froid… » ?

Chapitre 6

Jour 719 — 3 juillet

Un bruit dans la forêt fait sursauter Nadine…

Du coup, l'humaine échappe le paquet de branchages qu'elle tenait dans ses bras. Vivement, elle se place les genoux pliés, les pieds bien plantés l'un devant l'autre sur le sol; sans qu'elle ait eu le temps de réfléchir, son couteau et sa machette se retrouvent dans ses mains. Une ondée de sueur couvre complètement son corps et laisse ses paumes moites. Tentant de contrôler sa respiration, Nadine porte un regard angoissé à travers les arbres qui l'entourent. Puis, elle jette un coup d'œil sur Lou qui se tient debout à côté d'elle; la langue rose de l'animal sort de sa bouche et son attitude débonnaire démontre qu'aucun danger ne menace les deux compagnons d'infortune. Puis, sans faire de cas des deux intrus qui foulent son territoire, le petit écureuil gris se fraye un chemin vers un saule pour y grimper rapidement. « Merde ! Je panique vraiment pour rien ! Encore ! »

La femme remet ses armes dans leurs étuis puis elle dépose un genou par terre pour s'approcher de son protégé. Elle le prend par le cou et le serre fort contre son corps encore tremblant.

— Merci, Lou ! Tu réussis toujours à me rassurer. Je suis aux aguets… J'ai si peur. Je sais qu'ils sont là à nous surveiller…

Avant de poursuivre sa tâche, Nadine fait le tour des environs pour observer les traces laissées par les loups au cours de la nuit. « Ils sont venus plus près encore… ils s'habituent… le feu ne les retiendra plus très longtemps… si nombreux, ils ont besoin de chasser et je deviens une proie facile… » Du coup, elle ferme les poings et, alors qu'elle sent sa colère déchirer son âme, elle lance à tue-tête :

— Sales bêtes ! Nous ne vous servirons pas de nourriture ! Je vous tuerai tous avant !

La femme relève la tête et serre les dents. Comme un joueur de tennis qui fanfaronne pour se donner du courage, elle cherche à canaliser cette énergie négative, ancrée dans la terreur, en une réaction positive. Aujourd'hui, l'exercice demeure futile. Elle ne sait pas comment se débarrasser des prédateurs qui la gardent prisonnière de ce petit lopin de terre. L'affolement qui en résulte lui glace les os et l'empêche de bien réfléchir. « J'arriverais sûrement à abattre un seul loup; Lou en a déjà tué deux d'un coup. Ça fait trois bêtes… peut-être quatre… » Analysant les traces autour de la première caverne, elle compte douze bêtes; peut-être un peu plus. Pourtant, au fil des heures nocturnes, elle a eu l'impression que la meute était beaucoup plus grande que la normale, au moins cinquante bêtes.

« Mon angoisse amplifie considérablement la réalité. Le manque de sommeil nuit à mon objectivité; mes idées ne sont pas claires. Si ça continue, ils n'auront même pas besoin d'attaquer; je mourrai de peur… » D'agacement, elle frappe un caillou du bout du pied. Ce dernier rebondit sur un arbre et revient claquer sur son genou.

— Aïe ! Maudit pays de merde ! J'aimerais avoir une bombe atomique pour te détruire !

Dans une rage soudainement décuplée, Nadine ramasse la malheureuse pierre et fait le mouvement pour la lancer au loin. C'est ainsi qu'elle remarque qu'un résidu rouge s'accroche à sa main. Elle brise son élan et porte la roche vers ses yeux pour mieux l'examiner. Elle fouille sa mémoire un moment… « De l'hématite… le produit semble être de l'oxyde de fer… » Du coup, le souvenir de sa visite de la grotte de *Pech Merle* dans le sud de la France lui revient en tête et une perspective nouvelle germe dans son esprit… « Ça serait comme de marquer le pays au fer rouge… » L'idée la fait éclater d'un rire nerveux. Elle place la pierre dans sa besace pour y réfléchir un peu plus tard.

— Bon ! Pour le moment, je dois terminer ma tâche...
trouver du bois en grande quantité... Allons ! Lou ! On se
magne !

Une fois que tous ses monticules de branchages furent
installés à sa satisfaction et qu'elle eut dormi quelques
heures, Nadine se dirige vers le fond de la grotte pour examiner de plus près ce qui reste de cette marque dessinée
il y a de cela deux ans. Du bout des doigts, elle touche les
fragments de cendres qui demeurent encore en place. Lors
de sa première visite, elle voulait faire savoir aux personnes à sa recherche qu'elle était toujours vivante. Elle sourit
amèrement en se souvenant qu'elle avait aussi tracé, sur
la plage, une flèche en roche pour indiquer la route qu'elle
avait prise. « J'étais si naïve ! La civilisation, mon œil ! Je
n'ai trouvé que la solitude ! »

Puis, l'an dernier, elle avait noté la disparition de cette
marque, interprétant le phénomène comme un signe de
sa survie extraordinaire au Pays de la Terre perdue. Bien
intégrée dans ce monde incroyable, elle n'en avait plus
besoin pour accepter son existence de nomade. Sachant
que personne ne viendra l'aider à retourner chez elle, à
qui pouvait-elle dire qu'elle était vivante ? D'ailleurs,
avec la meute de loups qui la menace, combien de temps
survivrait-elle encore ? Quel sens prenait le geste qu'elle
s'apprêtait à faire ? Un pied de nez à la mort qui circule
autour d'elle ? « Je devrais plutôt dormir en vue de cette
nuit qui s'annonce comme un cocktail d'angoisse, de peur
et de colère... »

L'image de sa mère lui revient en tête et elle se souvient
de ses paroles : « La colère nous aveugle... » Nadine
observe un long moment la paroi lisse. Est-ce que le geste
lui permettrait de dissiper cette rage qu'elle ressent contre
les loups et le Pays de la Terre perdue ? Une autre marque
qui l'aidera à s'imposer sur ce monde sans allure ? Hum...
les mouvements répétitifs l'inciteraient à mieux canaliser
cette énergie si violente. Est-ce que l'exercice l'occuperait

suffisamment en dehors de ce qui la menace pour la sortir de sa colère ? « Je n'ai rien à perdre... » Elle décide de plonger dans l'action.

— C'est ça ! Je vais écrire un message pour me rappeler qu'il y a autre chose de beaucoup plus important que ces canidés sauvages qui en veulent à ma vie !

Du coup, malgré la faible lueur du jour qui filtre encore par l'entrée de la première caverne, elle a l'impression que sa prison de roche enveloppe son âme. Elle courbe le dos et fronce les sourcils... « Si je meurs ici, cette nuit... j'aurai au moins laissé une marque indélébile de mon passage... pour prouver que j'existais... Pour qui ? Ça n'a pas d'importance... » Les images de la grotte de *Pech Merle* ont plus de 25 000 ans... ce sera suffisant... ainsi, ce maudit pays n'oubliera jamais la présence de l'humaine qui s'est acharnée à survivre en dépit des supplices qu'il lui a imposés à tous les tournants de son périple... D'une voix rendue rauque par l'émotion vive, un sifflement sort d'entre ses dents serrées :

— Tu arriveras peut-être à m'assassiner avec l'aide de ces monstres, mais tu n'effaceras pas mon passage dans ce monde insensé !

Comme un prisonnier d'Alcatraz, elle tient à marquer sa cellule; si elle meurt dans les prochaines heures, personne ne placera sa dépouille en terre ou ses cendres dans une urne. De toute façon, les loups se feront un plaisir immense d'éparpiller ses os un peu partout. Ainsi, l'idée de célébrer maintenant sa vie d'ici la ravit. Elle apporte d'abord une lampe à graisse qu'elle dépose sur une petite corniche, pour mieux voir la paroi lisse. « Voilà que mes outils créés ici m'aident à prouver mon passage... j'ai bien fait de l'apporter dans mes bagages... pourtant, j'avais hésité... » Comme elle le ferait d'une toile, elle débarrasse la roche de tous les débris et poussières; elle passe une lingette mouillée sur la surface qu'elle veut utiliser puis elle attend patiemment qu'elle sèche. Nadine retourne à son feu, là où, dans son chaudron rempli d'eau, flotte un bol en bois contenant une pâte rougeâtre. Elle y glisse un doigt, se rend compte que la substance n'est pas encore assez liquide; elle ajoute un peu de graisse. Pendant que les flammes font leur œuvre, elle se remémore ses travaux des dernières heures.

Reposée d'à peine trois heures de sommeil, Nadine a fouillé les abords de la rivière pour trouver d'autres hématites rouges. Elle savait que cette roche ferreuse s'oxyde sous l'effet de l'eau, lui donnant l'aspect d'une éclaboussure de sang. De retour à sa caverne, avec son couteau, elle a gratté toute la matière foncée qui collait à la pierre. Une sorte de rouille se détachait en galette de la surface de l'oligiste. Elle a même cassé plusieurs cailloux pour mieux en retirer cette croûte mince. Armée d'un pilon fabriqué d'un fémur de lièvre, elle a réduit en poudre ce résidu pendant qu'un peu de graisse fondait dans sa tasse en métal.

Lentement, laissant le suif liquéfié s'amalgamer à la substance broyée, elle a obtenu cette pâte plutôt brune ressemblant à du sang séché. « J'ai laissé tellement du mien sur ce pays qu'il me semble raisonnable de le marquer de cette même couleur… » Devant le résultat, elle sourit de cette grimace machiavélique que ses aventures placent de plus en plus souvent sur son visage. « Je n'arriverai pas à me débarrasser de cette façon narquoise de penser… elle est menaçante même… j'aimerais pouvoir tuer quelques loups de ce regard meurtrier… »

Lorsque la substance est suffisamment liquide, Nadine se dirige vers la paroi, tenant le bol de peinture dans une main et une plume de goéland dans l'autre. Une fois que son plan a été bien établi dans sa tête, elle commence à écrire les mots que sa mémoire lui rappelait… des lettres de dix centimètres environ, pour qu'elles soient bien visibles. D'un coup de pinceau, elle trace un point d'exclamation qui ressemble à une goutte de sang. Une signature plus large s'imprimait en majuscules : son prénom.

Je suis vivante!

NADINE

Elle se recule pour en voir l'effet. Se souvenant de sa première tentative avec ce texte. « J'ai tellement appris ici ! Je n'aurais pas pensé dessiner une marque comme ça il y a deux ans... je voulais juste qu'on me trouve... là, je tiens à ce qu'on se souvienne de moi le plus longtemps possible. » Puis, pour répéter la première image, elle enduit l'intérieur de sa main et ses doigts de rouge afin d'imprimer celle-ci juste à côté...

— Regarde Lou ! Ma marque ! C'est peut-être l'inverse de la technique du pochoir utilisé dans les grottes du sud de la France, mais l'effet est aussi beau !

Du coup, elle s'imagine des archéologues débarquant dans sa première caverne dans quelque 30 000 ans. Leur visage afficherait un air stupéfait par la vue de cette empreinte dans un territoire en apparence inhabité... « Hum... le dessin est dans le fond de la grotte... le trouveront-ils facilement ? J'ai une idée ! »

Nadine regarde dans son bol et juge la quantité de pâte. « J'en ai suffisamment... » Elle remet le contenant dans l'eau chaude pour liquéfier un peu plus cette gélatine, puis, ayant enduit sa paume à nouveau du produit, elle trace sa main plusieurs fois entre le dessin et l'entrée de la caverne, pour indiquer une sorte de direction par l'orientation de ses doigts.

— Voilà ! Même des extraterrestres comprendraient qu'il s'agit d'un message. Ils ne sauront peut-être pas comment le lire, par exemple... tant pis pour eux !

Se reculant de quelques pas, elle observe ce qu'elle vient de faire. « J'avais besoin d'imprimer cette marque que le temps avait effacée... Faire le point sur ma situation... » L'activité a renouvelé son énergie; elle ressent la grande paix qui enveloppe son âme pour l'empêcher de se désintégrer. S'aidant de respirations profondes, elle reprend le contrôle sur sa destinée. Elle saisit que rien de tout ça n'est vraiment rationnel. Par contre, elle ne compte plus le nombre de fois où, au cours des deux dernières années, elle a repris courage par des coups de gueule similaires qui amélioraient son moral et poussaient sa détermination. Des centaines… peut-être plus… « Je suis comme Rafael Nadal qui, par des cris presque guerriers sur les terrains de tennis de l'univers, arrive à concentrer son énergie pour gagner… n'était-il pas le meilleur joueur de l'ATP[4] quand je suis partie pour… cette horrible mésaventure ? »

Satisfaite, elle se dirige vers la rivière pour nettoyer sa main. La couleur ocre ne partira que d'ici quelques jours, mais cela valait la peine. Un large sourire s'étire sur ses lèvres, comme si cette activité avait étendu un baume magique sur les meurtrissures qui marquent son âme. C'est comme dans ces *thrillers* américains, lorsque le pourchassé dépose à la poste une lettre explicative destinée à la police, puis qu'il invite le tueur à mettre à exécution ses menaces. « Maintenant, si tu réussis à me tuer… on saura ce que tu as fait… »

Un bruit de l'autre côté de la rivière lui fait lever la tête. Une queue de fourrure grise se glisse entre deux arbres. Cette fois, ce n'est pas un écureuil. Le grognement de Lou lui confirme que ses assassins sont de retour. « Déjà ? Le soleil n'est même pas encore couché… »

— Bande d'enfoirés ! Vous pourriez me donner une petite chance ! Vite Lou ! Sinon ils arriveront à bloquer l'entrée de la première caverne !

C'est à la course qu'elle se rend à son antre. Debout dans l'ouverture, elle attend que son cœur reprenne un rythme plus lent; pour mieux réfléchir à ce qu'il convient de faire. Puis, pendant qu'elle scrute les environs, le soleil plonge dans la mer, allumant le ciel partiellement nuageux de toutes sortes de jets de lumière aux couleurs vives allant du jaune à l'orange, avec des tracés rouge flamboyant et mauves. Ce spectacle magnifique ajoute du feu à la colère de l'humaine.

— Cesse de charcuter mes émotions ! Tu es si beau que je veux t'aimer, mais, quand tu m'envoies les bêtes de la mort, je te hais profondément !

4   Association of Tennis Professionnals

Soudain, son cœur flotte dans une peur intense, comme si une coulée de lave brûlante tentait de l'emporter. Debout en bordure de sa prison de pierre, elle écoute les sons. Les grognements et les hurlements sont loin dans la forêt. Lou, assis à côté d'elle, reste calme : le danger arrivera plus tard. Alors que le jour est encore présent, elle révise son plan qu'elle déploiera dans les prochaines heures. Deux gourdins, au bout desquels elle a enroulé des lanières trempées dans du suif, attendent patiemment qu'elle les utilise comme torches pour allumer les six foyers qui garderont les prédateurs à distance. Entre les feux et la grotte, elle voit les tas de branchages... « Est-ce que j'en ai suffisamment ? » Elle calcule. « Oui. Si j'allume les feux après le coucher du soleil... Heureusement, les nuits sont plus courtes en juillet... si on était en janvier, j'aurais besoin du double... » Alignés, sur la paroi, ses lances et ses dards aiguisés attendent le moment de l'action sanguinaire...

Fermant les yeux pour mieux se concentrer sur les bruits environnants, Nadine respire profondément pour réduire les coups qu'elle reçoit sur les tempes et qui lui font mal. « Je dois me calmer... sinon je ne pourrai pas réagir correctement... je pourrais figer au lieu de bondir... » Vigoureusement, elle secoue ses mains pour faire revenir un peu de chaleur et elle bouge ses jambes pour enlever les crampes. Quand les battements de son cœur ralentissent enfin, elle ouvre à nouveau les paupières pour voir le roi du jour disparaître finalement dans la mer. Par les ombres sur la plage, elle sait que la lune est présente dans le ciel, même si elle s'élève derrière la caverne.

L'humaine se dirige vers son feu qui crépite à l'intérieur de son habitacle de pierres. Elle prend un gourdin d'une main ferme et l'embrase. D'un pas décidé, elle marche vers le foyer à sa gauche pour l'allumer puis elle fait de même pour les cinq âtres suivants. Pendant la manœuvre, Lou l'accompagne, scrutant les environs de son regard pénétrant et grognant son humeur de temps en temps. Puis, s'assoyant avec le dos au feu, à l'intérieur de son gîte, la guerrière commence sa vigie. Elle tient sa machette dans une main et une lance dans l'autre, comme un soldat qui attend l'attaque imminente.

Elle espère que les loups resteront encore loin cette nuit, lui donnant une journée supplémentaire pour trouver une manière de se sortir de ce mauvais pas. « Encore une nuit… demain, je dois trouver le moyen de me rendre au mont Logan… » Elle a beau chercher, elle n'arrive pas à développer un plan qui lui permettra de se débarrasser de ces monstres. Si elle décide de se battre, Lou la défendra et ils perdront la vie tous les deux. Elle a pensé faire une trappe comme celle où Brutus est mort, mais ce serait beaucoup de travail; de plus, elle ne pourrait tuer qu'un loup à la fois. D'un autre côté, pourrait-elle partir à l'aurore et marcher le plus loin possible en une seule journée ? Combien de kilomètres peut-elle parcourir sans s'arrêter ? « En forme, je peux marcher 30 kilomètres au moins… 40 si je cours une partie du chemin… non, sans avoir dormi, je serais trop fatiguée… C'est totalement insensé… »

Soudain, Lou se lève et, la tête penchée vers l'avant, ses yeux gris plongés dans la pénombre qui s'allonge sur la plage, il laisse sortir un grondement sourd de sa gorge. À la lueur de la lune, Nadine voit s'étirer une ombre entre deux foyers. Ce loup est trop loin pour qu'elle l'attaque. Elle est déçue. Elle trouverait certainement un soulagement quelconque dans la bataille… ou la mort.

D'un côté, son cœur souhaiterait que la bête s'approche pour qu'elle puisse la tuer. La charge d'adrénaline qui flotte constamment dans ses artères depuis deux jours pourrait enfin quitter son corps. Mais, son humanité étant trop forte, une partie de son cerveau cherche encore le moyen de s'en sortir sans annihiler ces magnifiques canidés. Elle voudrait s'échapper… à la sauvette…

« L'avenir est un mot qui prend des années pour se réaliser et quelques minutes pour s'effriter. Il se dessine une seconde à la fois. Les prochaines heures me donneront peut-être les indices dont j'ai besoin pour savoir ce que sera ma destinée. » Nadine tourne la tête pour voir la lueur de la lampe à graisse qu'elle a laissée dans le fond de la caverne pour mieux l'éclairer. L'écrit qui marque sa volonté de vivre intensément jusqu'à la dernière seconde se révèle en lettres de sang. Un frisson la secoue, mais une sorte d'intuition lui indique que son avenir ne s'arrêtera pas, comme ça, cette nuit. Sa détermination se recharge aussitôt. Nadine reporte son regard vers la plage en apparence endormie; elle se lève, prend solidement ses armes dans ses mains puis colle sa jambe sur le corps chaud et rassurant de son loup, tant pour trouver du courage que pour signifier à son protégé qu'elle est là pour l'appuyer.

— Voilà ! C'est parti ! Je suis vivante et j'ai bien l'intention de le rester !

Chapitre 7

Jour 720 — 4 juillet

— JE SUIS VIVANTE ET JE REFUSE DE MOURIR !

Debout sur la plage, la main sur sa pochette qui contient cette obsidienne, Nadine crie sa volonté de rester en vie. L'humaine en furie vient de hurler ces deux phrases pour la dixième fois au moins. Avec courage, elle cherche à ancrer sa détermination dans le monde rationnel.

Depuis des jours, Nadine ressent continuellement une peur intense qui accentue son impression de vivre un cauchemar à la Stephen King. La nuit, elle fait vigile pour protéger son existence contre les loups qui la menacent. Le jour, elle peine de longues heures pour ramasser tout le bois nécessaire à maintenir ses feux qui, jusque-là, ont tenu les prédateurs à distance. Elle n'a plus de perdrix ni de poisson frais. Elle veut garder ses aliments séchés pour la route vers le mont Logan. Se rendre à la cuve au saumon est impossible, de peur de croiser ses ennemis. Il y a bien les palourdes qu'elle trouve sur la plage, mais elle n'a pas le temps de les récolter en nombre suffisant pour la soutenir adéquatement.

La faim lui tenaille l'estomac sans cesse et elle s'affaiblit d'heure en heure. Elle ne dort presque pas et l'épuisement atténue sa capacité à rester dans le moment présent. Le cauchemar surréaliste resserre un peu plus chaque jour son emprise sur la raison de la nomade. Même si elle est aguerrie à ce que la nature soit rude à son égard, Nadine comprend que les conditions précédentes s'ajoutent lourdement à son désarroi associé à cette sensation aiguë d'être prise au piège. Son aire de liberté est restreinte entre la mer et la zone boisée avec seulement quelques feux pour contenir la menace… une nuit à la fois. Elle a l'impression désagréable que sa vie lui échappe et que cela la tue plus vite. Depuis le matin, son corps affamé et épuisé la garde dans une fébrilité plus dévastatrice que le péril que lui présente cette meute de canidés sauvages. Elle résiste de toutes ses capacités contre cette force qui voudrait la faire courir en forêt... malgré le danger.

Hier, au cours de la nuit, les loups sont venus presque jusqu'au cercle incandescent qui protège la première caverne. Nadine les entendait dans les bois autour; pourtant, aucun n'a essayé de s'avancer vers les monceaux de branchages en flammes. Par contre, ils s'aventurent trop près pour que Nadine se sente vraiment en sécurité. Elle réalise que les monstres sont en train de s'habituer à la présence des feux et qu'ils n'en auront pas peur très longtemps encore. Tôt ou tard, ils s'approcheront et comprendront qu'ils peuvent passer entre les foyers sans se brûler. Leurs proies, un loup et une humaine, se retrouveraient alors sans défense.

Au petit matin, les hurlements se sont tus, une indication que les bêtes rentraient dans leur tanière. Nadine a tenté de dormir quelques heures. Cependant, la terreur la réveillait au moindre bruit; même les mouvements de Lou dans son sommeil la dérangeaient... Au creux de son cerveau, elle réalise que la situation ne peut plus continuer ainsi, sinon le dénouement sera en faveur des agresseurs.

La meute est très importante, si elle se fie aux cris sauvages qui venaient de plusieurs endroits en même temps. Elle est certaine qu'il y a beaucoup plus que douze bêtes. Elle cherche son protégé des yeux. Il est là, tout près. Debout, il surveille les environs pendant que sa mère adoptive tente de reprendre un semblant de contrôle sur sa vie grandement ébranlée. Nadine est à la fois contente et surprise de l'attitude de Lou. Il reste avec elle, en sécurité dans la caverne. Il n'est pas attiré par ce groupe de ses semblables. Il la suit partout et elle est certaine qu'il monte la garde et s'assure qu'aucun des prédateurs ne s'approche d'elle.

Alors que la prisonnière regarde le soleil se coucher une autre fois pour laisser place à un vent de terreur, son âme se remplit d'appréhension; les loups attaqueront bientôt. En se levant d'un bond, elle marche vers la première caverne, vérifiant au passage ses préparatifs : la quantité de bois pour maintenir les feux; les quelques lances qu'elle a sculptées au cours de la journée sont là, plantées la tête en l'air, prêtes à être lancées avec force. Ne s'attendant pas à cette tournure des évènements, elle n'en avait apporté que quatre à son départ de la grotte. Elle en a fabriqué huit autres. Ces nouveaux javelots n'ont pas de pointes en os, mais elle a durci leurs bouts effilés avec la flamme.

Elle possède aussi ses dards, son couteau et sa machette. D'une certaine façon, elle aimerait mieux ne pas affronter cette large meute. Par contre, la seule alternative serait de renoncer à se rendre au mont Logan et de rebrousser chemin vers son gîte de pierre en face de la rivière aux brochets, et ce, par la mer. Elle n'est pas capable d'accepter cette solution qui mettrait un point final à sa quête et briserait le rêve d'un éventuel retour chez elle. « Je mourrai en essayant... je dois tenter de marcher, courir même, jusqu'au mont Logan pour retourner à la maison. »

Elle est si fatiguée qu'elle n'arrive plus à réfléchir correctement. Depuis une heure, elle se dit qu'elle subira cette dernière nuit puis qu'au matin, elle déguerpira; en trottant toute la journée, elle pourrait sortir du territoire de ses agresseurs. Une prémonition douloureuse lui indique qu'elle ne pourrait pas résoudre cette situation en restant à la première caverne jusqu'à ce que les loups décident de poursuivre un autre gibier. « C'est une illusion de croire qu'ils vont lâcher prise. » La prisonnière a plutôt le pressentiment que, cette fois, ses adversaires ne cesseront leurs attaques qu'après avoir atteint leur but. Avec cette chasse qui s'éternise, ils ont aussi faim que leurs proies. Par contre, même à deux, Nadine doute qu'il soit possible de les tuer tous.

« Peut-être que c'est la brume engendrée dans mon cerveau par le manque de sommeil et la faim qui me rend plus téméraire… » Elle secoue la tête pour tenter d'éclaircir ses idées. « Je n'ai plus le choix, les bêtes s'approchent trop… je dois reprendre l'initiative sur le cours des choses qui m'apparaît pour le moment sans issue. » C'est ainsi que sa décision se précise. Elle passera une dernière nuit à la première caverne. Les loups chassant au cours des heures nocturnes, ils dorment le jour. En amorçant sa randonnée dès l'aurore, elle compte parcourir trente kilomètres, dix de plus peut-être, si elle arrive à courir une partie du chemin. Ces monstres la traqueraient-ils en plein jour ? Elle réprime difficilement un tremblement qui secoue tous ses os.

Elle mesure sa décision pour tenter de trouver le courage de foncer. Contrairement à la première marche au Pays de la Terre perdue, cette fois, elle sait où passer pour traverser la forêt et elle a l'expérience de ces tracés non balisés; ainsi, elle pourra voyager plus vite. « Du moins, je l'espère… » Sa gorge se serre, mais elle poursuit tout de même sa réflexion. Elle connaît le sentier d'orignal qu'elle doit emprunter pour se rendre à la large rivière qu'elle a suivie il y a deux ans. Elle est allée voir aujourd'hui et la piste est toujours là, juste derrière son abri de pierres. Par la suite, elle pourra longer le cours d'eau un bon moment. Elle dormira dans un arbre pour plus de sécurité.

Pendant que ses yeux fiévreux observent autour d'elle à la recherche d'ombres, son cerveau s'enlise dans cette détermination faussée par le manque de sommeil. « Demain, je pars; coûte que coûte. Si je reste ici, je mourrai de façon horrible sous les dents de ces monstres affamés… » Elle baisse la tête lorsqu'une image qui ne lui plaît pas traverse son esprit. Lou s'interposerait pour la secourir et il en perdrait la vie. « Je dois tenter ma chance dans la forêt. » Si Lou et elle doivent mourir, ce sera en essayant le tout pour le tout afin de retourner chez elle.

Mais d'abord, il lui faut affronter les dangers des prochaines heures, ici, à la première caverne. De ses yeux hagards, elle observe la plage avec appréhension. Elle est convaincue que les loups arriveront ce soir à pénétrer le demi-cercle de flammes. Lorsqu'elle ferme les paupières, elle sent presque les crocs déchirer sa chair. La douleur imaginée l'empêche de dormir. Son cœur chavire quand son cerveau lui présente une scène horrible où une cinquante de bêtes vicieuses démembrent son protégé. « Je dois absolument livrer combat... » Serait-il suffisant de ne tuer que le leader ? Comment peut-elle l'identifier dans la seule pénombre fournie par la lune ? Elle n'en sait rien. Elle devra tout de même essayer.

Quand le soleil disparaît dans la mer orange, Nadine allume les feux. Elle réalise très bien que Lou est aussi nerveux qu'elle. Comprend-il que la bataille est imminente ? Il y a quelques minutes, il a fait le tour de la propriété, regardant intensément loin dans la nuit noire. Puis, les deux compagnons d'armes se sont assis en bordure de la caverne pour attendre.

Quand les hurlements fusent dans la forêt d'encre, Nadine prend le petit bol de bois qui contient un reste de la peinture rougeâtre utilisée la veille et qu'elle avait déposé près du feu. Elle trempe son doigt dans la pâte encore liquide et applique cette substance nauséabonde sur son visage, le traversant en pointe de son nez vers ses oreilles. Ses traits creusés par le manque de sommeil et son regard machiavélique ajoutent à son allure diabolique. La combattante habillée de peaux ressemble en tout point à ses ancêtres guerriers qui se préparaient pour la bataille... Est-ce que ce style qui s'arrime mal avec son caractère généralement pacifique aidera à repousser les loups ? Elle n'en est pas convaincue, mais ce geste vieux comme le monde la réconcilie avec son humanité et lui donne un peu de ce courage qui s'effrite de jour en jour.

Un cri se fait entendre à l'est. Beaucoup trop près. Lou est debout et écoute attentivement. Puis, après une longue série de jappements que Nadine perçoit de plus en plus fortement, le silence revient sur la plage. Soudain, à sa gauche, des grondements résonnent dans l'humidité de la nuit qui en amplifie le son. Les envahisseurs s'approchent... La scène nocturne délimitée par la brillance de ses feux empêche Nadine de les apercevoir. Par contre, leur odeur distinctive lui indique chacun de leurs emplacements. Une sorte de calme remplit le corps de la femme. « Est-ce toujours comme ça à l'aube d'un combat ? Parce qu'il ne reste que la bataille pour survivre... » D'une certaine façon, Nadine se sent soulagée... si elle meurt au cours de cette bagarre, ce sera dans l'action et non pas en se recroquevillant dans la caverne pour attendre le coup de dent final.

De son côté, Lou voit très bien ses adversaires. Tout grognement lui fait pointer la tête directement sur la position de l'assaillant. Ils les observent tout autour du camp. Nadine est surprise par l'attitude confiante de son protégé. Si cela rassure la mère adoptive, elle ne peut que se demander si, à sa manière, Lou avait compris que la bataille était imminente. L'animal retrouverait une sorte de sérénité face à la situation... « Cher Lou ! tu ressens toi aussi l'inévitable... Je suis fière de combattre à tes côtés ! »

Alors que Nadine s'avance pour nourrir l'un des feux, elle voit une ombre grise passer près d'elle; agissant par réflexe, elle décoche une lance qui atteint le loup, pénétrant profondément son abdomen. L'animal blessé mortellement parcourt à peine une dizaine de mètres avant de tomber sur le côté; mais, pour l'humaine, cette distance est de trop et elle n'ose pas s'approcher de la bête pour récupérer le javelot.

« Un loup de moins... » La mort de son ennemi lui apporte une jouissance si intense qu'elle voudrait danser autour du feu en hurlant sa joie. Par contre, afin de garder les pieds dans le réel de sa situation, elle s'accroche au fait qu'elle vient de perdre une de ses précieuses armes. Elle prend une grande respiration pour se calmer. Il reste encore trop de bêtes et ils ne se décourageront pas si facilement. « Peut-être nous laisseront-ils tranquilles si j'en tue juste quelques-uns... si je me débarrasse du leader... ça ferait peut-être l'affaire... » Elle jette un coup d'œil du côté du cadavre du loup. « Il est trop petit pour être le chef... je devrai en tuer au moins un autre... »

Les hurlements s'intensifient et sèment l'effroi dans l'âme de la femme; comme si la mort de l'un d'eux les avait enragés. Elle cherche son protégé du regard et le voit se tenir en périphérie des feux. Son attitude la rassure. Au moins, il n'attaque pas de façon insensée. Un loup s'approche de Nadine; elle décoche une lance et frappe le vide. La bête recule. Elle vient de perdre un deuxième javelot. « Merde ! Je dois faire plus attention... » Un autre prédateur s'avance. Nadine prend sa fronde avec laquelle elle est beaucoup plus habile. Elle tourne l'arme et lâche. Un cri. Elle a fait mouche. « Je dois le frapper en plein visage à l'aide d'un seul caillou pour le tuer sur le coup... pas facile... »

Soudain, la meute entoure complètement le campement. Elle le savait. C'est un très gros groupe. Elle compte quinze paires d'yeux qui brillent dans la nuit, là, les encerclant totalement. Cela prend tout son courage pour qu'elle ne se laisse pas aller à la panique. Au fond d'elle, elle sent une rage froide contre ces canidés sauvages qui l'empêchent de revoir les siens, qui menacent sa vie et celle de Lou. Elle a peur, mais, grinçant des dents, elle se battra jusqu'au bout. S'ils doivent mourir dans les prochaines heures, l'humaine aux prunelles bleues et le loup aux yeux gris ne seront pas les seuls; ils en tueront un bon nombre avant de tomber sous les crocs et les griffes de ces monstres.

Soudainement, plusieurs bêtes s'approchent des feux. La terreur que ressent Nadine est si intense qu'elle voudrait prendre la poudre d'escampette. Malgré la fraîcheur apportée par la nuit et le vent qui siffle à ses oreilles, la sueur glisse sur tout son corps au point de détremper sa camisole de cuir. Du revers de la main, elle enlève rageusement l'eau tiède et salée qui s'accumule sur son front, coule jusqu'à ses yeux et nuit à sa vision. Elle plante ses pieds solidement sur le sol pour s'empêcher de tomber dans la panique. Alors qu'elle hésite, elle aperçoit Lou s'élancer vers le plus gros animal, celui qui a l'air le plus féroce. « C'est exactement ce qu'il attendait ! Lou voulait que le chef de la meute se présente avant d'attaquer ! » Oubliant son propre affolement, Nadine s'inquiète pour son protégé.

— NON ! Lou ! Reviens ! Laisse-moi faire !

Nadine hurle à pleins poumons, cette fois pour la vie de Lou. Il ne peut survivre contre autant d'ennemis. Du coup, voulant l'aider, Nadine dégaine sa machette et, une lance pointée vers l'avant, elle s'avance entre deux foyers afin de donner un coup de main à son camarade de guerre. Puis, elle s'arrête net devant l'atmosphère bizarre qu'elle observe sous les reflets orange des feux…

Les bêtes restantes, déstabilisées par l'attaque subite de Lou, regardent la scène sans y prendre part. Sur le coup, elles ont cessé de s'intéresser à leur proie humaine et suivent de près cette lutte violente qui fait rage entre les deux énormes congénères ennemis. Les antagonistes grondent, montrent les dents, mordent et grattent. Instinctivement, tous les spectateurs, y compris Nadine, savent que ce moment intense changera leur vie. Pour le meilleur ou pour le pire.

À ce moment précis, Nadine réalise que son protégé est beaucoup plus gros que l'autre qui, de toute évidence, est le leader de la meute. L'attitude des loups qui attendent le résultat de la bataille le confirme. Sinon, les attaquants ne seraient pas si désorganisés. Dans sa nature d'animal sauvage, Lou a agi d'instinct et son geste était le seul possible dans cet environnement impitoyable, pour les sauver tous les deux. Du même coup, il réchappe ainsi un plus grand nombre de bêtes alors que l'humaine et son acolyte n'auront pas besoin de les tuer. Une immense fierté pour cet être qu'elle a arraché d'une mort atroce il y a presque deux ans s'immisce dans son cœur. Une sorte de paix s'installe dans son corps. « Soit il me sauve en gagnant la bataille, soit nous mourons tous les deux… » Elle souhaiterait crier pour l'encourager, mais elle ne veut pas le déconcentrer… « Va, mon grand ! Débarrasse-nous de ce monstre… »

Le combat démesuré est d'une violence extrême; il ne dure que quelques minutes. Si le canidé apprivoisé est très fort, le chef est vicieux. À plusieurs occasions, Nadine a peur que son protégé se fasse tuer, mais il réussit chaque fois à reprendre le dessus. Soudain, dans la nuit où les sons circulent plus vivement, Nadine perçoit clairement le craquement sec d'une vertèbre. Le bruit ne laissait aucune équivoque. Le leader de la meute tombe, complètement inerte. Lou vient de lui casser le cou de sa mâchoire puissante. À pas mesurés, les autres bêtes s'approchent du vainqueur. Tête baissée, ils affichent tous la soumission. Ils reniflent le chef mort. Puis Lou hurle. C'est le cri le plus terrifiant que Nadine n'ait jamais entendu. Son sang se glace. Elle demeure là, debout, incapable de faire le moindre geste. « Lou… mon petit… »

Puis, le magnifique animal, ami de l'humaine, s'avance avec une assurance renforcée par le dénouement de l'évènement pour rejoindre celle qui l'a élevé depuis sa naissance. Il est si calme que Nadine se sent complètement désarmée par ce qui vient de se passer. Quelques bêtes essaient de lui emboîter le pas. Lou jappe et montre les dents. Il mord celle qui résiste. Puis il reprend fermement sa marche vers sa mère adoptive, vérifiant qu'aucun autre prédateur ne le suit. Nadine n'en revient pas. Lou est devenu le nouveau leader de cette meute imposante. Comme ça, le temps d'une nuit, d'une bataille, de quelques minutes.

Lou s'approche d'elle. Nadine s'agenouille pour mieux l'accueillir. Lou lèche le visage rempli de larmes de l'humaine et elle le laisse faire. L'énorme canidé apprivoisé tourne son regard vers le groupe, dorénavant sa famille, puis il observe à nouveau Nadine. Comprenant que son protégé venait de prendre sa place dans son monde à lui, elle devait le libérer de ses obligations envers elle. La mère adoptive le flatte puis elle serre sa grosse tête une dernière fois. De ses prunelles embrouillées, elle fixe les yeux de la bête.

— Je saisis l'importance de ton choix. Tu as de nouvelles responsabilités maintenant. Vas-y, mon grand. Je suis fière de toi. Merci pour tout. Je ne t'oublierai jamais.

Rassuré, Lou s'élance dans la nuit noire, dirigeant sa meute loin de la première caverne. Il a sauvé la vie de Nadine. Elle peut présentement faire le reste du chemin qui l'amènera au portail de lumière, ce qui lui permettra de rentrer chez elle.

Nadine veut profiter à bon escient de chaque minute. Pendant que les larmes amoindrissent la douleur que lui cause la perte de son protégé, elle vérifie ses bagages une dernière fois. Tous ses effets de Montréal sont dans son sac de montagne bleu. En dessous et au-dessus, elle ajoute plusieurs pièces de cuir et d'autres en fourrure. Elle en aura besoin le long de la route, car elle n'utilisera sa tente orange que si la pluie l'y oblige.

Sachant que la randonnée sera difficile, elle n'emporte que l'essentiel. Quelques vêtements de peaux, certains outils ainsi qu'une partie de sa nourriture séchée resteront à la première caverne. Elle n'a tout simplement pas de place dans ses bagages pour tous ces objets. Du coin de l'œil, elle observe la lampe à graisse qu'elle a laissée sur une sorte de tablette naturelle. La lumière jaunâtre et chancelante éclaire son message comme si les lettres dansaient dans la pénombre. « Je ne peux pas l'apporter... je dois la laisser ici... ce sera une marque de civilisation aussi importante que les mots... »

Dans la pénombre, elle voit la petite hache et le couteau en schiste, bien fixés sur les côtés de son sac de montagne; elle en aura besoin sur la route. Entre autres, elle devra construire un camp sur le mont Logan pour se protéger de l'orage qu'elle devra nécessairement subir, là-haut, avant de pouvoir partir. Ce sera sa dernière tempête au Pays de la Terre perdue. Sa gourde, une de celles qu'elle a fabriquées en estomac de gibier, sa besace de cueillette en peaux ainsi que deux dards sont attachés à l'extérieur de son bagage. Deux lances avec des pointes en os se tiennent debout, à côté d'elle.

« Je suis prête. Je n'ai qu'à attendre que cette nuit noire se termine… » Pour le moment, sachant qu'elle doit refaire des forces, elle profite de la sécurité relative que Lou vient de lui procurer afin de se reposer quelques heures.

Alors que la lune s'accroche encore au-dessus de la plage et que l'humaine dort d'un sommeil de plomb, les feux s'éteignent, l'un après l'autre, laissant la survivante dans une pénombre opaque qui délimite sa prison.

Heureusement, les murs de sa cellule s'estomperont peu à peu, au fur et à mesure que l'aube s'installera… dans quelques heures… pour lui permettre d'entamer l'étape ultime de sa quête. Se sentant si près des siens, elle rêve qu'Alex l'encourage.

— Repose-toi bien, ma belle ! Si Lou n'est plus là, je veille sur toi maintenant. Tu seras bientôt à la maison, ma douce.

Chapitre 8

Jour 721 — 5 juillet

— Alex ! Regarde comme c'est magnifique !

Soudain, Nadine ne veut plus bouger. Elle s'arrête donc sur ce petit pont de bois qui vient de lui faire découvrir l'image un peu irréelle de ce bout de pays. Si ses oreilles lui permettaient d'entendre depuis quelques minutes ce cours d'eau en cascade, elle n'a pu en admirer sa splendeur qu'en ajoutant quelques pas à sa randonnée.

Elle ferme les yeux un moment pour mieux écouter quelques cigales; puis elle les ouvre à nouveau pour ne rien manquer du spectacle. Dans le fond de la vallée, la rivière peu profonde coule doucement en zigzag, contournant de magnifiques rochers aux couleurs du sable, de la terre et du safran. L'éclatant soleil teinte les eaux d'un bleu féérique. Elle peut remarquer que l'allure rapide des flots est accentuée par la pente légère du terrain. Ici et là, des bouillons blancs indiquent la présence de quelques pierres, juste sous la surface.

Le ciel baigné des rayons de l'astre du jour donne un ton de jeune cèdre à ces épinettes noires et aux mélèzes matures; au fond du décor, les feuillus portent aussi ce vert tendre qui n'est pas vraiment le leur. À certains endroits, ces arbres frondeurs, dont les pieds s'approchent avec détermination du bord de la rivière, touchent leurs hautes branches pour faire un pont végétal qui garde fraîche l'eau de la cascade.

Soudain, ses oreilles et son nez détectent un nouvel arrivant. Elle entend un tapement de sabot sur la roche, un broutement impatient comme si on allait manquer de foin ainsi qu'un reniflement qui ressemble à un ronflement. Tous ces sons lui rappellent quelque chose… lentement, pour éviter tout bruit qui pourrait déranger le déroulement de cette pièce de théâtre authentique, la femme fait deux pas à sa droite, faisant attention de ne pas faire claquer ses bottes de montagne sur le bois.

C'est ça ! Caché derrière cette belle talle d'épinettes, un énorme orignal s'alimente. Par sa présence, ce roi de nos forêts gaspésiennes ajoute cette petite touche de vie qui redonne sa vraie nature à ce bout de pays.

La féérie s'éteint peu à peu. Le cœur de Nadine transportera à jamais l'enchantement du moment de son arrivée sur ce pont de planches.

Un grognement léger dérange le rêve romanesque qui sort directement de la mémoire de la dormeuse, quelque part lors d'une expédition lointaine dans le parc de la Gaspésie. L'image du magnifique cours d'eau, qui coule normalement à proximité du camping de la rivière, se dissipe rapidement, remplacée par le noir de la nuit. Seules les couleurs chaudes et vives de son feu illuminent l'environnement de l'humaine. Elle lève les yeux pour revoir le dessin qu'elle a tracé il y a deux jours. « La première caverne... je suis en vie... Lou... » Son âme se déchire au souvenir de la bataille et les larmes abondent de plus belle.

Du coup, tous les moments terribles des derniers jours forment dans sa tête un tourbillon malicieux qui l'étourdit. La femme sursaute, le cœur en chamade. Sa vie d'ici l'ayant habituée à ces réveils dans l'horreur, elle se dresse vivement, d'un seul bond, comme un ressort trop souvent comprimé. Sa machette d'une main et son couteau de l'autre, elle tente de percer la pénombre pour trouver ce danger qu'elle ne ressent pas vraiment.

Sur le coup, Lou recule de quelques pas, puis il s'assoit pour éliminer tout geste de menace de son corps. Il attend que sa mère adoptive retrouve ses esprits. Quand l'humaine le voit en position si calme, elle remet ses armes dans leur étui et s'approche de la bête.

— Lou ! Tu m'as fait peur !

Elle flatte le gros loup, notant au passage l'odeur âcre qui flotte dans sa fourrure. « Ça sent la tanière... » Son protégé a vraiment repris sa place dans la nature. Elle est malheureuse de le perdre, mais elle est soulagée qu'à son départ d'ici, Lou soit en sécurité avec les siens. « Comme Allie... il devait retourner à son clan... »

— Je suis si heureuse de te revoir ! Merci pour tout ce que tu as fait cette nuit !

Puis, elle remarque que la pénombre est un peu moins épaisse.

— Le jour se lèvera bientôt. Je dois partir maintenant ! La route sera longue.

Comme s'il s'était présenté uniquement pour réveiller sa mère adoptive et lui permettre de poursuivre son voyage de retour, Lou aboie quelques notes puis il s'éloigne vers la forêt, là où l'attend sa nouvelle famille. Nadine tremble encore en se rappelant cette dernière nuit de cauchemar.

Puis, elle met son sac de montagne bleu délavé sur ses épaules et ramasse ses deux lances d'une main. Avant de déposer son chapeau en guenille sur sa tête, elle jette un regard autour de cette caverne qu'elle ne visitera plus jamais. « Tout est en ordre... Admets que tu seras toujours une ménagère compulsive ! » Éteignant son feu pour la dernière fois à cet endroit, elle prend la route dans la grisaille matinale. « Mon père appelait ce moment du jour "entre chien et loup"; moi je dirais plutôt que je me retrouve entre la captivité et la liberté. » Le cœur enfin libre, Nadine y voyait suffisamment bien pour marcher sans danger.

Pendant que ses pas s'allongent avec assurance, elle revient sur le rêve de la nuit précédente. Son subconscient lui a rappelé cette magnifique scène qu'elle et Alex avaient vécue il y a plusieurs années, bien avant l'arrivée de leurs enfants. Ils étaient partis le matin du terrain de camping pour gravir le mont Albert, alors que leurs compagnons de trekking avaient décidé de faire une balade du côté de

Sainte-Anne-des-Monts. Le tableau qui apparut au début du sentier les avait subjugués au point de les garder dans ce sous-bois pendant des heures à observer les environs. D'abord, l'orignal s'est alimenté, puis un renard était venu s'abreuver. Ce jour-là, ils étaient revenus à leur tente avec la tête pleine d'images et deux rouleaux utilisés de trente-six poses; ils n'avaient même pas mis les pieds sur la montagne.

En rappel de cette belle expérience de la vie en forêt, le rêve lui semblait doux et le souvenir lui apportait une joie immense. « Mon subconscient me laisse savoir que j'ai gagné la partie... ou plutôt que Lou en a été le vainqueur. Je vais retrouver ma famille bientôt... quelques jours encore... »

Deux bonnes heures plus tard, elle sent les rayons du soleil pointer au-delà des hautes crêtes à l'est pour percoler à travers cette forêt dense. « Il fait bon vivre aujourd'hui... je marche vers les miens... quel plaisir ! » L'espoir la porte presque, alors qu'elle trotte allègrement sur une piste d'orignal mal nettoyée; celle-là même qu'elle a suivie en sens inverse à son arrivée il y a deux ans. Le sentier tortueux allait d'un petit lac à l'autre, d'abord vers l'est, tantôt vers l'ouest, quelquefois vers le nord, puis vers le sud. « À l'époque, j'étais si prise dans mon désarroi, si dépassée par les évènements, que je n'ai pas remarqué que ce dernier bout de route emprunté pour atteindre la plage était aussi sinueux... comment suis-je arrivée à faire tout ce chemin sur des pieds pleins d'ampoules douloureuses ? »

Au cours de cette première journée de marche vers le mont Logan, elle prend le temps de bien examiner les traces d'animaux dans les environs; des orignaux, bien sûr, mais aussi des pistes de loups, d'ours, de lynx et d'autres qu'elle ne peut identifier. « Cette forêt dense est plus dangereuse que ce que j'avais perçu à mon arrivée, il y a deux ans... j'étais si téméraire... inconsciente du danger. Dire que j'ai fait du camping dans ces conditions... d'une certaine façon, c'était mieux de ne pas savoir que j'avais de la compagnie… » Alors que le souvenir de cette première randonnée au Pays de la Terre perdue la rattrape, elle ressent le froid qui lui glace le sang pendant qu'un frisson secoue son corps. « J'aurais pu en mourir… »

Ses deux années de vie intense dans cette nature sauvage ont affûté les sens de l'humaine; elle est beaucoup plus attentive aux bruits et aux odeurs autour d'elle. Malgré tout, elle se sait relativement en sécurité; mais elle reste prudente. « Je suis vivante… si près du but… je dois prendre mon temps… » Habituée de parcourir tous les jours de longues distances, Nadine marche rapidement dans ce sentier, évitant avec aisance les branches et les racines qui s'accrochent à ses bottes de peaux.

De temps à autre, elle replace son sac de montagne sur ses épaules. « Je ne suis plus habituée à ce gros sac… ceux que j'ai confectionnés ici me conviennent beaucoup mieux… » Un soupir s'échappe de sa bouche. « C'est ça, je ferai un modèle et je demanderai au MEC[5] de me le fabriquer… nous utiliserons des fibres légères en carbone pour remplacer le bois lourd… » Par contre, si l'outil qu'elle porte est très pesant, elle ne pouvait en réduire son poids; elle a besoin de tout ce qu'il contient, soit sur la route, au mont Logan ou pour son retour à Montréal. Elle s'arrête donc à intervalles réguliers, plus souvent que ce qu'elle avait planifié d'ailleurs. « Il y a deux ans, c'était ma troisième journée de marche… c'était totalement inhumain… cette témérité a d'ailleurs failli me coûter la vie… » Elle se souvient avec effroi de ce gros chat, ce lynx qui est venu appuyer sa lourde patte sur sa poitrine en pleine nuit. « Ouf… cette fois, je vais prendre tout le temps nécessaire… me reposer souvent… »

Maintenant habituée à cette vie rude, elle sait qu'elle doit garder sa forme, éviter les blessures dans ce sentier rempli de ronces, de cailloux et de racines entrelacées à la surface du sol, sous les feuilles. Avec un grand bonheur, Nadine a vu Lou à quelques reprises depuis son départ

---

5   Mountain Equipment COOP

de la première caverne. De toute évidence, son protégé veille au grain et elle n'a pas à craindre des prédateurs qui habitent cette région. De cette façon, sans s'inquiéter, elle ralentit l'allure quand elle sent que la fatigue s'installe. Aussitôt qu'elle en a la chance, elle s'arrête, dépose son sac de montagne à terre pour soulager ses épaules et fait quelques mouvements pour déraidir ses muscles. Lors de chacune de ses pauses, elle enlève ses bottes de peaux afin de masser ses pieds. Elle mange peu de choses à la fois, mais elle garde des pochettes de noisettes et de fruits ainsi que de l'eau à portée de la main.

Ses réflexes associés à l'exercice de la longue randonnée, inculqués en trente ans d'expéditions de par le monde, lui reviennent. Ainsi, elle remplit sa gourde en estomac de gibier aussi souvent qu'elle le peut. Dans cette zone boisée qu'elle connaît moins que le territoire familier autour de la grotte, elle utilise le filtre qu'elle avait en arrivant au Pays de la Terre perdue. Par contre, n'étant pas convaincue de la pleine efficacité de l'outil après deux ans d'usage, elle choisit de cueillir de l'eau courante qu'elle prend le plus haut possible en montagne. Ainsi elle limite les risques de contamination toujours présents dans cette forêt luxuriante. « Jusqu'à maintenant... pas de troubles gastriques... »

Sachant que la randonnée durera plusieurs jours et que la fatigue la forcera nécessairement à ralentir à un certain moment, elle désire marcher le plus loin possible avant la nuit. Elle passe ainsi la journée entière en forêt où il n'y a aucun point qui lui permettrait de monter un camp de façon sécuritaire. De toute façon, elle ne veut pas prendre le temps de préparer un feu. Aussitôt qu'elle s'aperçoit que le soleil décline à travers le feuillage, elle s'arrête devant un gros orme planté solidement en bordure d'un ruisseau qui dévale en cascade de la montagne. Déposant son bagage par terre, Nadine y fixe un cordage qu'elle relie à sa ceinture. Elle insère ses deux lances de travers dans le paquet. Puis elle grimpe à cinq mètres du sol pour atteindre une branche large et résistante où elle pourra s'installer pour dormir. « Heureusement que je n'ai plus le vertige… sinon... » Puis elle remonte ses affaires jusqu'à elle. Son corps enroulé dans une toile de cuir de chevreuil pour conserver sa chaleur, elle s'attache avec le câble qu'elle glisse autour du tronc, pour éviter de tomber durant son sommeil. Le dos appuyé sur son sac, la femme mange des bouts de viande séchée et avale quelques gorgées d'eau. Malgré son confort relatif, une vague de nostalgie s'immisce dans son cœur.

— Quelques jours encore… j'ai hâte de retrouver la douceur de l'ambiance de la maison. Mon lit est beaucoup plus moelleux !

Elle ferme les paupières et laisse les sensations merveilleuses jeter un baume sur son âme meurtrie pour avoir affronté tant de dangers depuis deux ans. Soudain, elle ressent la chaleur du corps d'Alex, son souffle vigoureux dans son cou. Elle voudrait se recroqueviller dans ses longs bras et appuyer sa tête lourde sur la poitrine de l'homme. Une branche fouettée par le vent égratigne sa joue. Elle ouvre les yeux sur le Pays de la Terre perdue et son cœur reste déchiré par le mirage de son passé.

— NON ! Cette image n'appartient pas à mon vécu ! C'est indéniablement une visualisation de mon futur ! Alex ! Attends-moi encore quelques jours ! Je reviens me blottir dans tes bras !

Quand la lumière du soleil laisse la place à la pénombre, Nadine s'assoit confortablement et ferme les paupières pour attendre que le jour réapparaisse à l'aube. L'idée n'était pas nécessairement de dormir, mais plutôt de ne pas être dans les sentiers alors que les prédateurs y chasseront. Son installation lui permet de se reposer suffisamment pour entreprendre une deuxième journée au cours de laquelle ses muscles seront à nouveau malmenés par une longue marche sur un terrain fort accidenté.

Au cours de la nuit, Lou lui rend visite plusieurs fois, comme s'il avait peur qu'elle tombe en bas de cette branche pourtant très solide. Il s'avance en solitaire vers l'orme, mais Nadine devine que les autres membres de sa meute restent camouflés dans la forêt. La mère adoptive finit par descendre de son poste pour le flatter et trouver un réconfort en plongeant son visage dans la fourrure épaisse qui garnit le cou de son protégé.

— Je t'aime tant ! Je suis contente que tu m'accompagnes sur ma route. Je me sens moins seule. Merci de t'occuper de ma sécurité.

Un peu avant l'aube, dès qu'elle peut voir le sentier, Nadine retourne au sol afin de commencer sa deuxième journée de marche. Cette fois, la mer végétale luxuriante l'enveloppe complètement; elle s'arrête souvent pour vérifier sa boussole et s'assurer qu'elle garde le cap sur le sud en dépit de tous les détours du chemin emprunté. Dans cette forêt dense, elle est incapable d'apercevoir le mont Logan. Puis, en fin d'avant-midi, elle entend le bruissement léger d'un cours d'eau; quelques minutes plus tard, la piste l'amène en bordure de la large rivière qui coule au fond de la vallée. C'est avec un immense plaisir que la randonneuse constate ses progrès dans cette expédition. « Enfin… la deuxième portion de l'expédition commence… »

— Yes ! Alex ! Marie ! Préparez le champagne ! J'arrive !

Pour cette étape, Nadine a l'intention de suivre le cours d'eau, comme elle l'a fait il y a deux ans afin de retrouver le sentier qui monte au sommet du mont Logan. Ainsi, les deux pieds dans le liquide glacé jusqu'aux chevilles, elle prend la direction du nord. Elle sourit de l'astuce. « J'aurais pu me tromper… me diriger directement vers le sud… » Cependant, elle se souvient très bien que la rivière tourne plusieurs fois, presque sur elle-même, avant de rejoindre l'océan. Il y a deux ans, cherchant la mer, elle a suivi son flot descendant. Aujourd'hui, elle doit faire le chemin inverse et remonter le courant, même si, à cet endroit, le fleuve coule du nord.

C'est ainsi que les heures s'allongent et que Nadine marche dans le cours d'eau peu profond et très large. Voyant ses chaussures se remplir de liquide froid, l'aventurière éclate de rire. « Encore une fois, j'ai prévu le coup… » Se souvenant à quel point elle serait mouillée par ce bout de randonnée, elle a mis un pantalon en peaux et une paire de bottes supplémentaires dans son sac. « Ça peut bien être lourd ! » Par contre, elle sait que le soir venu, elle serait heureuse de se retrouver au sec. « C'est certain que mon habitude de planifier toutes les expéditions de trekking m'a rendu un fier service, ici. Mon expérience à anticiper le pire m'a aidée à rester vigilante en tout temps. Ça m'a permis de survivre aux dangers que le Pays me garrochait constamment en pleine face… » S'arrêtant un moment, la nomade lève les yeux vers le ciel dans un geste de dépit.

— J'ai poussé l'habileté de façon un peu… excessive. Je ne suis pas certaine que mes compagnons de trekking apprécieront mon nouveau zèle…

Se trouvant au fond d'une vallée où l'air humide sert d'étuve, la femme a chaud et transpire abondamment. Elle boit si souvent qu'elle a dû, à deux reprises, laisser son bagage près de la rivière et grimper à côté d'un ruisseau en cascade pour aller remplir sa gourde à un point situé le plus haut possible dans la montagne. Cela prend un temps fou, mais elle a vu des traces d'animaux en si grand nombre qu'elle ne veut pas courir de risques avec la qualité de l'eau. Plus elle cueille le liquide en altitude, moins il y a de risque que les bêtes l'aient contaminée. Si eux possèdent la flore intestinale nécessaire pour survivre à l'envahissement des bactéries dévastatrices, en contre-partie, Nadine est une digne représentante d'une race qui a aseptisé son univers; elle n'est donc plus équipée pour y faire face, même après deux ans d'exil dans ce lieu.

En fin d'après-midi, ayant suivi plusieurs méandres de ce petit fleuve, Nadine retrouve l'immense roche plate à proximité de laquelle elle a dormi ce premier soir au Pays de la Terre perdue. Se souvenant que le reste de son chemin vers le mont Logan serait composé de plusieurs heures de marche dans une forêt où il n'y aura aucun endroit pour s'arrêter, elle décide de monter son camp pour la nuit sur cette pierre plus invitante qu'un arbre, si gros soit-il. Elle trouve facilement le foyer qu'elle avait construit la dernière fois.

Un lièvre curieux s'approche un peu trop près de son installation ; il meurt rapidement d'un coup de caillou dans le front. Nadine n'a même pas réfléchi. Quand elle l'a vu, l'odeur du gibier cuisant sur la braise s'est présentée dans son esprit. Sans qu'elle y pense, la fronde est tombée dans sa main et une roche a été décochée. L'idée de manger cette viande fraîche lui fait quand même plaisir. Il lui en restera suffisamment pour le lendemain. Elle ne regrette pas d'abandonner son régime d'aliment séché pour un moment. « Quel dommage ! Je ne pourrai pas tanner cette magnifique peau... les charognards s'en régaleront, c'est certain... »

Ainsi, avec quelques heures à sa disposition pour vadrouiller les bois environnants, Nadine prépare un véritable festin, cuisant son lièvre lentement au coin du feu, bien enveloppé dans des feuilles de vigne. Puis, en bordure d'un ruisseau, elle trouve des tubercules d'apios et de jeunes quenouilles dont elle rôtit la partie tendre. « Ça sent bon... peut-être que c'est la dernière fois que je mange aussi bien ici... »

Sachant que son protecteur allait arpenter la forêt pour éloigner les prédateurs, la femme s'endort à poings fermés près du feu. Étendue sur une peau de chevreuil, le corps enroulé dans la toile en cuir, Nadine récupère cette énergie perdue au cours des derniers jours. Un léger ronflement dérange quelques gibiers qui s'approchent un peu trop de ce lieu maintenu en paix par un gardien hors pair.

Avant que les rayons de soleil réussissent à percer le feuillage intense de cette vallée, Nadine avale quelques morceaux de lièvre puis elle ramasse son barda.

Reconnaissant qu'elle marchera un bout de temps dans la rivière, elle remet son pantalon et ses bottes encore détrempés de la veille. Bien reposée, elle amorce sa journée avec entrain. « Je me souviens que je n'ai pas marché très longtemps entre la fin du sentier du mont Logan et la roche… maintenant que je suis si habituée à la randonnée, ce ne sera pas très long… »

Nadine s'attendait donc à trouver facilement la piste qui lui avait permis, il y a deux ans, de descendre directement de la montagne à l'ouest des crêtes. Par contre, lorsque la randonnée s'étire sur plusieurs heures, bien au-delà du temps planifié, l'angoisse s'installe au fond de l'âme de l'humaine. « Je suis perdue… je n'arriverai pas à retrouver mon chemin… je ne retournerai pas chez moi… » Puis, quand son tourment se transforme en colère, Nadine réalise qu'elle doit retrouver son calme pour mieux évaluer sa situation et prendre les bonnes décisions.

« Je dois m'arrêter… c'est plus sage… Maman ! Tu vois, je suis tes conseils à la lettre… je neutralise ma colère… du moins, j'essaie… » Ainsi, déposant son sac en bordure de la rivière, Nadine se dévêt et s'immerge dans les flots glacés. Le froid pénètre sa peau, puis ses muscles et ses os; l'humaine invite le bien-être à revenir dans son corps. Plongeant sa tête sous la surface, son cerveau perd tout d'un coup la fièvre qui le faisait bouillir de rage. Quand elle constate que Lou l'a rejointe et qu'il l'éclabousse de ses ébats dans l'eau vive, le bonheur s'infiltre dans le cœur de la femme et celle-ci éclate de rire.

— Lou, regarde ! Je suis restée calme… enfin ! Je suis devenue sage au cours des derniers jours. Ma mère serait si fière…

Assise au milieu du courant, laissant le flot couler doucement de chaque côté de ses jambes repliées et campées dans ses bras, elle en profite pour réfléchir à sa situation. Réexaminant dans sa tête le chemin parcouru depuis le lever du jour, elle se convainc que le sentier qu'elle a utilisé à son arrivée n'existe plus. « Deux ans, c'est long… les bêtes en auraient tracé un autre… dans cette forêt envahissante, l'ancienne piste se serait refermée… »

Deux choix se présentaient à la nomade : soit elle continue sa progression dans la rivière un bout de temps pour trouver un autre chemin de gibier, soit elle trace à la main sa route directement vers le sud possiblement jusqu'au mont Logan. Elle se lève pour mieux observer la forêt très dense qui l'entoure. « La machette ? L'activité difficile serait trop épuisante et dangereuse… il vaut mieux que je m'accorde un peu plus de temps… et que je prenne des précautions… » Ainsi, Nadine décide d'opter d'abord pour la première solution, du moins pour le moment. Même si l'anxiété traîne en bordure de son âme, Nadine est tout de même apaisée par la réflexion. Elle sort de la rivière et remet ses vêtements.

Poursuivant sa randonnée, l'aventurière marche long-temps dans le petit fleuve, s'arrêtant de temps à autre pour se reposer, manger et boire. Au fil de sa route, elle identifie avec soulagement de nombreux points où elle pourrait faire un camp en toute sécurité. Cela l'encourage à continuer son chemin les pieds dans l'eau. « Je ne grim-perai pas tout de suite dans la montagne… je ne prendrai pas de risques inutiles… je suis si près du but… » De cette manière, même si une certaine crainte de ne pas trouver le moyen de se diriger vers le mont Logan s'accroche à ses pas, elle marche lentement dans le fleuve sinueux, se donnant ainsi le temps de bien observer les environs.

Ce n'est qu'une fois qu'elle eut dépassé les crêtes qui s'élèvent à sa droite, qu'elle découvre un ruisseau qui cou-lait en cascade en provenance du sud comme s'il sortait directement des collines. « Ça, c'est une première bonne nouvelle ! » Du coin de l'œil, elle vérifie l'angle du soleil. « Trois heures de lumière encore… plus ou moins… »

Grattant son cuir chevelu devenu mouillé par l'humidité qui traîne dans la vallée, Nadine évalue les options à sa dis-position. Jetant un dernier coup d'œil autour, elle constate qu'elle a suffisamment de place dans ce bout de terrain pour y monter un camp. Puis, d'un regard inquisiteur, elle observe les abords du ruisseau. « J'ai le temps de grimper et de voir ce qu'il y a plus haut. Si je n'ai rien trouvé dans une heure, je rebrousse chemin pour revenir dormir ici et j'essayerai à nouveau le matin venu... »

Elle frotte ses mains de satisfaction. Sa progression de la prochaine heure lui donnera les informations dont elle a besoin pour planifier sa journée du lendemain. Nadine replace son lourd sac sur ses épaules et projette son regard vers le haut de la pente. « Ouf... tu as de ces idées, parfois... » Le ruisseau en cascade descend à pic de la montagne. Même si les côtés sont bien dégagés, le parcours abrupt paraît très difficile. « Je pourrais laisser mon sac en bas... ce serait plus facile... » Elle secoue la tête. « Imbécile ! Si tu trouves ta route plus haut tu devrais rebrousser chemin pour le récupérer... et monter une deuxième fois cette pente presque verticale... vraiment ! »

Ainsi, suant abondamment sous l'effort, Nadine grimpe laborieusement en s'accrochant à la végétation avec ses deux mains. Elle a le souffle court. Elle a très chaud et le poids de son sac nuit à sa progression. Ses lances, attachées en travers de son bagage, s'empêtrent dans les arbustes et l'empêchent de bien avancer. Parfois, ne trouvant pas suffisamment d'espace pour marcher à côté de la cascade, elle doit se placer directement dans l'eau glacée qui culbute de la montagne et mouille tous ses vêtements. Alors que les minutes s'égrènent, même si la crainte de redescendre cette colline sans se casser le cou lui donne des haut-le-cœur, Nadine continue son ascension avec détermination. Soudainement, le terrain s'aplatit et le ruisseau devient moins bruyant. La grimpeuse avait tellement le nez dans la pente qu'elle n'a pas remarqué cette transformation de l'environnement fort inattendue qu'elle accueille avec un immense bonheur. Elle se redresse un moment pour reprendre son souffle. Elle frotte son dos pour calmer la douleur vive qui s'y est installée. Elle projette son regard vers la gauche et aperçoit une large piste qui s'enfonce dans la forêt en direction du haut de la montagne.

— *Eurêka* ! Quel beau sentier !

Malgré son lourd bagage et la fatigue, Nadine se permet de faire quelques pas de danse, les bras dans les airs, son chapeau tombant par terre sous les secousses. Puis un grognement la fait revenir à la réalité du moment. Elle scrute la zone boisée pour voir le gros corps à la fourrure épaisse et aux yeux gris se glisser entre deux arbres.

— Ça va mon petit loup ! Je ne suis pas encore folle ! Je retrouve seulement mon cœur d'enfant ! J'arrive au but et la joie me donne des ailes.

Nadine observe la route qu'elle s'apprête à suivre. Ici, la forêt se compose de magnifiques feuillus. D'ailleurs, un énorme chêne marque le début du sentier. Il pourrait facilement lui servir d'abri au cours de la nuit… « Ouf ! Pas besoin de redescendre la cascade ! Quel soulagement ! » Un peu plus loin, avec le soleil qui décline à sa droite, elle voit le sommet dénudé du mont Logan se dresser dans une lumière rose et violette. « Que c'est beau… comme celui en Gaspésie… pas étonnant que j'aie pensé y être, il y a deux ans… »

Il lui restait suffisamment d'heures de lumière dans cette journée pour aller explorer cette piste sur quelques kilomètres. Par contre, avant de poursuivre sa route, elle prend le temps de changer son pantalon et ses mocassins mouillés afin de marcher plus confortablement et éviter les ampoules. Elle accroche ses vêtements à l'extérieur de son sac pour qu'ils sèchent au grand vent.

C'est ainsi qu'elle emprunte allègrement ce sentier large qui porte ses pas directement vers le sud. L'aire ouverte et la qualité du sol la font presque courir. Très vite, elle se retrouve au-dessus des crêtes. D'un côté, la mer toute bleue s'étend à perte de vue au nord. Elle se souvient à quel point elle espérait repérer une auberge dans cette direction. C'était il y a deux ans. Aujourd'hui, elle sait que sa première caverne est la seule habitation qui s'y trouve. De l'autre côté, elle aperçoit de loin l'immense mont Logan qui trône majestueusement dans le ciel. Nadine admire ce sommet rocheux où est localisé le portail qui la transportera chez elle. L'anticipation la rend fébrile et une sorte d'amertume lui noue la gorge.

— Enfin ! Je suis presque arrivée ! Le champagne m'attend ! J'espère que Marie a bien calculé les jours… je m'ennuierai de ce pays dont j'ai fait mon royaume.

Ébranlée une autre fois par ce double jeu de ses émotions, Nadine secoue la tête et s'engage allègrement dans ce sentier qui l'amène maintenant dans la bonne direction. Alors que le soleil décline, elle découvre une clairière. Un énorme chêne lui offre un endroit pour se reposer, à plusieurs mètres du sol, en toute sécurité. Elle prend tout de même le temps d'allumer un feu pour faire chauffer le reste de lièvre. Elle choisit du bois vert pour qu'il fume beaucoup et éloigne du même coup les moustiques qui sont très agressifs. À cette hauteur, ils ne trouvaient sans doute pas d'autres proies que cette humaine à la peau sensible, mince et savoureuse.

Pendant un instant, malgré l'allégresse qui accompagne ce moment, ses traits se durcissent et un grognement lourd de sens sort de sa gorge. Plusieurs souvenirs similaires accumulés au cours des deux dernières années lui rappellent que le Pays de la Terre perdue est capable des pires perfidies quand son existence devient trop… belle. Est-ce qu'il lui prépare une surprise de son cru qui va encore lui rendre la vie impossible ? Elle se méfie de son bien-être et le voit comme un piège; elle tente de chasser le malaise en piochant sur le sol. Puis elle respire profondément pour repousser l'impression négative qui colle à sa peau.

— Maudit Pays ! Même quand tu restes silencieux, tu m'énerves !

Un peu calmée par cette boutade, elle décide de prendre les choses comme elles viennent. « Il fait beau et j'en profite ! Pour le reste, je verrai dans le temps comme dans le temps ! » Assise sur une grosse branche, attachée au large tronc, la femme observe le soleil qui disparaît dans la mer. Plus tard, au clair de lune, elle reconnaît la silhouette grise et très imposante de son protecteur. « Merci, Lou, de m'accompagner malgré tes grosses responsabilités de chef... »

Alors que la nuit s'installe et que le vent frais des montagnes siffle dans les feuilles des arbres, la nomade retrouve un point d'ancrage dans cette course insensée. L'oppression qu'elle a ressentie dans la forêt, depuis trois jours, se dissipe. Elle respire mieux et son cœur est plus léger.

« Je sais où je suis... je sais où je vais... je suis si près du but... »

Chapitre 9

Jour 724 — 8 juillet

Le soleil se lève derrière les montagnes et garroche ses chauds rayons loin sur la mer pour l'allumer de toutes sortes de tons de bleu où s'ajoutent des grenailles orange et jaune. On peut voir que l'océan est agité, laissant l'observatrice soupçonner la profondeur de ses flots. Le Pays de la Terre perdue se réveille enfin pour permettre à toute cette nature animale et végétale d'exister intensément. Aussitôt, comme s'il n'attendait que la lumière diurne pour s'activer, le vent fait bruisser le feuillage de la forêt; les oiseaux l'utilisent efficacement pour s'élancer vers le firmament et le rendre vivant.

Nadine marchait déjà depuis un bon moment, mais, pour mieux sentir la chaleur de l'astre du jour pénétrer sa peau, elle s'arrête pour admirer ce spectacle grandiose. Elle laisse la brise caresser son visage et le chant des pinsons remplir ses oreilles. Son nez, maintenant plus avisé, l'aide à identifier les acteurs de cette faune riche qui l'entoure : l'odeur âcre des orignaux, celle de la marmotte et l'émanation fétide d'un ours. L'effluve sucré que libère un rosier sauvage ajoute à la diversité des essences naturelles d'ici. « Est-ce que je verrai un jour quelque chose d'aussi beau chez moi ? Là-bas, il y a la pollution qui embrume la vue et rend tout plus terne… »

En haut de la crête, l'air est plus froid et le vent d'ouest la garde au sec. Aujourd'hui, trottinant sur le sentier d'un pas alerte, son sac de montagne lui paraît moins encombrant. Pourtant, le chemin grimpe dans la roche glissante et elle doit constamment sauter par-dessus un ruisseau ou piétiner le long d'une cascade. « J'anticipe intensément la joie de voir enfin ce voyage insensé se terminer. L'espoir

de revoir bientôt les miens grandit à chacun de mes pas...
ça me donne des ailes... » Elle poursuit sa route sans se
presser.

Pour la cinquième fois depuis le début de cette matinée,
Nadine s'arrête et plonge son regard très loin à l'horizon.
Malgré son bonheur effréné, alimenté à cette anticipation
du grand départ, ses traits s'assombrissent. Elle perd
momentanément son sourire et ses sourcils se froncent.
Du coup, elle sent ses muscles se raidir. « Dix à douze
jours entre les orages... mais ce maudit pays pourrait bien
en réduire le temps... juste pour m'embêter... me forcer à
rester ici encore plus longtemps... »

Ne voulant plus de cette colère qui a caractérisé son exil,
elle s'arrête et cherche à se dégager de la rage qui colle
à son âme. Elle pousse son nez dans le vent qui vient
indéniablement d'ouest. L'orage n'éclaterait pas dans la
journée, ni sans doute le lendemain. D'ailleurs, il est possible que le courant d'air vire à l'est un jour ou deux avant
que la tempête se pointe. Aussitôt, le soulagement ramène
la vivacité dans son corps et elle se sent à nouveau plus
légère. Sa vue devient très claire et ses oreilles savourent
au maximum le sifflement de cette douce brise. « J'ai le
temps de m'y rendre... c'est ça qui compte... pour le reste,
je suis habituée de vivre avec l'imprévu... » Haussant les
épaules, elle frappe le sol avec le dos d'une lance pour
retrouver le rythme de sa randonnée dans ses jambes.

Cependant, elle n'arrive pas à chasser complètement
l'inquiétude de ce qui l'attend. Pire, le doute s'intensifie à
chacun de ses pas. Sa vigilance se réveille. Son expérience
depuis deux ans lui rappelle qu'elle doit toujours se méfier.
Pourquoi le Pays de la Terre perdue lui rendrait-il la vie
aussi douce ? Pour quelle raison la laisserait-il progresser
facilement jusqu'au sommet du mont Logan sans menacer
son existence une dernière fois ? D'un air soucieux, elle
ajuste ses sens à son angoisse. Les yeux bleus et vifs de la
nomade observent tout ce qui se passe autour d'elle. Ses
oreilles cherchent les sons inhabituels alors que son nez

voudrait percer le mystère de toutes les odeurs sur son chemin. « Je suis prête à n'importe quoi ! Je m'attends à tout ! »

Nadine poursuit sa route vers ce sommet dénudé qu'elle voit de plus en plus clairement en avant d'elle. La nomade imprègne son cerveau des images, des chants de la nature et des effluves que cette forêt lui présente; est-ce la dernière fois ? « Je ne visiterai plus jamais cet endroit... » Une nostalgie déchirante colle au fond de son âme à l'idée de quitter ce lieu magnifique. Une grande tristesse se mélange à l'excitation enivrante associée à son retour chez elle.

Secouant la tête pour dissiper ces émotions contradictoires qui la rendent si fébrile, Nadine s'approche du bord de la crête pour mieux observer l'immense vallée verte à ses pieds. « C'est si dense... » Chez elle, il y aurait une route ou deux ainsi que quelques pylônes de transport d'électricité. Peut-être aussi que l'humanité se serait permis de faire une coupe à blanc. Sur le coup, la honte envahit son cœur. « Pourquoi tant de ravage ? Si nous avions été plusieurs à voyager ensemble au Pays de la Terre perdue, aurions-nous répété ces bêtises ? » Nadine se souvient de ses visiteurs qui, même en 37 jours, n'ont jamais compris toute l'implication de leur présence dans un lieu sans civilisation et sans technologie. « Eux, ils auraient bien refait leur civilisation telle qu'ils la connaissaient... »

« Par contre, moi j'ai vite compris que je me retrouvais dans le pétrin... pourquoi cette différence si marquée ? » Le fait qu'elle voyageait seule explique-t-il totalement sa réponse si différente ? Peut-être. Les circonstances qui l'ont propulsée ici à partir de 2011 et non pas 1986 lui permettaient aussi de profiter des valeurs évolutives de la société québécoise vis-à-vis la protection de l'environnement. Également, son expérience de trekking aidant, elle avait déjà l'esprit ouvert pour mieux comprendre et utiliser l'habitat écologique qui l'entoure. « Maintenant que j'ai connu la nature dans sa plus pure virginité, comment arriverais-je à m'intégrer à nouveau dans une société qui fait tant de dégâts ? »

Pendant que sa tête essaie de donner un sens à cette aventure qui s'achève, Nadine tente de réconcilier ses connaissances acquises ici avec celles qui lui viennent d'ailleurs. Est-ce qu'elle demeurera à jamais deux personnes ? La citadine de Montréal et la nomade du Pays de la Terre perdue resteront-elles distinctes ? « Je ne veux pas que l'exilée disparaisse complètement lors de ma traversée… je devrai trouver le moyen de garder mes apprentissages d'ici… » Une expression morose se glisse sur le visage de la femme. « Si la sorcière disparaît, ce sera un autre deuil… maudit pays de merde ! »

À ce moment précis, le tableau qui s'étend à ses pieds devient radieux. Une brume légère s'étire sur la vallée, déclenchant le rebondissement des rayons du soleil sur un million de gouttelettes qui, comme des prismes, retournent cette lumière dans une ribambelle d'arcs-en-ciel miniatures. La beauté de la scène lui coupe le souffle. « Comment pourrais-je dessiner ça ? C'est bien trop beau ! » Elle laisse l'amertume quitter son âme. Ces images magnifiques ramènent une grande sérénité dans sa tête. Son habitude de parler à voix haute contribue à la rassurer quant à son avenir.

— Bon ! Je veux voir le spectacle jusqu'au bout ! Je m'arrête un moment pour en profiter…

— fiter… fiter… fiter… lui répond l'écho.

— Bonjour l'écho !

— écho… écho… écho…

La femme au cœur d'enfant éclate de rire et écoute attentivement que son interlocuteur finisse de faire rebondir dans l'espace ce son clair qui la définit comme humaine. Elle s'installe sur le bord de la paroi qui limite la crête pour contempler la scène quelque peu irréelle et changeante devant ses yeux. Une larme glisse sur sa joue.

— Ah ! Cher Pays, je comprends ton truc.

— truc… truc… truc…

— Tu me présentes une image si belle que tu espères que je n'emprunte pas le portail…

— Tail… tail… tail…

— Ça fonctionne…

— onne… onne… onne…

— Presque…

— que… que… que…

Pendant quelques secondes, Nadine écoute l'écho s'accrocher à toutes ses phrases. Puis elle reprend de plus belle sa discussion avec ce monde exceptionnel.

— JE…

— Je… je…

— PAR…

— Par… par…

— TI…

— Ti… ti…

— RAI…

— Rai… rai…

Devant le résultat de son jeu, la femme éclate de rire et laisse ses cris se répercuter sur la falaise et la vallée pour lui revenir en mille morceaux. Puis, elle absorbe ce moment sans babillage humain qu'elle n'aura plus jamais à sa portée une fois de l'autre côté du portail. Elle déguste cette tranquillité remplie de sons en tous genres comme si c'était du bon vin; une parfaite harmonie. « Parce qu'ici, la vie n'arrête jamais… »

Un bout de viande au coin de la bouche, sa gourde près d'elle, elle regarde ses jambes dénudées qui pendent dans le vide. Au moins deux cents mètres la séparent du sol au bas de la falaise. Quelque part au cours de ces deux ans, son vertige a disparu. Aujourd'hui, sa position précaire, où rien ne bloque sa vue, lui permet de mieux admirer toute la grandeur de la nature à ses pieds.

Puis elle rit de bon cœur. Encore. Cette fois, son cri humain dérange quelques oiseaux qui se mettent à s'égosiller à leur tour. Quand l'écho tente maladroitement de refléter ces sons en créant un charivari dissonant et désagréable pour les oreilles sensibles, l'exilée éclate à nouveau d'une hilarité incontrôlable qui lui fait mal au ventre. Sachant que cette réaction a pour fondement un trouble qui se cache au fond de son âme, Nadine ferme les yeux un moment pour ramener le calme dans son corps.

Ce soir, elle couchera au sommet du mont Logan. Ensuite, Nadine attendra patiemment le passage de l'orage. Puis, son portail s'ouvrira. « Je suis convaincue que c'est le mien, comme l'autre était celui de Marie. » Elle rentre enfin chez elle. À Montréal. Pour retrouver Alex. Pour revoir ses enfants. « Deux ans… les petits-enfants auront grandi… est-ce qu'un autre bébé se sera ajouté ? »

Puis elle retrouvera Marie. « Que de choses nous aurons à discuter toutes les deux ! » Elle a hâte de revoir son amie pour débattre à nouveau de leur expérience, et cette fois, sans contraintes. Afin de pouvoir vivre cette réunion, Nadine a maintenu son rythme de randonnée avec prudence, pour se rendre au bout de la route et ne pas mourir en l'accomplissant trop vite. Elle tourne la tête pour repérer la cime de la montagne. Maintenant que le sommet est tout proche, la nomade est soulagée.

« Tout va bien… quelques heures encore… » Les yeux fermés, laissant le vent glisser sur son visage, elle aperçoit sous ses paupières les gens qu'elle reverra bientôt, dans quelques jours. « Marie est en mesure de calculer la date de mon retour avec précision. Ils seront tous là à m'attendre… je vois leur visage surpris par ma maigreur et mes cheveux longs… les petits seront gênés, ne me reconnaîtront pas… » Son immense bonheur vient de l'idée qu'ils seront là, de l'autre côté du portail, quand elle traversera.

Nadine s'imagine la banderole de bienvenue accrochée au portique, les ballons gonflés. On aura retiré les voitures de l'entrée asphaltée pour mieux l'accueillir… « Ce sera ma fête… »

Elle jette un coup d'œil à l'angle du soleil. « Le temps file… je dois repartir… » C'est ainsi que la nomade solitaire remet ses chaussures et se lève. Elle installe son gros sac bleu sur ses épaules, empoigne ses lances et reprend la route. Quelques heures plus tard, elle sort de la piste pour se retrouver tout en haut de la montagne, dans la clairière où elle s'est réveillée il y a deux ans.

— Enfin ! Je suis arrivée… saine et sauve.

Dans l'espace ouvert, près du petit ruisseau, elle monte sa tente orange, un geste qu'elle pose pour la dernière fois dans cet univers étrange qui l'a si brutalement accueillie il y a deux ans. Puis, grâce à ce conditionnement qui a permis sa survie si souvent dans ce monde bizarre, elle allume un feu. Cette fois, c'est une perdrix qui s'est approchée un peu trop et qui a fini embrochée au-dessus des flammes.

Alors que la nuit s'installe et qu'elle déguste lentement son repas digne du Pays de la Terre perdue, Nadine revient sur les derniers jours. Elle a mis quatre longues journées pour se rendre de la première caverne au mont Logan. Marchant d'un bon pas, elle ne sentait pas le besoin de courir ni de pousser trop fort, même si elle voulait atteindre sa destination rapidement. « Comme la fable de La Fontaine… Rien ne sert de courir, il faut marcher à point… selon mon interprétation libre… » Finalement, la sagesse avait réussi à s'intégrer profondément dans son tempérament fougueux.

Il faut dire que, malgré la luxuriance de cette large forêt qu'elle a traversée, Nadine n'avait plus peur de ces prédateurs qui sont maintenant menés par Lou. D'ailleurs, elle sait que son protecteur veille encore sur elle ce soir. L'attaque vicieuse des loups à la première caverne a bien sûr bousculé son horaire bien planifié, l'obligeant à se cantonner pour plusieurs jours à son gîte de pierre. Toutefois, l'évènement était nécessaire pour que Lou puisse reprendre la place qui lui revenait dans ce monde grégaire. Par contre, toute l'histoire lui a fait craindre que l'orage arrive avant qu'elle ne soit sur le sommet de la montagne, ce qui l'aurait forcée à s'arrêter quelques jours en forêt et retarder la dernière partie de son exil. Tout ça est maintenant derrière elle. « Malgré tout, j'ai fait bonne route et relevé le défi… j'ai de quoi être fière… je suis prête… »

Nadine ressent une sorte de malaise qui lui étreint le cœur et lui coupe le souffle. La nomade a maintenant atteint la destination finale de son périple au Pays de la Terre perdue. Le cercle de ses aventures se referme, car elle est revenue à son point de départ. Seules son apparence et l'expérience que sa tête contient sont des témoins silencieux de ce voyage rempli d'apprentissages en tous genres, les changements les plus profonds touchant son attitude. « Je ne suis plus la même personne… est-ce qu'Alex voudra encore de cette femme si transformée qui sortira du faisceau lumineux ? NON ! Je dois garder la confiance ! » L'exilée se lève d'un bond, fait le tour de son camp pour réduire la tension qui s'infiltre dans tout son corps. Puis elle retourne s'asseoir devant son feu.

« Il faut que je sois courageuse jusqu'à la fin… bientôt, toute cette errance sera terminée… et je saurai enfin ce qui s'est passé à la maison en mon absence. Pour le meilleur… ou pour le pire, je dois faire cette traversée et accomplir ma destinée. » Nadine ravale pour enlever cette boule qui bloque sa gorge. Il ne lui reste qu'à attendre la prochaine tempête qui, si le temps lui est favorable, arrivera d'ici un jour ou deux. Une tasse de tisane du pays en main, elle se rappelle ce cauchemar où un extraterrestre l'informait qu'elle se trouvait dans un laboratoire. L'être gris aux yeux globuleux lui avait expliqué que la porte dont elle avait besoin pour sortir s'ouvrait d'elle-même à la fin de l'expérience.

À nouveau souriante, Nadine plonge son regard dans les flammes safran.

— Je suis arrivée au bout de mon chemin, je n'ai plus qu'à patienter jusqu'à ce que le faisceau lumineux apparaisse enfin… le portail se dévoilera de lui-même… on me l'a promis…

Chapitre 10
Jour 732 — 15 juillet

— Comment cela se fait-il que je doive encore attendre ? Sale emmerdeur ! Tu veux empoisonner mon existence jusqu'à la dernière seconde !

L'écho des montagnes lui répète la fin de son cri du cœur. Peut-être cet univers d'exil tente-t-il de se venger parce que son adversaire a enfin gagné cette guerre interminable alors qu'il a tout fait depuis deux ans pour lui enlever la vie. Nadine a remporté la partie et elle retourne chez elle d'ici quelques heures. Il ne lui sert à rien de se mettre en colère contre ce pays qui cherche encore à la retenir. Un soupir s'échappe de son corps échauffé par l'anticipation même si l'air rendu humide par l'orage réussit à la faire frémir. « La joie, la peur, la nostalgie… un peu de tout cela se mélange dans mon cœur… je suis devenue accro aux émotions extrêmes… »

Bientôt, ce sera l'aube. Entretemps, la femme au tempérament vif trépigne d'impatience. Elle est arrivée dans ce Pays de la Terre perdue il y a deux ans, jour pour jour. C'est aujourd'hui qu'elle le quitte. Nadine voudrait que l'astre du jour se lève tout de suite; elle a de la difficulté à contrôler sa nervosité. « J'ai peur de changer d'idée… NON… je veux finir ma vie à Montréal, avec les miens. Je tiens à voir mes petits-enfants grandir… j'ai perdu deux ans… c'est déjà trop… » La nomade, inconfortable dans ses vêtements venant d'un monde moderne et rendus trop grands au fil de ses aventures, serre son corps de ses bras pour tenter de calmer les tremblements qui lui font mal. Pour occuper le temps, elle discute avec ce pays qui lui en a fait voir de toutes les couleurs; elle l'enguirlande une dernière fois.

— Ça suffit ! J'attends depuis sept jours sur cette foutue montagne ! C'est assez !

À côté d'elle, un caillou déboule jusqu'au pied du mur. Elle tourne la tête pour identifier ce qui entraîne cette chose normalement inanimée à culbuter ainsi. Un écureuil roux se déplace dans la pénombre. « Il n'est pas peureux, celui-là. Il n'a même pas peur du gros loup que j'entends dehors et qui sent la tanière. » Elle poursuit son dialogue.

— Sale Pays de la Terre perdue ! Pour qui te prends-tu ? Les visiteurs sont partis depuis vingt-sept jours et, depuis, je sais comment retourner chez moi. Pourquoi me retiens-tu encore ?

Du coin de l'œil, elle voit l'écureuil grimper à un arbre plutôt rabougri à côté de la hutte. Elle l'observe quelques minutes, évaluant chaque mouvement du petit rongeur agile. Elle tente de faire passer le temps plus vite.

— Si je restais ici, je te donnerais un nom et je t'apprivoiserais, mais je quitterai cet endroit bientôt. Tantôt. Presque maintenant.

Elle a tellement cherché le chemin pour Montréal; à s'en briser l'échine. Aujourd'hui, ce moment tant espéré est arrivé. Nadine se tient debout dans l'embrasure de son ultime gîte de pierre dans ce monde insensé où on ajuste son tempo au rythme des orages meurtriers. Elle est prête à partir. Elle attend que le portail s'ouvre. Elle respire à pleins poumons cet air frais qui lui a tant manqué depuis deux jours d'enfermement, à cause de la tempête… le dernier qu'elle avait à subir ici, au Pays de la Terre perdue. Étirant le cou pour mieux voir au-dessus des arbres, elle regarde vers l'est. Quelques minutes encore… « Patience… »

Il y a quelques heures, souffrant de l'emprisonnement dans une hutte trop petite, elle s'est réveillée avant que le soleil ne se pointe. Nadine ressent vivement les courbatures forcées par l'inaction autant que par l'obligation de garder la même position assise de trop longues heures. « Tantôt, je pourrai m'asseoir dans une berceuse… mon lit moelleux… me coller au corps chaud d'Alex… boire du champagne ! » Nadine est fébrile et la nervosité secoue tous ses os. Cet ultime lever du soleil qu'elle vivra sous peu dans cet univers sera le signal suprême de son retour à la maison. Dans la pénombre, Nadine s'accroupit près de son feu afin d'étirer les mains au-dessus des flammes pour tenter de chasser les tremblements qui l'affectent. Pour combler les minutes qui s'égrènent trop lentement, elle ferme les yeux pour mieux se remémorer les moments de la dernière semaine.

Le lendemain de son arrivée sur le mont Logan, elle est sortie de sa tente orange dès l'aube pour observer le temps. C'est avec une déception évidente qu'elle sent sur son visage que le vent vient toujours de l'ouest, une indication qu'elle a encore au moins un jour à attendre. Peut-être même deux... ou trois... selon le bon vouloir de ce pays qui refuse sans doute de la laisser partir. Un long soupir bruyant fend l'air. Pour chasser la sensation de déprime, elle se tient debout pour faire quelques exercices afin de brûler toute cette énergie alimentée par l'anticipation et l'impatience.

Depuis la veille, une scène de cinéma tourne comme une boucle sans fin dans son cerveau. Alors qu'elle sort du portail à Montréal, sa famille l'accueille avec des ballons sur lesquels sont écrits des textes comme : « Bon retour, Nadine ! » ou « nous t'aimons grand-maman ! » Les images vives la gardent dans une grande fébrilité. Elle imagine Alex lui présentant un immense bouquet de roses rouges et Marie la recevant d'une belle accolade. L'exilée affiche soudainement un air découragé. En effet, le champagne devra attendre un moment... après l'orage qui tarde à éclater.

— Maudit pays ! Tu veux m'en faire baver encore !

Le zéphyr cristallin des hauteurs caressant son visage, la femme ferme les paupières et laisse un instant les chauds rayons du soleil parcourir sa peau. Elle prend une bonne inspiration de cette brise fraîche des montagnes qui refroidissait tout son corps. Quand elle ouvre les yeux, elle se sent plus calme. « Ce n'est pas si grave que ça… je suis rendue au bout de mon chemin… l'attente… ce n'est rien ! » Bien sûr, elle est impatiente de retourner à la maison. Son caractère rebelle l'invite à se rendre de l'autre côté de la planète pour tirer les nuages vers ici afin de les faire éclater au-dessus de sa position. TOUT DE SUITE ! Cette fois, elle accueillera le fracas du tonnerre avec une immense joie. Nadine a longuement cherché son chemin, pleuré sa peine et compté les journées de deux hivers interminables; ainsi, les quelques jours de plus à attendre ne lui font pas peur. Un sourire s'étire sur ses lèvres. « Il reste encore de la place pour quelques coches sur mon journal de bois… »

— Bon ! Je dois bouger, accomplir quelque chose ! Sinon, je vais éclater !

L'impatiente à l'esprit hyperactif se lève pour tourner sur elle-même. Elle cherche comment occuper les prochaines heures. Elle fixe ses yeux sur le sommet du mont Logan où le soleil fait briller la rocaille qui jonche le sol, comme autant de pierres précieuses. « Là-haut… je veux voir ce qu'il y a de l'autre côté… » Ainsi, Nadine installe une gourde en bandoulière et glisse sa besace remplie de nourriture séchée sur son épaule. D'un pas alerte, elle effectue une randonnée tout autour de la cime de cette éminence rocheuse et gigantesque qui trône au milieu d'un océan de montagnes. En observant un peu plus les environs, Nadine comprend pourquoi elle se croyait en Gaspésie à son réveil il y a deux ans. Maintenant qu'elle connaît la vérité, elle identifie mieux toutes les dissemblances : les monts à proximité sont plus hauts. Les arbres autour de sa position sont plus rabougris; le dôme lui-même est plus rond et moins boisé que le vrai mont Logan. Il y a aussi ce lac de montagne qui donne naissance au petit ruisseau; présent ici, il est absent là-bas. Même les caribous qu'elle aperçoit un peu plus loin sont différents, plus foncés et beaucoup plus nombreux que ceux qu'elle a vus en Gaspésie.

À un moment de sa randonnée, Lou s'approche d'elle. Il marche lentement, suivi de près par quelques-uns de sa race. Il grogne et montre les dents vers ses congénères. Un signal qui s'assimile à un ordre strict. Les autres membres de son clan s'arrêtent en bordure du boisé, laissant leur chef se rendre seul jusqu'à l'humaine. Contrairement à son habitude, il ne court pas vers elle avec la queue en l'air et en aboyant. Même si elle est déçue de ne plus recevoir ce comportement digne d'un chiot, elle dépose tout de même un genou par terre pour éliminer tous gestes que les compères de Lou pourraient interpréter comme une menace envers leur seigneur. Prenant la tête canine dans ses mains, elle porte son regard bleu dans les yeux gris de son compagnon d'aventure.

— Je comprends que tu es maintenant un chef de meute et que tu ne peux plus faire l'enfant. À présent que j'ai terminé mon voyage, tu dois t'occuper de ceux de ta race et tes responsabilités. Je suis tout de même contente de te voir.

Nadine se redresse puis, le cœur gros, elle pointe vers l'orée du bois.

— Va, Lou ! Ta famille t'attend. Je sais que je peux compter sur toi dans les prochains jours pour garantir ma sécurité. Je suis si fière de toi !

Lou relève la tête, aboie d'un cri rendu mature par ses expériences acquises ces derniers jours, puis il s'élance à la course pour retrouver son clan.

— Merci pour tout ! Fidèle compagnon, je souhaite que ta vie soit longue et bien remplie.

L'animal a veillé sur elle tous les soirs depuis son départ de la première caverne, entraînant sa meute loin de leur territoire habituel. Lou s'approchait de Nadine à la brunante et empêchait ses comparses de le suivre. Puis, satisfait que sa mère adoptive se portât bien, il s'élançait dans la nuit pour rejoindre son clan. Elle l'entendait hurler. Elle savait que ce cri distinctif, en raison de sa force et sa puissance, était celui de son protégé. La veille, alors que Nadine s'est installée sur le sommet du mont Logan, Lou est resté un bon moment avec elle, partageant même sa perdrix. C'est comme s'il comprenait que le voyage de Nadine au Pays de la Terre perdue s'achevait. Elle l'a flatté longtemps et il l'a laissé faire. Puis il s'est éclipsé à la lueur de la lune pour chasser avec les siens.

Une larme brûlante glisse sur la joue plissée de la mère adoptive. Elle n'a rien à craindre pour la survie de Lou. Il a maintenant une existence de choix dans son monde à lui. « Tu es un chef... un leader... je suis contente d'avoir permis à ta vie de se poursuivre... merci d'avoir sauvé la mienne en retour... » L'animal ne pouvait pas la suivre chez elle, là où il n'y a pas de place pour un gros loup fier et guerrier. Ainsi, elle ne le reverra plus jamais; cette séparation lui déchire le cœur.

Ce jour-là, elle a passé plusieurs heures au sommet du mont Logan. Alors que le vent soufflait sans obstacle et sifflait à ses oreilles, Nadine est restée immobile, assise sur une roche plate, les genoux emprisonnés dans ses bras osseux. Elle observe ses jambes musclées, dorées par le soleil, mais si maigres. « Je suis devenue un paquet d'os. » Elle jette un coup d'œil sur ses mains où quelques crevasses se sont ajoutées au cours des derniers jours. « Quel dur labeur que de marcher en forêt ! Deux ans de cette vie de vagabonde à sauver ma peau m'ont changée à jamais. Aucune crème ne pourra fermer ces blessures... »

Nadine hoche la tête et laisse une larme couler sur sa joue. Ce que le Pays de la Terre perdue a imposé à son corps est fort important, certes. Cependant, ce ne sont pas les changements les plus profonds. Son attitude face à la vie n'est plus pareille. En deux ans seulement, elle a appris davantage sur elle-même, découvrant comment maîtriser son caractère, identifiant ses forces et mesurant mieux ses limites. Pourtant, elle avait vécu 55 ans d'une existence supposément exceptionnellement active avant son exil. Elle regarde ses pieds. « Ici, j'ai dû marcher à la vitesse de mes pas plutôt que de peser constamment sur l'accélérateur de mon auto… ça va moins vite, mais ça donne le temps de réfléchir sur la vie… » La nomade continue son analyse pour terminer cette comparaison. Ses aventures lui ont fait comprendre que, à Montréal, elle faisait du surf sur son existence au lieu de la savourer pleinement. À sa manière humaine, elle exprime de vive voix sa conclusion.

— Là-bas, le monde me présentait une ambiance trop sécurisante. N'ayant peur de rien, je n'avais pas besoin de m'arrêter pour réfléchir. Je pouvais vivre sans angoisse. Maudit pays de merde ! Tu as été si dur avec moi que j'ai dû apprendre à absorber la terreur pour changer de comportement… ma survie en dépendait.

Nadine se lève et secoue son corps pour chasser cette colère qui cherche encore à s'infiltrer sous sa peau. Elle respire profondément, laissant l'air des montagnes lui redonner un semblant de calme.

— Dans le fond, cher Pays, je devrais te remercier. Ce que tu m'as fait vivre m'a forcée à comprendre ce que je suis véritablement. J'ai accepté les changements pour survivre, certes, mais je ne veux pas perdre cet apprentissage si essentiel.

D'un pas assuré, Nadine retourne à son camp. Elle cherche à occuper le temps restant vers cette nuit et ce sommeil qui lui permettront de voler quelques heures à cette attente douloureuse. « Est-ce que je pourrais commencer à construire une cabane de roches… ce serait plus facile pour subir l'orage… » Elle lève les yeux vers le soleil, puis observe l'ouest. « Pourquoi pas… au moins, cela m'occupera… » C'est alors que ses actions du printemps lui reviennent en tête et qu'elle pouffe de rire. Le poing dans les airs, elle laisse sa pensée s'éclater dans un tourbillon répété par l'écho :

— Un autre bouton d'acné pour ce Pays de la Terre perdue… YES !

Après avoir inspecté les endroits propices à la construction, elle choisit de bâtir une petite cabane en bordure de la forêt, loin des gros arbres qui attireront les éclairs meurtriers. Ainsi, la hutte sera protégée de la foudre tout autant que de la pluie torrentielle et des bourrasques qui déracinent les chênes. L'abri sera plus confortable que sa tente orange où elle devrait rester couchée en tout temps. L'emplacement se situe à moins de cinquante mètres du lieu où elle a vu les brûlures sur l'herbe il y a deux ans, là où s'ouvrira à nouveau le portail. De cette façon, elle pourra faire une vigile tout en demeurant à l'intérieur. Pour faciliter son travail, elle appuiera ce gîte érigé avec des perches et des pierres, sur un rocher plat qui sort à peine du sol. « Ça restera plus au sec que la terre battue... »

Comme elle ne l'utilisera que le temps d'un seul orage, la bâtisse sera plus petite que les autres construites un peu plus au sud du Pays de la Terre perdue. « J'aurai ainsi le temps de la terminer avant que la tempête éclate... » La grande toile de cuir, qu'elle employait comme lit autour de ses camps sur la route, lui servira de toit. Sachant qu'elle devra subir deux jours de confinement, peut-être trois, la hutte doit être assez spacieuse. Elle allumera un petit feu à l'intérieur pour réduire l'humidité et éloigner les moustiques voraces qui font encore la loi en ce début de juillet. « Est-ce que j'aurai le temps de chasser et cueillir des plantes ? Voilà la gourmande qui parle... Allez ! D'abord la hutte... »

Elle remet sa tasse nettoyée dans son sac de montagne et se dirige vers l'endroit où elle construira son dernier campement. Elle s'étire puis elle place ses mains sur ses reins pour soulager un peu de la douleur qui s'y est installée au cours de la randonnée. Un long soupir s'échappe de son corps. « J'ai mal partout, mais ma tête hyperactive vient encore de remplir ma journée d'un travail éreintant... bon ! C'est tout de même un excellent moyen pour meubler efficacement mon attente... Ça m'évitera de tempêter contre tout... » Pour combler l'absence de paroles, ce vide humain dont elle n'a pas réussi à s'habituer en deux ans, elle discute avec elle-même à voix haute.

— Allez, Nadine ! Tu as beaucoup de travail à faire aujourd'hui. Il vaut mieux commencer tout de suite ! Go ! Au boulot !

Ce coup de gueule la remplit d'énergie. De toute façon, il ne reste plus qu'à attendre que l'orage passe et laisse sa traînée de soufre dans l'air. Elle est fébrile bien sûr, mais au Pays de la Terre perdue, tout prend du temps. Nadine a eu deux ans pour pratiquer la patience... avec un succès plutôt mitigé. Dans l'intervalle, elle poursuit sa destinée ici, en y faisant sa marque... encore.

Dans les jours suivants, sachant qu'à cette altitude dans la montagne, la tempête allait être foudroyante et dangereuse, elle a monté le mur de pierre sur un mètre et demi de haut et l'a bâti assez épais pour empêcher le vent de bousculer les cailloux sur elle. « De toute façon, j'ai le temps... » Chaque matin, elle sortait de sa tente orange pour observer le ciel. Chaque fois, la déception de voir son départ retardé se mêlait avec sa joie de pouvoir avancer son projet de hutte. « Je dois quand même me grouiller... une fois que l'orage éclatera, je ne pourrai plus terminer cette construction... »

L'architecte se rend dans la forêt pour tailler une pièce de bois de deux mètres qu'elle place en travers, sur le dessus du mur rond. Ce billot sert à soutenir la toile cousue en peau de chevreuil au-dessus de la structure de pierres; avec des sangles, elle fixe les coins de la courtepointe imperméabilisée à des pieux enfoncés dans le sol. Elle se recule de quelques mètres puis, les deux mains sur les hanches, elle examine son dernier campement construit au Pays de la Terre perdue. La satisfaction se lit sur son visage. « Si je décidais de rester ici, la hutte me procurerait un abri contre le vent et la pluie pendant des années... » Sur le coup, l'exilée éclate d'un rire que l'écho des montagnes répète une dizaine de fois. Après deux ans d'habitude, elle continue de faire les choses du mieux qu'elle peut, pour que ça tienne longtemps. « Papa ! Tu m'as toujours dit qu'il valait mieux bien faire tout de suite ce que nous avions à accomplir... Tu serais fier de mon ingéniosité... »

Au cours de ces journées interminables, la nomade se détend un peu en allant chasser afin d'obtenir assez de viande pour toute la durée de l'orage. Elle accumule également du bois, à l'intérieur de sa hutte comme à l'extérieur. La gourde en estomac de gibier qu'elle a utilisée sur la route est pleine d'eau. Puis, une fois l'érection de sa cabane complétée, elle remplit aussi une deuxième outre qu'elle avait apportée dans son sac de montagne pour un tel usage. Ainsi, elle n'aurait pas à sortir de son campement durant la tempête pour affronter la rage meurtrière de l'orage afin de se rendre au ruisseau. « Parce qu'ici, sur la montagne, je servirais facilement de paratonnerre... je ne veux certainement pas mourir de cette façon. »

L'ingénieur a eu beau travailler sans se presser, l'orage ne s'annonçait toujours pas. Il ne restait que l'attente interminable. Une journée. Puis deux jours. Nadine n'en pouvait plus tant elle voulait partir, retourner chez elle. Pour passer le temps, elle a exploré ce mont Logan à en connaître chaque brin d'herbe. La tension montait dans son corps au fil du temps. « Il n'y aura plus jamais d'orage... c'est fini... je ne partirai pas... » Pour se débarrasser de cette énergie négative, l'exilée se rendait au sommet du mont Logan, là où l'écho était au plus fort, pour piocher le sol et hurler sa rage et tempêter.

— Maudit pays de merde ! As-tu décidé de me faire payer en double le prix de mon passage ? Tu abuses de ton pouvoir ! Tu ne m'auras pas ! Je ne changerai pas d'idée ! Je ne m'élancerai pas à la course ! J'attendrai que tu n'aies plus le choix ! Un jour, tu devras laisser éclater l'orage ! Puis je partirai !

Il y a deux jours, alors qu'elle fouillait dans ses affaires, elle a trouvé le porte-clés de Jean-Pierre, celui qui affiche la marque BMW. Après l'avoir dégarni, il était si léger et silencieux, qu'elle l'avait oublié au fond de son sac. C'est avec un sourire qu'elle s'est souvenue du moyen qu'elle avait choisi pour se débarrasser des petits objets métalliques venus d'un autre monde et totalement inutiles dans celui-ci. Ils rouillaient dans les profondeurs de l'océan, en attendant que le sédiment que l'onde charrie continuellement les fasse disparaître complètement. Nadine a navigué un moment vers l'ouest puis elle a laissé tomber la première clé, celle portant l'effigie de Chevrolet, en face de la grotte. La deuxième s'est retrouvée, à bonne distance en avant de la caverne d'Ali Baba. Pour la troisième, elle a dû voyager plus loin sur la mer pour dépasser ce plateau sablonneux devant l'anse à Lou. Elle a lancé la quatrième au large de la première caverne. Elle avait l'intention de couler le porte-clés dans le fond vaseux de la fausse aux saumons, mais… les loups dangereux lui ont fait oublier son plan.

Les gestes posés au fil des vagues n'avaient aucun sens particulier, sinon son refus total de ramener ce trousseau à Montréal. Néanmoins, elle avait ressenti une sorte de satisfaction d'avoir éparpillé de cette façon un ensemble de choses appartenant au pire goujat qu'elle n'ait jamais connu. Ainsi, l'exilée a apporté le porte-clés au sommet de la montagne. Elle a choisi l'endroit qui lui apparaissait le plus aride. Déposant le bidule par terre, elle a monté un cairn d'un mètre de haut. Sauf pour ce monticule de roches qui dénote une présence humaine, rien ne viendra indiquer la raison de ce signe. « Dans cet univers, une fois que je serai partie pour chez moi, Jean-Pierre restera dans l'oubli le plus total… sans aucune trace de son passage ici… »

Pourquoi s'était-elle donné toute cette peine ? Il n'y avait rien de rationnel dans le geste de Nadine. Par vengeance peut-être ? Tentait-elle d'oublier que l'homme est venu l'embêter ici, dans son royaume ? Peu importe, elle a eu du plaisir à oblitérer ainsi le passage du goujat au Pays de la Terre perdue.

Nadine poursuit sa réflexion au sujet des derniers jours. Elle place ses mains sur son visage et résiste au débordement des larmes. Les interminables soirées, à observer les mouvements du soleil vers la mer, étaient plus difficiles à supporter. Son angoisse revenait avec force pour diminuer sa détermination. « Deux ans… le portail s'ouvrira-t-il ? Je resterai prise ici… » L'absence de réponse claire la torturait. Puis, à la lueur de son feu de camp, elle se demandait pourquoi elle cherchait à quitter ce lieu enchanteur, se faisant aussitôt des reproches, car sa vie était ailleurs, avec les siens. « Je suis devenue un tourbillon d'émotions contradictoires… un autre effet de ce maudit pays ! » Elle ne voulait plus pleurer. Heureusement, comme s'il saisissait intuitivement les états d'âme de sa mère adoptive, Lou se présentait pour passer un temps précieux avec elle, jusqu'à ce qu'un hurlement lui rappelle ses fonctions de leader.

Puis, au matin de sa cinquième journée sur le mont Logan, la brise a tourné, comme ça, d'un coup sec. Elle venait maintenant de l'est. Quand elle est sortie de sa cabane de pierre, qu'elle habitait depuis la fin de sa construction, elle a senti l'euphorie l'envahir jusque dans ses os. Elle s'est mise à sauter à cloche-pied comme l'enfant qu'elle est toujours, tout en criant sa joie à tout vent. Elle n'a jamais été si heureuse de se retrouver sous ce phénomène atmosphérique pourtant si meurtrier…

— Enfin ! La dernière partie de mon voyage de retour commence. Cette fois, j'accueille cet orage avec un immense bonheur. Merci !

Ce soir-là, la tempête a éclaté. Sa violence a été telle que Nadine est restée dans le campement pendant toute sa durée. Deux jours remplis d'éclairs vifs dont le claquement faisait vibrer le sol sans merci. Comme si le pays voulait montrer sa rage de voir Nadine si près de son but. Elle a accepté de bon cœur ce dernier isolement, coincée dans une cabane en roche au sommet d'une montagne. Pour la dernière fois de sa vie, elle a observé les murs de sa hutte de pierres bouger dangereusement sous l'effet du vent et du tonnerre. Elle a tout supporté, stoïquement, car elle savait que c'était presque fini. « Mon dernier orage au Pays de la Terre perdue… je suis si heureuse… l'immensité de mon bonheur n'a d'égal que le déchaînement de la nature… »

Pendant que les heures s'étiraient presque éternellement, Nadine s'occupait en s'imaginant la réception qu'on lui fera lorsqu'elle mettra les pieds chez elle. Elle plonge sa main dans son sac pour toucher son journal de bois du bout du doigt. Il est bien là; elle ne l'oubliera pas ici. Elle a ajouté, chaque soir, ces quelques jours supplémentaires dans sa vie au Pays de la Terre perdue. « J'ai bien compté… trois fois. Deux années complètes... 730 jours... qui d'autre aurait survécu ainsi ? » Elle refuse de répondre à cette question; on l'a obligée à vivre cet exil, mais elle ne souhaite pas imposer cette expérience à son pire ennemi… même pas Jean-Pierre.

Ce dernier orage a été plus violent que tous les autres. Blottie sous une toile de peau, elle a fermé les yeux à chaque coup de tonnerre. Marquant le temps, Nadine ressentait tout simplement une immense fierté. En attendant que l'ouragan se termine, elle criait dans sa hutte pour couvrir le son du fracas.

— J'AI SURVÉCU… TOUTE SEULE… SANS TECHNOLOGIE MODERNE… MOI… NADINE… JE SUIS LA MEILLEURE !

Puis la tempête a cessé au beau milieu de la nuit. Un grand calme a envahi la hutte de pierre. La femme s'est aussitôt apaisée. Le temps de son retour était enfin là. Curieusement, elle ne sent aucune anxiété, ni la peur ou même la joie. Une sorte de paix l'envoûte. Elle vit un de ces moments extatiques où le corps, le cœur et l'âme sont en harmonie.

Nadine enfile les vêtements qu'elle avait à son arrivée dans cet univers différent. Ils sont trop grands, car elle a trente kilos en moins. « C'est si inconfortable… » Elle met ses bottes usées, sans ses bas qui, troués, ont été brûlés il y a longtemps dans le feu de la grotte. Son bagage est prêt, debout à ses pieds. Il contient ce qu'elle veut rapporter à Montréal. Elle attache la tente orange sur le dessus de son sac, roulée dans le tapis de sol rapiécé. Puis en dessous, elle fixe son matelas. Son vieux chapeau tordu est à côté d'elle. Ses lunettes de soleil sont dans la poche de son chandail.

Elle regarde son dernier campement à la lueur du feu qui brûle encore dans la nuit. Elle voit, au fond, l'étagère en bouts de bois retenus avec des lanières qu'elle a fabriquées durant l'orage. Ses vêtements de cuir qu'elle a portés sur la route entre la grotte et la cime du mont Logan sont bien rangés, à côté des quelques ustensiles qu'elle a sculptés… pour s'occuper. Une paire de mocassins neufs et sa chemise décorée sont dans son sac de montagne. Ce sont les seuls exemples de couture qu'elle rapporte chez elle. Sa hache en schiste, dont elle s'est servie pour construire son campement, y est aussi. Sur la tablette du haut, elle voit une pochette de transport en peau dans lequel elle a mis toute la nourriture séchée qu'il lui restait. Attachées de chaque bord de l'étagère, pendent les deux gourdes à eau, fabriquées en estomac de gibier et maintenant vides.

La petite plateforme, son lit des derniers jours, est bien rangée, relevée sur le côté. Les fourrures qui lui ont servi de matelas et de couverture, sont enroulées ensemble et fixées avec une sangle au billot qui retient la toile, à un mètre du sol. Elles resteront au sec, à l'abri de la plupart des rongeurs.

Un sourire illumine son visage. « J'ai fait le ménage… décidément, c'est un comportement compulsif de ma part… non… c'est l'expérience qui s'imprègne dans tous mes os… ce comportement m'a sauvé la vie plus d'une fois… »

Alors que la nuit commence à se dissiper, elle éteint son feu. Elle ajuste le sac de montagne sur son dos et met son chapeau sur sa tête. Quand elle sort du campement, elle aperçoit Lou qui l'attend. Instinctivement, il sait. Elle le flatte un moment puis, ensemble dans la pâleur du jour, ils marchent les quelques dizaines de mètres vers le lieu où le portail s'ouvrira, là où elle a vu les traces de brûlures il y a deux ans.

L'odeur de soufre dans l'air lui donne la nausée. « C'est bon signe. »

Soudain, une forte tension l'envahit. Elle a de la difficulté à respirer. Nadine se sent prise entre sa hâte de retrouver les siens et le désir de rester dans ce monde qui l'a vue renaître. Sa gorge se noue sous l'effort d'éloigner les sanglots. « Je ne peux pas reculer... ma destinée n'est pas ici, mais avec les miens... »

Puis Lou s'arrête, laissant Nadine faire seule le dernier bout de chemin. Même si la pénombre s'estompe et que le pays reprend lentement ses couleurs du jour, une nouvelle attente commence et augmente son niveau de nervosité de quelques crans.

« Maudit pays de merde ! Tu me fais encore vivre dans l'expectative ! Je vais devenir folle... »

Pour reprendre le contrôle et repousser ce vent de négativisme, elle laisse un bout de cette merveilleuse chanson de Jean-Pierre Ferland couler sur son âme. Elle a le cœur à l'envers, mais, pour remettre la paix dans son corps, elle chante de sa voix claire. L'écho des montagnes tente maladroitement de suivre les douces paroles de chez elle :

[...] Je rapporte avec mes bagages
Un goût qui m'était étranger
Moitié dompté, moitié sauvage
C'est l'amour de mon potager

Fais du feu dans la cheminée
Je reviens chez nous
S'il fait du soleil à Paris
Il en fait partout
Fais du feu dans la cheminée
Je rentre chez moi
Et si l'hiver est trop buté
On hibernera

L'aube s'installe dans un court moment de plénitude juste avant que le soleil n'éclate dans le firmament. Nadine examine tout son accoutrement, révise mentalement ce que contient son sac. Pendant que les secondes s'étirent en minutes interminables, elle s'imagine les siens de l'autre côté, les ballons de joie et les mots de bienvenue. Alors que le lever du jour tarde, elle regarde l'endroit où s'ouvrira ce passage entre deux mondes, pour parler à ceux que son cerveau appelle en silence.

— Encore un moment ! Ce ne sera plus long ! Soyez patients ! J'arrive dans deux minutes.

Puis, en même temps que le soleil prend sa place à l'horizon, éclaboussant les montagnes de sa chaleur, une lueur vive apparaît dans un grand fracas de tonnerre tout près de l'humaine. Le portail est ouvert. L'excitation est si intense qu'elle bloque la respiration de la voyageuse et transforme ses jambes en gélatine. Nadine s'approche lentement mais sûrement. « Cette fois, je ne résisterai pas, pour me souvenir de tout… » Elle marche vers le faisceau lumineux alors que son corps devient presque translucide. Pendant un court instant, elle voit d'un côté le Pays de la Terre perdue où Lou l'observe de loin sans tenter de la suivre. De l'autre, elle aperçoit sa résidence de Montréal. Alex est assis sur le perron; l'homme regarde cette lumière vive, bouche bée.

Le cœur en chamade, résistant au recul qu'elle voudrait faire pour prolonger le moment encore un peu, elle fait un pas vers Alex. Le portail disparaît aussitôt. Nadine, soudainement tout étourdie, tombe à genoux sur l'asphalte derrière la voiture d'Alex. La nausée l'étouffant, elle tente de se relever, mais elle doit s'asseoir quelques secondes pour reprendre ses esprits.

— J'ai réussi ! Je suis chez moi !

Elle ne sait pas si elle doit rire de se retrouver ainsi chez elle ou pleurer de son départ du Pays de la Terre perdue. Malgré elle, de grosses larmes coulent sur ses joues creuses et ridées par tant d'aventures, d'angoisses, de joies immenses et de terreurs impossibles à décrire.

Du coin de l'œil, elle voit Alex qui s'approche très lentement… « Surtout, reste consciente ! » se dit-elle pour ne rien manquer de l'expérience. Les traits de l'homme sont tirés et son corps est amaigri. Il s'avance, hésite et ouvre grand les yeux… Nadine tourne la tête de tous côtés. « Où sont les autres ? Les ballons ? Le champagne ? » Sans comprendre, Nadine se lève et fait un pas vers lui. « Le comité d'accueil n'y est donc pas ? Marie aura mal calculé la date… c'est ça… sûrement… »

Partie 2

La fauve

Chapitre 11

Montréal — 8 mai

Alex prend sa tasse d'une main et la carafe-thermos de l'autre. Ses yeux sont remplis de larmes et il a de la difficulté à bien voir ce qu'il fait. Son bras tremble et quelques gouttes de café bouillant coulent sur son poignet.

— Aïe ! Ce n'est pas possible d'être aussi gauche !

Du coup, il laisse échapper la tasse qui éclate en mille morceaux sur le plancher de céramique de la cuisine, une pièce pointue pénétrant à grande vitesse dans la peau de son pied nu.

— Aïe ! Ça fait mal !

Se dandinant sur un pied, tentant de soulager sa main douloureuse en soufflant légèrement dessus, l'homme réussit à déposer le contenant de liquide chaud, tant bien que mal, sur le comptoir. Puis, la brûlure vive sur son âme devenant impossible à supporter, il tombe assis par terre au milieu des morceaux de grès qu'il observe d'un œil hagard. « C'est comme pour moi… en mille miettes… ça ne se recolle pas… » Le visage caché dans ses paumes, il laisse les larmes couler avec des soubresauts qui secouent ses épaules. La douleur physique se confond à celle qui brise son cœur. Aucun soulagement ne peut contrebalancer la perte de l'amour de sa vie. Un cri de rage se répercute dans le silence de la nuit.

— NADINE… OÙ ES-TU ? Tu n'as pas le droit de mourir ! Tu m'entends ! Reviens tout de suite !

Ce hurlement viscéral ramène un peu d'énergie dans le corps de l'homme démoli par le chagrin. Une fois que le flot de larmes s'est un peu atténué, Alex retire l'écharde de son pied et éponge le sang avec un bout de tissu. Il se relève et marche lentement jusqu'à la porte-fenêtre en évitant les éclats sur le plancher. Il place ses deux mains sur la vitre, juste devant lui, puis il appuie son front entre les deux. Il ferme les yeux un moment pour mieux sentir le froid du verre sur sa peau. « Peut-être que ça éteindra la brûlure sur mon âme… »

Dehors, la nuit s'estompe graduellement. Soudain, l'image de sa femme s'imprime sous ses paupières avec force. « Il est 5 h du matin… c'est ton meilleur temps… ma belle… » D'un geste vif, il secoue la tête; pour empêcher les larmes de couler à nouveau, il hurle sa souffrance.

— NADINE ! Mon amour ! Reviens s'il te plaît ! Je n'arrive pas à vivre sans toi !

L'homme se laisse glisser sur la céramique froide, pendant que l'immense douleur envahit son corps en soubresauts accompagnés de pleurs intenses. Une fois vidé de cette violence émotive, il se redresse et regarde autour de lui. « Les éclats… je dois les ramasser… Nadine aime mieux quand la maison est à l'ordre… s'il fallait qu'elle revienne, là… maintenant… » Du coup, Alex s'active. Balai et ramasse-poussière en main, il débarrasse le plancher des détritus et les jette dans la poubelle. Il attrape un torchon et essuie les taches de café sur le sol et le comptoir.

— Ça va ! C'est propre ! Tu peux revenir, ma chérie… C'est le bon moment !

Du coin de l'œil, il regarde la cafetière. « Je n'ai jamais changé l'heure, même si tu n'es plus là… je remplis les contenants de grains moulus et d'eau tous les soirs… comme avant. Le café est toujours prêt pour 5 h du matin… ton moment préféré… » De rage, il essuie ses yeux du plat de sa main, comme pour tenter de contrôler le débit de larmes qui s'égoutte sans arrêt. « Tu me manques tellement… » Pour éviter qu'un autre flot de pleurs le réduise à néant, Alex ouvre l'armoire et choisit une tasse, celle que Nadine préfère, pour se servir du café. Lentement, il se dirige vers l'avant de la maison, enfile ses souliers et marche vers la galerie. Au passage, il accroche le châle que sa femme a porté la veille de sa disparition.

Alex s'assoit sur le perron dans la chaise que Nadine utilise généralement. Combien de fois a-t-il fait ainsi le guet depuis qu'elle est partie ? C'est l'aube, la période du jour que sa blonde aime par-dessus tout. Elle disait toujours qu'une journée commencée tôt apporte la richesse et la satisfaction. « Non ! Je ne parle pas d'elle à l'imparfait ! Elle DIT ! Et elle le dira à nouveau ! Je ne veux pas qu'elle soit de mon passé ! Pas encore... » Il l'imagine. Elle est de retour à la maison; assise à côté de lui, un bloc-notes à la main, dessinant quelque chose qui a frappé son œil, ou écrivant ses aventures depuis son départ.

— Nadine ! Où es-tu ? Si quelqu'un te fait du mal... je serais capable de tuer...

Un long tremblement secoue son corps. Il a pleuré toute la nuit. Il ne sait pas où est sa femme. Il ne connaît pas le moyen de la retrouver. Il ne peut pas vivre sans elle. La vie de l'homme s'est arrêtée avec la disparition de celle qui est sa compagne depuis tant d'années. Il place son visage dans le châle de Nadine. « Serais-tu morte quelque part ? On t'aurait tuée... non ! Je n'y crois pas ! »

Hier, le lieutenant-détective William Davis et la sergente-détective Nathalie Dubois ont rencontré Alex et ses enfants, pour leur dire qu'ils cessaient les recherches. On les a assurés que le dossier n'était pas fermé. Par contre, ils ont exploré toutes les pistes possibles. Nadine est disparue, sans laisser de traces. Personne n'a rien remarqué. Sauf pour un coup de tonnerre dans l'aube, personne, que ce soit lui ou un voisin, n'a vu ou entendu quoi que ce soit. Même pas la commère d'à côté. Aucune voiture n'a été aperçue, ce qui aurait donné une certaine crédibilité à la thèse de l'enlèvement. Les traces noires dans l'allée pour les autos n'ont pu être associées à des marques de freinage ou d'accélération. Personne n'a repéré Nadine s'éloignant seule, ce qui aurait laissé croire qu'elle était partie tout simplement d'elle-même. Aucune théorie n'a pu être étoffée pour continuer les recherches.

Alors les inspecteurs arrêtent l'investigation. Ils ont ajouté « pour le moment », mais Alex n'est pas dupe. La disparition de sa femme deviendra un dossier perdu dans les dédales des enquêtes toujours trop nombreuses des services de police de la ville de Montréal; le cas de Nadine restera une autre affaire non résolue. Les agents ont fait le point très clairement : il faut attendre que des indices fassent surface. Gentiment, sans prononcer complètement les mots qu'Alex ne veut pas entendre, ceux annonçant la mort de Nadine, on lui a suggéré de reprendre sa vie. « De quoi parlent-ils ? Sans Nadine, il n'y a pas de vie ! »

Alex refuse d'abandonner les recherches. Les enfants sont aussi de son avis. Dans quelle direction ? Comment ? Ils ne savent pas. Pour le moment, il veut juste déguster son café en pleurant toutes les larmes que son corps peut produire. Il n'a pas dormi. L'orage qui a éclaté au milieu de la nuit avait la même violence que la tornade qui déchire son âme. L'ouragan lui a aussi fait penser à celui qui a frappé au cours de la soirée précédant la disparition de Nadine. Il s'en souvient comme si c'était hier. Il n'oubliera jamais l'horreur de ce matin-là...

Il vérifiait la sécurité au deuxième étage de la résidence. Il venait de trouver la montre que Nadine avait encore laissée dans la salle de bain. Puis il y eut cette explosion, comme un puissant coup de tonnerre. Trop près. Sa femme était dehors à placer les bagages dans la Outback. L'angoisse l'a soudain galvanisé. Il a dévalé les escaliers à toute vitesse puis il est sorti de la maison en coup de vent.

Nadine n'était pas là et son sac de montagne avait également disparu. L'odeur de soufre était si forte qu'elle l'empêchait de respirer. Plus tard, il a réalisé que la tente et la machette manquaient aussi. Il a cherché sa femme. D'abord, il croyait qu'elle faisait une plaisanterie. Irrité, il a fait le tour de la résidence, du terrain ainsi que du pâté de maisons : il n'a rien trouvé et Nadine n'était nulle part. Puis, la peur dans l'âme, il s'est fâché contre sa blonde qui aimait tant jouer des blagues pendables. Sans la voir, il l'a engueulée. Il a parcouru une autre fois les rues du quartier, mais il ne l'a pas aperçue.

Fébrile et de plus en plus inquiet, il a appelé les enfants. Quand Anne et Dominique l'ont rejoint, ils ont cherché à nouveau puis après une longue discussion, le fils a suggéré d'une voix nouée par l'émotion :

— Papa, as-tu considéré qu'on aurait pu l'enlever ?

C'était dit. Même s'il n'arrivait pas à se mettre l'idée dans son cerveau, refusant surtout de s'imaginer qu'on peut faire du mal à sa femme, Alex a accepté d'aviser les policiers de la disparition de Nadine.

Ils ne l'ont pas cru au début, lui demandant plusieurs fois s'il s'était chicané avec sa conjointe, tentant ainsi d'expliquer le départ précipité de Nadine. Alex s'est fâché. Sa fille Anne s'est interposée pour le calmer, tenant le bras de son père pour stabiliser les mouvements désordonnés de son grand corps. Pour aider Alex à retrouver le contrôle, la jeune femme répétait, avec autorité, des paroles réconfortantes.

— Papa, ils ne connaissent pas maman. Ils ne savent pas à quel point vous vous aimez. Ils font juste leur travail.

Les policiers Davis et Dubois sont finalement partis et Alex ne les a pas revus pendant des jours. Croyant qu'on ne prenait pas le dossier au sérieux, il était furieux. Puis, par ses appels répétés et ses menaces de porter plainte contre leur inaction, les détectives sont venus le rencontrer pour lui expliquer l'investigation exhaustive qu'ils étaient en train de faire. Devant tous les détails de l'enquête, Alex a compris que les fins limiers faisaient tout ce qui était en leur pouvoir pour retrouver la disparue. Mais, dans son âme déchirée, il était furieux qu'ils ne la trouvent pas. Puis hier, après tout ce temps, ils ont cessé les recherches.

Il y a réfléchi toute la nuit. Il découvrira l'endroit par ses propres moyens. Il engagera un détective privé. Il est certain que les enfants vont approuver sa démarche. Comme pour lui prouver que cette décision était la bonne, le soleil apparaît derrière les maisons du quartier. L'orage ayant fait descendre toute la poussière et la pollution dans le sol, l'air cristallin résonnait aux sons de la nature qui n'attendait que les chauds rayons pour s'activer. « Nadine... tu trouverais ça si beau que tu ne pourrais retenir ton geste de va-et-vient sur ton bloc-notes... »

Soudain, un violent coup de tonnerre le fait sursauter. « Qu'est que c'est encore ! L'orage est terminé depuis plusieurs heures ! » Une odeur écœurante de soufre remplit l'air ambiant. Une lumière très blanche s'étire dans le stationnement, juste derrière les deux voitures. Alex glisse sa main en angle devant son front pour protéger ses yeux de l'éclat trop brillant. La peur au ventre, il examine attentivement le phénomène étrange que sa vie de scientifique se refuse à assimiler. « Qu'est-ce qui arrive ? Est-ce que je rêve ? »

Puis, à sa grande surprise, quelqu'un sort de la lumière qui disparaît aussitôt. Le personnage, une femme habillée de guenilles, tombe à genoux sur le sol asphalté. Son cœur et ses yeux reconnaissent celle qui est si soudainement apparue, mais sa tête rationnelle refuse le débat. « Nadine... ça ne se peut pas... voyons... » Alex se lève, dépose sa tasse et le châle sur la chaise. Incrédule, ses mouvements freinés par une sorte d'indécision, il emprunte lentement les quelques marches du perron et il s'avance à pas retenus vers la revenante.

L'étrange vagabonde porte deux nattes de cheveux blancs qui descendent jusqu'au milieu du dos. La déception se fige sur le visage d'Alex et il réduit le pas. « Ce ne peut pas être Nadine... elle déteste les cheveux longs... » Sur le coup, il est tellement désappointé. Il scrute à nouveau l'apparition sans vraiment comprendre. Il regarde les yeux bleus si distinctifs... c'est bel et bien sa femme. Elle est très amaigrie, sa chevelure est tressée et les vieux vêtements qui l'habillent sont déchirés. Tout cela est si contraire à ce qu'elle est : fière, coquette, bien soignée.

— Nadine ?

— Alex !

— D'où sors-tu ?

— Où sont les autres ? déclare Nadine en tournant sur elle-même. Je m'attendais à voir tout le monde... des ballons...

— Les autres ? Des... ballons ? De quoi parles-tu ?

Alex tente de comprendre l'ampleur de l'agitation qui l'assaille. D'où vient ce faisceau lumineux qui lui a fait cette peur incroyable ? Pourquoi Nadine exprime-t-elle une si grande déception ? Il refoule son inquiétude d'apercevoir son épouse si délabrée. Pourtant il ressent un immense soulagement de la retrouver vivante. Il voudrait prendre la revenante en haillons dans ses bras. En même temps, il se sent repoussé par l'odeur inhabituelle que dégage le corps de sa blonde. « C'est ma femme, mais ce n'est pas "elle"... je me perds dans tout ça... » S'il dévore littéralement tous les livres de science-fiction qu'il peut trouver, la situation présente n'a toutefois rien de comparable avec les histoires inventées qu'on transforme en magnifiques films. La réalité du moment lui paraît tout de même invraisemblable. Le mystère intrigant qui entoure le retour de la disparue bouleverse son esprit cartésien et le rend inconfortable. Il voit. Il entend. Il sent même. Son cerveau cherche désespérément une explication logique qui ne vient pas...

Alex avale la boule qui bloquait sa gorge. Ne portant aucun égard à la réponse incompréhensible qu'il a reçue de la part de la revenante, il pointe du doigt l'allure délabrée de sa femme.

— Qu'est-ce qui t'est arrivé ? Quelqu'un t'a battue ? Tu es tellement maigre. Tes cheveux... comment ont-ils pu pousser aussi long ? As-tu vu dans quel état sont tes bottes neuves ? Que fais-tu avec des pièces beiges cousues sur ton pantalon ? Tu as l'air d'une... vagabonde.

Nadine note le dégoût qui s'exprime dans le regard et les paroles de l'homme; malgré les larmes qui s'accrochent à ses yeux, elle éclate de rire. Une bouffée d'amour soulage Alex. « J'aime tant cette gaieté enfantine... c'est elle... Nadine est bel et bien de retour... » Sa femme qu'il adore depuis si longtemps est là devant lui, mais il ne la reconnaît pas. Alex reste figé sur place, attendant une réponse qu'il espère cohérente...

— Tu sais, deux ans c'est interminable ! réplique Nadine.

— Deux ans ? Qu'est-ce qu'il te prend ? Tu es disparue il y a quatorze jours.

— Deux semaines ? Mais non ! Voyons ! J'ai vécu deux ans au Pays de la Terre perdue !

L'homme examine sa femme sous toutes les coutures, sans comprendre. Quelque chose cloche dans tout ça. Alors qu'il s'est morfondu d'inquiétude depuis des jours, Nadine lui revient, le sourire aux lèvres, comme si elle était contente d'avoir réalisé une bonne plaisanterie. Sur le coup, la moutarde lui monte au nez.

— QU'EST-CE QUE CETTE HISTOIRE DE TERRE PERDUE ? De quoi parles-tu ? Je ne saisis pas ce qui t'arrive ! OÙ ÉTAIS-TU CACHÉE ? Nous t'avons cherchée partout ! Pourquoi as-tu fait cela ? Ce n'est vraiment pas drôle !

Nadine sent son sourire disparaître aussitôt. Elle reste interdite face à l'éclat de rage qui sort de la bouche de son mari. Les yeux de ce dernier sont presque noirs et ils brillent de fureur. Elle regarde Alex sans comprendre. Il y a quelque chose qui ne marche pas. Elle a besoin de temps. Pour réfléchir. Elle s'attendait à voir Marie, les autres membres de sa famille ainsi que ses amis. Elle observe les poings fermés d'Alex. « En 35 ans de vie commune, je ne l'ai jamais vu fâché comme ça... il faut croire que les derniers deux ans ont été aussi durs pour lui que pour moi... » Sur le coup, une vague de rage se glisse dans son cœur, mais elle résiste... pour Alex. Elle tente de comprendre.

— Pourquoi les autres ne sont-ils pas là ? Marie ne vous a-t-elle pas informés de…

— QUELS AUTRES ? réplique Alex qui est toujours furieux. Tu aurais dû appeler ! J'aurais sorti les flûtes remplies de bulles !

Nadine s'attendait au champagne qui n'est d'ailleurs pas au rendez-vous. Elle ne comprend pas la colère d'Alex. Elle n'est pas capable de parler, de s'expliquer, ni même de déchiffrer le sens de ce qui arrive. « Maudit pays de merde ! Tu m'embêtes jusqu'ici… » Lentement, elle se dirige vers la maison en examinant chaque détail autour d'elle pour confirmer qu'elle soit de retour chez elle. L'effluve de soufre colle encore, mais son nez absorbe aussi la magnifique odeur que libère déjà son *hydrangée* malgré ce début de saison. Elle s'approche de cette plante qui devrait maintenant avoir l'allure d'un arbuste.

— Vous avez perdu celui que j'ai planté avant de partir ? C'est gentil d'en avoir placé un autre au même endroit. J'apprécie le geste…

— De quoi parles-tu ? reprend Alex toujours sur un ton furieux. Tu l'as mis en terre l'automne dernier.

Soudain, Nadine a le vertige. « Deux semaines… » Ces mots percent lentement la brume dans son cerveau. « Merde… je suis encore dans un rêve… je ne suis pas encore chez moi… je vais me réveiller au Pays de la Terre perdue… pas encore ! » La colère l'étouffant, la revenante tombe à genoux dans l'herbe. Les poings fermés, la tête en l'air, elle hurle sa fureur.

— J'EN AI ASSEZ ! Aaaaaaaaahhhhh !

Alex est bouleversé par ce qu'il voit et entend. D'où sort ce cri primal ? Qu'est-ce qui se passe avec Nadine ? Qui lui a fait autant de mal ? Du coup, sa rage s'éteint. Il s'approche de sa conjointe et prend les mains décharnées dans les siennes puis il regarde son visage. Quand deux yeux bleus d'une dureté incroyable projettent d'un seul coup toute la douleur que Nadine a subie durant son absence, il a un mouvement de recul. Puis il s'inquiète. Même s'il ne comprend pas encore ce qui arrive, il veut protéger cette femme qu'il aime par-dessus tout.

— Nadine, ma chérie, viens dans la maison. Nous allons parler de tout cela à l'abri des voisins.

Nadine se relève et, aidée par Alex, monte difficilement les quelques marches vers la porte. « Un rêve… encore… » Nerveusement, elle pénètre dans sa résidence. Malgré son trouble, elle savoure ce moment qu'elle a tant souhaité depuis deux ans. Elle enlève son sac de montagne, son chapeau et ses bottes, puis elle les laisse dans l'entrée. Interdite, l'esprit accroché à quelques mots mal digérés, elle se dirige vers la cuisine, prenant plaisir à la douceur et à la fermeté du plancher de chêne verni sous ses pieds nus. « Ce rêve est si réel que je le vis dans tout mon corps et avec tous mes sens… » Elle absorbe avec un bonheur immense la sensation de ses doigts qui caresse le mur de gypse couvert de peinture. Elle apprécie toutes les odeurs familières qui flottent dans la maison.

Elle touche le bras de son compagnon de vie et le serre d'une main qui, à force d'un travail surhumain, est devenue une poigne solide et osseuse. Elle voit le regard indécis d'Alex et elle le sent trembler. Ses rêves n'ont jamais été aussi réels. Elle ressent la présence réconfortante de son amoureux dans tout son corps. Elle voudrait se blottir contre la poitrine invitante de l'homme, mais quelque chose, une impression, l'arrête. « Une gêne… l'écart de vie causée par cet épisode qui nous a séparés… maudit pays de merde… tu nous auras éloignés au-delà de la distance entre ces deux mondes… je ne te pardonnerai jamais ! »

Puis, un souvenir s'immisce dans son cœur par ses narines…

— Ça sent le café.

— Tu en veux ?

— Oui ! Ça fait deux ans que j'attends ce moment.

« Deux ans… » Sans porter trop d'attention à ce détail encore incompréhensible, Alex retrouve la tasse de sa femme qu'il avait abandonnée dehors, jette le contenu refroidi dans l'évier et la remplit à nouveau jusqu'au bord ne laissant de la place que pour y ajouter une touche de lait. Il la tend à Nadine. Cette dernière, captivée par une pensée que l'homme ne peut saisir, fixe un instant du regard l'objet fort coloré avant de le prendre de ses mains tremblantes et de tremper ses lèvres dans le liquide bouillant. La présence d'Alex à ses côtés, la sensation de la porcelaine sur ses paumes, le parfum accentué et le goût prononcé du café valident en fin de compte la réalité du moment. Elle ferme les yeux.

— Alex, confirme-moi que je suis de retour à la maison. Aucun rêve ne peut m'apporter ce petit bonheur presque parfait… je suis vraiment chez moi… avec toi. N'est-ce pas ?

Elle laisse l'immense joie d'être enfin chez elle l'envahir complètement. Elle veut rire et pleurer. Son cœur palpite et sa tête travaille comme un hamster pour noter toutes les sensations et toutes les images qui bombardent son cerveau. « Les odeurs de ma maison… le musc de mon homme… les épices de ma cuisine… » Nadine prend lentement une inspiration profonde pour permettre à tout son corps d'absorber les effluves de savon, de fleurs, de café… un mélange qui lui rappelle le bonheur de vivre ici.

Du bout du doigt, elle touche le visage d'Alex. Si le recul involontaire de l'homme lui fait mal, elle poursuit le geste. Sa barbe est longue. Quatre ou cinq jours au moins. Ses traits sont tirés. Ses yeux hagards reflètent le cocktail d'émotions qui l'affligent. Si quelques mèches grises se sont ajoutées dans sa chevelure châtaine, Alex n'a pas vieilli pour autant. Alors qu'elle s'attend à ce que son propre cœur éclate, elle baisse le front pour chercher à retrouver un peu de contrôle. « Je ne comprends pas… »

Comme pour la protéger, son cerveau tente d'ancrer sa réflexion dans le concret. Les premières paroles d'Alex lui reviennent en tête. Elle aurait disparu il y a deux semaines… « Ça ne se peut pas… je suis restée là-bas deux ans… » Où est Marie ? Elle avait promis ! Quelque chose s'est passé… « Je sais qu'elle n'est pas morte lors de son retour parce que je l'ai encore dans ma mémoire en 2011… »

Une odeur désagréable affronte ses narines. Elle place son coude sous son nez. « Je pue… Là-bas, ça n'avait pas d'importance, mais je vois bien que les effluves rebutent Alex. » Du coup, elle prend une décision. « Je dois absolument savoir ce qui s'est passé, mais pour le moment, les explications peuvent attendre. Je suis chez moi et je sens mauvais… » Elle a soudainement envie de se plonger dans l'eau bouillante, avec son savon qui sent le parfum, pour décrotter son corps de la poussière du Pays de la Terre perdue. Elle veut brosser ses dents, peigner ses cheveux. Du coup, sa tasse de café chaud en main, elle se dirige vers l'étage sous le regard perplexe d'Alex.

— Où vas-tu ? demande l'homme.

— Je dois me laver. Enlever les deux années de sueur qui colle sur ma peau. J'ai besoin d'un bain.

— Un bain ? Tu ne prends jamais de bain ! Tu détestes prendre un bain ! Qu'est-ce qui t'arrive ?

Nadine se tourne vers Alex. Elle aimerait tout lui expliquer, là et maintenant, mais elle manque de mots. De plus, elle a de la difficulté à bien saisir ce qui se passe. Elle a besoin de temps pour faire le point. Elle ne parvient pas à le faire sous le regard inquiet de son mari. Curieusement, le Pays de la Terre perdue l'ayant conditionnée à ce comportement, elle veut se retrouver en solitaire, faire un moment d'arrêt, pour mieux réfléchir.

— Depuis deux ans, j'ai appris à apprécier les trempages dans l'eau tiède. Je vais probablement prendre une douche aussi !

Elle court vers leur chambre, ramasse son peignoir puis s'enferme dans la salle de bain. Quelques minutes plus tard, la nomade observe ce petit miracle : l'eau coule dans la baignoire par un robinet qui brille comme un sou neuf. « J'ai retrouvé le confort… quel merveilleux bonheur ! »

Alex reste debout au milieu de la cuisine, complètement éberlué. Il est heureux que sa femme soit de retour, mais il n'arrive pas à comprendre pourquoi elle est si différente. Il s'assoit lourdement sur une chaise. Après quelques minutes de réflexion, il prend le téléphone accroché à sa ceinture et signale le numéro de son fils.

De son côté, Nadine plonge son corps émacié dans le bain rempli à ras bord de liquide chaud sur lequel flotte de la mousse; celle de ses petits-enfants qui sent la gomme ballounne. Préférant le nettoyage par la douche, elle n'achète jamais de ce genre de produit pour elle. Laissant l'eau réconfortante la débarrasser peu à peu de ses émotions trop vives, elle écoute en partie la conversation d'Alex et de Dominique.

— Dominique ? C'est papa !

— (…)

— Oui, je sais l'heure. Maman est revenue.

— (…)

— Ce matin.

— (…)

— Je ne peux pas te dire… C'est difficile à expliquer… Il faudra que tu la voies par toi-même.

— (…)

— Oui, j'aimerais que tu viennes.

— (…)

— Non, n'amène pas les enfants pour le moment… c'est trop compliqué.

Elle entend Alex marcher sur la tuile de la cuisine, se verser un café puis poursuivre la conversation.

— D'accord… Pourrais-tu appeler Anne s'il te plaît ?

— (…)

— Merci, fiston.

Puis la maison redevient silencieuse. « Il n'y a pas de musique dans la résidence… quand je sortirai du bain, je mettrai des airs joyeux… »

Nadine ferme les yeux un moment pour mieux laisser le soulagement se glisser sur son âme. Elle sourit à belles dents. « Je vais voir les enfants bientôt… je suis chez moi… dans mon bain… » Elle ouvre le robinet plusieurs fois pour sentir l'eau presque bouillante couler directement sur sa main. « Je n'ai jamais réussi à avoir une eau aussi chaude dans mon bain de pierre… » Pour imiter Chloé, elle souffle sur la mousse. « Une chose est certaine… le Pays de la Terre perdue n'a jamais réussi à m'enlever mon cœur d'enfant… » Sur une débarbouillette de ratine très soyeuse et qui dégage une forte odeur d'adoucissant, elle frotte vigoureusement son gel nettoyant à la glycérine. Un effluve d'orange et de girofle flotte jusqu'à ses narines pour lui montrer la différence avec le savon plus rude du Pays de la Terre perdue qui sentait la rose et le suif. Lentement, elle effleure sa peau avec ce tissu et savoure l'effet de fraîcheur qui se glisse automatiquement sur son corps. Elle a l'impression que les traces imposées par les deux années d'aventures rocambolesques s'estompent un tout petit peu.

Comme si elle avait besoin de faire ces gestes pour reprendre définitivement contact avec son monde, elle vide le bain et le nettoie. Puis elle prend une douche chaude. « Alex a raison… je n'aime pas prendre un bain… je me sens plus propre après une douche… » Elle laisse couler l'eau sur ses longs cheveux blancs dont elle défait les nattes pour mieux les rincer.

Sortant enfin de sous l'eau, elle s'attarde à bien sécher son corps avec une large serviette de ratine. « Quel confort ! Je dois quand même dire que celle que j'ai confectionnée là-bas avait la douceur du chamois… Ça faisait très bien l'affaire ! » Machinalement, comme si deux ans de misère s'étaient évanouis, la coquette fouille dans son armoire pour prendre sa crème hydratante. Elle en applique généreusement sur son épiderme brûlé par le soleil, la poussière et le vent. Puis, elle remet une deuxième couche pour soulager sa peau et sentir ce léger parfum d'aloès qui lui a tant manqué pendant son séjour au Pays de la Terre perdue.

Son déodorant ! Il est là, sur la deuxième tablette. Elle le regarde d'un air ébahi. Une réalité s'installe lentement dans les plis de son cerveau. Rien n'a changé de place dans la maison. Comme si elle était partie la veille. Soudain, elle se souvient de ce qu'Alex a dit. « Je n'aurais été absente que deux semaines... ça ne se peut quasiment pas... »

Pourtant, elle a vécu deux longues années au Pays de la Terre perdue. Un autre effet du passage dans le portail ? Ces distorsions dans le cours des évènements lui donnent toujours des vertiges. Elle a hâte de parler avec Marie; peut-être aura-t-elle des explications à toutes ces différences temporelles, ayant eu vingt-sept ans pour chercher des clarifications. « Vingt-sept ou vingt-cinq ? » Nadine secoue la tête pour chasser l'inconfort qui se glisse dans son corps à l'idée de raconter qu'elle aurait vécu vingt-quatre mois... en quatorze jours.

Puis, une autre question lui revient. « Marie m'avait promis d'être là... » Aurait-elle oublié son retour ? Peut-être a-t-elle été incapable de calculer la date de son transport dans le faisceau ? « Ce n'est pas croyable... Alex a bien dit que je suis disparue il y a deux semaines... »

Alors que la buée se dissipe, elle se voit dans le miroir. À son arrivée dans la salle de bain, elle a tout simplement ignoré la glace. À ce moment, elle n'a pas le choix. Elle est sidérée. « Alex a dit que je suis maigre... il est généreux... je suis plutôt squelettique... à faire peur... pas étonnant qu'on m'ait prise pour une sorcière... » Elle tâte ses épaules et ses bras. « Tout ce que j'ai mangé servait uniquement à augmenter ma force musculaire. » Le corps humain est pourtant merveilleux. Là-bas, il s'est concentré pour garnir sa stature des muscles dont elle avait besoin pour survivre. Elle touche ses cheveux longs du bout des doigts. « Je n'aime vraiment pas ça… mais je veux parler à Marie avant de les couper… » Pour le moment, elle décide de les peigner en queue de cheval, même s'ils sont encore mouillés. Aujourd'hui, pour souligner son retour à la maison, elle refuse de porter ses nattes habituelles et trop distinctives de son exil au Pays de la Terre perdue.

Ensuite, elle brosse ses dents. Deux fois. Elle passe la soie dentaire. Deux fois. Quel confort ! « J'en ai tellement rêvé… » Puis, habillée de son peignoir, elle se dirige vers la chambre à coucher pour chercher des vêtements. Elle trouve un chandail qu'elle savait un peu serré, prend un soutien-gorge et une petite culotte dans son tiroir. « Une jupe… j'ai envie de porter une jupe… » Tout est trop large. Beaucoup trop grand. Mais cela fera l'affaire pour l'instant.

Elle découvre sa montre déposée sur sa commode. Sur le coup, elle se souvient à quel point le bijou lui avait manqué, lors des premières heures de son aventure. Puis, après quelques jours, elle s'est habituée à vivre sans cette technologie. Un sourire sur les lèvres, elle décide de la laisser sur le meuble. Pour le moment, elle n'en a aucun besoin.

Pieds nus, Nadine revient au rez-de-chaussée. Elle entend Anne et Dominique qui discutent avec leur père dans le grand salon; le ton est si bas qu'elle ne comprend pas les mots. Avec un réflexe vieux de plus de 37 ans, elle vérifie la cafetière au passage, remplit sa tasse, puis ajoute une touche de lait. Elle se souvient qu'elle n'en avait pas au Pays de la Terre perdue et que cela l'avait ennuyée beaucoup les premiers jours de ne pas pouvoir en mettre dans son breuvage. Elle a même cru que Bernard lui avait fait la blague de ne pas en placer dans ses bagages. Nadine prend une gorgée. « Hum ! C'est bon du café ! Ça m'a tellement manqué ! » Puis elle repousse l'impression de déjà-vu qui lui donne la nausée. « Non ! Ce ne peut pas être un autre rêve ! Je suis vraiment chez moi ! »

Nerveusement, le cœur dans l'eau, elle se dirige lentement vers le salon. Ses enfants se lèvent précipitamment, la regardent avec de grands yeux et la bouche ouverte. Anne échappe sa tasse et cache son visage avec ses mains. Alors que le liquide s'étend sur le parquet et que les morceaux de céramique se retrouvent partout, la jeune femme pleure. Quand elle tente de prendre sa fille dans ses bras, cette dernière recule violemment. Nadine, surprise de la réaction, éclate aussi en sanglots. « Le rejet... c'est ce que je craignais le plus... je devrai être patiente. »

Puis, lentement, Anne s'approche de cet étrange personnage qu'elle reconnaît à peine. Elle sait au fond d'elle-même qu'il s'agit de celle qui lui a donné le jour. D'un geste incertain, la jeune femme prend les mains noueuses dans les siennes.

— Ne pleure pas... maman.

L'hésitation déchire le cœur de la mère qui ne peut retenir le flot de larmes. « Je suis peut-être à Montréal, dans ma maison, mais cela prendra quelque temps avant que je revienne complètement dans la vie des miens... » Puis les deux gars ajoutent leurs douleurs à celles des filles. Nadine cherche à toucher à ses enfants, leurs mains et leur visage.

Malgré les pleurs qui devraient les soulager, la tension reste palpable. Chacun essaie à sa façon de saisir la situation et Nadine reçoit toutes sortes de questions en même temps. Même si elle voudrait discuter de ses aventures, elle décide d'attendre qu'ils se calment un peu. Elle comprend leur réaction, car elle a beaucoup d'interrogations elle aussi. Ainsi, profitant d'un moment de silence entre deux paroles bousculées, Nadine tente de tourner la conversation pour lui donner un sens plus productif. Elle énonce son idée le plus doucement qu'elle le peut.

— Ce sera très long de vous expliquer ce qui m'est arrivé. Mais d'abord, Alex, tu as parlé de deux semaines ? Quel jour est-on aujourd'hui ? J'aimerais que l'on commence par me raconter ces quatorze jours, ce qui s'est passé, ici, pendant mon absence.

— C'est le 8 mai, répond Alex. Plus précisément, le dimanche 8 mai 2011. Tu es disparue le 24 avril dernier.

Un moment de silence s'installe. Nadine attend patiemment que l'un d'eux se décide à poursuivre les explications. Alex regarde tour à tour Dominique et Anne avant de parler.

— D'accord. Nous allons commencer, mais tu dois nous dire aussi ce qui t'est arrivé.

Ainsi, aidé des enfants, Alex raconte l'horreur dans laquelle son départ involontaire les a plongés. Deux semaines d'angoisses vécues dans la crainte de ne plus jamais la revoir et la peur qu'on la retrouve morte. Il y a eu les rencontres avec les policiers. Les amis s'en sont mêlés ajoutant leurs commentaires et leurs recommandations parfois fort inutiles. Puis Alex porte les yeux sur sa femme.

— La seule qui soit restée en dehors de ça, c'est Marie. Elle a tellement confiance en toi qu'elle est demeurée convaincue que tu reviendrais par toi-même. Un soir, alors que j'avais le moral très bas, elle m'a affirmé que tu connaissais la route, qu'il fallait juste te laisser le temps de la suivre.

— Marie ! s'exclame Nadine. Elle n'a pas oublié !

— De quoi devait-elle se souvenir ? demande Dominique.

Puis, voyant Nadine secouer la tête pour retarder ses propres explications, Alex poursuit son récit.

— J'étais incrédule devant ses paroles bizarres. Sarcastiquement, j'ai exigé qu'elle me dise combien de jours tu aurais besoin pour retrouver ton chemin. Elle est restée silencieuse un moment puis elle a répliqué : « Donne-lui quelques semaines; si elle n'est pas revenue d'ici là, nous en reparlerons. » Elle a ajouté que tu m'aimais beaucoup. Selon elle, tu n'as jamais cessé de chercher le moyen pour revenir. Elle a insisté sur le fait que, maintenant, tu connaissais la route à emprunter et que tu serais bientôt à la maison.

Puis, reprenant son souffle, affichant un air buté, Alex explique que, même si Marie semblait très convaincue, il a trouvé ses paroles si nébuleuses qu'il ne l'a pas crue. Comment pouvait-elle savoir ? Devant l'expression renfrognée de son mari, Nadine a dû répondre.

— Je pourrai faire la lumière sur tout cela quand je l'aurai vue. Je m'attendais d'ailleurs à ce qu'elle soit là à mon retour. De toute évidence, elle n'a pas pu calculer la date avec précision.

Prenant son courage à deux mains, l'exilée a commencé à expliquer son aventure dans ce monde étrange qu'elle a nommé le Pays de la Terre perdue. Elle avait devant elle trois paires d'yeux, deux très brunes, une d'un bleu vif; mais leurs propriétaires exprimaient ouvertement à quel point ils étaient sceptiques. Elle savait que son histoire fantastique ne serait pas crue tout de suite. Cependant, leur réaction est pire que ce à quoi elle s'attendait. Pour eux, elle a été absente deux semaines et non deux ans et cela complique les choses. Elle a beau leur raconter son aventure de façon superficielle, elle voit bien le doute sur leurs visages. Elle les comprend. Si elle se trouvait à leur place, elle n'accepterait pas facilement le récit qu'elle leur relate.

Sur la table, les tasses sont restées pleines et le café a refroidi. Personne n'a ramassé celle d'Anne, cassée sur le plancher. Nadine tente de briser un peu leur réaction incrédule. Elle a tellement besoin d'eux; il faut qu'ils la croient. Là. Maintenant. Il en va de sa survie, ici, dans ce monde. Elle ne pourrait vivre avec le rejet de sa famille.

— Je comprends que c'est difficile à gober, explique-t-elle, mais réfléchissez un peu. Regardez mes cheveux. Pensez-vous qu'ils ont poussé pendant deux semaines ou deux ans ?

Trois paires d'yeux l'observent avec inquiétude. Elle a raison. Ils le savent. Mais leurs cerveaux refusent d'accepter l'évidence. La mère continue à briser leur résistance, un brin à la fois.

— J'ai perdu tellement de poids, trente kilos. C'est totalement impossible de diminuer autant sa taille en quatorze jours. Vous ne trouvez pas ?

Toujours le même regard incrédule. Elle se dirige vers l'entrée de la résidence et revient avec ses bottes, ses vêtements et son sac de montagne. Cette fois, elle se tourne vers son mari.

— Crois-tu que ces choses ont subi un usage de deux semaines ou de deux ans ?

Alex ramasse les chaussures de Nadine de ses larges mains. Il les retourne et regarde la dégradation. Pour lui, elles ont été achetées il y a à peine un mois. Nadine les a portées à une ou deux reprises pour les casser en vue de leurs expéditions de trekking prévues dans l'année. Les dégâts qu'il voit ne font aucun sens avec une courte période de temps. « Deux ans auraient plus d'allure… » Puis, il examine les vêtements. Ceux-ci n'étaient pas neufs au moment de la disparition, mais leur état de détérioration s'explique mal par deux semaines, même avec une utilisation intensive. Il secoue la tête.

— Ça ne se peut pas… C'est trop tordu !

Patiente, la revenante attend que l'homme finisse sa réflexion. Anne et Dominique regardent leur père manipuler à nouveau les bottes et les habits. Ils veulent sa réaction avant de se prononcer à leur tour. Alex observe Nadine, note sa maigreur, ses cheveux longs et sa peau rêche. Il n'a aucune explication autre que l'absence aurait duré beaucoup plus que deux semaines. Serait-elle vraiment allée dans ce monde qu'elle appelle la terre perdue ? Cet esprit cartésien ne comprend pas, mais il fait confiance à cette femme qui a été sa compagne de vie depuis 35 ans.

— Comment peux-tu avoir passé deux ans à... cet endroit... si tu es partie il y a quatorze jours ?

Nadine est soulagée. Elle respire mieux. Alex a fait le pas et posé la bonne question. Dominique et Anne la regardent intensément, attendant la réponse de leur mère avant de s'immiscer dans la conversation. Elle n'a pas de commentaire qui satisferait pleinement ces trois personnes de caractère cartésien. Elle ne peut que leur dire la vérité, tel qu'elle l'a vécue.

— Je ne sais pas exactement. Le voyage provoque une sorte de distorsion de temps.

Puis, doucement, observant l'incompréhension s'exprimer dans leurs yeux, elle leur explique sa théorie du portail entre les deux mondes. Elle voit dans le visage de Dominique, son tempérament d'artiste l'influençant, que le jeune homme tente de mettre en image ce qu'elle raconte.

Poussant son regard tour à tour sur chacun, Nadine sent le tumulte des émotions vibrer dans leurs corps. « Ils veulent me croire, mais ils n'y arrivent pas... » Elle ajoute une couche de détails.

— Alex, Marie savait que je ferais tout pour revenir... parce qu'elle est venue au Pays de la Terre perdue.

Ne voulant pas augmenter leur scepticisme, elle décide de ne pas parler des trois autres visiteurs. « Je dois d'abord parler avec Marie avant d'expliquer ce bout-là. » Puis, poursuivant ses explications, Nadine retire des objets de son sac de montagne : la fourrure de lynx, ses mocassins, sa chemise décorée, le savon artisanal, ses roches à feu, sa fronde, sa pochette remplie de cailloux, un bout de lance, son couteau en schiste et son journal de bois. Les trois regardent, d'un air complètement incrédule, cet échantillon d'outils dignes de leurs lointains ancêtres, ces hommes de Cro-Magnon. Calmement, l'exilée continue son récit en touchant chacune de ces choses qui représentent toute sa vie là-bas. Elle ressent à la fois une immense crainte et une sorte d'anticipation face à leur réaction. Est-ce que ce sera de la honte ou de la fierté qui se reflétera sur leur visage ?

— J'ai tanné des peaux et cousu ces chaussures et cette chemise. J'ai fait du feu avec ces pierres et j'ai fabriqué ce couteau, ce savon et cette fronde. Avant que je la coupe pour n'en rapporter que la pointe, cette lance mesurait deux mètres et j'ai tué un chevreuil en l'utilisant. Ça, c'est mon journal de bois sur lequel j'ai indiqué toutes les journées passées au Pays de la Terre perdue; il y a 730 marques pour deux ans. Ce soir, j'aurais ajouté la 731e encoche, mais je ne la ferai pas parce que j'ai réussi à revenir. Mon exil est terminé.

Alex, Dominique et Anne s'approchent pour examiner les différentes pièces, autant de preuves des prétentions de Nadine, et les touchent de leurs doigts. Alex, totalement éberlué par le fait que sa femme ait chassé, prend la pointe de flèche dans sa main. Une tache brunâtre lui souffle une question qu'il garde dans sa tête pour le moment : « Le sang de quel animal ? » Sentant le vertige l'envahir, il dépose l'objet en os plutôt brusquement sur la table. Puis Dominique observe sa mère avec des yeux qui démontrent ses tentatives de tout absorber, sa volonté de croire. Son regard s'accroche.

— Qu'est-ce que le petit sac dans ton cou ?

Nadine sursaute d'abord sans comprendre. Elle est tellement habituée de l'avoir pendu à sa gorge qu'elle ne l'a même pas retiré pour prendre son bain ni pour sa douche par ailleurs. Elle y pose la main pour toucher le cuir qu'elle a elle-même fabriqué et cousu. Elle ferme les yeux un moment pour retrouver un certain contrôle sur les émotions qui se bousculent dans son corps et le fait trembler. Elle détache le sac et l'ouvre pour montrer l'obsidienne, cette roche noire et brillante, et le morceau de pointe de flèche.

— Ce sont des mémentos. Pour me rappeler ma détermination de vivre et de revenir vers vous. Vous devrez attendre encore un peu pour comprendre l'histoire de ces articles. C'est très compliqué.

— Tu es devenue *chamane*[6] dans ce pays de fou ? demande sarcastiquement Anne.

Parce qu'Anne était bien au fait de la philosophie de Nadine à cet égard, il était évident que la jeune femme voulait la provoquer par ses paroles caustiques et blessantes. Dominique a vu les larmes s'infiltrer dans les yeux de Nadine. La surprise de son père face aux mots de sa benjamine le rendait incapable de répliquer adéquatement aux propos émis pour meurtrir la revenante. Connaissant très bien sa sœur, Dominique avait rapidement identifié la colère qui montait dans le cœur de sa cadette; cette dernière question montrait à quel point Anne ne croyait pas à l'histoire racontée par leur mère. Sachant que le caractère de la brunette pouvait être de feu, il comprenait que sa réaction ne faisait que commencer. Les paroles acerbes allaient s'accumuler au fur et à mesure que sa rage sortirait par tous les pores de sa peau. Anne en voulait à Nadine d'être disparue et d'avoir rendu son père si malheureux. Pour les protéger tous, il décide de prendre les choses en main. Il se lève d'un bond, regarde sa montre puis s'adresse au groupe.

— Oh ! Nathalie m'attend depuis un bon moment... je dois repartir. Viens, sœurette. Je te raccompagne jusque chez toi.

Puis, pour s'assurer que la conversation qui s'annonçait pénible cesse immédiatement, il attrape sa cadette par le bras et la force à le suivre jusqu'à la porte d'entrée. En

---

6   Être humain qui intercède entre les hommes et les esprits de la nature. Le Chamanisme est l'une des plus vieilles formes de spiritualité de l'Humanité.

passant à côté de son père, il fait le signe conventionnel du téléphone : le poing fermé, mais le pouce et l'auriculaire pointés respectivement vers l'oreille et la joue. Ainsi, Dominique lui signifie qu'il communiquerait avec lui un peu plus tard. Puis il encourage Anne à monter dans la voiture pour qu'il la reconduise chez elle.

C'est ainsi que vers midi, en ce jour qui devrait combler Nadine de bonheur par son retour, Dominique et Anne sont repartis auprès de leurs familles. Ils étaient encore médusés par l'histoire racontée par leur mère et Nadine doutait qu'ils acceptent un jour la véracité de son exil. Bouleversée par toute la scène, la revenante est restée dans le grand salon avec sa lourde peine et une question fondamentale.

« Si mes propres enfants ne me croient pas, qui acceptera mon histoire ? Pourtant, j'ai vraiment vécu deux ans au Pays de la Terre perdue... »

Chapitre 12

Montréal — 8 mai

— Aaaaaaaaaa ! Maudit Pays de merde ! Tu ne peux vraiment pas lâcher prise ! Je suis chez moi ! Arrête de m'embêter ! Aaaaaaaaaa !

Alex sursaute devant le cri de mort que lâche Nadine. Il ferme rapidement la porte qu'il avait gardée ouverte pour mieux voir partir ses enfants, puis il se précipite dans le salon. Il reste saisi par la scène. Nadine se tient debout, le corps raidi par l'effort, les poings crispés montés au-dessus de sa tête. Ses traits sont tirés, un grognement sort de sa gorge et ses yeux bleus crachent une colère si violente que l'homme a soudainement très peur. Il n'a jamais soupçonné que sa femme était capable d'une telle ire.

« Qu'est devenue ma femme ? Elle grogne comme une bête sauvage… Il faut qu'elle ait eu vraiment mal… qu'elle ait subi une misère terrible pour qu'elle soit aussi changée… deux ans… C'est tellement difficile de croire… » Alex n'ose pas parler tant la rage qui sort du corps de Nadine l'effraie. D'un pas mesuré, il s'approche de l'humaine devenue farouche et se place directement devant elle pour qu'elle puisse bien voir chacun de ses gestes; puis, tout doucement, il saisit les mains décharnées dans les siennes. Délicatement, il déplie les doigts rendus blancs par la violence de la crise afin de permettre à cet être presque tordu de douleur de reprendre un peu de calme. Comprenant que le désarroi subi est causé par le commentaire malhabile de leur fille Anne, Alex parle sur un ton qu'il tente de garder neutre.

— Tout ira bien, ma belle… Dominique s'occupera de sa sœur… ne t'inquiète pas pour elle.

— Ils n'acceptent pas que ce que je raconte soit vrai… tu ne me croies pas… qu'est-ce que je devrai faire pour réintégrer ma famille ? Ma vie d'avant ?

Le visage mouillé de larmes, Nadine voudrait se blottir dans les bras d'Alex, mais elle sent une certaine résistance de la part de l'homme. « Je dois lui laisser le temps… » Comme elle l'a si souvent fait au Pays de la Terre perdue, elle baisse les paupières et inspire profondément, laissant son souffle s'échapper lentement de ses poumons avec quelques brins de colère. Elle répète le geste plusieurs fois. Quand le calme revient sur son âme, elle plonge son regard dans les yeux inquiets de son mari.

— Ça va maintenant. J'ai eu beau avoir réfléchi à la réaction possible de mes proches à mes deux ans d'absence, ce n'est qu'aujourd'hui que j'en saisis toute l'ampleur.

— Vois-tu, c'est difficile à comprendre ce que tu as vécu. Ça sonne comme si tu parlais de la série Star Trek…

— Plutôt 730 épisodes…

Nadine laisse échapper un rire nerveux. Maintenant que la crise est passée, elle tremble de tous ses os.

— Je savais que mon retour serait pénible et prendrait un bon moment. S'il y a quelque chose qui n'a pas changé en deux ans, c'est bien mon impatience avec la patience…

— Hum… Tu es de retour et, ça, personne ne peut le contester. Pour le reste, tout viendra en son temps. Est-ce que ça va mieux maintenant ?

Nadine hoche de la tête. Elle dégage ses mains de celles d'Alex et retourne s'installer sur ce divan si confortable. Elle se souvient du bonheur associé à l'achat du meuble par le couple. Elle glisse ses doigts sur le tissu soyeux. « C'est beaucoup plus douillet que mes grosses roches recouvertes de fourrure… » Assise là, dans ce salon moderne dont l'un des murs est décoré d'un écran plat de 50 pouces qui lui reflète l'image de son corps émacié, elle trouve soudainement son aventure plutôt invraisemblable. La revenante n'est pas certaine d'avoir convaincu Alex et les enfants de la véracité de ses péripéties au Pays de la Terre perdue. Ils l'ont écoutée et, pour le moment, cela lui suffit. Ils y penseront et ajouteront des questions auxquelles elle tentera de répondre du mieux qu'elle le pourra. Petit à petit, ils accepteront son histoire. Nadine connaît leur ouverture d'esprit; puis, elle arrive avec suffisamment de preuves. « Je dois leur faire confiance. »

« Aujourd'hui, c'est dimanche… pour une rare fois, il n'y aura pas de brunch familial… tout est trop compliqué… » Nadine soupire. Il faudra qu'elle attende un peu avant de serrer ses petits-enfants dans ses bras. Même si elle est très déçue, la grand-mère se rassure : si elle ne les a pas vus depuis deux ans, eux n'ont pas vraiment eu le temps de s'ennuyer d'elle. De toute façon, elle veut d'abord parler avec Marie. Cette dernière est de retour depuis 27 ans, non… dans le vécu de la rouquine, 25 ans se sont écoulés. Nadine a confiance que son amie saura traiter la situation de la meilleure façon possible. Alex doit aussi communiquer avec les policiers pour leur dire que son épouse est revenue. D'un commun accord, ils décident de repousser cette tâche jusqu'à ce que Marie ait été consultée.

C'est ainsi que Nadine et Alex demeurent seuls dans la grande maison alors qu'une étrange sensation d'éloignement les confronte. La femme reste assise dans ce salon qui lui rappelle les merveilleuses heures de magasinage avec Alex dans les boutiques spécialisées. Ils avaient eu tellement de plaisir à décorer cette pièce à leur goût. Il y a déjà trois ans de cela. Soudain, Nadine a le vertige. « Non… ici, c'est l'an dernier que ça s'est passé… merde, j'ai la nausée… » Alex, qui a refait du café, rapporte deux tasses remplies au salon. Nadine savoure son breuvage à raison d'une petite gorgée à la fois. Comme si c'était la dernière… ou la première…

Alex observe son épouse du coin de l'œil; son visage est marqué par une expression de perplexité qui touche Nadine. Ses yeux noisette montrent toute sa joie de la revoir en vie, mais ses sourcils froncés dénotent une inquiétude que Nadine ne peut définir. Elle tente le rapprochement.

— Je comprends que c'est difficile à accepter tout cela, explique la femme. J'ai pris plus d'un mois pour saisir que j'étais coincée là-bas. Mais, même à ce moment, je n'ai pas cessé de chercher à revenir. C'est l'arrivée de Marie qui m'a donné les indices qui me manquaient. Puis j'ai suivi la route qui m'a permis d'emprunter le portail.

En entendant les paroles qui sortent de sa bouche, Nadine ressent un haut-le-cœur. Les mots ne sont pas tout à fait exacts. Au cours du deuxième hiver, elle a abandonné l'idée d'un retour éventuel… et elle n'a plus tenté de trouver son chemin. « Je ne l'ai expliqué que partiellement à Marie… j'avais trop honte… je devrai attendre longtemps avant d'expliquer ça… » La douleur est si intense qu'elle ferme les yeux un moment; puis elle attend que son cœur cesse de battre la chamade avant de parler à nouveau.

Elle voit que c'est difficile pour Alex. Il aura besoin de temps pour intégrer toutes les informations dans son cerveau cartésien pour enfin les digérer. Elle ne lui a présenté qu'une infime partie de toute son expérience au Pays de la Terre perdue. Comment réagira-t-il quand il entendra ses aventures avec Lou, Allie, Tigré et Brutus ? Que pensera-t-il de la chasse au chevreuil et de ses nombreuses batailles avec des animaux sauvages ? Maintenant qu'elle est revenue chez elle, toute cette histoire vécue ailleurs lui semble tellement fantastique. Par contre, elle a juste à passer devant un miroir, ou regarder la peau de lynx qu'elle a rapportée dans ses bagages, pour comprendre toute la réalité de ce qu'elle a dû supporter durant son exil.

Lentement, Alex examine tous les objets qu'elle a créés pour survivre dans cet autre monde, comme pour forcer son cerveau à tout accepter. Puis les larmes coulent de ses yeux. Il se retourne vers son épouse.

— Tu as beaucoup souffert. Je n'étais pas là pour te protéger. Je suis désolé.

Le cœur de Nadine fond pour cet homme si attentionné. Sa délicatesse d'âme l'a toujours impressionnée. L'amour qu'il lui porte la touche profondément. Aujourd'hui, il choisit de la croire sans aucune réserve. Par conséquent, sa réflexion profonde lui permet de comprendre l'ampleur de l'expérience totalement invraisemblable qu'a subie sa femme. Il s'imagine des épreuves dignes des meilleurs récits de *Star Trek*. Nadine se retient de s'élancer vers lui pour se blottir dans ses bras solides et trouver le réconfort dont elle a tant besoin; la tête appuyée sur l'épaule mas-culine, elle pourrait fermer les yeux pour mieux absorber la chaleur corporelle de l'homme. Mais elle ressent encore cette barrière entre eux. Elle ne veut pas subir un autre rejet physique, comme celui de sa fille il y a quelques heures. « Un par jour, c'est assez… patience… Il y viendra de lui-même… ça prendra le temps que ça voudra… je suis de retour… il me croit… c'est ça l'important… »

De son côté, l'homme cartésien essuie ses larmes et saute dans l'action. L'expression de son visage change et prend cette façon taquine qui le caractérise si bien. Il veut diffu-ser la tension par une sorte de retour à la normalité de leur vie.

— Si je te faisais à manger ? annonce-t-il d'un ton enjoué. Que dirais-tu d'un bon steak au poivre pour te remplumer un peu ?

Nadine sursaute et le regarde incrédule, puis elle sourit. « Comment pourrait-il savoir ce qui m'a tant manqué là-bas ? » Sa réponse étonne son conjoint au point de le rendre sans voix.

— Merci pour le repas, mais pas de tranche de bœuf grillée pour moi. Je préférerais de la salade… beaucoup de légumes crus… du fromage… des noix bien sûr… des œufs aussi, beaucoup de vinaigrette et… de vraies pommes de terre d'ici. Je veux du thé vert !

— C'est bien toi qui refuses une pièce de viande rouge cuite à ton goût ? réplique Alex une fois qu'il eut retrouvé la parole.

Quand l'impression de dégoût s'éternise sur le visage de sa blonde, l'homme n'insiste pas. « Wow ! Qu'a-t-elle vécu là-bas pour refuser un tel repas ? Je voudrais savoir, mais je crains de ne pas aimer ce que je vais entendre… » Il se contente d'accepter les commandes un peu spéciales de sa femme.

— D'accord. Je te prépare cela. Entre-temps, pourquoi n'appellerais-tu pas Marie ? Elle m'a fait promettre que tu communiques avec elle si tu revenais avant son retour d'Europe. Elle a placé sa carte professionnelle sur la crédence de la salle à manger, au cas où tu ne te souviendrais pas de son numéro. J'ai d'ailleurs trouvé son geste plutôt bizarre… ta mémoire est si phénoménale.

— Marie sait que j'ai vécu deux ans là-bas.

Si le commentaire inusité, presque incompréhensible, le rend perplexe, Alex se contente de hocher de la tête. « Plus tard, je saurai… pour le moment, ça n'a pas d'importance… elle est de retour… c'est ce qui compte… » Puis, l'homme sursaute en se rappelant un détail qui paraissait très important pour la rouquine. Il ajoute :

— J'allais oublier ! Avant de partir pour l'Allemagne, ton amie a laissé quelque chose que je devais te donner, si elle n'était pas là à ton retour. Elle a dit que tu comprendrais.

Alex quitte le salon en vitesse. Le cœur de la femme flotte un moment. « Est-ce que j'ai bien saisi ? Bien interprété ? » Quand l'homme revient avec l'objet minuscule, Nadine le reconnaît tout de suite. Ses yeux se remplissent d'eau et ses mains tremblent alors qu'elle prend la petite sculpture. Elle l'a souvent vue sur le bureau de Marie au fil des ans, mais elle l'a pourtant fabriquée au Pays de la Terre perdue, il y a quelques semaines seulement. Un dauphin miniature de dix centimètres de long.

Alex note le trouble de Nadine face à ce bibelot tout simple. Il aimerait la questionner, mais quelque chose dans le regard de sa femme le fait hésiter. Alors, il la laisse en paix pendant qu'il se rend à la cuisine pour préparer leur déjeuner. « Les explications viendront plus tard… c'est certain… arme-toi de patience mon homme… ta blonde est revenue et c'est ça l'important… »

Nadine s'arrête un instant pour retrouver son calme. Un autre morceau de ce casse-tête construit entre deux temps et deux espaces s'installe. Elle n'a pas rêvé la venue de ses visiteurs… le dauphin en est la preuve. Lentement, elle se dirige vers son iPhone qui se trouve sur la crédence. Connecté à la prise de courant, il lui signifie qu'il est prêt pour son usage. Elle regarde l'appareil quelques secondes, juste pour se convaincre, encore, qu'elle est vraiment revenue. « Je peux parler avec mon amie par cette techno-logie… » Elle empoigne l'outil moderne, inscrit son code d'accès et note que 288 courriels attendent qu'elle les lise. « Plus tard… pour le moment, je n'ai pas le courage… » Ses réflexes s'ajustant rapidement, elle touche l'application « Contacts », trouve les coordonnées de Marie et choisit le numéro de son téléphone cellulaire. « Hum… Marie, tu as vraiment cru que je ne me rappellerais pas comment utili-ser mon iPhone… attends que je t'attrape… tu vas voir ! » Après quelques coups de sonnerie, la voix familière et mature de Marie lui indique qu'elle n'est pas disponible pour le moment. « Merde… je dois encore attendre… » Elle laisse un message pour l'informer qu'elle était enfin de retour. Elle demande que son amie la rappelle selon sa convenance.

Perplexe, Nadine examine cet appareil qui lui a tellement manqué au Pays de la Terre perdue. « Là-bas, je ne pouvais communiquer avec personne. Il y a toutes ces photos que j'aurais pu croquer... les sons que j'aurais aimé enregistrer... la musique que j'aurais certainement écoutée ! » À sa manière impatiente, elle cherche dans la banque de données... puis, elle appuie sur ce qu'elle veut entendre. En un temps, deux mouvements, elle savoure la voix d'Isabelle Boulay qui lui raconte son aventure entre *Matane et Bâton Rouge*[7]. Elle aime ce disque qui a gagné un Prix Juno comme le *meilleur album francophone de l'année* en 2008.

Fière de sa trouvaille, Nadine retourne à la cuisine en faisant quelques pas de danse.

— J'ai eu le répondeur, informe-t-elle Alex. Je dois attendre.

— Ce n'est pourtant pas encore la nuit en Allemagne, indique l'homme en regardant sa montre.

— Elle est occupée, c'est tout. Je la connais. Elle va communiquer avec moi aussitôt qu'elle aura une minute.

Alex se tait un moment, puis il poursuit sa réflexion à voix haute.

— Je l'ai appelée très tôt ce matin... sachant que c'était toujours le jour pour elle. Je voulais lui dire que les policiers avaient cessé les recherches. En fait, elle n'était pas surprise de cette décision. Mais, quand je lui ai raconté que nous avions eu un gros orage et que l'odeur de soufre me donnait mal au cœur, elle m'a fait répéter trois fois. J'ai trouvé ça vraiment bizarre...

Percevant très bien ce que cela signifie, Nadine ouvre de grands yeux.

— Moi, je comprends ! Elle est en route ! Elle n'a pas répondu à son cellulaire parce qu'elle est dans l'avion qui revient d'Allemagne...

— Tu en es certaine ? demande Alex d'un air perplexe.

7   De retour à la source, d'Isabelle Boulay, 2007

— Je suis convaincue ! L'orage et l'odeur de soufre sont étroitement liés à l'utilisation du portail...

Notant l'incrédulité qu'affiche le visage d'Alex, Nadine décide de ne pas s'éterniser sur le sujet pour l'instant.

— Je t'expliquerai tout ça bientôt... Pour le moment, sache que Marie débarquera directement ici dans les prochaines heures... Je vais vérifier les heures de vol... je pourrais me rendre à l'aéroport...

Elle s'arrête de parler en apercevant l'expression ahurie d'Alex.

— Pourquoi fais-tu cet air ? Il y a quelque chose que je ne comprends pas...

— Je pense que, après ce que tu m'as raconté, j'aimerais plutôt attendre que Marie se présente chez nous avant d'alerter les policiers sur ton retour...

Prenant sa femme par les épaules, il jette son regard dans les yeux bleus pour réduire sa réaction.

— Aucun voisin ne doit remarquer ta présence ou entendre tes propos pour le moment. Tu devras rester à l'intérieur de la résidence jusqu'à la visite de ton amie. Pas de téléphone, de Facebook ou d'Internet. Est-ce que tu es d'accord ?

— Bon, si tu vois la situation ainsi... j'accepte de patienter jusqu'à demain matin. J'ai vraiment hâte de la rencontrer à nouveau ! Je veux comprendre un peu plus ce qui s'est passé !

Un grand bonheur s'immisce dans le cœur de la femme. « Ce sera bientôt le temps des réponses... » Puis, pendant qu'Alex s'affaire dans la cuisine en sifflant sur la musique d'Isabelle Boulay, Nadine fait le tour de la maison, notant tous ces objets dont elle s'est tellement ennuyée pendant deux ans : du bout du doigt, elle touche les thermostats qui assurent que la température ambiante reste confortable malgré le froid de l'hiver et les chaleurs de l'été; elle allume les lumières une à une pour les éteindre aussitôt; elle glisse ses orteils nus sur le plancher verni; elle frotte son pied sur un tapis. Elle applique la paume de sa main sur quelques meubles polis pour y laisser une marque humide qui s'estompe en quelques secondes. « Celles que j'ai laissées sur la paroi de la première caverne résisteront facilement aux prochains millénaires... »

Toutes ces sensations lui plaisent beaucoup et l'aident à reprendre pied dans ce monde qui lui apparaît si étrange après deux ans d'exil dans un univers à peine néolithique. Cependant, ce qu'elle apprécie au plus haut point, c'est la réaction d'Alex. Il accepte son histoire, du moins, il a commencé à y croire. Il ne l'a pas encore prise dans ses bras, mais cela viendra. Elle est heureuse d'être de retour.

Soudainement, un regret douloureux creuse sa place dans son cœur. « Je ne peux plus retourner là-bas. Je n'oublierai jamais cet autre monde envoûtant, peu importe l'espace-temps où il se trouve. » Si Nadine est revenue chez elle depuis quelques heures seulement, elle s'ennuie déjà des amis qu'elle a laissés là-bas, surtout Allie et Lou. Alors que les larmes coulent abondamment, elle fronce les sourcils et une grimace douloureuse se fige sur son visage; la colère ronge encore son bonheur.

« Je ne les reverrai plus jamais... le Pays de la Terre perdue me fait encore du mal, même si je n'y suis plus... merde ! »

Chapitre 13

Montréal — 9 mai

L e soleil de mai réchauffe l'air de la chambre à coucher dont la fenêtre est restée ouverte toute la nuit pour laisser entrer la brise fraîche. Le store est monté, oublié dans l'énervement de la journée d'hier. Les rayons de l'astre du jour jouent une gamme de couleurs sur les murs et le plancher de la pièce. Passant sur les couvertures repliées, les jets de lumière s'accrochent longuement au visage de l'homme endormi. Ce dernier finit par plisser les paupières en réponse à l'éclat vif.

Alex sursaute. Le cœur en chamade, il s'assoit en laissant l'édredon débouler de lui-même de ses épaules. Il est seul dans la chambre. Si sa peau frissonne dans l'air frisquet du mois de mai, son âme ressent une peur viscérale. « J'ai rêvé son retour… elle n'est pas vraiment revenue… » Puis, ses yeux notent le lit défait par deux corps, son nez capte l'odeur de sa femme. Non, il n'a pas rêvé. Toujours aussi matinale, Nadine est déjà debout. L'effluve de café remplit la maison et il entend en sourdine la musique du dernier album de Michel Fugain, *bon an mal an le printemps*[8]. « Ouf, Nadine est bel et bien revenue ! »

De son côté, depuis son réveil, Nadine a fait le tour de la maison plusieurs fois. Elle n'a pas encore visité ses platebandes, Alex lui ayant demandé d'attendre qu'ils aient parlé avec Marie avant de sortir de la résidence. Les inspecteurs devront être informés de son retour, mais il est important de réfléchir et discuter plus à fond de ce qu'il convient de leur dire… à propos des circonstances étranges de sa disparition. Si même Alex a peine à croire les aventures de sa femme, comment réagiront les enquêteurs ? « J'aime

---

8 Bon An mal an Le printemps. Michel Fugain. XIII bis record. 2011

mieux ne pas y penser… je fais confiance à Alex… » Alors, pour éviter qu'un voisin curieux appelle le poste de police et que les agents se pointent avant que le couple soit prêt à les rencontrer, il demeure préférable que la revenante reste invisible pour quelques heures encore.

Préparé la veille selon une vieille habitude d'Alex, le café s'est mis à percoler dès 5 h du matin. Il ne fallait que ça pour que la nomade se réveille avec une faim de loup. Ainsi, s'étant servie de ce breuvage chaud, elle s'affaire à grignoter une rôtie sur laquelle elle a déposé une immense portion de *Nutella*[9]. Nadine porte son attention sur ses craintes qui l'ont presque fait mourir au cours du dernier hiver au Pays de la Terre perdue. « J'ai eu tellement peur qu'Alex ait refait sa vie avec une autre... » Puis, elle était angoissée à l'idée qu'il rejette celle qui sortirait du faisceau lumineux après deux ans d'absence. « J'aurais dû savoir que je pouvais lui faire confiance… même s'il a de la difficulté à suivre mes récits sans sourciller… » Nadine est soulagée et heureuse comme elle ne l'a pas été depuis fort longtemps. Même sa fille Anne l'a rappelée hier dans la journée pour s'excuser de son comportement et lui promettre qu'elle tenterait de comprendre.

Ainsi, pour savourer davantage ce retour à la modernité, la femme se tient debout au centre de sa cuisine; elle ferme les yeux pour mieux déguster le liquide chaud pendant que la chanson « *jamais je ne t'oublierai* »[10] glisse doucement sur son âme. « Je ne veux plus jamais que mon iPod s'arrête… cette simple technologie m'a tellement manqué… » En cette heure matinale, un nuage singulier vient diminuer son bonheur. Nadine voudrait parler avec Marie. Mais elle n'a pas reçu de retour d'appel.

---

9   Marque déposée qui représente une crème au chocolat et aux noisettes fort populaire.

10   Bon An mal an Le printemps. Michel Fugain. XIII bis record. 2011

La veille, après le départ des enfants, Alex et Nadine se sont retrouvés seuls à la maison. L'homme est vraiment heureux que sa femme soit revenue de son exil. Au fond de lui-même, il perçoit qu'elle n'est plus tout à fait celle qu'il a perdue deux semaines plus tôt. « Vieillir de deux ans en deux semaines… est-ce vraiment possible ? » Il a de la difficulté à tout saisir alors que l'histoire sonne un peu trop le surnaturel. Quelque part dans son cœur, il accepte la véracité de ce qu'elle raconte. Même si cela lui demandera des efforts incroyables, il veut entendre et comprendre ce qu'elle a subi.

Pendant deux semaines, deux ans pour elle, ils ont vécu séparément des évènements importants. Ils ont changé tous les deux, mais pour la première fois en 35 ans d'existence commune, ils ont été marqués différemment par les circonstances que la vie a déposées sur leurs chemins respectifs. « Vingt-quatre mois… ce n'est pas quatorze jours… je devrai être patient… tout entendre… ce sera difficile… » Il baisse les yeux sur un inconfort qui le remplit de remords. « Moi, j'avais la famille et les amis pour m'aider à subir l'épreuve. J'ai failli mourir en deux semaines… » Alex n'arrive pas à s'imaginer comment Nadine a pu survivre en solitaire dans un pays étrange pendant deux ans. Un brin de fierté s'introduit dans son cœur pour ce petit bout de femme volontaire et téméraire. « Ma blonde est forte et déterminée, mais c'est tout de même un exploit extraordinaire… »

Puis, la désolation s'immisce dans son âme face à cette distance aussi physique que psychologique qui s'est installée entre eux. L'amoureux n'aime pas ça. Alex a peur que l'expérience de Nadine au Pays de la Terre perdue l'ait changée trop profondément pour que leur vie commune puisse continuer comme avant. Il refuse que cela arrive, mais il réalise qu'il n'a pas entièrement le contrôle sur la situation. Il ne veut pas perdre sa femme, même s'il ne la reconnaît pas totalement pour l'instant. « Je devrai faire des efforts… apprivoiser cette nouvelle Nadine… savoir ce qu'elle a vécu… surtout… accepter qu'elle ne soit plus tout à fait la même… »

Hier, Alex a eu l'occasion d'observer Nadine. Il a reconnu tous ces gestes qui lui sont si familiers : mettre sa tasse dans le lave-vaisselle après l'avoir rincée, pour la ressortir à nouveau quelques minutes plus tard pour reprendre une dose supplémentaire de café; fouiller dans l'armoire où elle garde les millions de sachets de thé et de tisane accumulés au cours de leurs nombreux voyages; pour en choisir un, changer pour un autre, découvrir un troisième pour, finalement, revenir au premier. Tout cela pendant que l'eau chauffe.

Il frotte son visage de ses mains pour y chasser le reste de sommeil. Il sourit. « Nadine est revenue… elle est d'une maigreur à faire peur, ses cheveux sont longs, elle marche pieds nus dans la maison et elle passe de longs moments à se regarder dans le miroir avec un air plutôt incrédule. » Puis, il tente de rationaliser la situation. « Ça fait 35 ans quand même… je la connais bien… » Jamais la gourmande n'aurait pu maigrir autant de façon volontaire. Il est inconcevable qu'elle ait accepté de laisser ses cheveux pousser autant sans raison. Elle porte toujours une forme de chaussure, pantoufle, soulier ou des bas, refusant catégoriquement de mettre ses pieds directement sur le sol. Alex n'a jamais vu sa blonde s'arrêter devant un miroir sauf pour quelques secondes.

Hier, les heures de la journée se sont écoulées lentement pendant que les deux âmes en peine ont essayé à tour de rôle, avec plus ou moins de succès, de fermer le gouffre entre eux. D'un côté, Nadine a retrouvé Alex après une longue absence alors que pour l'homme, sa femme a été partie seulement quelques jours. Chaque tentative a dégagé de la gêne et du recul chez ces deux êtres normalement faits l'un pour l'autre. L'amoureux a le cœur gros juste d'y penser. « Nous avons besoin de temps… c'est tout… »

Alex est encore estomaqué par la réaction de Nadine face à la nourriture. Elle a englouti un déjeuner gargantuesque, puis la femme a demandé un spaghetti pour le dîner. « Je n'en ai pas mangé depuis deux ans… », a-t-elle affirmé tout bonnement. Faisant la popote ensemble, Alex et Nadine ont répété des gestes accomplis depuis toujours chaque fois qu'ils se retrouvent tous les deux dans la cuisine. Les fous rires, les batailles pour les mêmes ustensiles et les demi-mots étaient au rendez-vous. L'exercice leur a permis de combler un peu de cette distance entre eux. Puis, quand Nadine s'est servi une deuxième portion aussi énorme que la première, Alex a ri aux éclats.

— Même si tu refuses de savourer un steak, au moins les pâtes vont t'aider à refaire tes réserves. Je comprends que tu aies manqué de nourriture là-bas et je suis heureux de voir que ton naturel revient au galop !

Son sourire s'éteint aussitôt. Une telle tristesse se reflète dans les yeux de sa blonde, qu'il voudrait retirer ses paroles. Nadine le rassure.

— Tu sais Alex, au Pays de la Terre perdue, j'ai toujours mangé à ma faim. Par contre, la vie était si dure… je devais chasser, pêcher et ramasser des plantes. Si j'ai fabriqué de la farine, je ne me suis pas rendue à concevoir un moulin pour obtenir des pâtes… mais je cuisais des biscuits…

— De la farine ? Des biscuits ? Comment faisais-tu ça ?

— Je cueillais des racines de quenouilles et d'apios, puis, une fois qu'elles étaient séchées, je les broyais…

— Tu avais le temps de faire déshydrater tout ça ?

— Je n'avais pas le choix… j'avais besoin de cette source d'amidon… pour survivre…

Nadine demeure immobile un instant, sa fourchette coincée dans les airs au bout de sa main décharnée, pour observer les quelques brins de pâtes qui s'y accrochent. Ses traits deviennent si tristes qu'Alex regrette ses questions. Il touche délicatement les doigts de sa femme.

— Tu as eu la vie difficile là-bas, n'est-ce pas ? C'est correct si tu ne désires pas en parler...

— Non, ça va, répond Nadine. Tu sais, je ne voulais pas mourir et j'ai dû travailler dur pour passer deux hivers et m'en sortir en santé...

— Deux hivers ? Alex lui coupe la parole, l'horreur s'exprimant dans ses yeux noisette. Il y a des saisons froides sur cette terre perdue ? Je ne peux pas croire que tu as réchappé de ça... tu n'avais même pas tes vêtements assez chauds !

Nadine sourit. Elle a tellement de choses à lui expliquer avant qu'il comprenne tout ce qu'elle a vécu. Elle serre la main d'Alex pour le calmer.

— Je suis revenue. Je suis en vie. J'ai survécu. Le reste n'a plus d'importance.

Puis le soir venu, c'est dans leur lit qu'ils ont comblé un autre vide. Deux semaines d'inquiétudes pour Alex. Pour Nadine, deux années de solitude doublée de la peur de ne jamais revoir son amant. Quand la femme s'est blottie contre lui, elle a absorbé nerveusement la chaleur de ce grand corps. Il l'a prise dans ses bras forts et elle s'est enfin sentie de retour à la maison.

Alex est resté en état de choc plusieurs minutes quand il a aperçu les trois cicatrices sur l'épaule droite de la guerrière. Elle lui a brièvement expliqué la bataille avec le lynx. Elle refusait de lui donner tous les détails tout de suite. Au fond d'elle-même, elle savait qu'Alex serait épouvanté par plusieurs des dangers qu'elle a eu à affronter. Son instinct de mâle protecteur l'a d'ailleurs fait réagir très vivement face aux blessures. Elle aurait pu mourir; il aurait pu la perdre et il n'était pas là pour la sauver. Tout cela lui faisait mal. Si Alex a serré sa femme bien fort dans ses bras, il a maudit intérieurement ce pays maléfique qui a imposé tant de souffrance à celle qu'il aime tant.

Ce matin, un frisson parcourt le corps de l'homme. Il a froid à l'âme quand il tente de s'imaginer ce qu'elle a vécu. « Les yeux de Nadine reflètent une dureté incroyable... ils portent une sorte de douleur... et de fierté à la fois... un mélange presque explosif... » Avant sa disparition, les prunelles bleues se remplissaient continuellement de bonheur, de candeur, d'insouciance et même, d'un brin de naïveté. Aujourd'hui, le corps entier de sa femme dégage une détermination inhabituelle qu'il ne comprend pas; il exprime maintenant une expérience qu'il ne peut encore définir. « C'est certain que ce que j'ai entendu jusqu'ici n'est que la surface d'une aventure difficile... dangereuse... » L'homme ferme les paupières un moment. Tout cela lui fait si peur que sa respiration devient pénible. Il veut la rejoindre tout de suite, pour emmagasiner du temps avec elle et tenter de diminuer cette distance psychologique qu'il supporte mal.

En sortant du lit, il ramasse machinalement les pantoufles de Nadine pour les lui apporter. Puis, se rappelant quelques détails de la veille, il les laisse tomber sur le sol avec un sourire. Il devra s'habituer à voir sa femme marcher pieds nus. Il se rend à la cuisine, se sert un café, puis il regarde sa blonde d'un air taquin, notant au passage qu'elle attend sa réaction avec une certaine appréhension.

— Qu'est-ce qu'on se fait pour déjeuner ? demande Alex. Est-ce que tu as faim ?

L'éclat de rire de Nadine remplit la pièce. L'homme savoure l'écho du bonheur. Depuis deux semaines, la maison avait perdu la moitié de son âme. La femme laisse un soupir narquois s'échapper de son corps et tourne les yeux vers le plafond.

— C'est certain que je serai affamée pour deux ans au moins. Que dirais-tu d'une montagne de crêpes ? Des rôties aussi. Peut-être des céréales. Du jus d'orange.

Alex libère un fou rire à son tour devant ce menu de petit-déjeuner qui pourrait satisfaire la famille au complet.

— Tu as vraiment l'estomac dans les talons ! Allez au boulot ! Je ne ferai pas ça sans aide !

Nadine était à sa deuxième portion quand la sonnerie de l'entrée s'est fait entendre. Alex regarde sa montre. « Sept heures du matin... qui cela peut-il être... » Craignant que ce soit un voisin curieux, Nadine camoufle son assiette, ses ustensiles et sa tasse dans le lave-vaisselle, puis elle se réfugie rapidement à l'étage. Alex se précipite vers le devant de la maison avec la ferme intention d'en refuser l'accès. Puis, il ouvre la porte sur une Marie toute souriante; elle tient un énorme sac à la main. Un grand soulagement s'exprimant sur son visage, Alex invite la rouquine à prendre place dans le salon.

— Nadine ! C'est Marie ! Tu peux redescendre !

Quand la revenante se présente, les deux femmes s'observent quelques secondes sans prononcer un seul mot. L'atmosphère dans la pièce devient difficile à définir. Marie retrouve la sorcière connue il y a 25 ans. Nadine scrute l'allure de son amie : la stature de cette dernière est un peu plus garnie; ses cheveux ont un éclat roux maintenu par une teinture; ses yeux verts sont toujours aussi perçants. Alors qu'elles pourraient enfin parler librement de leur aventure commune au Pays de la Terre perdue, les deux rescapées restent debout l'une en face de l'autre, comme deux étrangères qui cherchent à se jauger. Chacune de leur côté, dans leur moment respectif, elles ont dû taire une partie de leur passé pour protéger la vie de l'autre. L'habitude est difficile à briser.

La tension est si forte que Nadine éclate en sanglots. Puis, les deux amies s'enlacent. Du coin de l'œil, Marie aperçoit le dauphin miniature, posé bien en vue sur la table. Elle sourit. Tant de mémoires reviennent à la surface en même temps; comme l'image de la sorcière assise en avant du feu dans la caverne d'Ali Baba, sculptant ce petit objet, il y a de cela 25 ans. Puis, elle se souvient de Nadine, plus jeune, en train d'admirer ce minuscule bout de bois, sans savoir qu'elle le fabriquerait elle-même plus tard dans sa propre vie.

Marie a eu toutes ces années pour réfléchir à cette situation, à ce paradoxe causé par le voyage par le portail. Et maintenant que Nadine avait les informations qu'elle-même possédait depuis 25 ans, elle a hâte de reprendre leurs interminables conversations sur les mécanismes de manipulation de l'espace-temps, les dimensions de l'univers, les autres planètes. Ainsi, elles tenteront de mieux expliquer leurs aventures. Tout cela devra cependant attendre. Car elles ont quelques urgences à régler avant.

— J'ai manqué ton appel hier parce que j'étais en route entre l'Allemagne et le Canada. Tu sais, j'avais prévu être là à ton arrivée.

— Tu ne pouvais pas déterminer la date à cause de la distorsion de temps. C'est ça ?

— Il y a eu un autre orage la semaine dernière et je suis venue voir dès l'aube, mais le portail ne s'est pas ouvert. À cause du changement provoqué par le faisceau lumineux, je ne pouvais calculer après quelle tempête tu reviendrais. Celle d'hier n'était pas prévue… quand Alex m'a parlé de l'odeur de soufre… j'ai sauté dans le premier avion. Je suis désolée de ne pas avoir été là.

Alex observe les deux femmes d'un air perplexe. Quel étrange phénomène que celui qui relie les deux mondes. Fâché par ce qu'il entend, Alex se tourne vers la rouquine.

— Pourquoi ne m'as-tu rien expliqué ? Ça aurait été plus facile pour moi de savoir qu'elle allait revenir.

— Je te l'ai dit Alex. À ma manière. M'aurais-tu crue si, il y a quelques jours, je t'avais fait le récit d'une histoire de portail, du Pays de la Terre perdue et de la sorcière ? Même hier, je ne pouvais pas te raconter ça au téléphone. Tu m'aurais traitée d'hurluberlu.

Quand elle voit Alex former le mot « sorcière » sans vraiment parler, hocher de la tête et se reculer sur sa chaise, Marie poursuit son raisonnement plus lentement, pour protéger la sensibilité de l'homme.

— Il y avait aussi la possibilité que Nadine ne revienne jamais. Elle aurait pu mourir là-bas, sur la route ou en tentant de traverser le faisceau. Le portail aurait pu ne pas s'ouvrir... deux ans, c'est long. J'avais une estimation du temps, mais la distorsion défait tout calcul. Pourquoi t'aurais-je présenté une théorie que tu n'aurais pas crue de toute façon ? J'ai décidé, encore une fois de garder le silence.

Alex blêmit sur les paroles de Marie. « Nadine aurait pu ne jamais revenir. » Alors qu'il a les yeux pleins d'eau, la rouquine change de sujet complètement.

— Comme tu peux voir, les explications seront longues et détaillées. Entretemps, nous devons nous occuper de Nadine tout de suite.

Se tournant vers son amie, elle lui remet le sac qu'elle porte. Il fallait compter sur Marie pour penser à cela.

— J'étais convaincue qu'Alex te recommanderait de ne pas sortir. Évaluant que j'arriverais trop tôt, c'est-à-dire avant l'ouverture des magasins, j'ai profité de la boutique hors-taxes de l'aéroport de Londres pour t'acheter une jupe et un chandail pour ta taille réduite.

— Comment as-tu fait pour savoir qu'elle aurait besoin de linge plus petit ? demande Alex.

— Parce que la première fois que j'ai aperçu Nadine, répond patiemment la rouquine, elle était comme tu la vois maintenant : les cheveux longs et nattés ainsi que le corps amaigri. Elle portait des habits confectionnés en peaux.

— Des vêtements en peaux ? rétorque l'homme incrédule. Nadine a dit que tu avais également visité ce Pays... Heu... Terre perdue... ou quelque chose du genre. Mais quand es-tu allée ? Pourquoi n'es-tu pas restée aussi longtemps que Nadine ? Pour quelle raison es-tu revenue avant ? Sans Nadine ?

Alex était presque furieux contre Marie. Mais, au cours du voyage en avion, la femme avait réfléchi à cette conversation facile à anticiper. Faisant fi de la colère de l'homme et gardant un ton calme, elle énonce les faits qui, elle le sait, seront difficiles à absorber.

— J'avais 30 ans; il y a de cela 25 ans. Nadine ne pouvait revenir par mon portail parce qu'il ne me ramenait pas à son époque.

Complètement éberlué par cette dose massive d'information, Alex reprend d'abord son souffle en regardant les deux femmes tour à tour. Quand aucune d'elle ne poursuit les explications, il décide d'user de patience.

— OK. Disons que je n'ai pas besoin de comprendre pour l'instant. Ouf ! C'est dur à suivre tout cela.

Nadine sourit devant le visage inquiet qu'affiche son mari. Elle tente de le rassurer.

— Alex, mon amour. Je suis revenue. Je suis en vie. Pour le moment, je pense que nous devrions passer à l'essentiel.

Voyant l'homme hocher la tête pour signifier son accord, elle se tourne vers son amie avec des yeux remplis d'interrogation. À sa manière rebelle, elle saute dans le vif du sujet.

— J'ai tant de questions à te poser, mais elles devront attendre ! Le plus urgent est d'informer le service de police de mon retour avant qu'un voisin le fasse à notre place. As-tu des suggestions ? Comment cela s'est-il passé pour vous ?

— Eux ? réplique Alex en se levant d'un bond. Il y en a d'autres qui sont allés là-bas ?

Puis, quand il voit les deux femmes éclater de rire face à son air à la fois ahuri et terrifié, Alex s'assoit avec un calme qu'il ne ressent pas vraiment. Il place ses mains devant lui, dans un geste d'abandon.

— OK je me tais ! Je garde mes questions pour plus tard.

Marie prend quelques secondes avant de parler. Elle tient à mettre en lumière, sans ambages, les différences entre les deux situations; pour qu'Alex et Nadine puissent en tenir compte et décider de la marche à suivre pour les prochains jours, de façon éclairée.

— Ça ne s'est pas passé aussi facilement pour notre retour; notre disparition n'a duré que quarante-huit heures. Le temps entre deux violentes tempêtes qui avait chacune enseveli complètement la ville sous un mètre de neige. Nous avons eu droit à une coupure de paye parce que nos explications face à notre absence étaient loin d'être satisfaisantes; le directeur était simplement resté éberlué devant l'état de nos vêtements. Le manque de manteaux chauds, laissés dans la grotte, nous a fait geler considérablement. Contrairement à ce que nous avions prévu, c'était encore l'hiver.

Au retour des visiteurs, tout comme pour leur arrivée au Pays de la Terre perdue, seule Marie se souvenait de ce qui s'était vraiment passé. Bien sûr, ce fait prouvait à nouveau que l'entrée volontaire dans le portail protège le cerveau. Comme ce fut le cas pour Nadine qui a réussi à revenir avec sa mémoire intacte. Ainsi, leur théorie se validait. André et Lucette avaient subi une violente céphalée et le déroulement des évènements était resté très vague dans leur tête. Le grand gaillard, réalisant que le voyage n'avait duré que quelques heures, a plutôt décidé de considérer le tout comme un mauvais rêve. La femme déjà fragilisée ne s'en est jamais remise. Les nombreux psychologues qu'elle a rencontrés au cours de sa vie n'ont jamais cru à cette histoire fantastique où une sorcière aux cheveux longs et aux vêtements de peau avait le premier rôle. Après l'aventure, Lucette a refusé catégoriquement qu'André l'approche à nouveau, alléguant qu'elle ne voulait pas d'un homme inapte à la protéger. Par contre, lorsqu'on la questionnait sur le sujet, elle était incapable de répondre avec cohérence, comme si l'épisode du viol dans la grotte[11] s'était envolé de son cerveau.

Quant à Jean-Pierre, il est tombé du portail en se cognant durement la tête sur une roche, restant évanoui plusieurs heures, tout comme lors de son débarquement au Pays de la Terre perdue. Il a été admis à l'hôpital pour quelques jours et il a eu droit à plusieurs points de suture à l'arcade sourcilière. Il devait donc cette marque à Nadine qui l'avait si violemment poussé dans le faisceau. À son réveil, Jean-Pierre avait tout oublié. Plus tard, quand il a demandé d'expliquer ses blessures, André lui a répondu que c'était une maudite sorcière complètement folle qui l'avait tabassé, sans lui donner d'autres détails. C'est ce qui lui est resté de toute cette aventure : une cicatrice au cuir chevelu, un nez cassé, une arcade sourcilière coupée en deux. Son caractère de chien, il l'avait avant son exil au Pays de la Terre perdue et il l'a perfectionné après son retour.

Marie n'a jamais oublié son expérience, sachant qu'un jour le chemin de Nadine et le sien allaient à nouveau se croiser. Puis, un matin, il y a de cela presque 10 ans, elle aidait Jean-Pierre pour des entrevues afin de le remplacer alors qu'il venait de prendre le poste de directeur. Au fil des rencontres, la rouquine a vu cette femme de 45 ans, affectée d'un peu d'embonpoint, la tête encore poivre et sel, pleine d'énergie, forte de ses capacités; au premier coup d'œil, Marie a identifié la copie plus jeune de la sorcière.

Si Jean-Pierre ne l'a jamais reconnue, le narcissique a tout de suite compris que cette personne serait une bonne addition à son équipe. Il pourrait utiliser à son avantage l'intelligence de Nadine, sa grande compétence à planifier

---

11   Voir le tome 4 *Les visiteurs* chapitre 20

et à livrer les projets. La conseillère n'a même pas eu besoin de le convaincre. Quant à André et Lucette, ils n'ont jamais fait le lien entre la sorcière et l'employée de 45 ans.

Nadine a commencé son travail une semaine plus tard. Elle et Marie sont devenues de bonnes amies, presque inséparables. Constatant la différence d'âge entre les deux versions, Marie a compris qu'elle aurait à garder le silence sur leur aventure pendant plusieurs années. Tout comme la nomade au Pays de la Terre perdue, la rouquine se devait de protéger le passé. Après des années de réflexion, elle était persuadée que d'informer Nadine de ce qui allait se produire pouvait provoquer la mort de l'une d'elles, dans cet autre monde. Ainsi, bien qu'elle était au fait que son amie vivrait des expériences très difficiles, parfois au péril de sa vie, elle a décidé de taire leur exil.

— Quand je suis revenue, reprend Marie, personne ne voulait me croire, même Alain refusait d'écouter mes explications. Cela a failli briser notre mariage. Puis j'ai cessé d'en parler. J'ai presque réussi à oublier; jusqu'à ce matin de 2001 où tu es entrée à nouveau dans mon existence. Alors j'ai su que ce que j'avais vécu était bien réel. Je saisissais que tu te retrouverais tôt ou tard au Pays de la Terre perdue et que tu y resterais deux ans. Te connaissant bien, je comprenais que tu ferais tout pour revenir; j'estimais que, selon la situation à Montréal, tu ne serais pas partie pour la totalité des deux ans. J'espérais que ce soit le temps entre deux orages comme ce fut le cas pour nous.

Surtout, Marie voulait être là lors de la traversée de Nadine. C'était raté. Par l'observation simple des vents et de l'analyse sommaire de l'air ambiant, Nadine arrivait mieux à prévoir les tempêtes que toute la technologie à la disposition d'Environnement Canada. Cette fois, la science s'était trompée et la rouquine avait manqué l'important évènement associé au retour de son amie.

Soudain, Nadine éclate en sanglots. Malgré les soubresauts qui secouent son corps, elle explique son désarroi.

— Si j'avais suivi les règles de sécurité, si j'étais demeurée sur la montagne, je n'aurais pas été coincée au Pays de la Terre perdue aussi longtemps. Peut-être que je serais revenue au bout de quelques jours seulement, et mon exil aurait été comprimé entre deux orages. Quelques semaines tout au plus.

Nadine pleure sans pouvoir s'arrêter. Ces nouvelles larmes s'ajoutent à toutes celles qu'elle a versées là-bas. « Ça ne cessera donc jamais ? » Alex s'approche et la prend dans ses bras pour la calmer. Marie l'observe d'un air perplexe. Elle mord sa lèvre, puis elle s'adresse doucement à son amie.

— Du point de vue de Montréal, tu aurais été absente pendant deux semaines de toute façon.

— Ce n'est pas le temps ici que je regrette, mais les moments que j'ai perdus dans cet univers rude. Téméraire et rebelle, j'ai agi avec imprudence en mettant ma vie en danger bien inutilement.

— Mais tu n'aurais pas été là pour moi, lui signale Marie. Je serais morte dans ce monde parallèle, avec les autres.

Nadine lève les yeux afin de regarder son amie à travers les larmes qui brouillent sa vue. Non, elle ne voulait pas penser au fait que Marie aurait pu ne pas survivre. Puis, un bout supplémentaire du casse-tête se pointe dans son cerveau.

— Je n'aurais jamais compris qu'il fallait que j'emprunte un portail de lumière pour revenir, si je ne t'avais pas rencontrée; c'est toi qui m'as apporté l'information. Sinon c'est moi qui serais morte au Pays de la Terre perdue.

— Puis il y a eu Lou, Allie et Tigré, poursuit Marie. Ils n'auraient pas survécu sans ton aide. Tu sais, je suis impatiente d'entendre ce qu'ils sont devenus après mon départ.

Alors que Nadine sèche ses joues, elle voit Alex lui jeter un coup d'œil perplexe en référence à ces nouveaux noms qui venaient de sortir de leur conversation. Son regard, empreint de craintes, semblait demander : « Qui sont ces gens-là ? » Nadine a voulu le rassurer.

— Alex, j'ai hâte de te parler des autres, surtout ces trois-là. Mais pour l'instant, nous devons nous occuper d'informer les enquêteurs.

Nadine se tourne vers la rouquine pour écouter ses recommandations. Marie prend une bonne respiration puis énonce les faits en jetant un coup d'œil vers Alex.

— J'ai beaucoup réfléchi après avoir su que tu avais appelé les policiers. On ne peut pas leur dire où était Nadine. De toute façon, ils ne croiraient jamais une telle histoire. Je propose donc de leur présenter seulement les éléments nécessaires pour qu'ils terminent leur rapport le plus rapidement possible. Il faut rester tout près de la vérité sans toutefois la dévoiler au complet.

— Marie, soutient Alex en secouant la tête énergiquement, ça ne marchera pas, Nadine est incapable de mentir.

— Je ne parle pas de ça. Je suggère de leur donner seulement les informations dont ils ont besoin pour fermer le dossier sans créer de vagues.

Puis, tentant de réprimer un fou rire, elle jette un coup d'œil à Nadine avant de poursuivre sa pensée.

— Quant à ta femme, elle est parfaitement apte à jouer ce jeu. Crois-moi, Alex, je sais qu'elle le peut. Fais-lui confiance.

— Fais-moi confiance…

Nadine avait répété machinalement cette phrase pleine de sens. Alors que leurs souvenirs refont surface, tant du Pays de la Terre perdue que de leurs années de travail à l'Agence Écho Personne, Marie et Nadine éclatent de rire en même temps. Perplexe, Alex observe la connivence des deux femmes sans comprendre. Il y a tant de choses qu'il n'arrive pas à saisir…

Une fois la tension diffuse, Marie énonce sa stratégie qu'ils discutent tous les trois jusque dans les moindres détails.

D'abord, il faut couper les cheveux de Nadine et faire disparaître les retailles. Ça évitera des questions. Ce sera déjà assez difficile d'expliquer la perte de 30 kilos en deux semaines; il vaut mieux ne pas avoir à attirer l'attention sur la chevelure allongée. Bien sûr, Marie avait apporté tout ce que nécessitait cette tâche. À la demande de sa femme, Alex prend plusieurs photos d'elle avec ses nattes et ses habits trop grands. Nadine veut garder une autre preuve de l'existence du Pays de la Terre perdue.

Par la suite, la revenante enfile les vêtements neufs qui couvrent adéquatement sa maigreur. La rouquine a judicieusement choisi un chandail à manches longues qui cache bien les trois cicatrices sur l'épaule de Nadine.

Pendant ce temps, Alex fait disparaître tous les objets associés à l'exil de sa blonde, ne déposant à l'entrée de la maison que le sac de montagne avec le matériel de Montréal que Nadine a rapporté et ses vieilles bottes. Perfectionniste, il a même enlevé les carrés de peau que la femme avait cousus sur ses vêtements pour les rapiécer.

La rescapée retire la pochette de son cou et la remplace par un foulard afin de camoufler la marque laissée sur sa gorge par la corde. De toute façon, elle ne portera plus ce mémento. Elle n'a plus besoin de se rappeler sa promesse de rester en vie pour retourner chez elle; elle y est maintenant. Le petit sac de cuir rejoint les autres objets rapportés dans ses bagages.

Une fois tous ces préparatifs terminés, Alex téléphone au lieutenant-détective Davis, pour l'informer que Nadine était revenue. Quand ce dernier demande où était la disparue durant son absence, Alex prend une profonde respiration, puis il met en place la stratégie : il ne sait pas;

sa femme raconte une étrange histoire; elle a beaucoup maigri comme si elle n'avait rien mangé depuis deux semaines. Davis viendra tout de suite.

Moins d'une demi-heure plus tard, les policiers William Davis et Nathalie Dubois arrivent à la résidence. Alex les accueille dans le portique de la maison. Davis saute dans le vif du sujet.

— Votre femme est revenue hier et vous nous communiquez cette information que cet avant-midi ?

— Je suis désolé. Je sais que j'aurais dû vous appeler avant. J'étais si content de la revoir vivante; puis je n'ai pas pensé que cela pourrait avoir une importance maintenant qu'elle est de retour.

— Elle était où pendant tout ce temps ? demande Davis.

Alex prend une profonde respiration et il ferme les yeux un moment; quand il les ouvre, ils sont pleins de larmes. Il croise ses bras sur sa poitrine et arrondit son dos.

— Je n'en ai pas la moindre idée. Je me suis levé hier matin et je suis allé dans l'entrée, Nadine était là.

— Votre femme vous a-t-elle indiqué l'endroit où elle se trouvait pendant ses deux semaines ? poursuit l'agente Dubois.

Alex baisse la tête et affiche un air découragé, puis il porte son regard brouillé de larmes vers la policière.

— Elle dit qu'elle a marché beaucoup. Longtemps. Dans la forêt, sur une plaine, puis dans une autre zone boisée. Je ne sais pas trop quoi penser… Elle est épuisée.

Les deux agents se consultent des yeux l'un l'autre. Ils en ont entendu des récits bizarres, mais celui-là les surprend.

— Est-ce que vous la croyez ? demande Davis.

— Je n'arrive pas à comprendre, répond Alex d'une voix tremblotante. Son matériel est très sale et fort usé, mais c'est peut-être autre chose. Je ne sais pas si je peux gober son histoire.

Les policiers échangent un regard qui en dit long. Leur enquête est presque terminée puisque la dame est en vie. Mais, pour ce couple, ils prédisent que le supplice ne fait que commencer.

— Où est votre femme en ce moment ? s'enquiert Davis. On doit lui parler pour notre rapport.

— Venez, elle est dans le salon avec une amie, répond Alex en pointant vers la pièce où, il y a deux jours seulement, ces mêmes policiers l'informaient de la fin des recherches.

Puis, il précède les deux agents vers Nadine. Celle-ci est assise, très calme, dans le plus grand fauteuil, ce qui accentue beaucoup sa maigreur.

— Bonjour, madame, je suis la sergente-détective Nathalie Dubois. Voici mon patron, le lieutenant-détective William Davis. Nous sommes désolés pour votre aventure et nous sommes vraiment contents que vous soyez de retour et en vie. Nous avons cependant quelques questions à vous poser pour achever notre rapport. Êtes-vous assez en forme pour y répondre ?

Nadine les regarde tour à tour, puis elle hausse les épaules pour signifier son indifférence.

— Racontez-nous ce qui s'est passé, demande Dubois, sortant son calepin de notes.

— Je me suis réveillée dans les bois, commence Nadine, lentement en pesant chaque mot. J'étais sur le sommet d'une montagne. J'ai marché pour descendre. Longtemps. Plusieurs jours. Des semaines. J'ai mangé des plantes. J'ai dormi dans les arbres. Puis, je suis arrivée dans la cour avant, sur l'asphalte. Je ne sais pas comment je suis revenue.

Alex regarde sa femme tricoter cette histoire bizarre, une sorte de demi-vérité. L'air d'incompréhension qu'exprime son visage incrédule sert bien leur cause. Mais, dans le fond, il est étonné de voir Nadine mentir de la sorte, ne serait-ce que par omission; normalement, elle devrait rougir comme une tomate, car elle devient furieuse quand elle est confrontée au mensonge; elle insiste toujours pour dire la vérité.

— Où est située cette forêt ? questionne Davis. Avez-vous rencontré quelqu'un ?

— Je ne sais pas où elle est. J'ai aperçu des loups, des chevreuils et des chevaux.

Les policiers poursuivent leur entrevue pour encore une bonne heure, revenant plusieurs fois sur certains détails. Ils demandent à inspecter le sac de montagne, ce qu'il y a dedans, les bottes, les vêtements qu'elle portait. Puis ils laissent une Nadine complètement épuisée avec son amie Marie. Ils se retirent à l'extérieur de la maison avec Alex.

— C'est une histoire plutôt saugrenue que votre femme raconte, insiste Davis. Avez-vous une explication ?

Bien préparé par Marie, Alex secoue la tête en affichant un découragement évident; il garde ses yeux pleins d'eau. Il dit ne pas savoir quoi faire. Il demande aux policiers s'ils ont des recommandations. Ces derniers lui suggèrent de faire voir rapidement sa conjointe par un médecin; des tests permettraient sûrement de mieux comprendre. Si on l'a droguée pendant ce temps, elle aurait peut-être rêvé toute cette histoire de loups et de chevaux. Un psychiatre pourra sans doute lui venir en aide.

Alex admet que ce serait une bonne idée, mais il garde un brin d'hésitation dans sa voix. Puis les policiers partent. Ils vont faire un rapport pour le retour de Nadine. Évidemment, ils devront revoir la revenante pour d'autres détails. Dans quelques jours. Quand son épouse sera plus reposée, sa mémoire sera peut-être meilleure. Alex les regarde s'éloigner la tête basse, les épaules voûtées. Puis il rejoint Nadine et Marie. Il est totalement confondu.

— Marie, tu avais raison ! Le stratagème a fonctionné !
À leur façon, les enquêteurs ont tout simplement comblé
le vide autour d'une histoire incroyable avec des bouts
d'information puisés de leur expérience.

Cependant, ni Alex ni les femmes ne sont dupes. Les
policiers non plus par ailleurs. C'est certain qu'ils vont
flairer le mystère et qu'ils voudront savoir la vérité.
Néanmoins, comme Nadine est revenue en vie, ils passeront bientôt à d'autres dossiers beaucoup plus importants.
Pour la plupart des personnes, il sera plus facile d'imaginer que Nadine a été enlevée, emprisonnée et, sous l'effet
de la drogue, qu'elle a rêvé d'un monde fantastique; ses
ravisseurs l'auraient relâchée pour des raisons obscures.
Les gens étant ce qu'ils sont, ils soupçonneront qu'Alex a
payé la rançon pour qu'on lui rende sa Nadine, mais qu'il
refuse de le dire pour ne pas déplaire aux policiers.

Tout un chacun ajustera le récit selon son propre vécu.
Certains présumeront qu'elle a fait une cure de désintoxi-
cation et qu'Alex et elle ont peur d'en parler. Certains
supposeront qu'elle « s'est tapé une petite aventure » avec
un autre homme et que son conjoint lui a pardonné quand
elle est revenue.

En ne précisant aucune information, les gens interpré-
teront le silence à leur façon. Par contre, si Nadine leur
racontait la vérité, aucun ne la croirait et ils chercheraient
à savoir ce que cette histoire farfelue cache. Il vaut donc
mieux ne pas trop donner de détails et laisser les ouï-dire
prendre la place.

Alex se fout de tout ça. Cela n'a aucune importance. Sa
femme est revenue. Mise à part une maigreur à faire peur,
Nadine respire la santé et la forme. Ils pourront poursuivre
leur vie, même si ce ne sera pas tout à fait comme avant.
Alex aimerait remettre un brin d'insouciance dans les
magnifiques yeux bleus de son épouse.

« Ça prendra du temps. Je serai patient... Je ne la laisserai plus jamais partir pour ce Pays de la Terre perdue qui a durci son regard. Je maudirai cet univers étrange chaque jour jusqu'à ce que Nadine retrouve sa quiétude. »

Chapitre 14

Montréal — 16 mai

— Nadine ! Tu devrais lui expliquer ! Il est parfaitement capable d'accepter ton histoire.

— Je n'y arrive pas. J'ai peur qu'il ne me croie pas. Je ne pourrais pas le supporter. Pourquoi ne comprends-tu pas ?

Quand le téléphone a sonné et que le mot « Bernard » s'est affiché sur le combiné, Nadine s'est élancée à l'épouvante vers l'extérieur de la maison. Alex a fait de son mieux pour convaincre Bernard que sa blonde ne « filait pas bien et qu'elle ne voulait pas encore voir personne ». Même au bout du fil, Alex a senti que l'homme tentait de gérer des émotions très vives et difficiles à supporter. Pourquoi son amie d'enfance lui refusait-elle des explications ? Il était choqué et frustré.

Alex rejoint finalement son épouse dans le jardin. Comme un chaton apeuré, la femme était assise sur une roche au milieu de plantes qui, en ce doux printemps, poussaient en beauté. Elle avait remonté ses genoux et les avait coincés dans ses bras. Elle courbait l'échine et le mouvement de va-et-vient de son corps démontrait une grande agitation. Elle a l'air si vulnérable qu'Alex ressent une vive douleur émotive qui lui va droit au cœur. Il s'approche de sa blonde, l'aide à se relever, puis il la serre contre sa poitrine. Pendant que les tremblements secouent les membres de Nadine, l'homme lui chuchote quelques mots à l'oreille.

— Bon ! Ça va, ma belle. Je lui ai dit que tu n'étais pas encore prête à lui parler de ton aventure. Il n'est pas content, mais je suis certain qu'il comprendra pourquoi tu hésites.

— Alex ! Je ne veux pas répéter l'expérience vécue avec ma mère. J'ai d'abord cru qu'elle mourrait d'apoplexie en me voyant. J'ai eu beau sourire, mes explications ne l'ont pas convaincue. Rappelle-toi sa réaction au fur et à mesure que je tentais de lui parler du Pays de la Terre perdue.

Mardi soir dernier, Alex et Nadine s'étaient rendus à la résidence pour personnes âgées où habite Irène. Affichant d'abord un immense bonheur de voir que sa benjamine était vivante, la vieille femme a pris un air fermé au fil du récit. Puis, sans plus s'occuper de Nadine, elle s'est retournée vers Alex pour déclarer à travers des lèvres pincées :

— Tu es bien naïf si tu crois à ces sornettes.

Puis, sans prononcer aucune parole, elle a sonné pour obtenir un service. À l'arrivée du personnel, elle demande :

— Je veux me coucher. Maintenant que je sais que ma fille est de retour, je pourrai enfin dormir une bonne nuit.

Puis, se tournant vers Nadine, Irène lui a signifié de partir d'un geste de la main.

— Nadine, tu reviendras me voir quand ça te tentera de me dire la vérité. Entretemps, je pense que tu devrais t'abstenir.

Se souvenant à quel point la conversation avait brisé le cœur fragile de sa femme, Alex saisit que Nadine refuse de risquer un nouveau rejet. Elle panique à l'idée que Bernard pourrait réagir de cette façon. Pourtant, Alex est convaincu que l'homme serait capable d'accepter les aventures de Nadine comme véridiques. Son expérience médicale ne pourrait nier les faits ni les preuves. Il tempère pour aider Nadine.

— Je comprends très bien, mais ta mère a 93 ans. Pour Bernard, ce n'est pas pareil. Il est plus jeune. Puis, il est médecin. Apporte les photos. La peau de lynx aussi...

— Tu as raison. Je sais que je dois lui parler. Je tenterai de le rencontrer quand je me rendrai à la clinique.

Marie, Alex et Nadine ont longuement discuté de la nécessité de procéder à un examen médical comme le recommandaient les policiers. Si la revenante se sent en forme, elle comprend que les agents ne lâcheront pas le morceau facilement. Ils la questionneront à nouveau. Alors les comparses ont convenu qu'il était préférable d'établir d'autres réponses. Puis, tel que l'a précisé la rouquine, l'exilée a passé deux ans dans des conditions diamétralement opposées à son style de vie habituel. Si elle a développé des carences durant son séjour, il valait mieux s'en occuper au plus tôt.

Dès le lundi matin, après le départ des enquêteurs, Alex a appelé les amis de trekking pour les informer du retour de la disparue. Incapable de bien expliquer la situation pour le moins bizarre entourant le voyage de sa femme du Pays de la Terre perdue, l'homme est resté avare de détails. Puis, même si le mari comprenait leur désir de la revoir, il a tout de même insisté pour qu'on laisse Nadine se reposer pour le moment; il a promis que des informations plus complètes viendraient d'ici quelques jours.

— Tu sais, affirme Alex, j'admets que tu ne peux pas encore parler aux autres, mais Bernard ne mérite pas ce silence. Il m'a beaucoup aidé durant les deux semaines de ta disparition. Malgré sa propre douleur, il est passé à la maison tous les soirs pour s'assurer que je tenais le coup. Il a appelé Dominique et Anne chaque jour.

— Tu crois qu'il est insulté par mon refus de le voir ?

— Je pense qu'il se sent exclu; il ne mérite pas ça. Tu es revenue depuis plusieurs jours déjà.

— Je n'ai pas la force d'affronter le scepticisme, la réaction à peine dissimulée qui trahit le doute sur mon récit… surtout pas de mon ami d'enfance.

— Fais-lui confiance. Il comprendra. Là, ce que tu le forces à subir en ce moment est bien pire. Tu coupes les ponts.

— Je sais. Quand je l'ai appelé il y a quelques jours pour le rendez-vous, la discussion a été très difficile.

Nadine, qui n'a plus son fini social habituel dans ses conversations, est allée droit au but. Sans le réaliser, elle ne faisait qu'accroître la déception de son ami qui s'exprimait dans une sorte de rancœur.

— Bonjour, Bernard, les policiers qui se sont occupés de ma disparition ont suggéré que je subisse un examen médical pour évaluer mon état de santé.

— Est-ce que tu te sens malade ? lui demande Bernard d'un ton plutôt froid.

— Non !

— Si tu n'as pas été malade, d'où vient la perte de poids dont Alex m'a parlé ? réplique Bernard sur un ton courroucé.

Nadine n'a pas répondu. Elle en était tout simplement incapable. Elle ne savait pas par où commencer. Les mots se bloquaient dans sa gorge; c'était si compliqué. Elle ne voulait pas discuter au téléphone. Plutôt que d'expliquer son malaise à son ami d'enfance, elle est restée muette. Dans sa tête, son côté rationnel lui rappelait que, sans suffisamment d'informations, Bernard ne pouvait deviner cette situation éprouvante. Elle serait probablement aussi offusquée et très déçue, si ce dernier la repoussait de cette façon. Par contre, cette peur viscérale de devenir la risée des autres la rendait incapable d'affronter les gens. Pas encore.

— Bon, d'accord, reprit Bernard sur un ton glacial pour briser le silence. Alex m'a expliqué que tu n'arrivais pas à en parler. J'ai pensé que ce serait différent pour ton ami d'enfance. Alors si c'est cela que tu veux, on procédera à un examen. Je transfère ton appel à ma secrétaire, qui va te donner un rendez-vous.

Il n'a pas attendu qu'elle acquiesce. De toute façon, Nadine ne savait pas quoi lui dire. Puis elle a entendu la voix de Josiane qui lui précisait qu'il y avait une disponibilité le lundi suivant, le 16 mai. Aujourd'hui, alors que la date fatidique est enfin arrivée, Nadine a la frousse. Alex lui a offert de l'accompagner, mais à sa manière téméraire et rebelle, elle a choisi de passer cette épreuve seule. Elle veut tenter de parler un moment avec Bernard. Elle a tellement besoin de lui.

Nadine se présente à la clinique de santé vers 8 h. Alex l'ayant déposée, il viendrait la chercher pour la ramener à la maison, aussitôt les examens terminés. La nomade, pour qui la vitesse maximale atteinte en deux ans d'escapade était celle de son radeau le Liberta, était toujours incapable de conduire la voiture qui bougeait si rapidement qu'elle avait mal au cœur. Il lui restait encore beaucoup de chemin à faire avant qu'elle puisse oublier son aventure des deux dernières années. « Non ! Je ne veux pas l'oublier... j'ai juste besoin de réapprendre à vivre dans ce monde technique qui m'a vue naître... »

Cette matinée pleine de soleil lui rappelle le Pays de la Terre perdue. Elle devrait se sentir bien, en harmonie avec la nature; par contre, son cœur est lourd, rempli d'appréhension. Elle sait que les employés de la clinique réagiront à son allure amaigrie. Elle était certes de retour depuis quelques jours, mais Nadine n'était pas encore habituée à l'effet que les changements physiques ont sur les gens. Sauf pour sa famille et Marie, elle n'a aperçu que quelques voisins au fil de ses longues randonnées; leur façon de l'observer maladroitement, ainsi que leurs questions envahissantes ont été suffisantes pour qu'elle refuse de sortir à nouveau le jour, choisissant le camouflage de la nuit pour marcher dehors dans la ville au bras de son Alex.

Elle savait donc que les employés de la clinique l'examineraient de la tête au pied. Ils se demanderont certainement si le cancer pouvait faire maigrir une personne aussi vite. Ils l'ont vue il y a à peine un mois, alors qu'elle était venue rejoindre Bernard pour se rendre à un souper d'amis. N'ayant aucune information sur ce qu'elle a vécu en deux ans, ils ne comprendraient tout simplement pas.

Comme c'est la nature de l'humain de repousser l'insolite, ils inventeront des significations. Elle a très peur que Bernard remette en question son histoire, mais elle doit tenter de lui dire la vérité. Sans ça, elle permettait au Pays de la Terre perdue de continuer la destruction de sa vie en lui enlevant son ami d'enfance.

Depuis son retour, elle s'explique mal la difficulté qu'elle ressent à s'exprimer. Dès qu'elle essaie, sa gorge semble constamment bloquée par une boule d'émotions. Elle se souvient de tous les efforts qu'elle a dû faire pour communiquer avec les visiteurs. Le phénomène se poursuit même une fois qu'elle fut revenue chez elle. En deux ans, le Pays de la Terre perdue a fait disparaître ses repères sociaux qui normalement colorent ses conversations autant que ses expressions faciales. Maintenant, les mots sont épars et sa voix reste rauque. Dans ces moments où elle cherche ses paroles, elle se sent devenir très émotive et cela la rend plus inconfortable. C'est comme si, même si elle a quitté cet univers énigmatique, celui-ci retient encore une partie de son âme. Elle devra la recouvrer en lui arrachant un petit bout à la fois.

Alors, ce matin, même si l'appréhension l'étouffe, elle est déterminée à discuter avec Bernard de ses aventures. Elle fera un effort presque surhumain parce qu'il est son meilleur ami. Son sac à main contient quelques photos prises par Alex le jour de son retour pour que le médecin accepte plus facilement cette histoire invraisemblable. Elle veut aussi le remercier pour ce qu'il lui a appris sur la nutrition; ces connaissances ont largement contribué à sa survie. Elle est certaine que les examens confirmeront qu'elle est en santé. Elle n'aurait même pas pensé vérifier son état si cela n'avait pas été fortement suggéré par les policiers.

Nerveusement, elle ouvre la porte de la clinique pour apercevoir Josiane, la secrétaire de Bernard, qui lève la tête pour noter qui entrait dans le bureau. Quand elle voit Nadine, elle lui dit bonjour avec un large sourire puis elle lui demande son nom. La détermination de Nadine tombe et quelques larmes s'accrochent à ses yeux. L'adjointe ne sait même pas qui elle est. Tentant de garder son calme, elle s'adresse à cette amie qu'elle connaît pourtant depuis longtemps.

— Bonjour, Josiane, est-ce que Bernard est arrivé ?

Reconnaissant la voix, Josiane redresse la tête pour mieux apercevoir la nouvelle venue; elle reste bouche bée. La dame devant elle est tellement changée qu'elle peine à faire le lien entre le corps et les paroles.

— Heu... Nadine ? C'est bien vous ? Est-ce que vous avez été malade ? Vous avez perdu tellement de poids.

Nadine se contente de fixer la secrétaire avec des prunelles tristes; elle ne répond pas et surtout, elle ne sourit pas. Que pourrait-elle dire ? Puis, malgré elle, la femme encore nomade sent son regard se durcir de quelques crans. Elle trouve le commentaire un peu trop direct et fort maladroit. Devant le refus de l'autre de s'expliquer, Josiane reprend une expression plus professionnelle.

— Désolée, je n'aurais pas dû vous questionner. C'est la surprise. Pardonnez-moi.

Elle tourne ses yeux vers l'écran d'ordinateur qui, se reflétant sur son visage, lui donne un air plus pâle qu'il ne l'est vraiment. Elle frappe quelques touches tout en fixant l'appareil, le geste l'aidant à garder une certaine constance. Après deux ou trois clics supplémentaires, la secrétaire reprend la parole, tentant de ne pas dévisager la cliente.

— Vous avez rendez-vous avec l'infirmière, ce matin. Amanda vous attend à son bureau.

— Est-ce que je verrai Bernard après l'examen ? demande Nadine sidérée.

Josiane hésite à répondre. Son patron a laissé des instructions précises, car il refuse de rencontrer Nadine. L'employée n'a pas cherché à savoir ce qui aurait pu briser la solide amitié qui existe entre ces deux-là depuis toujours. Elle tente de limiter les dégâts.

— Il arrivera un peu plus tard ce matin, indique Josiane.

Nadine voit le regard furtif de la secrétaire et en conclut que Bernard a choisi de l'éviter. Elle ferme les yeux. « C'est de ma faute… j'aurais dû lui parler avant… » Elle est si déçue. Elle comprend la réaction de son ami, mais elle en est fort désolée. « J'aurais dû lui faire confiance… Il ne mérite pas mon silence… » Maintenant, elle devra lui laisser du temps. S'armer de patience… encore…

Quittant l'entrée de la clinique, la cliente marche lentement dans le corridor pour se retrouver devant la porte où s'affiche le titre « infirmière » et où le nom d'Amanda apparaît en lettres dorées. Elle frappe deux petits coups et attend qu'on l'invite à pénétrer dans la pièce.

— Entre Nadine, répond Amanda, alors qu'elle inscrit encore quelques notes dans le dossier du patient précédent.

Nadine s'immisce silencieusement dans le bureau, tout en surveillant l'effet de sa métamorphose sur l'expression faciale de l'infirmière. Quand cette dernière lève la tête, sa phrase de bienvenue reste coincée dans sa gorge. Les grands yeux noirs, bien campés dans ce visage à la couleur d'Afrique, regardent la nouvelle venue sans que son cerveau puisse trouver un sens avec ce qu'elle voit. La professionnelle de la santé doit faire des efforts apparents pour contrôler sa réaction. Connaissant Nadine depuis plusieurs années, elle souhaiterait la prendre dans ses bras et tenter d'apprendre ce qui est arrivé durant sa disparition de deux semaines. Mais Bernard a été clair. Nadine n'a pas accepté de lui dire ce qui s'est passé, alors il ne veut pas savoir; il a interdit à son personnel de poser des questions sur l'absence de son amie.

Amanda observe sa cliente un moment. C'est ainsi qu'elle réalise que les 30 kilos en moins ne sont rien à côté des changements qui se reflètent dans le regard sévère de la femme. D'où vient cette dureté au fond de ses prunelles ? Où est passé le rire communicateur qui fait habituellement partie de leurs échanges ? L'infirmière prend quelques secondes avant de commencer l'entrevue. De toute façon, elle sait qu'elle n'a pas besoin d'expliquer quoi que ce soit; l'autre a remarqué son malaise et une vive douleur s'est ajoutée à l'expression courroucée de Nadine. Elle baisse son nez vers le dossier ouvert devant elle, sur son bureau.

— Bon ! Bernard a recommandé des tests de sang et les mesures biométriques habituelles. Vous êtes prête ?

Nadine a le cœur gros. Elle comprend mal l'attitude réservée de l'infirmière. Elle ravale le flot de larmes qui brûle ses paupières. Puis, d'un air rebelle, elle plonge son regard dans celui de l'autre. Si on veut lui servir le ton froid et dépourvu d'humanité que le métier exige parfois, elle peut répondre au centuple. Le Pays de la Terre perdue l'a fait pratiquer ce comportement à plusieurs reprises. Sa voix devient glaciale.

— OK. Allons-y.

Pendant plus d'une demi-heure, Amanda note les mesures biométriques avec un professionnalisme déconcertant et garde ses commentaires très courts : son cœur est en pleine forme; son pouls est fort; sa tension artérielle est meilleure que la dernière fois.

Un seul incident difficile se produit pendant l'entrevue. Quand Amanda a voulu relever le chandail sur le bras droit, pour y mettre un appareil de lecture, Nadine a repoussé violemment les mains de l'infirmière en exigeant qu'on fasse le test sur son bras gauche. Amanda a observé la cliente un moment, sans comprendre la réaction vive. Comme il n'y a pas vraiment de différence entre l'utilisation d'un membre ou l'autre, elle a accepté candidement de procéder selon la volonté de la patiente. La professionnelle était à peine rassurée de voir disparaître peu à peu toute cette férocité qui, à la suite de l'incident, s'était cristallisée dans l'expression faciale de sa cliente. Elle maudissait la promesse faite à son patron de ne pas la questionner. Elle aurait voulu savoir tout ce mal que cette femme avait subi pour provoquer ce changement drastique. Sa joie de vivre habituelle s'était mutée en une terreur inexplicable et une rigidité psychologique inquiétante. Elle devra attendre pour en connaître la raison.

Nadine n'était pas prête à montrer cette blessure profonde laissée par les griffes d'un lynx. Surtout en raison de l'attitude froide de cette infirmière qu'elle considérait jusqu'à présent comme son amie. Elle a réagi tout simplement comme elle a appris à le faire au Pays de la Terre perdue quand elle se sentait menacée, par pur réflexe. Elle serre les dents, fronce les sourcils et met tous les muscles de son corps sous tension. La décharge d'adrénaline l'électrifie instantanément et elle fixe celle qui lui apportait l'adversité à travers un regard glacial, dur et implacable. Tout son être dégage la défiance face à un danger et l'intention de gagner la lutte coûte que coûte. Elle ne s'aperçoit même pas que son attitude est intimidante pour l'autre qui, sans le comprendre, est devenue une menace, un ennemi à vaincre.

L'infirmière choisit d'ignorer la réaction de sa cliente et poursuit l'entrevue. Lentement, elle voit que Nadine s'apaise à nouveau. Une fois les examens terminés, Amanda reste perplexe face aux résultats obtenus. Elle présume que la revenante a été très malade, ce qui est la seule explication plausible à cette perte de poids rapide et plutôt anormale. Ainsi, les signes vitaux de la patiente devraient démontrer une grande faiblesse. Or, Nadine est en pleine forme, selon les indicateurs habituels. L'infirmière devra attendre les tests sanguins pour tenter de mieux comprendre.

Entre deux coups de stylo dans le dossier, Amanda observe Nadine. Le visage bruni par le soleil, entouré de cheveux blancs, reflète maintenant le calme. Elle se tient assise, bien droite, la tête haute. Normalement, elle lui aurait demandé au moins dix fois durant l'examen : « Est-ce que c'est bientôt fini ? » Elle aurait ajouté quelques soupirs empreints d'agacement. Or, ce matin, elle attend avec une patience étonnante. Qu'est-il arrivé à cette femme pour que son caractère impulsif change autant en deux semaines ?

— Nadine... commence Amande hésitant à poursuivre.

L'infirmière lève les yeux pour observer d'autres détails qui lui échappaient jusqu'à ce moment. Les cheveux de Nadine semblent plus blancs. De nombreuses rides se sont ajoutées à son visage depuis la dernière fois. Le regard bleu est devenu perçant. Il y a ce calme inexplicable. Amanda a l'impression d'avoir une personne qu'elle n'a pas vue depuis plusieurs années et qui aurait changé considérablement sous la pression d'une terrible épreuve ou d'un stress difficile. « Les prisonniers qui retrouvent la liberté adoptent cette attitude », se souvient-elle.

— Nadine, reprend l'Africaine. Vous comprenez que vous pouvez me parler en toute confidentialité, n'est-ce pas ?

Nadine dévisage l'infirmière d'un air perplexe. Elle sait très bien que ce qu'elle lui dirait resterait entre elles. Elle peut lui faire confiance. Mais elle n'est pas certaine que l'autre accepterait facilement ce qu'elle pourrait lui raconter sans la référer à un psychiatre. Depuis son retour, Nadine réalise à quel point ses aventures sont perçues comme étant invraisemblables. Si les membres de sa propre famille ont de la difficulté à croire en elle, malgré des preuves qu'ils ont sous les yeux, comment pourrait-elle demander à Amanda de comprendre ? De plus, c'est de l'appui et la confiance de son ami d'enfance dont elle a besoin.

Elle devait d'abord parler avec Bernard, lui montrer les photos, commencer à lui expliquer, même si elle sait que les questions teintées d'incrédulité allaient l'épuiser plus que la chasse au chevreuil. Elle voulait qu'il accepte de l'écouter quand elle serait prête, c'est-à-dire aujourd'hui, là, maintenant. Elle s'était trompée. Bernard est fâché parce qu'elle a refusé qu'il vienne à la maison. Trop tôt pour elle, et pour lui, c'était une bouderie impardonnable. Alors, déterminée à compléter l'entretien le plus vite possible, Nadine a regardé Amanda droit dans les yeux.

— Oui, je sais, se contente-t-elle de dire.

Puis, elle se redresse sans attendre et quitte le bureau de l'infirmière sans lui donner la moindre explication. Quand elle passe devant le cabinet de Bernard, la porte est ouverte et elle l'entend terminer une conversation au téléphone; il est seul. « C'est ma chance... Allez ! Fonce ! » Elle frappe quelques coups légers pour signaler sa présence. Elle sourit. Bernard lève les yeux et regarde longuement son amie, une expression d'indifférence sur son visage. Il s'adresse froidement à celle qui l'a repoussé.

— Tu as fini les examens ?

— Oui, répond simplement Nadine, faisant de gros efforts pour ne pas pleurer.

— Alors je vais t'appeler dans quelques jours pour te donner les résultats.

Malgré l'air buté du médecin, Nadine fait un pas dans le bureau pour tenter de briser la glace qui s'étend sur leur amitié.

— Bernard...

— J'ai une journée chargée, réplique l'homme en levant la main pour l'arrêter. Je communiquerai avec toi dans quelques jours.

Puis, brusquement, il pèse sur le bouton pour signaler à sa secrétaire de lui envoyer le prochain patient. Nadine est blessée par l'attitude de Bernard. Elle quitte la clinique la tête basse et le visage mouillé de larmes. Elle est si étranglée par le doute et l'inquiétude qu'elle doit attendre quelques minutes avant de pouvoir appeler Alex pour qu'il vienne la chercher. Malheureuse, la femme reste tellement déçue de ce rendez-vous raté que la colère finit par envahir son âme. Elle serre les poings. « Maudit Pays de merde ! Tu me

fais de la misère jusque chez moi ! Lâche-moi un peu ! »
Debout sur le coin de la rue, elle se retient de hurler sa
rage. Si elle criait sa fureur à la manière de la sorcière du
Pays de la Terre perdue, on l'enfermerait sur-le-champ
dans un hôpital psychiatrique. Elle n'aura donc jamais fini
avec cette histoire ? Pourra-t-elle un jour tourner la page,
fermer ce chapitre de sa vie ?

Deux jours plus tard, Bernard a téléphoné à la maison.
Alex a voulu passer l'appel à Nadine dans le jardin, mais
l'ami ne lui en a pas laissé le temps.

— Ce n'est pas nécessaire. Informe-la que tous ses
résultats sont normaux. Ta femme est en santé. Nous lui
donnerons les détails à sa prochaine visite.

Puis le médecin a raccroché sans même dire au revoir.
Alex reste estomaqué par la froideur de Bernard. Ce mur
invisible entre eux lui fait mal. Nadine aurait grand besoin
de son ami d'enfance pour passer à travers toutes les difficultés associées à son retour. Alex voudrait lui épargner
tous ces désagréments, mais il y a des imbroglios que seul
le temps réussira à amoindrir. Pour le moment, il remplit
deux tasses de café et rejoint Nadine dans le jardin où elle
se réfugie sans raison apparente, plus souvent qu'avant.
Alors qu'il s'assoit sur l'une des deux chaises qui trônent
au milieu des odeurs nouvelles du printemps, Alex
s'inquiète.

— Tu passes beaucoup d'heures avec tes fleurs.
Devrais-je comprendre que tu aimerais revoir ce pays
énigmatique ?

— Oui et non. Tu sais, je n'avais droit qu'à un aller
et un retour. Je ne peux donc pas retraverser le portail.
Ma vie est maintenant dans cet univers avec toi et notre
famille; c'est aussi ce que je désire le plus au monde. Mais,
étrangement, j'ai de temps à autre un curieux besoin de
retrouver, ne serait-ce que quelques minutes à la fois, cette
solitude qui, même si elle m'a fait terriblement souffrir,
me permettait de voir clair dans le tourbillon débridé de
mon existence.

— C'est la transition qui est difficile.

— Pourtant, là-bas, je me suis habituée à ces changements rapides, violents, souvent impossibles. J'ai toujours été capable de réagir avec détermination. Pourquoi est-ce différent maintenant que je suis de retour ?

— C'est à cause du facteur humain. Au Pays de la Terre perdue, même si tu n'avais pas de contrôle sur les évènements, tu l'avais totalement sur tes actions. Si tu prenais des risques, ils étaient balancés par la probabilité de survivre. Ici, notre monde est rempli d'autres personnages qui influencent ta façon d'aborder la vie. Est-ce possible qu'avec des humains, tu puisses vraiment prévoir leurs réactions ? Je crois que cela te fait plus peur que d'affronter les orages meurtriers. Ai-je tort ?

Nadine écoute son mari, si cartésien d'habitude, lui expliquer aussi simplement toute cette réadaptation si essentielle aux autres, mais qui bouleverse tant sa tête que son corps et son âme. Il a raison. Elle doit faire face à ce défi, confronter ses craintes et accepter les risques. Elle sourit et s'adresse à lui d'un air taquin.

— Comment ça se fait que tu aies fait des études d'ingénieur ? Tu aurais pu devenir psychologue... merci beaucoup pour ta compréhension.

— Ma belle, pour t'aider, je ferai n'importe quoi... Je t'aime tellement !

— Je t'aime aussi... Tu m'as manqué terriblement là-bas... si tu savais...

Les deux amoureux restent quelques minutes dans cet endroit calme. Puis, alors qu'il saisit que Nadine a repris un semblant de contrôle, Alex frotte ses mains ensemble puis il s'adresse à sa blonde d'un air taquin afin de détendre l'atmosphère.

— Voilà ! Je suis certain que toute l'expérience t'a creusé l'appétit ! Je pense que j'ai un rôti de mammouth dans ma grotte... aïe ! Je vais avoir une ecchymose à l'épaule ! Tu frappes fort ma femme des cavernes... aïe !

C'est en riant de bon cœur qu'Alex s'élance vers la maison. Nadine part à ses trousses et martèle son dos de ses paumes ouvertes avec enthousiasme et bonne humeur.

Chapitre 15

Montréal — 19 mai

« Elle va frapper quelqu'un… je dois la surveiller… l'attente est trop longue… bon sang… »

Alex observe sa femme. Elle se tient debout, le dos droit, les mains dans les poches, avec une expression renfrognée sur le visage. De toute évidence, elle tente de ne pas réagir violemment aux bousculades involontaires des personnes dans la file. L'homme craint d'entendre à tout moment ce cri de rage qui a glacé son sang deux fois depuis le retour de Nadine. Il se prépare mentalement aux gestes brusques de son épouse en réponse à des mouvements vifs des gens qui l'entourent. « Elle est devenue si sauvage… redoutable… ce n'est pas possible… »

Cela fait onze jours que Nadine est revenue. Physiquement, son corps est à Montréal. Mais, psychologiquement, elle se bat constamment pour reprendre sa vie d'avant, comme si le Pays de la Terre perdue retenait toujours son âme. Elle fait de gros efforts pour retrouver le sourire auquel ses amis sont habitués. Mais elle n'y arrive pas encore. Elle regarde les autres avec des yeux tellement durs que cela fait fuir les plus téméraires.

Elle a décidé de ne pas conduire son automobile pour le moment et Alex convient que c'est mieux ainsi. Les réflexes brutaux de sa blonde sont si aiguisés qu'il plaint sincèrement le premier qui oserait lui couper le passage. Il imagine la scène mettant en vedette une femme aux cheveux ébouriffés qui, sautant sur le toit de la voiture prise en défaut, fait un trou d'un coup de poing sec et puissant pour étrangler le chauffeur. Elle ne devient pas verte comme l'incroyable Hulk, ce personnage de l'univers de bande dessinée de Marvel Comics; par contre, elle grogne sa rancœur avec la même rage que le célèbre redresseur de torts fictif.

Consciente de ses difficultés à socialiser, Nadine ne se fait pas confiance pour sortir seule, ne serait-ce que pour une simple marche de quelques minutes. Elle a peur de ses réactions vives, voire violentes quand il y a trop de gens qui l'entourent. Alex encourage sa femme à poursuivre ses efforts, mais la solution doit venir d'elle. Marie lui a expliqué que 37 jours au Pays de la Terre perdue l'avaient tellement changée, qu'elle a mis plusieurs mois pour se réadapter à sa vie d'avant. Pourtant, là-bas, elle avait la sorcière pour l'aider. Nadine a vécu seule pendant deux ans dans une contrée sans civilisation et sans technologie. Pour survivre, elle a dû briser tous les anciens repères de son éducation moderne et accepter de s'intégrer dans ce nouvel univers primitif. Pour faire le chemin inverse, elle aura besoin de beaucoup de temps.

Féru de philosophie, Alex fait un lien direct entre ce que vit Nadine et l'histoire de l'humanité. L'évolution de l'Homme a pris 25 000 ans pour atteindre ce niveau technologique qui lui permet de voyager à travers le système solaire. Sur les entrefaites, il a construit des civilisations et il s'est donné des règles de vie en société. Pour survivre, Nadine a dû perdre tous ces acquis culturels qui la rendaient raffinée et éduquée. Elle a donc fait, en deux ans, l'inverse de ce que la race humaine a mis des millénaires à accomplir.

Elle fait son chemin de retour lentement, ajoutant chaque jour des défis à sa réhabilitation. C'est ainsi qu'un jour, elle a surpris son mari avec une demande plutôt extraordinaire pour les circonstances.

— Je voudrais aller dîner au restaurant. Qu'est-ce que tu en penses ?

— Moi, je suis partant, mais es-tu certaine que tu en es capable ? Il y aura beaucoup de gens et le bruit dérangera tes oreilles rendues si sensibles.

— Non, je ne suis sûre de rien. Par contre, il faut que je plonge dans la société sinon je n'arriverai jamais à m'y sentir bien.

Alex a cru reconnaître une touche de cette impatience qui faisait partie de la vie de Nadine avant sa disparition. Mais, quand il a regardé sa femme, il a plutôt vu une profonde détermination à s'imposer une contrainte. Sa guérison psychologique sera délicate et elle veut faire des pas vers le rétablissement au lieu de demeurer convalescente plus longtemps. S'il pensait que c'était trop vite, Alex a tout de même choisi de l'aider. En ce moment, au milieu de la file d'attente, il doute d'avoir pris la bonne décision.

Nadine et lui se sont présentés au restaurant une dizaine de minutes avant l'heure de leur réservation. Une caractéristique du tempérament de Nadine n'a aucunement changé malgré son périple au Pays de la Terre perdue : elle déteste être en retard. Alors, elle insiste toujours pour arriver en avance, peu importe le rendez-vous. Cette sortie ne faisait donc pas exception.

En ce jeudi soir, la salle est bondée; malgré la réservation, leur table était encore occupée et les clients tardaient à partir. En s'excusant, le serveur les informe gentiment que leur place ne sera pas prête avant une vingtaine de minutes. Alex est content de constater que Nadine accepte l'explication. Cependant, elle regarde nerveusement un peu partout; Alex la sent déstabilisée par le brouhaha qui éclate régulièrement tout autour d'elle. Elle sursaute au moindre son ou simplement lorsque quelqu'un passe trop près d'elle.

D'autres clients ont une réservation comme eux et certains n'en ont pas. La plupart restent tranquilles alors que quelques-uns montrent toutes les allures d'avoir commencé le party avant leur arrivée au restaurant. Le bruit est assourdissant et l'odeur d'alcool médiocre flotte autour d'eux. Un peu naïvement, Alex aurait aimé que Nadine reprenne ses habitudes conciliantes et qu'elle engage la conversation avec les gens qui attendent avec eux. Normalement, avec son sourire désarmant, elle n'a besoin que de deux ou trois minutes pour entamer une discussion, obtenir le prénom des clients et les faire rire aux éclats. Naturellement, la femme est à l'aise avec tout le monde et, avant son séjour au Pays de la Terre perdue, elle était fort habile pour détendre l'atmosphère en toutes circonstances.

Mais ce soir, Alex est surpris de voir Nadine mettre de la distance entre elle et les autres, fermant même les poings quand une personne s'approche trop près d'elle. Pour éviter une réaction vive, il place son corps entre son épouse et le reste de la file. Il attend avec une impatience inhabituelle que leur table soit prête. Il ne sait pas si Nadine frapperait vraiment un des clients, mais il ne veut pas prendre de risque. Si elle s'est battue avec un lynx, elle est bien capable de casser le nez d'un gaillard beaucoup plus grand qu'elle.

L'homme est désolé de voir l'expression de loup sauvage sur le visage de sa femme. Elle ne sourit pas du tout. Ses yeux brillants reflètent quelque chose entre la rage et la terreur. Pourquoi a-t-elle peur des gens ? Alors que la question tourne dans sa tête, une explication différente s'installe. Il doute qu'elle soit irritée par les clients ou le personnel du restaurant. Il croit plutôt qu'elle est fâchée contre elle-même, exaspérée de ne pouvoir mieux contrôler la situation. Elle craint que sa colère éclate sans qu'elle puisse la contenir. Au fil de l'attente interminable, il voit l'expression du visage de sa blonde passer de la peur à l'inquiétude, puis à la rage pour revenir à l'affolement. Sa peau se teinte de rouge puis pâlit en quelques secondes. Ses sourcils se froncent pour afficher aussitôt un air de total effarement. Elle est tendue comme une corde de violon trop étirée qui pourrait casser à tout moment.

Les quelques serveurs et clients, qui connaissaient Nadine avant ses aventures, la dévisagent sans vergogne, ce qui augmente considérablement le stress qu'elle supporte de plus en plus difficilement. Réalisant que l'exilée a dû abandonner ses filtres sociaux pendant son séjour au Pays de la Terre perdue, Alex ne peut qu'observer la réponse de Nadine à l'attitude de ces gens. Elle les confronte de ses yeux qui garrochent la mort. Aucun ne s'y frotte plus d'une fois. Plusieurs d'entre eux se sont éloignés rapidement, la peur imprimée sur leur visage.

— Est-ce que ça va, ma belle ? demande Alex en feignant un calme qu'il ne ressent pas vraiment.

— Hum ? lui répond Nadine avec une expression de surprise. Bien sûr ! Pourquoi poses-tu la question ?

— Tu fermes les poings et tu as l'air un peu nerveuse. As-tu faim ?

Il ne lui dira cependant pas qu'elle affiche des yeux effarouchés comme ceux d'une bête traquée. Alex a tout de même peur que la situation se corse et que sa blonde réagisse avec l'instinct d'un animal. Le Pays de la Terre perdue a rendu sa femme sauvage et antisociale. Nadine regarde ses doigts et réalise qu'ils lui font mal, un signe évident qu'elle est tendue et qu'elle les serrait fortement afin d'empêcher les gestes brutaux et viscéraux. Elle s'avance vers son mari et dépose ses mains dans celle de l'homme.

— Tu as raison. J'ai les nerfs à vif. Je vis des émotions extrêmes et très contradictoires. Je suis contente d'être ici avec toi et je suis curieuse de tout voir. Par contre, les gens autour m'agacent, les bruits sourds me font penser aux orages, les odeurs m'agressent. Aide-moi à contrôler mes réactions, s'il te plaît. Parle-moi de nos petits-enfants. Ça va me permettre de mieux supporter le stress.

Une demi-heure s'écoule lentement avant que le placier revienne leur annoncer, d'un sourire amiable, que leur table était enfin libre. Alex s'attendait à ce que Nadine prenne les devants pour le remercier, puisqu'elle était toujours plus rapide que lui pour ces banalités nécessaires en société; elle savait si bien mettre les gens à l'aise. Mais aujourd'hui, elle se contente de fixer le jeune homme avec un regard froid et calculateur. Alex n'est pas certain à cause du bruit ambiant, mais il a cru entendre un grognement en guise de réponse. Le serveur a été si surpris qu'il a reculé de quelques pas.

Suivant les recommandations de Marie, Alex avait réservé une table dans un coin plus tranquille du restaurant, pour permettre à Nadine « d'apprivoiser lentement la société » comme elle le disait si bien. Découragé, il regarde sa femme qui n'en finit plus d'examiner le menu sans arriver à vraiment se concentrer. De toute évidence, le moindre bruit l'agace et l'incite à réagir vivement. Il a l'impression qu'elle va bondir et sauter par la fenêtre à la première occasion. Le nez plissé et relevé, elle hume les odeurs alléchantes provenant des plats qui font gargouiller son estomac. D'un autre côté, elle flaire les effluves désagréables que dégagent les gens et qui irritent ses narines. « Comment pouvais-je accepter tous ces parfums agressifs avant ? » Elle tressaille vivement quand un autre client s'approche un peu trop près d'elle pour prendre place à la table à côté d'eux.

Plusieurs fois, Alex pose sa main sur le poing fermé de Nadine pour tenter de la calmer et éviter qu'elle frappe un étranger. « Il n'est pas question de finir cette soirée en prison... » Au milieu du repas, quand le serveur s'avance vers eux pour remplir leurs verres de vin, Nadine sursaute et le fixe avec une telle malice dans le regard que le jeune homme s'éloigne en s'excusant, laissant la femme impuissante à comprendre la réaction qu'elle vient de provoquer. Quelque part, la revenante saisit mal que ces comportements asociaux agressent littéralement les autres. Elle ne réalise pas qu'elle est devenue une tigresse. Ainsi, elle demeure incapable de se départir de ses réflexes bien aiguisés par la vie trop dure dans une nature où il n'y a que deux options : tuer ou être tuée.

— Pourquoi le serveur est-il parti sans remplir les verres ? demande-t-elle d'un air offusqué.

— Tu ne sais vraiment pas, lui répond Alex en prenant la bouteille pour en vider dans les coupes. Tu l'as fusillé du regard… c'est un peu désarmant, tu comprends.

— Voyons ! Je ne l'ai pas entendu s'approcher à pas feutrés ! J'ai été surprise, c'est tout !

— Hum… Ne réalises-tu pas que tes yeux crachent le feu à la moindre occasion ? Je pense que tu as eu la vie très difficile là-bas et que tu utilisais surtout ton instinct pour survivre. Sauf qu'en société, ça ne sert qu'à effrayer les autres.

— Je fais peur aux gens, moi ?

Alex se contente de hocher la tête. Les sourcils froncés par la concentration, Nadine s'emmure dans un mutisme déconcertant durant quelques minutes. Alex comprend qu'elle doit digérer tout ce qu'elle apprend ce soir. Ce qu'il vient de lui dire s'ajoute pour rendre sa transition encore plus compliquée. C'était sans compter sur le gros bon sens de cette femme extraordinaire. Une fois sa réflexion terminée, elle reprend d'elle-même la discussion.

— Je pense que j'ai de la difficulté à me réadapter à tout ce mouvement incessant. En ce moment, je déteste les conversations que j'entends autour de nous, les parfums que je respire m'énervent, la proximité des autres humains me dérange. Crois-tu que je vais redevenir joyeuse et décontractée comme avant ?

— Non, lui répond Alex avec un soupçon de taquinerie dans la voix. Je sais que tu évolueras dans la direction que tu choisiras, de la manière qui te conviendra et jusqu'où tu désireras te rendre.

— Hum… ça me rappelle une phrase…

— Tu l'as si souvent servie aux enfants qui se comparaient régulièrement à leurs amis. Ces mots sont d'ailleurs remplis de sens. Revenir comme avant signifierait que tu retires de ton existence toutes tes expériences vécues au Pays de la Terre perdue. Est-ce ça que tu veux ?

— Certainement pas ! lui réplique Nadine sur un ton vif. Oublier deux ans de ma vie ! Jamais !

— Alors il faudra que tu te donnes du temps, ma belle. Ton expédition de transition ne fait que commencer. Cette randonnée de trekking au fond de toi-même t'amènera où tu décideras d'aller.

Après un autre moment de réflexion. Nadine termine son plat principal puis elle surprend à nouveau son mari.

— Alex, j'aimerais retourner chez nous tout de suite. Est-ce que cela te dérange ?

Devant ce comportement fort inhabituel pour Nadine, qui ne quitte jamais le restaurant avant le dessert et le café, Alex s'inquiète.

— Pourquoi ? Tu ne te sens pas bien ?

— Non, ce n'est pas ça. Je veux seulement apprivoiser les bruits, les odeurs et les mouvements de la société un petit peu à la fois. Pour aujourd'hui, j'en ai assez. On pourrait manger ce reste de tarte aux pommes qu'Anne nous a apportée et nous pourrions terminer avec un café irlandais, juste toi et moi.

Quand ils se retrouvent dehors, Alex réalise à quel point Nadine n'en peut plus. Elle vient de faire des efforts considérables pour mener plus loin sa réintégration dans la civilisation. La revenante demeure immobile plusieurs minutes devant le restaurant, à respirer profondément pour tenter de se calmer. Alex la sent prête à éclater en morceaux, comme un objet de cristal fabriqué sur la bordure du stress. Il essaie de la serrer dans ses bras pour la rassurer, mais Nadine le repousse si brusquement qu'il se retrouve en bas du trottoir. Cette fois, il est certain d'avoir entendu un grognement. Quand il l'observe, il réalise encore une fois que Nadine n'est pas consciente que ses gestes sont empreints de violence. Pour l'instant, il n'a pas d'autres choix que de lui donner de l'espace, le temps qu'elle reprenne le contrôle de ses émotions.

L'homme comprend que Nadine est malheureuse et qu'elle est incapable pour le moment d'exprimer en mots le tumulte des peurs qui l'assaillent, ce qui la fait réagir instinctivement avec une grande force. Par amour pour son épouse, il aimerait pouvoir trouver des solutions, chercher des moyens, effacer les plaies vives qui s'étendent sur son âme. Mais les blessures infligées par le Pays de la Terre perdue sont multiples et trop profondes. Son chemin de retour sera long. Alex sera là à ses côtés chaque fois qu'elle aura besoin de lui. Lentement, elle reprendra le cours de son existence normale. Seuls le temps et la persévérance de la femme arriveront à bout de l'épreuve. Il a confiance en elle. Elle réussira. Cependant, une sorte de menace jette l'effroi au fond de son cœur. « Le chemin à parcourir est si étrange que je ne sais pas ce que la Nadine que j'aime deviendra en fin du compte… » L'homme secoue la tête pour chasser l'inconfort qui l'habite.

Alex est déterminé à aider Nadine par tous les moyens à sa disposition. Cette route sinueuse sera la leur. Au fil des ans, ils ont appris à aborder les situations difficiles de l'existence en s'épaulant réciproquement, même quand certaines marquaient un peu plus l'un que l'autre. Aujourd'hui, le contexte n'est pas si différent.

Ils discuteront à nouveau de cette soirée, décortiquant les évènements, identifiant les émotions et cherchant les solutions. Il encouragera aussi Nadine à raconter son expérience de quelques heures avec son amie. Quelque part, probablement parce qu'elle a partagé un peu de la vie de Nadine au Pays de la Terre perdue, Marie est la seule personne qui arrive à la faire parler suffisamment pour lui permettre d'avancer avec confiance sur le chemin sinueux du retour à la civilisation.

Leur parcours commun de Nadine et Alex est comme une longue randonnée à travers les montagnes de l'univers. Ils marchent ensemble, souvent l'un devant l'autre, parfois côte à côte, mais toujours dans une direction unique. Ils savent s'appuyer mutuellement pour trouver aide et réconfort. Cette fois, c'est lui qui sera le soutien pour supporter les efforts de sa conjointe sur cette route difficile et cahoteuse. « Ce n'est pas grave... nous en avons vu d'autres... »

Chapitre 16

Montréal — 29 mai

— Pourquoi es-tu rendue « tit tit » grand-maman ? demande la petite Chloé âgée de quatre ans et demi.

— Parce que je n'ai pas mangé assez de chocolat, lui répond Nadine sur un ton taquin.

Tous les gens présents éclatent de rire. Même la fillette, qui adore les friandises, ricane de bon cœur. Chloé gigote sur les genoux de sa grand-mère. L'enfant ne comprend pas pourquoi cette dernière la serre si fort. La bambine finit par lui dire :

— Je veux aller à terre, grand-maman ! Laisse !

À contrecœur, Nadine dépose sa petite-fille sur le sol et la regarde s'élancer vers un nouveau jeu. Depuis son retour, elle n'est pas capable de lâcher ses petits-enfants qu'elle n'a pas vus depuis deux ans. Elle en a toujours un dans les bras ou sur les genoux. Bien sûr, elle a passé des heures avec chacun d'eux au cours des dernières semaines. Elle s'attendait de retrouver une Chloé d'âge scolaire, mais la petite de quatre ans a peu vieilli en… 24 mois. Les autres, qu'elle avait imaginés grandis, sont restés les bébés qu'elle a bercés auparavant. La distorsion de temps aidant, la grand-mère n'a perdu aucun bout de leur enfance comme elle l'avait appréhendé.

L'effet du portail lui est parfois difficile à saisir. Peu de choses ont vraiment changé ici… même si elle a vécu deux années de plus. D'ailleurs, elle taquine souvent Alex, affirmant qu'elle est maintenant son aînée et qu'il lui doit respect. L'homme rit aux éclats parce que pour lui, elle n'a vraiment que deux mois de plus. Quand elle regarde son passeport, elle voit qu'elle a officiellement 55 ans et non 57 ans. Pour se rassurer, elle a fait le calcul, soustrayant l'année de sa naissance à l'année actuelle. Elle arrive toujours au même chiffre. Elle n'aura 57 ans qu'en janvier 2013… mais elle en aura vécu 59… « Ouf ! » Elle a tout de même plus d'expérience de vie et, curieusement, elle se sent plus mature sinon physiquement, du moins philosophiquement. « Tout ce temps au Pays de la Terre perdue à vivre intensément… ça marque une femme… ça ne s'oublie pas… »

Nadine est de retour chez elle depuis maintenant trois semaines; elle peine au quotidien pour revenir à son existence antérieure. Ce n'est pas comme une vieille paire de pantoufles qu'on aurait mise de côté pendant un bout de temps. Il ne suffit pas d'enfiler l'ancienne vie pour s'y sentir confortable. Le processus est douloureux et lui donne encore des sueurs froides. Est-ce qu'elle réussira à s'intégrer à nouveau ? Perdra-t-elle un jour son air farouche et ses réactions vives presque meurtrières ? « Ce serait terrible que de revenir dans mon monde pour terminer mes jours en prison… ici… »

Alex, absent du travail depuis sa disparition, hésite à y retourner pour le moment. Il tient à aider son épouse dans cet apprentissage si difficile. Chaque journée apporte son lot de questionnements et lui fait voir tous les changements forcés sur le caractère habituellement souple de sa compagne de vie. Même s'il voudrait parfois hurler ses craintes et ses peurs, il garde son calme, au bénéfice de la revenante. Quant à Nadine, elle est fort reconnaissante à son grand mari de prendre soin d'elle. Sa quiétude et son souci de protection la rassurent. « Il est mon filet de sécurité pour éviter la prison… mon bâton de pèlerin dans les sentiers raboteux… mon roc dans les moments difficiles… »

Un jour, sans vraiment réaliser toutes les difficultés associées à une telle expédition, Nadine a demandé d'aller magasiner. Même si l'inquiétude face à l'activité le rongeait, Alex s'est contenté d'accepter sans réserve. En effet, avant sa disparition, cette occupation était un des sports préférés de Nadine. Ce jour-là, elle avait surtout besoin de vêtements neufs pour sa nouvelle taille. La revenante envisageait cette sortie dans la société avec bonne humeur, comme si la transition d'un monde sans civilisation à celui de l'humanité actuelle pouvait automatiquement se faire sans heurts. Alex était, quant à lui, plutôt sceptique.

D'abord, Nadine n'a pas voulu conduire. Tout allait d'ailleurs trop vite. Alex ne roulait qu'à 40 km/h, mais c'était cinq fois plus rapide que la course la plus effrénée au Pays de la Terre perdue ! Le mari s'est mis à rire. Parce que, entre les deux conjoints, c'est la femme qui avait tendance à peser fort sur l'accélérateur. Par contre, Alex savait par expérience qu'une semaine de trekking rendait les gens inconfortables derrière le volant; il était donc à prévoir qu'une période de deux ans sans l'utilisation d'un véhicule motorisé avait radicalement modifié les paramètres de déplacement de la nomade. Ce matin-là, devant l'air effrayé de Nadine, il a décidé sagement de ne pas prendre l'autoroute.

C'est dans le centre commercial qu'Alex a réalisé toute la profondeur de certains changements chez Nadine. À leur arrivée, ils sont tombés sur une scène disgracieuse qui les a bouleversés tous les deux. Cependant, leurs réactions ont été totalement différentes. Un homme traînait rudement par la main un enfant de cinq ou six ans. Avant même qu'il puisse lui-même s'en mêler, Alex a vu le corps de sa blonde devenir tendu, comme celui d'un animal prêt à bondir sur une proie. Quand le bambin a chuté et s'est mis à pleurer, le père l'a frappé en plein visage du revers de la main; une fois le traitant de traînard incapable de marcher correctement; puis une deuxième fois pour l'inciter à s'arrêter de chigner.

Quand il a levé le bras pour cogner pour une troisième reprise, Nadine était déjà à ses côtés, bloquant son geste. Si Alex n'avait pas été assez rapide pour la suivre, elle aurait battu le gaillard qui faisait deux fois sa taille et la dépassait d'une tête. Empêchant sa femme de frapper en retenant l'élan de son poing de sa propre main, Alex a calmé le vil personnage qui fulminait en réponse à l'intervention malhabile. Du haut de ses 1,88 m, le mari a expliqué que Nadine avait été bouleversée par le comportement envers l'enfant, rappelant qu'on pouvait porter plainte à la police contre l'homme pour avoir maltraité le gamin. D'un seul coup d'œil, le colosse a bien compris que la dame n'était pas « bouleversée », mais plutôt furieuse, enragée même. Sans dire un mot, le père a pris le bambin dans ses bras et il a quitté les lieux, sous le regard ébahi des curieux qui s'étaient attroupés autour de l'altercation.

Malgré la frayeur qui le faisait trembler, Alex était soulagé que la situation se soit dissipée aussi facilement. Il était cependant perplexe devant l'attitude de sa femme qui n'a jamais eu peur lors de l'incident. Elle a réagi et foncé avec une confiance inouïe. Elle n'a pas hésité une seule seconde. « Qu'a-t-elle vécu au Pays de la Terre perdue pour oser s'attaquer ainsi contre un hercule qui affichait au moins trois fois sa force ? Je suis certain qu'elle s'est battue plus d'une fois… était-ce toujours contre des lynx ? Je n'ai pas vraiment hâte de savoir même si je veux comprendre… j'ai peur de l'horreur qu'elle me racontera… »

De retour à la maison, il était pressé de discuter avec elle de l'évènement, même s'il la sentait encore très bouleversée. Assis à côté de Nadine dans le salon, devant une tasse de thé vert, Alex a posé la question qui lui a brûlé les lèvres tout l'après-midi.

— Que s'est-il passé ? Tu as porté la main à ta ceinture avant de partir à la course. Voulais-tu prendre ton couteau pour l'attaquer ?

— Je cherchais ma fronde… L'utilisation rapide de cette arme a sauvé ma vie si souvent depuis deux ans que c'est devenu un réflexe.

Avec effroi, Alex comprend que, si Nadine avait eu l'outil à la portée de ses doigts, elle aurait peut-être tué l'homme; du moins, elle l'aurait blessé sérieusement. Il réalise aussi que ce Pays de la Terre perdue l'a rendue si dure qu'elle n'a aucun remords face à son comportement dans le centre commercial. Elle voulait simplement faire cesser le mal, protéger le plus faible. « Ma femme douce et fragile que j'ai épousée n'est plus… » Devant cette constatation, Alex reste silencieux un grand moment. Conscient qu'il doit l'aider dans sa rééducation, il ne peut pas laisser passer l'incident sans parler. Il prend les mains de sa femme dans les siennes.

— Ma belle, tu ne peux pas agir ainsi à Montréal. Ces réflexes développés là-bas, surtout ceux qui peuvent tuer, doivent disparaître. Ce sera ardu, mais je vais t'appuyer dans ta désensibilisation progressive vers des relations sociales plus adaptées au contexte d'ici.

— D'accord. Je ferai plus attention à l'avenir. Par contre, il faut que tu saches que ces gestes instinctifs m'ont sauvé la vie plus d'une fois en deux ans. J'ai bien peur que ce soit aussi difficile de m'en débarrasser, maintenant, que cela a été de les acquérir au Pays de la Terre perdue.

Quand il a eu sa chance, il a raconté l'évènement à Marie qui n'était nullement surprise de la réaction de Nadine. Pour qu'Alex comprenne mieux toute la complexité des changements chez Nadine, la rouquine lui a narré une expérience qu'elle a vécue dans la vallée aux noisettes.

Les deux femmes marchaient dans le sous-bois. Parlant de ce ton badin qui était devenu le leur, elles ne s'étaient pas aperçues que leurs pas avaient dérangé un renard roux. Les randonneuses s'étaient retrouvées entre le canidé et sa tanière. L'animal a voulu protéger son bien et il a attaqué. Ce n'était pas une grosse bête, mais elle pouvait infliger des blessures vicieuses et sévères qui, par manque de soins spécialisés, finiraient par s'infecter et tuer. Quand elle a vu le renard sauter, Marie a eu si peur qu'elle a été incapable de réagir. Le prédateur visait sa gorge avec sa gueule ouverte. Soudain, l'attaquant est tombé à ses pieds et elle a senti le sang gicler abondamment sur elle. Sans qu'elle ait eu vraiment le temps d'y penser, par pur réflexe, Nadine avait sorti sa machette, qui était toujours accrochée dans son étui à son mollet gauche. D'un mouvement vif, elle a frappé la bête en plein vol, lui arrachant presque la tête.

— Nadine venait de sauver ma vie. Sans un mot, sans aucune émotion apparente, elle a dépecé l'animal sous mes yeux alors que j'étais encore figée sur place devant l'horreur de la scène. Puis, pendant que je vomissais mes entrailles, ta femme a roulé la peau et l'a simplement déposée dans son sac. Elle a pris la carcasse et elle est allée la placer sur ce qu'elle appelait « une roche au sacrifice ». Les charognards, qui suivaient depuis un moment tous les gestes de la sorcière, se sont avancés vers ce festin avec un appétit féroce.

Alex était si estomaqué par le récit que son visage est devenu blême et son estomac a voulu se rebeller. L'amie en a rajouté :

— Pendant le carnage, Nadine a accompli tous les mouvements de façon machinale, en dépensant un minimum d'énergie et en n'affichant aucune peur ni aucun stress. Son sourire est finalement apparu lorsqu'elle a vu les grosses corneilles s'approcher de la carcasse en chahutant et se chicanant. Je suis restée de marbre durant tout l'incident, refoulant mes haut-le-cœur. Les yeux durs et froids de la sorcière portaient un air de satisfaction : pour elle, cette brutalité visait à ce que nous survivions une autre journée au Pays de la Terre perdue. Rien de plus. Rien de moins.

Plaçant les mains sur son visage, Alex voulait s'empêcher de crier sa rage. Pourquoi avait-il laissé Nadine seule dehors, ce matin d'avril ? S'il avait été là, il l'aurait retenue d'emprunter le portail, ou à tout le moins, il aurait traversé avec elle; ainsi il aurait pu la protéger. Avec ce récit, il comprenait un peu mieux le parcours tortueux qui s'étalait devant sa femme pour qu'elle reprenne une vie normale.

Il a beaucoup réfléchi les jours suivants. Il voulait aider Nadine dans ses efforts, mais, même avec le support de Marie, le projet allait s'éterniser. Elle avait besoin de tout son clan, surtout de Bernard. Sa sœur et ses frères devaient y contribuer ainsi que, tout particulièrement, sa mère. Ensemble, ils pourraient l'appuyer suffisamment pour qu'elle arrive à accomplir le long chemin, lui permettant de se relever plus facilement quand elle buterait sur des écueils. Entourée de l'amour des siens, elle profiterait de l'environnement réconfortant pour se guérir de ce passé traumatisant.

Par contre, quand Alex a informé les amis et la famille du retour de Nadine, il a été avare de détails les invitant à patienter un peu pour les visiter, le temps que la femme se repose de l'épreuve. Ne comprenant pas l'ampleur de la situation et par respect peut-être, les autres se sont tous simplement éloignés, attendant qu'on leur fasse signe.

Dimanche dernier, alors qu'ils s'étaient réunis à la maison du couple, Dominique, Anne et leurs conjoints ont beaucoup questionné Nadine sur son exil, écoutant parfois ses réponses avec scepticisme. Alex a senti l'épuisement de Nadine; pour une fois, il était content quand les invités sont repartis. Les enfants n'arrivaient pas à s'adapter à cette femme qu'ils ne reconnaissaient plus. Leurs regards affichaient la désolation en réponse aux changements incompréhensibles chez Nadine. Ils vivaient une incapacité à trouver la bonne réaction face à la nouvelle personnalité de la revenante. Dominique, avec son sens artistique habituel, a décrit au mieux ses émotions :

— Des extraterrestres ont enlevé ma mère. Ils m'ont retourné un clone imparfait, asocial, meurtri et sauvage… Je suis en colère et je n'arrive pas à faire une place dans mon cœur pour cette copie malhabile. Où est ma vraie mère ? Je l'ignore.

Ainsi, Alex a suggéré que Nadine se rende chez chacun d'eux. Les visites ont été à peine plus faciles. Il est évident que Dominique et Anne ont beaucoup de difficultés à accepter ce que leur mère est devenue. Ils sont patients et respectueux, rien de plus. La revenante retient de nombreux détails dont elle est toujours incapable de parler. Ça n'aide pas à la bonne entente. Si les échanges se continuaient de cette façon, le processus serait terriblement ardu et interminable. C'était si dur pour sa femme, qu'Alex remettait encore la nécessité d'affronter les autres. Puis, les réactions des amis lui ont montré l'ampleur de la tâche titanesque qui attendait Nadine.

Un jour, alors qu'Alex était parti faire des achats, Alain est venu visiter Nadine à la maison. À son retour, Alex a tout de suite noté l'engueulade qui faisait rage. Alain s'était présenté sans Marie dans l'unique but d'enguirlander Nadine. De toute évidence, l'altercation durait depuis un moment et la femme semblait complètement épuisée à force de retenir les coups que ses réflexes lui imposaient.

— Arrête tes salades ! affirme l'homme. Je ne veux plus parler de cette disparition bizarre que Marie aurait vécue il y a 25 ans ! Je ne l'ai pas écoutée à l'époque… Cette fois, elle dit qu'elle était avec toi…

— Alain ! C'est vraiment arrivé ! Il te faudra…

— Non ! Je refuse de t'entendre la défendre ! Elle s'est tapé une petite aventure dans ce temps-là et j'ai accepté de passer l'éponge… Je ne veux plus revenir là-dessus ! Jamais !

— Tu devras te faire à cette histoire parce qu'elle est vraie…

— Allons ! C'est de la science-fiction ! C'est bon pour les films ! Tu as juste à avouer ton écart de conduite ! Peut-être qu'Alex te pardonnera aussi !

Soudain, réalisant qu'Alex était de retour, Alain sort de la maison en trombe et en claquant la porte. Quelques minutes plus tard, on entendait les pneus de sa voiture crisser sur la chaussée alors qu'il appuyait brutalement sur l'accélérateur.

Nadine est dévastée. Elle pleure pour son amie qui doit vivre l'incompréhension de son mari. La douleur de la revenante est à peine apaisée par le fait que son propre époux accepte cette histoire du Pays de la Terre perdue.

Alex est furieux contre ce goujat qui traite sa blonde de menteuse; il ne décolère pas, voulant l'appeler sur le champ pour lui dire sa façon de penser. Pour l'aider à comprendre, Nadine tente de lui expliquer la différence de situation :

— M'aurais-tu crue si j'avais été de retour quelques jours plus tard ? Sans pouvoir apporter d'indices fiables de cette expérience ?

— Tu as raison, ma belle. Alain n'a pas eu la chance de voir de preuves... Il vit depuis 25 ans avec l'idée que Marie l'a trompé... c'est terrible.

Après cette confrontation brutale, il y a eu toutes ces visites impromptues de ses frères et de sa sœur. Découragée par ce qu'affirmait Nadine, Irène avait pris sur elle d'informer ses autres enfants du retour de la benjamine. L'aïeule de 93 ans, ne croyant aucunement l'aventure saugrenue racontée par sa fille, employait un ton si sceptique et agressif que chacun s'est imaginé que la vieille dame était maintenant atteinte de démence. Irène n'avait réussi qu'à créer un vent de panique dans cette famille aux liens tissés serrés. Marc et Virginie, tous deux habitant Sherbrooke, furent les premiers à se présenter chez le couple sans s'annoncer, pour éclaircir toute cette histoire abracadabrante. Éric a pris l'avion pour voyager de la Suisse à Montréal pour mieux comprendre. Puis, Étienne et Jean, rassurés par les autres, tenaient à voir la bizarrerie qu'était devenue leur sœurette. Nadine sortait des rencontres totalement épuisée et bouleversée; elle réalisait que sa famille l'examinait comme si elle s'était transformée en bête de cirque. Cette curiosité exacerbée la faisait terriblement souffrir. Ils posaient à répétition des questions auxquelles elle n'avait pas de réponses, ce qui augmentait considérablement le malaise.

Claude, le partenaire d'affaire d'Alex et son ami, a appelé tous les jours pour savoir quand Alex allait retourner au travail. Il bombardait constamment Anne de commentaires qui laissaient la jeune femme complètement désemparée. Il ne comprenait pas qu'Alex reste en congé alors que Nadine était revenue depuis plusieurs semaines.

Bernard s'est transformé en courant d'air, demandant à son épouse Claudine de s'informer de temps en temps des progrès de la convalescente. Certes, l'ami d'enfance manquait, mais Alex savait surtout que le médecin pouvait guider Nadine vers la guérison de ses blessures psychologiques profondes accumulées là-bas et auxquelles d'autres plaies s'ajoutaient rapidement depuis son retour. Mais, à tort ou à raison, l'homme ne pardonnait pas le premier refus dont il boudait encore la rebuffade.

Bien sûr, dans ses communications avec eux, Alex avait agi pour protéger sa femme. Le résultat était pour le moins désastreux. En n'exposant aucun détail sur ses aventures, Nadine est constamment confrontée à la froideur des gens qui, n'ayant pas les informations précises, interprétaient négativement son incapacité à expliquer les circonstances de sa disparition. Cela ne pouvait plus durer.

Alors, Alex a eu l'idée de réunir tout le monde, la famille et les amis, en même temps. L'intention était de fêter le retour de Nadine, mais l'évènement allait aussi lui donner la chance de raconter son histoire. Il a organisé cette célébration à leur résidence pour que sa femme soit plus à l'aise. Il a dû utiliser toute la diplomatie dont il est capable pour les convaincre tous de venir écouter ce que l'aventurière avait à narrer. À contrecœur, Alain a même fini par accepter.

Alex voulait que Nadine puisse profiter d'une ambiance remplie de bonheur et de joie. Ainsi, aujourd'hui, journée de brunch familial, la maison s'animait grandement. Si les membres de la famille avaient déjà constaté les changements physiques, les amis ont tous été fort surpris de la maigreur de Nadine. Interrogé des yeux ou de vive voix, Alex leur a tout simplement demandé d'attendre en aprèsmidi pour les explications.

Nadine est très nerveuse, mais elle apprécie au plus haut point la présence de Marie qui était là pour l'appuyer. Malgré sa rancune, Irène couvait sa bambine comme si elle avait toujours huit ans. Marc, son frère aîné, l'a prise dans ses bras à plusieurs reprises pour lui chuchoter de garder courage. Alain affichait un air renfrogné et il ne parlait pas, refusant même de commenter l'allure de la revenante. Bernard exhibait une attitude froide et Claude avait choisi d'ignorer Nadine. Quant à Claudine et Martine, elles poussaient les conversations dans n'importe quelle direction, sauf sur le retour de la disparue. Alex réalisait que tout cela faisait souffrir sa femme, mais il était fier de la voir tenir bon. « Ma blonde est toujours aussi solide… elle en a vu d'autres… elle va passer au travers… »

Puis, quand tous ont eu bien mangé et que les petits-enfants furent tous à leur dodo d'après-midi, l'homme de la maison a proposé à tous les convives de se réunir dans le jardin. Les chaises étaient installées en demi-cercle pour que Nadine puisse regarder son auditoire. De plus, tous les invités avaient une vue sans obstruction de la narratrice pendant les explications. L'hôte a servi de la bière et du vin. Il a placé un immense plateau de fruits frais, dont sa blonde se nourrit sans arrêt depuis son retour, un peu en retrait sur une grande table.

Bien sûr, si Dominique, Anne et leurs conjoints avaient déjà entendu l'histoire que la revenante s'apprêtait à raconter, ils voulaient tous être présents pour lui souligner leur support. Volontairement, Marie s'est installée directement en face de son amie; ainsi elle l'encouragerait d'un simple sourire. Elle tenait dans les mains le petit dauphin sculpté dans le bois poli par la mer du Pays de la Terre perdue et que la sorcière avait ramassé près de la caverne d'Ali Baba.

Alors que tous prennent place et attendent que le mystère leur soit révélé, Nadine jette un regard sur l'assistance. Elle voit ses amis, ses frères, sa sœur, sa mère, ses enfants et bien sûr Alex. « J'ai tellement besoin d'eux pour guérir.

Je dois leur dire ce qui s'est passé, même si c'est difficile, au risque de perdre complètement leur amitié. » Dans quelques minutes, elle saura sur qui elle peut compter. Du coin de l'œil, elle remarque Alex qui lui sourit; il hoche la tête pour l'inciter à parler. Elle jette un coup d'œil vers Marie, qui lui fait signe de plonger dans l'action.

Alors, Nadine commence son histoire. Lentement, observant le regard d'abord incrédule et parfois narquois des invités, Nadine explique les étranges aventures qu'elle a vécues en deux semaines d'absence. Son réveil sur la montagne et le fait qu'elle a pensé à une blague. Se tournant vers son ami d'enfance, elle ajoute un commentaire.

— Bernard, j'ai cru que tu avais fait exprès pour ne pas mettre de lait avec le café…

Elle raconte sa pénible marche vers le sud, la naissance de Lou, la découverte d'Allie. Puis, prenant une longue inspiration, elle parle de son arrivée sur la péninsule, de son désarroi de ne pouvoir aller plus loin, de son découragement ainsi que de la pochette avec la roche noire. Ajoutant des détails très colorés, elle narre sa sédentarisation rendue nécessaire par la venue de l'automne, y compris la construction du pont et des huttes. Avec émoi, elle discute de sa survie au cours du premier hiver puis de la navigation. Quand elle voit les visages consternés par ses aventures sur la Terre de la Forêt verte, elle ajoute ses expériences vécues durant sa deuxième saison froide. Regardant Marie pour puiser du courage, elle explique l'apparition des quatre personnages, sans les nommer. Tout en observant la réaction d'Alain, Nadine parle du départ des visiteurs, puis le long chemin de son retour, l'ouverture du portail, et son arrivée à la maison, deux ans après sa disparition.

Le récit qui ne dure qu'une heure est bien court pour raconter deux années d'exil. Elle s'en tient à l'essentiel, sachant qu'elle cache les détails les plus crus. C'est suffisant. La conteuse est au bord de l'épuisement et elle tremble de tous ses membres malgré la douce chaleur qui imprègne cette journée de soleil. La peur noue ses entrailles. Personne n'a encore parlé, ne trahissant ni l'acceptation ni le déni.

Nadine attend la réaction des autres avec une appréhension qui consume toute son énergie. Alex s'approche d'elle et sort, un par un, tous les objets qu'elle a rapportés de ce monde étrange : la peau de lynx, la fronde, le couteau en schiste, ses mocassins, la chemise décorée, la pochette avec la pierre noire et le bout de flèche, les roches à feu, le savon artisanal, un sac Ziploc qui contient ses nattes blanches coupées. Il les dépose sur la grande table. Il fait circuler la photo de Nadine avec les cheveux longs et montre le sac de montagne et les vêtements usés.

Nadine observe avec appréhension chacune des réactions. Étonnés, leurs visages démontrent toute l'intensité avec laquelle ils tentent d'intégrer les informations. « Ils commencent à croire… » Bernard a les yeux pleins d'eau. De son côté, faisant finalement le lien avec l'histoire racontée par sa femme il y a 25 ans, Alain perd son air de bœuf. Irène regarde tour à tour les gens présents, comme pour se rassurer dans son désir de croire enfin les explications de sa fille…

Puis, Marie s'amène devant le groupe. Elle parle de sa visite au Pays de la Terre perdue, de sa rencontre avec celle qu'elle a connue comme la sorcière et du petit dauphin. Puis elle sort de son sac, une peau de renard que Nadine reconnaît aussitôt comme celle de l'animal qui a attaqué son amie dans la vallée aux noisettes; le coup de la machette est encore visible. Elle venait de terminer le tannage quand l'expédition du retour a commencé. Elle croyait l'avoir oubliée dans la hutte.

Éberluée, Nadine glisse sa main sur la fourrure soyeuse.

— Je ne comprends pas. Ma technique de conservation ne permet pas de garder une peau aussi longtemps… tu l'as en ta possession depuis 25 ans…

— Je l'ai fait traiter par un taxidermiste. Tu sais, ce dernier n'avait jamais vu une si belle pièce; il a affirmé que la couleur n'était pas tout à fait celle de nos renards roux d'Amérique. Quand il m'a demandé si je l'avais obtenue en Europe, j'ai tout simplement laissé la question en suspens.

Alors que Nadine reste médusée, Marie poursuit ses explications.

— J'ai vérifié il y a quelques jours et sa boutique est toujours ouverte. Si tu le désires, on pourra apporter la peau de ce lynx pour qu'on la prépare afin qu'elle dure très longtemps.

Une boule d'émotions coincée dans la gorge, Nadine se contente de hocher la tête. Du coin de l'œil, elle voit Alain qui suit les paroles de sa femme; l'homme a le visage mouillé de larmes. Il s'en veut probablement. Mais ce sera à Marie de lui pardonner. Nadine ne peut rien faire de plus sauf ajouter de la crédibilité à l'aventure vécue par Marie il y a 25 ans.

Nadine remarque que les verres de vin et de bière déposés par terre sont encore pleins. Perdus dans l'histoire extraordinaire, tentant de donner un sens à tous les détails, aucun des invités n'ose bouger tant ils sont subjugués par le récit. Pour indiquer que la narration est enfin terminée, du moins pour le moment, la conteuse se lève et, un peu nerveusement, elle empoigne une petite assiette pour la remplir de fruits frais. Quand elle prend une gorgée de vin, l'auditoire réagit comme si c'était le signal qu'ils attendaient. Sur le coup, les convives parlent tous en même temps, posant question après question sur le portail, les peaux de bêtes, la fronde; leur air ahuri et enthousiaste réconforte Nadine, ce qui déclenche un rire vif qui contribue à apaiser toute cette tension qui s'accumulait depuis le début de cette journée.

La peur s'éclipse du corps de la nomade et un immense bonheur s'installe à la place. La femme redresse les épaules. Elle est soulagée et ses yeux bleus pétillent d'une grande vivacité. Ses amis sont de retour dans sa vie. Sa mère, ses frères et sa sœur lui apportent le soutien dont elle a tant besoin. On lui demande une démonstration pour allumer un feu avec les pierres, une autre avec la fronde. On questionne sur la grotte, le pont, Allie, Lou. Nadine se plie à leurs requêtes et répond patiemment à toutes leurs interrogations, comprenant qu'à leur manière, ils essaient d'intégrer l'histoire saugrenue qu'elle vient de leur raconter.

Alex se tient un peu en retrait pour tout observer. Fort étonné de la réaction si positive de l'auditoire, un fond de scepticisme l'incite à s'assurer qu'aucun d'eux ne fera de mal à sa blonde. De plus, s'il est agréablement surpris du résultat de la rencontre, certains détails le laissent perplexe. Bien sûr, il a déjà entendu l'histoire plus d'une fois. Il connaît également des informations dont elle n'a pas parlé aujourd'hui, comme les cicatrices sur son épaule par exemple, bien camouflées sous un chandail à manches longues.

Alex est cependant convaincu que Nadine n'a pas encore tout raconté, même à lui. Quand il a pu trouver Marie pour discuter seul à seul, il lui a demandé pourquoi Nadine cachait des parties de ses aventures. Marie a pris un bon moment avant de répondre. Puis elle lui a donné une explication qui lui a donné froid dans le dos.

— Elle n'a pas le choix. Pour l'instant, il vaut mieux ménager l'auditoire.

— Bon sang ! A-t-elle vécu des expériences encore plus difficiles que ce qu'elle m'a raconté ? Est-ce qu'elle m'en parlera un jour ?

Voyant l'anxiété d'Alex, Marie tente de le rassurer même si elle comprend que ses paroles ne servent qu'à jeter plus d'angoisse sur l'âme déjà torturée de l'homme.

— Alex, je ne sais pas tout non plus. Je n'ai connu Nadine que dans les derniers mois de son séjour là-bas. Ce qu'elle m'a raconté était si intense qu'elle s'arrêtait en milieu de récit pour protéger ma sensibilité. Donne-lui le temps nécessaire. Je suis convaincue qu'elle te dira tout quand elle sera prête.

L'homme a interprété que les aventures de sa femme n'ont pas toutes été aussi belles que celles qu'elle a expliquées aujourd'hui; il frissonne à l'idée que d'autres péripéties ont été plus traumatisantes. Ce Pays de la Terre perdue, qu'il hait un peu plus chaque jour, a fait la vie si dure à sa blonde qu'elle n'est pas encore capable de parler des pires épisodes. Renversé, il tente de saisir le sens tordu des paroles de la rouquine. C'est à ce moment qu'il voit Claude s'approcher de lui. Son collègue a l'air penaud. Il tape sur l'épaule d'Alex d'un geste de soutien.

— C'est difficile d'accepter tout cela, mais cela me fait comprendre ton besoin de rester auprès de ta femme. Je suis vraiment désolé d'avoir manqué de confiance envers toi. Prends tout le temps nécessaire.

Alex se contente de sourire, satisfait que leur amitié survive à cette expérience bizarre. D'un geste de la main, Claude pointe Anne.

— Tu sais, ta fille vit ça péniblement. Maintenant que je suis au fait, je pourrais l'aider un peu plus. Je lui dois bien ça. Je l'ai tellement harcelée pour obtenir les informations que vous nous cachiez.

— Merci, répond Alex. Les enfants ont l'impression d'avoir perdu leur mère. Tout ça prendra un long moment pour revenir à la normale.

Pendant ce temps, Bernard s'approche de Nadine pour la serrer très fort dans ses bras.

— Me pardonnes-tu mon attitude de goujat ?

— Bien sûr, Bernie, même si j'ai trouvé que tu agissais comme un âne ! Tu crois mon histoire, n'est-ce pas ?

— C'est si compliqué. Si je n'avais pas toutes les évidences que tu as rapportées, je conclurais que, droguée et gardée loin des tiens, tu avais simplement fait un mauvais rêve.

Puis il pousse son amie au bout de ses bras pour mieux la regarder dans les yeux avant de poursuivre sur un ton brisé par l'émotion.

— Tu sais que tu peux compter sur moi, n'est-ce pas ? Je réalise intuitivement qu'aujourd'hui, tu n'as pas tout raconté. L'expression de ton visage parle d'expériences brutales et dangereuses. Je veux que tu me dises tout.

Dès qu'ils en ont l'occasion, Dominique et Anne, bouleversés par les détails supplémentaires appris au cours de l'après-midi sur l'histoire de leur mère, l'observent avec une grande fierté. Elle a survécu dans un monde dur et impitoyable pour revenir vers eux. Ils comprennent un peu plus à quel point cette femme est maintenant différente de celle qu'ils ont perdue il y a quelques semaines. Discutant ensemble, ils conviennent de tout mettre en œuvre pour lui faire une place aussi importante dans leur vie que celle qu'elle occupait avant l'exil. Elle a besoin d'eux pour sortir complètement de cette terrible aventure et ils ne l'abandonneront pas.

Marie est restée longtemps après que les autres soient partis pour aider son amie à évacuer cette lourde tension. Les maris ont laissé les deux femmes seules sur le patio pour parler. Nadine semblait plus calme qu'elle ne l'a été depuis son retour et Alex était heureux d'entendre à nouveau le fou rire et les éclats de voix auxquels les deux comparses l'avaient habitué depuis que leur camaraderie existe.

Alex est conscient que Nadine a de la difficulté à vivre sa transition à la vie normale. L'empreinte que le Pays de la Terre perdue a imposée sur son âme est plus profonde que les cicatrices laissées par le lynx sur son épaule. « Elle est toujours aussi volontaire… elle fait un pas à la fois… à son rythme. Je serai patient… » Aujourd'hui, elle a accompli un pas de géant dans son rétablissement; elle a raconté son histoire de façon cohérente, sans chercher ces mots qui lui ont tant manqué dans les dernières semaines. Elle a ainsi récupéré l'amitié de ces gens dont elle aura besoin dans les mois à venir, voire les prochaines années.

Après le départ d'Alain et Marie, le couple s'est retrouvé assis sur son patio, une tasse de tisane en main, pour savourer les premières heures de la nuit. Une conversation confortable s'installe entre eux. Ils sont enfin capables d'envisager l'avenir, même s'ils doivent le vivre à un rythme plus modéré.

— Je suis fier de toi, ma belle.

— Merci d'être là pour moi. Tu m'as tellement manqué au Pays de la Terre perdue. C'était cruel.

Quelques gorgées plus tard, Alex reprend sur un autre sujet.

— J'ai un peu hâte de retourner au boulot, demain. Es-tu certaine que tu peux rester seule ?

— Bien sûr, répond Nadine en souriant à cet homme qui ne cherche qu'à la protéger.

— De toute façon, tu peux communiquer avec moi… maintenant que tu te rappelles comment…

Nadine se tourne vers son mari pour se buter à son air taquin. Elle lui réplique sur le même ton.

— Si je ne me souviens pas, je casserai l'appareil et je hurlerai comme une démone… ça alertera tous les voisins… Est-ce que ça te va ?

Comme s'ils étaient enfin soulagés de toutes les peines des dernières semaines, les deux êtres rient de bon cœur. De toute manière, à sa façon habituelle de mordre à la vie, Nadine a déterminé quelques petites activités qu'elle peut faire par elle-même. En matinée, elle conduira son auto pour faire d'abord le tour du pâté de maisons, puis elle allongera la distance… et la vitesse. Elle veut faire du jogging tous les jours, pour garder la forme, mais aussi pour ne pas reprendre tous les kilos perdus. Dans cette attitude, dans cette volonté d'aller vers l'avant, Alex reconnaît bien sa Nadine. Déterminée comme toujours, elle comprend que son adaptation à la vie normale ne se fera pas toute seule. Elle fera donc de petits pas, chaque jour, jusqu'à ce qu'elle y arrive.

Nadine lève la tête vers le ciel pour tenter d'observer la Voie lactée. Ses yeux deviennent si tristes qu'Alex s'inquiète.

— Ma belle, y a-t-il quelque chose qui ne va pas ? Est-ce que je peux t'être utile ?

— Hum... les étoiles sont beaucoup moins nombreuses dans le firmament de Montréal que dans celui du Pays de la Terre perdue. J'aurais aimé te montrer tout cela.

— J'imagine que la nuit de là-bas était plus pénétrante qu'ici...

Malgré la brunante, Alex remarque l'ombre qui se glisse sur le visage de la femme; ses yeux deviennent presque noirs. Plongée dans ses souvenirs provenant de cet autre univers, les traits de la revenante restent impénétrables et sa respiration s'accélère. Même s'il aimerait savoir ce qu'elle revoit dans sa tête, l'homme n'insiste pas. « Un jour, je saurai ce qui lui a tant fait mal... elle me racontera... pour le moment, je me contente de la savoir revenue à mes côtés. »

Baissant la tête, le regard de l'homme tombe sur les mocassins qui recouvrent les pieds de Nadine, ceux qui étaient d'ailleurs dans ses bagages de retour. Il sourit. Il n'aurait pas cru qu'il la verrait un jour porter des chaussures qui seraient à semelles aussi plates... sauf bien sûr ses bottes de marche qui font exception à la règle. Avant sa disparition, même ses pantoufles avaient des talons.

« Quand elle reviendra aux talons hauts, je saurai qu'elle a fait un grand bout de chemin... » Alex est convaincu que Nadine réussira à s'adapter à nouveau à sa vie normale. Puis les yeux bleus, qui affichent aujourd'hui un regard si dur, vont redevenir rieurs et enjôleurs. Devant l'idée de ces jours meilleurs, il se fait la promesse de l'accompagner jusqu'au bout de ce chemin. Du coup, il se lève et attire sa femme dans ses bras pour la serrer contre sa poitrine.

— Ma belle, je serai toujours là. Jamais je ne t'abandonnerai. Puis, un jour, tu me raconteras ce qui te torture encore.

La tête appuyée sur l'épaule confortable de l'homme de sa vie, Nadine ferme son cœur sur sa douleur. « Je ne sais pas… je ne veux pas que tu sois malheureux… » Puis, parce qu'une réponse était nécessaire, elle se redresse pour regarder son amoureux dans les yeux.

— On verra, Alex… On verra.

Chapitre 17

Montréal — 25 juin

— Nadine ! Je ne trouve pas le gingembre sauvage. Où l'as-tu semé ?

— J'ai placé ces plants fragiles un peu plus loin. Marie, vois-tu cet érable là-bas ? Ses branches sont suffisamment basses et larges pour protéger l'asaret du Canada des intempéries et du soleil.

Les deux comparses se tiennent derrière la grande résidence familiale de Nadine et Alex. Quelques semaines après son retour, voulant contrer cette nostalgie du Pays de la Terre perdue qui l'affectait, Nadine a réaménagé ses platebandes pour y intégrer plusieurs aliments qu'on ne trouve pas normalement dans les cours arrière des maisons du Québec. La femme aux cheveux blancs se penche à côté de cet arbrisseau qui lui donnera bientôt des pommes de terre et elle tire délicatement du sol fertile un plant d'angéliques dont elle utilisera autant les feuilles, les tiges que les racines afin d'assaisonner le ragoût qu'elle prépare avec son amie. La plante est à l'état juvénile et elle souhaiterait attendre un peu plus longtemps avant de la cueillir. « C'est correct... l'année prochaine, elles pousseront plus rapidement... »

Marie s'éloigne un peu pour aller voir ce coin du jardin qui abrite les deux collecteurs de pluie dont Nadine se sert régulièrement. Une surprise l'y attend. Entre les deux barils, une sorte de bassin contenant une terre noire et très humide a été installé. La rouquine y trouve quelques végétaux dont elle reconnaît immédiatement l'apparence.

— Wow ! J'aperçois des plants d'apios à côté de tes réservoirs ! Tu dois passer tout ton temps à les arroser... ça pousse normalement au bord de l'eau.

— En fait, Alex m'a aidée à concevoir cette mare de boue avec une toile qui retient les ruissellements après la pluie. Nous l'avons remplie d'une terre noire un peu glaiseuse. Demain, je servirai de ces racines, mais nous n'en aurons qu'une petite bouchée chacun. Je tiens à laisser grossir la majorité des tubercules jusqu'à l'automne. L'an prochain, je vais en semer un peu plus...

— Tu sais, Nadine, je suis inquiète. Es-tu vraiment certaine qu'on a le droit de cultiver ces herbes dans tes platebandes ?

— J'ai tout vérifié avec les spécialistes du Jardin botanique de Montréal. Pour l'apios, ce n'est pas un problème parce que ça pousse partout très facilement. Si j'avais un bassin d'eau, je pourrais ajouter également des plants de sagittaire et des quenouilles. La difficulté la plus importante réside avec le gingembre et l'ail des bois. Les cultivars sont plutôt rares en forêt et il est interdit de les ramasser. Ceux qui se trouvent ici, dans mon jardin, proviennent d'un botaniste de l'Université de Montréal. En m'identifiant comme recherchiste pour l'écriture d'un livre, j'ai échangé ma recette de chevreuil assaisonné avec ces herbes pour quelques graines de ces deux plantes. Pour l'ail des bois, nous cueillerons ce qui reste aujourd'hui et j'en ferai sécher une quantité pour mes besoins futurs. J'ai été chanceuse d'en avoir cette année.

— Comment ça ? Est-ce si difficile de les cultiver ?

— Non, il faut considérer que l'ail des bois d'ici est éphémère. On les retrouve au printemps seulement. Le botaniste consulté n'était pas certain que les graines germeraient cette année.

Nadine affiche soudainement un air songeur qui inquiète Marie.

— Hé ! À quoi penses-tu pour te perdre dans ta tête comme ça ?

Nadine lève ses yeux bleus vers sa comparse. La tristesse que Marie y voit est si intense qu'elle dépose une main sur l'épaule de cette nomade qui tente désespérément de redevenir moderne.

— Mon amie, tu sais que tu peux tout me dire, n'est-ce pas ? Qu'est-ce qui te chicote comme ça, ce matin ? Est-ce que c'est la recette qu'on s'apprête à faire pour ta famille ? Ça te donnerait les bleus peut-être ?

— Non, répond Nadine en secouant la tête. J'ai plutôt hâte de cuisiner ce rôti avec toi. Par contre, je me sens amère quand je réalise qu'il y a de nombreuses différences entre le Québec et le Pays de la Terre perdue. Par exemple, il y a l'ail des bois. Ici, c'est une plante printanière, mais là-bas, je pouvais en cueillir tout l'été, parfois jusqu'à la fin de septembre. Il sortait en grande quantité juste après les orages…

— Est-ce que c'est la même chose pour la vigne du rivage qui s'accroche à ta clôture ? Je n'arrive pas à croire que tu faisais cuire des pièces de viande… et de poisson en les enroulant dans les feuilles. Je les trouve si petites.

— Tu as raison. Au Pays de la Terre perdue, les palmes que portait cette plante étaient deux fois plus larges. J'ai fouillé l'Internet pour vérifier ce phénomène et j'en ai conclu que c'était une autre différence entre les deux mondes.

Nadine se place à côté des deux gros bidons qui lui servent à ramasser l'eau de pluie. Elle dépose sa main sur l'un d'eux pour absorber la sensation froide et dure que lui retourne ce Polychlorure de vinyle. Elle se souvient que les siens, ceux qu'elle a installés sur la Terre juchée, étaient en bois et qu'il lui reflétait plutôt une sorte de chaleur. « Le naturel est chaleureux… le moderne plus froid… » Voyant son amie se perdre à nouveau dans sa tête, Marie s'approche doucement d'elle pour la sortir de ce monde étrange qui la retient encore. « Combien de fois a-t-elle fait l'huître comme ça, quand nous étions là-bas ? »

— Tu sais, Nadine, je comprends que là-bas tu devais te taire pour me protéger, mais ici, tu peux me parler. Ton silence n'est plus nécessaire.

— Hein ? Désolée ! J'étais perdue dans mes pensées !

— Ouais... rappelle-toi que Bernard soutient que d'énoncer tes états d'âme à voix haute t'aidera à revenir complètement.

Nadine réfléchit un moment puis, un large sourire s'affichant sur son visage, elle s'explique.

— C'est bizarre comme les choses sont contrastantes. Là-bas, je conversais tout le temps, même s'il n'y avait que moi pour entendre. Je tenais à conserver mon habileté à parler. Ici, je m'enferme dans un mutisme qui désarme mes amis. Pourtant, ce n'est pas parce que je veux me taire... ça arrive comme ça... c'est tout.

— D'accord. Alors, pour le moment, dis-moi plutôt à quoi tu pensais quand tu as flatté le côté de ce baril du plat de ta main.

— Je songeais au fait que ce sont ces bassins en plastique qui m'ont donné l'idée de construire des collecteurs d'eau sur la Terre juchée, pour me permettre de l'explorer. Est-ce que j'aurais fait du sucre d'érable si je n'avais pas connu ça avant de partir ? C'est comme le pont, les huttes et le radeau... mon expérience de femme moderne m'a tellement aidée là-bas...

— Hum. J'ai trouvé également, en revenant, que ma vie d'ici s'était délicatement imbriquée avec mon existence du Pays de la Terre perdue. L'équitation en est un bel exemple. Je ne connaissais rien aux chevaux avant mon exil. Il y a aussi le fait que j'ai espéré durant quinze ans de te retrouver à nouveau sur mon chemin. C'est sans compter que le caractère que je me suis forgé là-bas, ma volonté d'agir avec patience m'a permis de survivre dans l'environnement que les trois autres visiteurs rendaient exécrable...

— J'imagine ton sacrifice. Est-ce que je t'ai déjà dit à quel point je te suis reconnaissante d'avoir attendu mon retour dans ton existence ? Et d'avoir si longtemps gardé le secret sur nos aventures ? Je te dois la vie.

Quand elle voit les larmes envahir les yeux bleus de Nadine, Marie suggère de rentrer dans la maison pour compléter la cuisson de cette énorme pièce de chevreuil dont ils se régaleront dès le lendemain. Pour changer les idées moroses de son amie, elle reporte la conversation sur le repas en préparation.

— Nadine, qu'as-tu prévu d'autre au menu de ce brunch tant attendu ?

— Il y aura une soupe aux palourdes, mais j'ai dû tout acheter y compris le plantain avec lequel je cuisinais ce plat au Pays de la Terre perdue. Puis, comme dessert, je ferai des biscuits à l'érable et d'autres aux bleuets. Comme il est encore tôt dans la saison, j'ajouterai des légumes provenant de l'épicerie : concombres, tomates, fèves, carottes.

— Ça va être bon. Je salive déjà… des palourdes, hein ?

Nadine pouffe de rire à la grimace que Marie vient de lui servir.

— J'ai un reste de cette soupe au poulet que j'ai préparée cette semaine. Sinon, si tu fais trop la difficile, tu n'auras qu'à t'en passer…

— Je ne suis pas difficile du tout ! Juste un peu sélective…

Ayant terminé leur cueillette, les deux femmes reprennent le chemin de la cuisine de Nadine. L'endroit ultramoderne jure quelque peu avec les images qui se bousculent dans la tête de Marie. « Dire qu'on l'a prise pour une sorcière… je la vois encore avec ses nattes et ses vêtements en peaux d'animaux. Accroupie devant son foyer, elle allumait si facilement son feu avec des roches… »

Pendant ce temps, les deux maris étaient restés sur le patio, pour savourer l'air frais que ce samedi 25 juin 2011 leur apportait. Écoutant d'une oreille distraite le babillage des femmes côté jardin, Alain gardait le silence; il laisse ainsi Alex seul avec ses pensées. Puis, quand Marie et Nadine sont entrées dans la maison, les yeux d'Alex se sont embrumés et il s'est recroquevillé sur sa chaise. La bière qu'il sirotait l'instant d'avant s'est retrouvée sur la table. Alain s'est inquiété.

— Alex, ça n'a pas l'air de filer très fort. Veux-tu en parler un peu ? Tu sais, nous faisons tous des efforts pour aider Nadine à reprendre sa vie antérieure, mais je comprends mieux que quiconque que ce n'est pas facile pour toi...

Alex lève ses yeux noisette vers cet ami qui lui offre l'occasion d'expliquer que ce qu'il vit est si intense que tous ses muscles en sont tendus à l'extrême. Il ferme les paupières un instant. Il hésite à en discuter, voulant laisser toute la place à la réhabilitation de Nadine. « Pourquoi ne pas en discuter avec Alain ? Lui aussi a failli perdre sa femme dans ce monde irréel... » Il prend une profonde inspiration pour tenter de calmer les battements de son cœur, mais l'effort est bien inutile et l'homme en détresse explose tout simplement.

— J'ai tellement peur de la perdre ! Si tu savais... c'est pire que les deux semaines où je l'ai cru disparue à jamais, morte même. J'ai l'impression que la situation m'échappe...

Alain voudrait répondre tout de suite, mais il voit qu'Alex n'en est qu'au début. Il place sa bière sur la table, penche son corps de façon à déposer ses coudes sur ses genoux. Il attend patiemment que le reste de cet acide qui corrode l'âme sorte de l'homme.

— Tu sais, Alain, Nadine est transformée depuis son retour. Elle n'a plus cette vivacité qui la portait à courir partout et en tous sens... Son calme et ses retranchements dans son monde intérieur m'inquiètent. Pourtant, elle n'a rien perdu de sa façon volontaire d'aborder la vie. Je suis certain qu'un jour, elle va simplement me dire quelque chose comme « je ne t'aime plus... je m'en vais ». Ça me fait terriblement souffrir juste d'appréhender l'évènement.

Alain attend encore quelques secondes pour s'assurer que son vis-à-vis avait vidé une bonne partie de son sac. Puis, comprenant la douleur apportée par ce que l'autre vivait, il saisit immédiatement comment il pouvait l'aider. « En lui racontant ma propre histoire, il acceptera que la sienne soit distincte de celle de Nadine. Les deux personnes, même si elles forment un couple uni, ont besoin de guérir… chacune de leur côté… » Il joint ses mains et commence son récit.

— Quand Marie est réapparue, j'étais également terrifié à l'idée de l'avoir perdue à jamais, sans qu'elle soit morte. Un matin, ma femme sensible, gênée et douce est partie travailler. Elle est revenue deux jours plus tard complètement transformée avec, pour explication, une histoire à coucher dehors. Ses vêtements étaient dans un tel désordre et son manteau d'hiver avait disparu, mais le visage de Marie portait une fierté remarquable et son caractère avait acquis une détermination nouvelle. Surtout, elle s'était munie d'une volonté de fer. Je ne la reconnaissais plus.

— Par contre, n'as-tu pas interprété son absence comme une aventure avec un autre homme ? C'est différent, non ?

Alain baisse la tête et ferme les yeux.

— Oui. Sans doute. Maintenant, j'ai honte de ne pas l'avoir écoutée plus à fond, mais, à l'époque, ce qu'elle racontait était impossible à croire… la distorsion de temps était digne d'un épisode de Star Trek… c'était en 1986 après tout. Je trouvais plus facile d'admettre que j'étais cocu.

— Je sais. Même avec toutes les preuves que j'ai vues, touchées et senties, il y a des jours où j'ai de la misère à accepter ce qu'elle dit comme étant plausible. C'est complètement cinglé. Puis, quand je réalise que c'est vrai, je voudrais reculer le cadran pour me retrouver à l'aube de ce fameux matin pour garder Nadine avec moi dans la maison jusqu'à ce que le soleil soit haut dans le ciel; pour éviter que le portail ne s'ouvre et la happe…

Pendant un instant, les deux hommes se taisent. Ils avalent lentement deux gorgées de bière puis les bouteilles retournent sur la table. Alex se sent mieux. « Ça fait du bien d'en parler… mais je n'ai pas encore tout dit… » Il tente à nouveau d'expliquer ce qu'il ressent si profondément.

— J'ai tellement peur qu'elle me quitte. Ses aventures là-bas l'ont irrémédiablement changée… elle est si forte. Je ne sais plus si elle m'aime encore…

Alain observe son ami pendant un petit moment; il réalise qu'Alex n'arrive pas à dire ce qui le rend si amer. « Je sais ce qui lui apporte tant de douleur… quand ça m'est arrivé, j'avais tellement mal que je n'arrivais pas à respirer… je ne suis même pas certain qu'Alex réalise ce qui l'affecte autant… j'ai moi-même mis plusieurs mois à comprendre… » Il joint les mains pour éviter de trembler, puis il plonge son regard dans celui du mari affligé.

— Dans tout ça, tu te demandes si tu l'aimes encore…

Le visage d'Alex vire au blanc.

— Ne me dis pas que ce qui trotte dans ma tête est si visible que ça !

— Non, rien n'y paraît. Mais je sais par où tu passes en ce moment. Je l'ai vécu il y a 25 ans.

— Ce n'était pas pareil ! explose Alex. Tu croyais qu'elle t'avait trompé !

— Curieusement, ce n'est pas ce qui m'a le plus dérangé. Le fait que ma femme se soit transformée au fil de l'aventure m'a complètement estomaqué. J'étais jaloux de cet homme qui avait eu une telle influence sur Marie. Surtout, j'avais la nausée quand je voyais que celle avec qui je vivais n'était plus celle que j'avais mariée.

— Il y a des jours où je ne la reconnais plus, énonce Alex. Des fois, Nadine reste immobile si longtemps que j'ai l'impression qu'elle est coincée dans une sorte de transe. Quand elle en sort, elle n'arrive pas à m'expliquer ce qui se passe. J'ai peur que nous nous éloignions un peu plus chaque jour.

— Je sais, réplique Alain. Dans notre cas, je crois que Marie s'en est aperçue et elle a décidé de prendre l'initiative. Elle a suggéré que nous fassions de l'équitation. Je me souviens de ma surprise quand elle en a parlé. Elle m'a simplement répondu qu'elle proposait cette activité parce qu'elle était au courant que j'aimais les chevaux. Elle a ajouté être prête à apprendre. Mais elle en connaissait tant sur ces ongulés… ça m'avait étonné à ce moment-là… maintenant, je comprends qu'elle avait fait son éducation au Pays de la Terre perdue avec Nadine.

— Faire ce sport en famille vous a aidés, n'est-ce pas ? Par contre, je ne sais pas quoi faire pour notre couple… je vis avec cette peur au fond de mon âme. Je ne veux pas la perdre, mais je ne suis plus certain qu'on pourra poursuivre notre vie ensemble. Sans doute que de reprendre nos activités de trekking ferait l'affaire… qu'en penses-tu ? Ça permettrait d'ajouter de nouvelles expériences sur un territoire commun…

Le visage d'Alex devient blanc comme neige au souvenir de ce que raconte Nadine de ses aventures dans cet autre lieu fantastique. « Ça, c'était du vrai trekking… » Il se tourne vers Alain.

— Peut-être que la randonnée pédestre n'est pas une si bonne suggestion, dans le fond… Ce qu'elle a appris là-bas est si incroyablement plus puissant…

— C'est ce qui est arrivé avec l'équitation et pourtant, ce fut un franc succès. Le trekking pourrait bien vous aider… tu dois aussi te donner du temps. Nadine s'ajuste lentement à son retour à la modernité. Rappelle-toi que, contrairement à Marie qui est restée dans cet univers parallèle quelques semaines, ta femme y a survécu deux années… deux longs hivers. Il n'y a rien d'étonnant à ce qu'elle se perde dans ses pensées. Je connais son talent et je suis certain qu'elle écrira sur ses aventures. Ça l'aidera à cheminer. Elle guérira un jour à la fois. Quant à toi, au fil du temps, tu verras si tu peux accepter tous les changements ou pas.

— Crois-tu vraiment que je pourrai continuer d'aimer cette épouse qui n'est plus tout à fait la mienne ?

— Je ne suis pas devin, répond Alain sur un ton jovial, mais je sais que tu as la force de caractère nécessaire pour y voir clair; tu prendras la décision qui s'imposera pour ton propre bien. De plus, je serai là, peu importe ce qui vous arrivera.

— Merci Alain. Notre discussion m'aide à mettre de l'ordre dans mes idées.

— Je comprends. Ce genre de camaraderie masculine m'a tellement manquée lorsque ce fut mon tour. Tu peux m'en parler quand tu veux.

Alex respire profondément. Soudainement, il ne porte plus sur ses épaules cette tonne de briques très lourdes qui le dérangeaient depuis le retour de sa blonde. L'air passe plus facilement dans sa gorge et il a l'impression que ses yeux voient mieux ce qui l'entoure. « Je ne sais pas comment ça va finir… mais le problème est au grand jour… il ne lui reste qu'à l'affronter, un petit bout à la fois. Comme Nadine dit souvent depuis son retour, il faut vivre le moment présent… »

Comme deux hommes de leur époque, l'exception faite aujourd'hui de parler des choses du cœur ne peut durer très longtemps. Alex se lève d'un bond.

— Attends ! Je rapporte deux nouvelles bières… il me reste deux gueuzes que nous avons achetées lors de notre dernier voyage en France. Elles proviennent de cette fameuse brasserie, la *Mort Subite*, et nous en buvons depuis nos débuts en trekking… Ça descend bien avec des Nachos. Je reviens dans un instant.

Pendant ce temps, les filles se tenaient dans la cuisine et le fou rire était à l'honneur.

— Marie, te rappelles-tu les aigles ? Tu avais eu si peur !

— Pas autant que lorsque le renard m'a sauté à la gorge et que tu l'as tué avec ta machette... Je ne me souviens plus de ce qui me terrifiait le plus entre la bête malicieuse et cette sorcière capable d'arracher la tête d'un prédateur en plein vol...

— Je croyais que c'était les orages...

Le fou rire éclate à nouveau. Alors que Nadine s'approche de la fenêtre, elle voit les deux hommes en grande conversation. Les traits de sa face se crispent automatiquement.

— Quoi encore ? demande aussitôt Marie qui s'acharne à garder son amie en dehors de sa réflexion. Ne fais pas l'huître ! Tu m'entends !

— Non. Ce n'est pas ça... je trouve juste que nos époux ont l'air un peu trop préoccupés. Le visage d'Alex est blanc comme neige.

— Hum... c'est vrai que je vois rarement Alain aussi sérieux. Ça me rappelle les mois qui ont suivi mon retour... il croyait que je l'avais trompé. Il ne parlait plus et il affichait en permanence une expression remplie de rancune. Ça me désolait.

Les joues de Nadine deviennent blêmes et ses yeux bleus brillent de larmes. Elle comprend soudain qu'Alex a besoin d'un confident pour discuter de ce qu'il vit au quotidien. « Je suis si préoccupée par ma propre situation que j'oublie que tout ça affecte aussi Alex. C'est tellement égoïste de ma part. Non... c'est plutôt la peur qui me bouche les yeux : je ne veux pas voir ce qui s'en vient. Par contre, je dois y faire face... pourquoi pas aujourd'hui ? » Prenant son courage à deux mains, elle énonce à voix haute ce qui la trouble autant.

— Tu sais, Marie, je suis contente qu'Alex se confie à Alain. Lui seul peut vraiment comprendre que mon mari trouve la situation difficile en ce moment. Parfois, je le vois qui m'observe intensément. J'ai énormément changé et je crains qu'Alex doive bientôt décider s'il tient à continuer de vivre avec moi...

Une boule d'émotion se coince dans la gorge de la femme aux cheveux blancs. Elle s'en veut de ne pouvoir rien faire pour aider Alex. Pourtant, son mari met tout en œuvre pour augmenter ses chances à elle de réhabilitation. « Comment pourrais-je aider mon mari alors que j'arrive à peine à faire le ménage dans ma propre tête... » Nadine se tourne vers son amie afin de chercher un soutien moral.

— J'ai tellement besoin de lui que ça me fait mal juste d'imaginer que je pourrais le perdre. Pourtant, je réalise que cette décision lui incombe. Je n'y peux rien.

— Garde la confiance en ta bonne étoile, Nadine. C'est un moment difficile à passer, je le sais. Mais vous arriverez, d'une façon ou d'une autre, à trouver un sens à tout ça. J'en suis convaincue. Puis, je serai toujours là pour toi. Tu le comprends, n'est-ce pas ?

Marie s'approche de son amie pour envelopper les épaules osseuses avec ses grands bras, comme elles l'ont si souvent fait, l'une pour l'autre, au Pays de la Terre perdue. Son geste réussit à faire revenir un peu de sérénité dans le cœur de la nomade. Prompte à sauter dans l'action, Nadine se dégage de l'étreinte et dépose ses deux mains à plat sur le comptoir.

— D'accord ! Vivons le moment présent ! Si on ne met pas cet énorme rôti dans le four maintenant, nous ne pourrons le manger que lundi matin. Go ! Au boulot !

— Dans le fourneau ! Ne le feras-tu pas cuire sur la cuisinière ? Comme tu le faisais dans un gros chaudron de bois sur ton feu ?

— Hé ! Ce n'est pas parce que je n'avais pas ce magnifique outil là-bas que je vais m'en priver ici ! Je suis une femme moderne et je m'assume !

Chapitre 18

Parc de la Gaspésie — 4 juillet

— Il ne répond pas à son cellulaire ! J'ai tellement peur ! s'écrit Martine. Il est arrivé un malheur à Claude ! J'en suis certaine !

— Pour le moment, réplique Alex sur un ton calme, il faut tenter de comprendre ce qui s'est passé.

Les cinq trekkeurs se tiennent debout sur le sommet du mont Xalibu, l'une des plus hautes cimes du parc de la Gaspésie. Même si la vue panoramique était exceptionnellement belle en cette journée ensoleillée, personne ne prêtait attention au décor. L'un des leurs manquait à l'appel et ils affichaient tous un air très inquiet. Puis, comme si l'aventure au Pays de la Terre perdue n'avait jamais eu lieu, leur comportement d'avant s'est automatiquement mis en place : quatre paires d'yeux marqués d'une angoisse étouffante se sont tournées vers Nadine. Sa facilité à analyser un contexte particulier et à développer rapidement une stratégie lui a toujours valu cette confiance sans bornes de la part de ses amis.

Aujourd'hui, elle sait que son expérience acquise durant son exil allait l'aider grandement à résoudre cette grave situation. Pourtant, quand Alex lui a rappelé qu'ils avaient rendez-vous avec le parc de la Gaspésie, Nadine a voulu refuser de participer à l'expédition. Elle souhaitait savourer le confort de sa grande maison moderne encore un moment avant de retourner faire du trekking en forêt sauvage. Il insistait beaucoup et l'ancienne nomade réalisait toute l'importance, pour Alex, de reprendre toutes ces activités qui font partie de leur vie à deux. Sa conversation avec Alain lui a fait comprendre la normalité de son questionnement face à l'amour qu'il voue, ou non, à sa femme transformée. Par contre, il désire utiliser tous les moyens à sa disposition pour qu'une belle harmonie revienne dans son ménage. Ainsi, il a choisi de remettre à plus tard sa décision de se séparer de Nadine, tout en plaçant toutes les chances de son côté afin que cela n'arrive pas. Le trekking est, à son avis, une excellente manière de commencer cette nouvelle vie à deux. La revenante est moins convaincue.

— Je ne sais pas, Alex. Tu vois, la randonnée, la pluie et la boue, je m'en suis soûlée au cours des derniers deux ans…

— Ce n'est pas pareil ! Cette fois, tu seras avec moi !

Son mari accentue ses paroles par quelques gestes de pâmoison : les deux mains étendues sur son torse; le nez relevé vers le plafond et un air imbu et taquin dans les yeux. Nadine éclate de rire. L'homme lui parle des cabines douillettes en forêt, des feux de foyer, des conversations entre amis, des matelas confortables, de la nourriture sèche, des sentiers balisés. Il ajoute que le Gîte du mont Albert, cette magnifique auberge sise au milieu des montagnes, les attendait avec des repas gastronomiques. La femme se laisse finalement convaincre. Cependant, elle prend un ton indifférent et songeur pour faire durer le suspense un instant de plus.

— Hum… Les réservations sont déjà faites… j'admets que je ne serai pas toute seule dans les pistes… il y aura les gardes du parc… jeunes… de beaux athlètes… Bernard et Claude pourront me protéger cette fois…

Quand le sourire disparaît sur le visage de son mari et qu'il affiche un regard inquiet, Nadine ne peut plus retenir son fou rire. Alors que la bonne humeur et le confort s'installent à nouveau dans la vie du couple, il est temps de retrouver leurs habitudes de randonnée pédestre, un sport qu'ils adorent tous les deux.

Quelques jours plus tard, les préparatifs allaient bon train et les comparses avaient étalé l'équipement de trekking sur le plancher du salon. Nadine prenait des notes. « J'ai besoin de pantalons de randonnée, de chandails, de nouvelles bottes, une ceinture... la bouffe ! Du poulet aux ananas... du bœuf braisé... hum... j'ai faim... » Son train de réflexion fut brisé par l'arrivée d'Alex qui revenait du sous-sol où il avait rangé à la hâte leur matériel après la disparition de Nadine.

— Bizarre... je ne trouve pas le petit poêle, la bonbonne de gaz et le briquet...

Nadine lève les yeux sur les paroles qui la frappent en plein cœur, alors que son souffle est momentanément coupé. Toutes les émotions qu'elle a subies dans les premières semaines de son séjour dans cet autre monde sans civilisation l'assaillent avec une force inouïe. « J'ai eu si peur... surtout de ne pas survivre alors ces outils précieux devenaient trop rapidement inutilisables. » Une grande fierté se glisse sur son âme et elle laisse ses poumons se remplir d'air pour reprendre le contrôle. Elle sait très bien où sont ces objets, mais elle veut taquiner son conjoint... pour une fois qu'elle a le dessus...

— Nous n'en avons pas besoin, j'ai mes roches à feu...

— Heu...

— Tu vas voir ! Ça marche très bien et c'est sûrement moins lourd que tout ce barda...

— Pour toi peut-être... je ne suis pas certain en ce qui me concerne...

Alex observe sa femme et la trouve un peu trop calme; le bout de crayon sur sa tablette et les yeux baissés lui signifient qu'elle tente de camoufler l'expression de son visage. Est-ce que c'est un sourire qu'elle cache ? Ses joues roses finissent par la trahir. L'homme reprend sur un autre ton.

— Là-bas, ne devais-tu pas transporter une quantité énorme de matériel d'allumage avec toi ? Ça devait être lourd tout ça, non ?

— Oui...

La femme n'en peut plus et son rire se répercute joyeusement sur les murs de la maison, au plus grand bonheur de son conjoint. Puis, le visage de la revenante devient sérieux, presque triste.

— J'ajoute ses objets sur la liste des achats. Je les ai laissés au Pays de la Terre perdue, sous un cairn dans la péninsule sud.

— Ah ! Je ne comprends pas pourquoi tu les avais avec toi là-bas. Ils sont généralement dans mes bagages.

— Tu les avais oubliés et j'étais en train de les déposer dans le coffre de la voiture lorsque le portail m'a happée. Tu sais, j'étais très contente de les avoir, tout comme la tente d'ailleurs. Ces objets m'ont gardée en vie au cours des premières semaines. Puis, quand j'ai vu le briquet et la bonbonne de gaz se vider au fil des jours, malgré la panique qui m'étouffait, j'ai cherché un autre moyen.

Alex s'avance vers sa femme pour la prendre dans ses bras et l'embrasser délicatement. Il veut chasser la douleur qu'il aperçoit dans les yeux bleus de sa blonde. Puis, pour qu'un sourire s'étire sur le visage de Nadine, il glisse à son oreille…

— S'ils étaient dans le même état que la tente orange, il valait mieux que tu les laisses là-bas… Aïe ! ajoute-t-il lorsqu'un coup de poing sec frappe son estomac.

Ce fut une autre occasion de magasinage pour la revenante. Cette fois, le trajet comprenait un bout d'autoroute, car le meilleur chemin leur faisait emprunter la métropolitaine pour se rendre au MEC[12] sur le boulevard l'Acadie. Ils ont remplacé les outils qu'elle a usés durant son séjour au Pays de la Terre perdue : un petit poêle, une bonbonne de gaz, un briquet, un chaudron, des ustensiles, une assiette et une tasse, un filtre à eau. Se sont ajoutés un sac de couchage et un nouveau matelas. Une fois nettoyée, la vieille tente orange a repris du service, mais il a fallu acheter un tapis de sol neuf.

---

12   Mountain Equipment Coop

Lorsque Alex a voulu inclure un chapeau pour sa femme, Nadine a tout simplement refusé, car celui qu'elle avait faisait amplement l'affaire. « J'ai fait la guerre avec ce couvre-chef... je le garde... un rappel de tous mes déboires là-bas... » Puis, quand l'homme a commencé à regarder les machettes, elle l'a encouragé à s'en procurer une nouvelle. Elle sait qu'en trekking, ici dans ce monde qui l'a vu naître, elle portera dorénavant, attaché à son mollet gauche, le vieil outil enfoui dans l'étui qu'elle a cousu là-bas. Elle ne partira plus jamais en randonnée sans cette pièce importante de son équipement. « Vaut mieux qu'Alex ait la sienne... »

Les trekkeurs sont parvenus au parc de la Gaspésie il y a quelques jours. Des chambres confortables avec une magnifique vue sur la montagne les attendaient ainsi qu'un copieux dîner à la salle à manger de catégorie cinq étoiles.

Si le lendemain de leur arrivée était une période de repos pour profiter de petits sentiers ainsi que de la piscine, le matin suivant, les amis se sont présentés avec tout leur barda au centre des découvertes pour prendre l'autobus jaune, ce transport qui les amènerait jusqu'au pied du mont Jacques-Cartier.

Nadine se sent coincée dans ce véhicule avec tous ces gens surexcités par l'anticipation de leur périple en montagne. Elle étouffe. Elle a hâte de marcher, de grimper et de savourer la symphonie de la nature... exempte de tout babillage humain. La plupart des visiteurs ne sont là que pour la journée et l'agitation est au maximum. En arrière, deux enfants se partagent un gros sac de croustilles. Quand l'un d'eux ouvre la fenêtre afin de se débarrasser du papier coloré, Nadine s'interpose, les invitant plutôt sévèrement à remettre leur rebut dans leur havresac, sous le regard courroucé des parents. Certains autres passagers, habillés d'accoutrements plus sobres, entreprennent l'une des longues randonnées disponibles par le secteur de la Galène, soit dans le parc, soit sur le Sentier international des Appalaches. C'est le cas de Nadine et de ses amis.

Le trajet comprend un arrêt de quelques minutes au camping sauvage de la Galène. Regardant d'un air perplexe les environs, Nadine voit, au fond du terrain, une large construction qui protège des toilettes modernes, un service de douches chaudes et une buanderie. À sa droite, il y a un bâtiment au moins dix fois plus grand que l'une de ses huttes. L'intérieur chauffé à l'électricité est, en fait, une immense salle remplie de tables et de chaises, comme une cafétéria. On y trouve d'ailleurs des distributrices de chocolats, de croustilles et de liqueurs douces. Des abris en bois et aux toits de bardeaux, dispersés ici et là sur le terrain, servent à protéger les campeurs de la pluie. Tout cela s'étale à peine à 300 mètres des sites plus rustiques et trop petits pour y poser autre chose qu'une tente minuscule. Les mains sur les hanches, un air faussement renfrogné sur le visage, elle n'a pu retenir son commentaire...

— Ils appellent ça du camping sauvage ! Vraiment !

— Tu n'avais pas ça au Pays de la Terre perdue. Hein ! réplique Bernard en la prenant par le cou pour la bousculer comme il le faisait quand ils étaient enfants.

— Je me demande surtout comment j'ai fait pour me passer de toute cette modernité... Dans le fond, je n'avais pas le choix, mais j'aurais tellement apprécié... ma bécosse n'était pas si mal... quand même...

— Ta bécosse ? répètent cinq voix distinctives sur presque le même ton.

La femme a tout simplement éclaté d'un rire si bruyant qu'elle a dérangé quelques personnes qui roupillaient dans l'herbe fraîchement coupée, avant qu'on ne sonne l'heure du départ.

Puis, les randonneurs reprennent le petit bus scolaire, une trentaine à la fois, pour se rendre au pied du sentier de quatre kilomètres qui grimpe vers le sommet du mont Jacques-Cartier.

Nadine souffle mieux. La longue expédition des McGerrigle entre le camping de la Galène et le Gîte du mont Albert pouvait enfin commencer. La femme encore nomade nage dans la joie : se retrouver à nouveau en nature, même si ce n'était pas son Pays de la Terre perdue, met du bonheur dans ses pas. Une fois dans le sentier, elle voit cette large piste aménagée, une véritable autoroute de montagne, où trop de gens circulent. Plusieurs portent des chaussures peu appropriées, comme des sandales ou des souliers à talons hauts. « Ça va faire mal dans la roche en haut de la montagne… ben bon pour ces écervelés ! » Elle affiche ce sourire narquois presque méchant dont elle a pris l'habitude dans son séjour dans cet autre monde. À son grand désarroi, les randonneurs parlent et rient assez fort pour effrayer tous les ours de la planète. « Ce n'est pas aujourd'hui qu'on verra des caribous… »

Marchant lentement, Nadine savoure le grand air à pleins poumons. Son regard scrute machinalement les sous-bois. « Mon gros loup ne viendra pas aujourd'hui… il y a trop de monde de toute façon… » Elle affiche une expression triste au souvenir d'Allie, Lou et Tigré que cette randon- née lui rappelle à chaque pas. Elle se demande ce qu'ils sont devenus après son départ. Elle est reconnaissante que ses amis humains n'interviennent pas alors qu'elle se déplace silencieusement, perdue dans sa tête à ressasser des images provenant de ce monde étrange. De temps en temps, comprenant son trouble, l'un d'eux s'installe entre la rêveuse et les visiteurs, pour protéger son intimité.

Elle pourrait s'élancer comme une balle, dépasser très facilement tous ces gens et arriver à la cime avant tous les grimpeurs, y compris le guide aguerri; ainsi elle profiterait d'un moment précieux de solitude. Mais elle a promis de rester avec ses amis, de les attendre, de se mouvoir à leur vitesse. Elle doit patienter jusqu'en haut. De l'autre côté de l'Éole, cet abri chauffé au sommet du mont Jacques-Cartier, elle peut enfin sentir et entendre la montagne, là où il n'y a pas tous les parfums et les bruits de la société, mais où les caribous s'alimentent en toute liberté.

En route vers le mont Comte, les trekkeurs sont finalement seuls au-dessus de la cime des arbres. Nadine respire profondément l'air frisquet. Si son nez aiguisé y décèle encore un peu de pollution humaine, elle apprécie sa fraîcheur. Quelques plaques de neige, toujours accrochées dans les vallons, rappellent que l'hiver d'ici est rigoureux. Nadine sourit. « Je vais apprécier le gîte de bois et le foyer de style tortue qu'Alex allumera avec son briquet… hum… un matelas épais coupera l'humidité… mon nouveau sac de couchage… Ça, c'est la vie moderne ! »

Le matin suivant, à l'aube, les amis trouvent Nadine, pieds nus, accroupie en petit bonhomme sur le toit du *Tétras*, le gîte de montagne, avec sa tasse de liquide chaud en main. Elle attend que le soleil se lève à l'est et se reflète sur le lac Samuel-Côté. Avec un brin de nostalgie, elle admire la pénombre qui se retire graduellement de ce paysage enchanteur digne du Pays de la Terre perdue. De leur côté, Claude, Martine, Bernard et Claudine restent bouche bée devant la revenante juchée si haut.

— Alex, ta femme n'a-t-elle pas le vertige d'habitude ? s'enquiert Claudine.

Alex, qui avait entendu parler du patio au-dessus de la grotte, hausse les épaules en souriant et lui demande simplement :

— Tisane ou café ?

— Du café bien sûr ! lui répond celle qui est grimpée sur le toit de bardeaux.

Puis, alors que leurs amis ne comprennent toujours pas, Nadine et Alex éclatent d'un rire de connivence qui trouve écho sur la montagne et dérange quelques carouges qui s'envolent en chahutant.

— Allez ! indique Nadine. Venez me rejoindre ! Le spectacle commencera bientôt. L'échelle est à l'arrière.

Comme pour permettre aux observateurs de bien s'installer, l'astre du jour prend son temps pour apparaître. Puis, le soleil se lève avec une lenteur qui leur plaît, solennellement presque, comme le roi qu'il est sur la planète des humains. Prenant place dans le firmament, il garroche des paillettes d'or sur ce petit bout de terre coincée entre deux montagnes. Les gouttelettes de la mince brume qui s'étire, se gorge de la lumière et se transforme en milliers d'arcs-en-ciel miniatures. Tous les amis restent cois devant le tableau, puis Martine brise le silence :

— Merci, Nadine, de nous rappeler que c'est justement pour ce genre d'expérience que nous faisons du trekking. Ça faisait trop longtemps que je n'avais pas regardé le lever du soleil. C'est si beau !

— Au Pays de la Terre perdue, ce moment de la journée était l'un de mes plus grands plaisirs. Je suis heureuse que la nature d'ici soit également capable de me montrer sa magnificence en toute simplicité, sans technologie, sans ville, sans civilisation bruyante.

Appuyant sa tête sur l'épaule d'Alex, Nadine savoure l'instant d'extase. Ce matin, elle est contente d'avoir accepté de participer à ce voyage.

— Alex, merci d'avoir insisté. Tu avais raison. J'ai l'impression que mon âme est en train de se réconcilier avec mon passé.

— De rien mon amour ! Tu sais, je te trouve beaucoup plus belle et plus fringante que toute cette scène haute en couleur.

— Entendez-vous ce don Juan ! s'exclame Bernard. Nadine ! Je suppose que ce spectacle t'a creusé l'appétit… Si nous allions manger notre petit-déjeuner…

Dans un brouhaha total composé de rires, de taquineries, du son des bottes qui grattent le sol de planches rudes, de chants d'oiseaux et du bruit des réchauds qui sifflent, les six trekkeurs partagent leur repas matinal avant d'entreprendre le prochain bout de chemin. C'est au cours de cette deuxième journée, alors qu'il marchait depuis un bout de temps dans une zone boisée au-dessus du lac aux Américains, que Claude a pris un mauvais tournant et s'est retrouvé sur une piste latérale qui l'éloignait du sentier balisé.

Claude a la fâcheuse habitude de faire la route en solitaire. Il fait cela au moins une fois par expédition. Sous prétexte qu'il veut avancer à son rythme, et qu'il est capable de se débrouiller en forêt, il part souvent seul, bien avant le reste des trekkeurs. Il prétend aussi qu'il préfère se diriger tôt vers le gîte afin de tout préparer pour l'arrivée des autres. Ses amis n'aiment pas ce comportement, considérant que cela peut être une source de danger. Mais le têtu insiste. Ce matin, Alex lui a fait promettre, deux fois plutôt qu'une, d'attendre le groupe au mont Xalibu. Il voulait prendre une photo de la bande des six sur le sommet de la montagne.

Quand les cinq marcheurs se sont présentés sur le top totalement dénudé, ils n'ont pas trouvé Claude. Martine, sa femme, s'est inquiétée tout de suite, sortant son cellulaire pour tenter de le rejoindre. Est-ce que Claude gît, blessé, quelque part ? Tremblant de tous ses membres, elle jette un coup d'œil affolé vers Nadine; l'épouse du disparu peut se fier entièrement au sens de l'organisation de son amie.

Les sourcils froncés, Nadine réfléchit. Si Claude est tombé hors du chemin, ou s'il est inconscient, le groupe aurait-il marché à côté sans l'apercevoir ? C'est peu probable dans cette forêt relativement ouverte. Puis, habituée comme elle l'est maintenant, elle aurait trouvé les marques de son passage, senti la peur ou le sang. Par contre, s'il a emprunté un mauvais sentier, il pourrait avoir avancé loin avant de s'en rendre compte. Elle a vu une dizaine de pistes de caribous et d'orignaux en route. Bien visités, ces

chemins sont très ouverts et Claude aurait pu s'y aventu-
rer par mégarde, sortant du tracé balisé. Cette situation lui
semble la plus plausible.

Ayant un moyen moderne à sa disposition, Nadine prend
son iPhone et s'assure que le signal est assez puissant puis
elle appelle Claude. Une voix mécanique lui indique que
l'appareil est fermé ou que l'abonné est en dehors de la
zone. Elle se souvient que le randonneur a vérifié son
téléphone avant de partir, à la demande expresse d'Alex.
Elle sait aussi qu'il n'aurait pas poursuivi sa route au-delà
du mont Xalibu après avoir promis de les attendre. « Bon,
il faut agir. Qu'il soit blessé ou perdu, nous devons le
retrouver au plus vite. » Elle donne ses directives alors
que ses camarades sont suspendus à ses lèvres.

— Martine et Claudine, je suggère que vous restiez sur
ce sommet. Vous serez le point de contact entre Claude et
les chercheurs. Vous communiquez avec nous s'il arrive
ou s'il vous appelle.

Elle sait aussi que, s'il fallait demander de l'aide des services d'urgence, Claudine pourrait mieux le faire de cette
position où le signal est très fort. Cette dernière hoche
la tête; l'expression dans ses yeux confirme qu'elle saisit
très bien la situation et qu'elle prendra soin de l'autre.
Se tournant vers Bernard et Alex, Nadine poursuit son
raisonnement.

— Les gars, nous devons revenir sur nos pas pour le
trouver ou pour éviter que Claude s'éloigne trop de nous.
Pour faire plus vite, nous laissons nos bagages ici, n'emportant que l'essentiel : nos téléphones cellulaires, nos
boussoles, nos gourdes à eau et quelques sacs de noix.

Suivie des deux hommes, Nadine retourne vers le
sentier en forêt. Elle s'élance si rapidement que ses camarades peinent à s'adapter à la cadence. Le souffle court,
des crampes alourdissant leurs jambes, les traits tirés par
l'effort, ils ne se plaignent pas. L'urgence de la démarche
remplit leur corps d'adrénaline, cette drogue naturelle
qui donne momentanément une énergie débordante. Une

course de trente minutes les amène dans la zone boisée. Puis, Nadine s'arrête et exige que ses compagnons cessent de bouger complètement.

— Je veux entendre et sentir les environs.

Même si les deux hommes sont perplexes face à ses paroles, ils laissent la nomade s'éloigner d'eux, directement dans la forêt où ils ne perçoivent aucun sentier. Si Alex est nerveux de voir disparaître sa blonde entre les arbres, il décide de lui faire confiance. Pendant cinq longues minutes, Nadine reste dans la zone boisée, sans bouger, d'abord debout, puis accroupie, mais toujours les yeux fermés. Puis elle rejoint les deux autres trekkeurs.

— Je capte bien ses mouvements. Il se trouve à quelques kilomètres d'ici, mais il s'en va vers l'est. C'est la mauvaise direction et il s'éloigne de nous. J'ai l'impression qu'il sait qu'il est perdu, car son rythme est saccadé.

— L'entends-tu vraiment marcher ? demande Bernard qui reste éberlué par le commentaire.

— Oui, répond simplement Nadine. Il fait plus de bruit qu'un troupeau d'orignaux. C'est inhabituel pour un homme de son expérience en montagne. Je pense qu'il est en train de paniquer.

— Il n'est pas dans le sentier, réplique Alex. Qu'est-ce qu'on fait alors ?

— S'il s'affole, il faut le trouver au plus vite, ajoute Bernard d'un air inquiet.

— Je sais, répond Nadine. Je vais devoir me rendre à sa position directement à travers la forêt. Je pars seule pour avancer plus vite. Vous deux, vous appelez Martine pour la rassurer. Puis vous essayez de joindre Claude par téléphone pour lui demander d'arrêter de bouger. Dites-lui d'utiliser le sifflet de montagne toutes les trente secondes pour m'aider à le traquer. Espérons que son cellulaire sera accessible bientôt.

Avant même qu'ils puissent répliquer et contester sa décision, Nadine s'élance à la course dans la forêt, vers l'est, sa machette en main. Elle marche rapidement un grand bout de temps, coupant des branches pour se faire un passage et contournant des obstacles comme de gros arbres, des cours d'eau ou des rochers. De temps en temps, elle s'arrête pour écouter les bruits. Si elle se rapproche de Claude, ce dernier est encore loin. Plaçant ses mains en porte-voix, elle l'appelle régulièrement, mais elle ne reçoit aucune réponse. Il bouge toujours dans la mauvaise direction et ses mouvements sont de plus en plus erratiques. « Il tourne en rond... » Elle entend ses pas distincts, très inégaux, ce qui indique clairement le niveau de panique du randonneur.

Elle ne comprend pas. Claude est un trekkeur expérimenté et il connaît le coin. Il devrait savoir que, s'il veut aller à la rencontre des autres, il doit marcher vers l'ouest. Au pire, il se rendrait sur la crête qui descend au lac aux Américains et il retrouverait facilement la piste pour remonter vers le Xalibu. Pourquoi poursuit-il sa route dans une trajectoire contraire ?

Un téléphone résonne dans la forêt. Enfin ! Il est encore loin devant elle, mais Claude cesse de bouger. Puis, elle entend clairement le sifflet de montagne. Elle continue de progresser plus rapidement vers ce signal qui est de plus en plus proche. Quand elle trouve Claude, elle se rend compte à quel point l'homme est effrayé : son visage est blanc comme la neige et son corps tremble comme une feuille. Il est soulagé de la voir, mais il est au bord des larmes. Elle doit le sécuriser.

— Ça va ! Je suis là maintenant ! Tiens ! Assieds-toi sur ce tronc d'arbre un moment. Reprends ton souffle.

Nadine l'oblige à boire de l'eau, à manger quelques noix puis à mettre un chandail de plus sur ses épaules. N'étant pas rassurée par l'état fébrile de Claude, elle appelle Bernard pour lui expliquer la situation. Même à travers le son mécanisé du téléphone, Nadine devine sa réaction.

Si l'ami est soulagé, le médecin est fort inquiet. Elle doit forcer Claude dans l'action au plus tôt pour réduire l'effet de panique qui brûle son énergie.

Le meilleur moyen est de retrouver directement Bernard et Alex qui sont en périphérie de la zone boisée, au sommet de Xalibu, à plusieurs kilomètres de sa position. Il n'y a aucun sentier et la forêt est beaucoup plus dense là où Nadine et Claude se trouvent. Ainsi, pour l'aider à sortir de cet endroit au plus vite, Nadine demande qu'Alex utilise son sifflet de montagne toutes les trente secondes. De cette manière, Claude et Nadine pourront garder le cap sans devoir recourir à la boussole ce qui exigerait plus de temps.

Trois heures après avoir réalisé que Claude s'était perdu, tous les trekkeurs étaient de retour au sommet de Xalibu, et prenaient place pour la photo de groupe. Ils y sont restés jusqu'à ce que Bernard déclare que le rescapé était suffisamment reposé et calmé pour continuer la randonnée vers le prochain gîte.

Un peu plus tard en après-midi, alors que tous les amis étaient assis sur un banc en face du lac aux Américains, Claude constate qu'il voit Nadine d'un œil nouveau. Il s'approche d'elle pour la remercier une autre fois.

— T'ai-je dit merci de m'avoir sauvé la vie ?

— Au moins à vingt reprises, répond Nadine en riant. Je suis contente d'avoir pu te venir en aide.

— Tu sais, ton histoire m'impressionne encore plus aujourd'hui qu'avant. Je me suis égaré pour quelques heures seulement et j'ai paniqué. J'ai eu peur de faire une crise cardiaque. Dans la forêt dense et non balisée, je ne me rendais pas compte que je marchais dans la mauvaise direction. Toi, tu as vécu seule au Pays de la Terre perdue pendant deux ans dans des conditions bien pires… et tu es revenue plus forte de ton exil.

— Merci pour le compliment. Je l'apprécie beaucoup.

Aujourd'hui, l'homme aurait pu mourir. Pour le reste de l'expédition, Claude ne s'est plus aventuré en solitaire dans les sentiers. Nadine est d'ailleurs convaincue qu'il ne le fera plus jamais.

Le lendemain de l'évènement, après une nuit calme au Roselin, un camp de montagne construit à proximité d'une magnifique rivière, les six amis ont poursuivi leur périple. Cette journée s'annonçait douce et tranquille. Le tracé leur proposait une randonnée facile de huit kilomètres, dans le fond d'une vallée, jusqu'au Gîte du mont Albert. Alors qu'ils marchaient en file indienne dans un champ de fougères, tous plongés dans leurs pensées, ils prenaient plaisir à la vie en plein air et leur petite communauté de trekkeurs les contentait.

Pour la première fois depuis son retour, Nadine soupesait véritablement l'importance de se retrouver en société. Si le Pays de la Terre perdue lui manquait toujours autant, elle anticipait l'arrivée à l'auberge où une douche chaude, un bon repas arrosé de vin, une bière fraîche et des croustilles l'attendaient... pas nécessairement dans cet ordre...

— Ouais ! Vive la civilisation ! J'ai faim ! Allez ! On se grouille !

Chapitre 19

Parc de la Gaspésie — 7 juillet

Sur la montagne au dos rond où les cailloux abondants datent de millions d'années, une humaine solitaire marche lentement, examinant chaque brin d'herbe. Quand un troupeau de caribous s'élance dans la petite lande qui s'étend entre la lisière de forêt et le sommet, elle reste immobile un bon moment.

L'un d'eux s'approche d'elle pour la sentir, touchant son bras de son museau froid. Nadine le laisse faire, sachant qu'un seul geste de sa part ferait fuir ce mâle fier, mais plutôt craintif. Il y a un peu plus de deux ans, elle aurait été si effrayée que son odeur modifiée par la peur aurait incité le cervidé à déguerpir. Aujourd'hui, l'émerveillement lui donne des palpitations cardiaques. Le sourire aux lèvres, elle observe les mouvements majestueux de la bête qui tente de comprendre d'où vient ce gros objet inanimé et coloré qui se trouve soudainement sur son chemin.

Puis, quand l'animal satisfait s'éloigne, Nadine scrute intensément l'orée du bois. Elle s'attend à tout moment de voir sortir Lou de la forêt. « Je sais que tu n'es pas ici… je ne peux pas faire autrement… je te cherche partout… cette montagne me rappelle tant nos derniers moments ensemble… » Elle laisse échapper un long soupir. « Je n'irai plus jamais là-bas… Je ne reverrai plus jamais Lou, Allie ou les autres… »

Elle reprend sa randonnée d'un bon pas pour se rendre jusqu'au poste de météorologie situé sur le sommet du mont Logan. Il s'agit d'une simple cabane en bois, plantée là, sur un bloc de béton, comme un rappel que la civilisation existe sur cette planète. Un bruit l'attire et elle lève les yeux vers le ciel. « Un hélicoptère… je suis chez moi, dans mon monde. » Elle regarde son accoutrement : un pantalon brun et un chandail de la même couleur. « Je ne voulais plus m'afficher de ces tons de vert, de jaune ou de bleu, comme ceux de mes vêtements portés tous les jours lors de ce premier été si troublant… » Ses bottes de trekking ne sont déjà plus neuves après seulement quelques jours de randonnée, mais elles sont certainement plus confortables que celles ramenées de son séjour. À sa ceinture en cuir sont accrochés son couteau de poche, celui qu'elle avait au Pays de la Terre perdue, et sa boussole. Cette fois, elle n'a pas sa fronde ni son sac de cailloux. Son chapeau rendu gris par l'usure est posé tout croche sur sa tête et ses verres fumés protègent ses yeux. Sa peau porte une odeur mélangée de crème solaire et d'huile contre les moustiques… « Début juillet dans le parc de la Gaspésie… c'est comme au Pays de la Terre perdue… les frappe-abords sont encore nombreux et voraces. Par contre, ici, je dois tenir compte du soleil qui s'infiltre trop puissamment à travers la couche d'ozone amincie par les actions industrielles des humains; l'astre du jour d'ici apporte le cancer… »

Rendue au sommet, elle se dresse sur la pointe des pieds pour mieux voir la mer qui s'étend au sud dans la direction de Matane. « Curieux que j'aie cru que j'étais ici… là-bas, la mer est au nord… si différent… et si pareil… »

Contentée par sa visite, Nadine regarde sa montre. Elle sourit de ce geste qui lui est revenu aussitôt qu'elle eut mis le bijou autour de son poignet. Incapable de retenir ce mouvement si souvent posé là-bas, elle lève les yeux vers le soleil pour en juger l'angle. S'appuyant sur ses bâtons de marche en carbone, elle fait un dernier tour d'horizon pour se satisfaire d'avoir bien intégré toutes les différences entre ce mont Logan et son homonyme au Pays de la Terre perdue.

— Bon ! Je rentre au gîte *Nyctale*…

Puis la femme éclate d'un rire que l'écho des montagnes s'amuse à répéter en le fractionnant curieusement.

— Là-bas, je donnais des prénoms aux bêtes, ici on affuble les lieux du nom des animaux ! C'est le monde à l'envers...

Pendant qu'elle retrouve le sentier qui lui permettra de rejoindre les autres trekkeurs, Nadine revient sur les évènements des semaines précédentes. « J'ai déjà parcouru beaucoup de chemin... mais il reste encore tant à faire... »

Nadine a beaucoup hésité avant d'accepter de venir dans le parc de la Gaspésie. Elle avait envie de faire la citadine encore un bout de temps plutôt que de se retrouver dans la nature. Après son exil de deux ans au Pays de la Terre perdue, elle n'était même pas certaine de vouloir refaire un jour de la randonnée pédestre. Cette expédition avait été planifiée l'hiver précédant et les réservations organisées depuis longtemps; une semaine de trekking avec Claude, Martine, Bernard et Claudine. Par la disparition de Nadine, leur voyage commencé au Parc national des Great Smokey Mountains avait été abandonné, les amis désirant plutôt apporter leur soutien à la famille et, si nécessaire, collaborer aux recherches. Ensuite, pour assurer que la revenante puisse reprendre son existence d'avant, Alex et Nadine n'ont pas participé aux autres activités de courtes randonnées dans les parcs du Québec prévues en mai et en juin. Non seulement la femme ne se sentait pas disposée à aller marcher en nature pour le moment, mais elle affrontait difficilement la vie en société. Rester à l'abri du regard des gens qui s'acharnaient à la dévisager devenait une avenue plus sécurisante. Pour tout dire, l'ambiance de sa maison confortable la satisfaisait.

Elle savait cependant que ce sport était essentiel pour Alex. Sa santé mentale en avait besoin. L'homme profiterait de la camaraderie entre les trekkeurs en plus de permettre à son corps d'évacuer toute l'émotion associée à la disparition et au retour de sa blonde. Admettant que le temps aurait son effet guérisseur, comprenant que son mari n'irait pas en expédition sans elle, Nadine a finalement accepté de participer à leur longue randonnée annuelle dans le parc de la Gaspésie. Elle cherchait surtout à faire plaisir à Alex, certes, mais peut-être aussi que ses amis saisiraient mieux ce qu'elle a vécu si elle se servait de ce périple pour leur présenter d'autres informations.

Poussant du bout du pied un caillou qui l'a presque fait tomber tant il était en déséquilibre, elle observe le morceau de roc débouler la pente. Sur le coup, elle ressent cette pointe de colère qui l'a si souvent affectée au Pays de la Terre perdue. Ne pouvant en vouloir à personne de ses épreuves, elle s'attaquait à l'environnement lui-même. « Calme-toi… c'est juste un caillou… » Fermant les yeux un moment, elle prend une longue inspiration qui, en l'expulsant en douce, emporte avec le dioxyde de carbone une partie de cette rage irrationnelle. « Bon ! Ça va mieux ! » C'est avec un sourire qu'elle se souvient de l'expression perplexe dans le visage de ses amis quand ils l'ont aperçue après son retour. Par contre, aucun d'entre eux ne réalise, même encore aujourd'hui, tous les changements psychologiques profonds que son aventure a forcés sur son caractère. « C'est difficile même pour Alex qui me côtoie tous les jours… il n'arrive pas à tout comprendre… »

Lors de la grande réunion en mai dernier, elle a vu le doute dans leurs yeux quand elle a commencé à raconter son exil. S'ils essayaient véritablement de croire, les auditeurs avaient peine à cacher leur scepticisme, voire leur dégoût, devant cette histoire étrange d'un Pays que l'on visite par le truchement d'un portail de lumière. Nadine comprenait leur incrédulité et elle a répondu à leurs questions avec patience, même si la réplique « je ne sais pas » s'appliquait souvent. Peu à peu, les amis et la famille ont accepté que, en dépit de l'aspect invraisemblable de la narration, les preuves rapportées démontrent clairement la véracité du récit abracadabrant.

Au fil des semaines, on sentait que le tout reprenait lentement une allure plus normale. Par contre, Alex et Marie étaient les seuls à observer quotidiennement tous les efforts que Nadine déployait pour avancer sur le chemin parsemé d'embûches qu'il lui restait encore à parcourir. La revenante était certainement sur la bonne voie et sa guérison s'effectuait à belle cadence. Entourée de sa famille et de ses amis, sa progression se faisait tout de même en douceur.

Toute la troupe de trekking s'est réunie à nouveau chez Alex et Nadine le 24 juin pour le BBQ de la Saint-Jean. L'atmosphère qui régnait lors de cet évènement annuel était beaucoup plus paisible. Nadine avait repris juste assez de kilogrammes pour atteindre un poids santé. Beaucoup moins farouche, elle avait réappris plusieurs de ses habiletés sociales qui la rendaient si appréciée en groupe, avant sa disparition. Alex était fort heureux de la voir parler à chacun et afficher un sourire relativement détendu et serein. Seule la dureté du regard bleu et vif lui indiquait que sa blonde n'était pas totalement revenue de ce monde mystérieux où la vie semblait si rude.

Au cours de la fête, ses amis posèrent encore plusieurs questions qui, cette fois, portaient plus sur les expériences de la nomade vécues au jour le jour. Entre autres, on lui a demandé de raconter, d'heure en heure, les nombreuses activités qui remplissaient ses journées. Ils s'inquiétaient de ce qu'elle mangeait, tentaient de comprendre ses choix de lieu pour la nuit et réclamaient la description de la grotte, du pont et du voilier. Si elle trouvait les échanges très difficiles, Nadine savait que les gens avaient besoin d'intégrer l'information détaillée pour mieux saisir l'ampleur de ses aventures fantastiques. Elle s'efforçait de brosser un tableau très fidèle de son vécu, même si certains renseignements la rendaient encore très inconfortable, comme la honte qu'elle ressent toujours d'avoir cessé de croire à son retour, lors du deuxième hiver.

Puis, en fin d'après-midi, les gars se sont affairés avec le barbecue alors que les filles sont allées préparer les salades et les légumes. Au dîner, Nadine a refusé le magnifique steak que Claude lui présentait. Elle supportait si mal le haut-le-cœur très évident, que les autres ont réalisé la profondeur des changements qu'a provoqués l'aventure de leur amie. Quand elle leur a expliqué que, pour vivre, elle a dû chasser, pêcher et faire boucherie par elle-même, sans compter le processus de séchage et de tannage, ils ont compris qu'elle adopterait un régime plutôt végétarien pour un certain temps.

Après une pluie momentanée, mais intense, Nadine a retiré ses chaussures pour aller marcher dans la platebande mouillée, faisant fi de son dégoût habituel de se retrouver pieds nus. Bouche bée, ses amis ont dévisagé Alex qui s'est contenté de sourire. Celle qui a toujours refusé d'avoir les pieds sales, même lors des expéditions dans des coins perdus de la planète, se promenait maintenant avec les orteils dans la boue tout en ne donnant aucun signe qu'elle sentait les roches. Quel changement !

— Eh oui ! affirme-t-il en riant. C'est bien ma femme ! Avec quelques différences…

Puis, alors que les visiteurs continuaient de la bombarder de questions en tous genres et que Nadine répondait avec un ton de plus en plus las, Anne a réalisé que l'exercice épuisait sa mère et l'attristait. Elle a voulu couper le fil de la conversation difficile pour donner un répit à la narratrice.

— Maman, j'ai une idée ! Tu devrais rédiger l'histoire de tes aventures fantastiques. Ce serait d'ailleurs plus facile pour nous de tout comprendre.

— C'est une excellente suggestion, ajoute rapidement Marie pour l'encourager.

— Je ne sais pas encore tout, taquine Alex, mais tu as tellement de choses à raconter que cela te prendra sûrement dix ans pour tout mettre par écrit ! Ça donnerait certainement une encyclopédie d'au moins trente volumes !

À ce moment-là, Nadine est restée silencieuse face à la proposition. Elle n'était pas convaincue de vouloir décrire dans un livre ses aventures au Pays de la Terre perdue, surtout les plus difficiles. Elle a tout de même admis que cela valait la peine d'y réfléchir. Ayant déjà commencé à tenir l'une de ses promesses, elle avait couché sur papier plusieurs des scènes de ce monde magnifique. Quand elle a montré ses croquis, les gens ont été fort surpris de la vivacité des images. Devant les dessins de Lou, bébé et adulte, ainsi que d'Allie, tous ont été estomaqués. Utilisant ses pastels pour jouer avec les effets de lumière, l'artiste avait rendu les portraits presque vivants.

Sortant de sa réflexion, Nadine s'arrête un moment dans le sentier. Elle avait besoin de savoir où elle posait les pieds et s'assurer qu'elle gardait la bonne direction. D'un coup d'œil, elle voit le gîte *Nyctale*, coincé sur un roc et entouré d'une forêt de conifères rabougris. La cabane se trouve à quelques centaines de mètres devant elle. « Je ne suis pas loin... sur le bon chemin... » Soudain, un objet brillant attire son regard. Elle fait quelques pas, s'accroupit et prend dans ses mains le tesson qui a reflété un rayon de soleil. « Un fond de bouteille verte... une bière probablement... quel imbécile a grimpé jusqu'ici avec de la bière ? Maudite société... tu ravages tout... » Puis, refusant que la colère qu'elle a trop bien côtoyée dans l'autre univers s'immisce dans son cœur à nouveau, elle claque la langue, se relève et place le petit bout de verre poli dans sa poche. « Bon ! Je ne peux rien y faire pour le moment... de retour en bas, je le mettrai au recyclage... »

Reprenant sa randonnée, ses souvenirs refont surface, lui faisant revivre la deuxième visite des policiers. De toute évidence, les deux enquêteurs trouvaient son histoire difficile à croire. Elle ne pouvait pas les blâmer. Ils sont entraînés à découvrir les mensonges. Bien sûr, Nadine n'a pas vraiment menti... à moins que de taire des renseignements n'en constitue un. Un jour, leur directeur de la banque a appelé pour signifier que William Davis avait exigé l'état de leurs finances, et ce sans mandat. D'un commun accord, Nadine et Alex ont accepté qu'on libère les informations. Les détectives cherchent à savoir si une rançon a été payée. Refuser ne ferait que pointer les soupçons de ce côté.

Nadine leur a aussi fourni, à leur demande, le bilan de santé préparé par Bernard. Il n'y avait rien dans les documents pour diminuer leur scepticisme. Une femme disparaît pour deux semaines, pèse 30 kilos de moins à son retour et n'accuse aucune carence médicale. Allons donc ! Mais Nadine s'est contentée de hausser les épaules.

La sergente-détective Dubois s'est présentée à la maison au début de juin alors que la revenante travaillait dans le jardin. Nadine a répondu à nouveau à toutes les questions, donnant encore des commentaires courts et quelques gestes d'incompréhension sur les évènements.

— Est-ce possible que vous ayez passé les deux semaines droguée ? Cela expliquerait votre rêve et votre perte de poids, non ?

— Peut-être, réplique Nadine, n'osant pas faire référence à l'usure de ses vêtements.

— Vous aurait-on enlevée, mise dans une auto, transportée au loin et lâchée en pleine forêt ?

— Je ne sais pas. Je n'ai aucun souvenir de tels évènements.

— Pourquoi vous aurait-on libérée ? Ramenée chez vous ?

Nadine hausse les épaules. Elle saisit que la policière voudrait que la victime énonce des hypothèses, formule des commentaires probables. Mais la revenante comprend que ce serait une erreur. Chaque réponse serait examinée à la loupe, l'enquête se poursuivrait pendant encore de longs mois. Il faut que ça se termine au plus vite. Puis, toujours incapable de mentir, elle se refuse à donner des renseignements qui seraient, tout simplement, inexacts.

À la mi-juin, le lieutenant-détective a invité Alex au poste pour lui faire signer des documents. « Pour fermer le dossier » a-t-il dit. Le mari n'était pas dupe. Ces dossiers ne sont jamais vraiment fermés, surtout quand les réponses se font aussi imprécises. William Davis a utilisé deux longues heures pour réviser toutes les informations, les manipulant même pour confondre celui qui a vu sa femme disparaître et revenir dans des circonstances pour le moins inusitées. Alex a tenu bon et, bien sûr, il est parti sans qu'on lui demande de signer quoi que ce soit.

Nadine est de retour à la maison et sa santé est parfaite. Les policiers ne peuvent rien faire de plus, même s'ils ne croient pas son histoire. Leur expérience de fins limiers leur indique qu'on ne leur a pas tout raconté, mais cela n'a pas d'importance. Ils cesseront d'enquêter sur cette affaire pour placer leur énergie sur d'autres dossiers nouveaux et pressants.

La nomade lève les yeux sur un couple de carouges à épaulettes logés dans une épinette qui pousse juste à côté. « Je suis déjà rendue à la forêt… mon temps en solitaire s'achève… » Soupirant, elle réalise que la vie lui fait voir les choses différemment selon les circonstances. Emprisonnée au Pays de la Terre perdue, la solitude pesait lourd sur son âme et elle devait lutter chaque jour pour éviter de tomber dans un abîme sans fond. De retour, elle cherche continuellement ces moments qu'elle passe seule, comme si, ici, la civilisation l'étouffait et l'entraînait dans une fatigue émotive difficile à gérer. « Je suis un être d'émotions contradictoires… jamais je ne m'en sortirai… »

Alors qu'elle bifurque vers sa gauche pour suivre le sentier qui la ramènera aux autres, le visage de Marie s'infiltre dans ses pensées, dessinant spontanément un sourire sur ses lèvres. Maintenant, la rouquine de 30 ans et celle de 55 ans se superposent avec cohérence. Depuis son retour, les deux amies ont eu de longues conversations. Nadine a voulu d'abord savoir si le portail s'était ouvert à nouveau en 25 ans. Marie n'a jamais revu cette lumière vive qui transporte les gens on ne sait où ni entendu parler d'un tel phénomène ailleurs. Elle a bien sûr cherché à comprendre. Elle n'a rien trouvé. S'il y en a eu d'autres épisodes, rien n'est sorti dans les journaux. Aucun livre n'a été écrit à ce sujet. Un peu plus tard, elle a fouillé les sites Internet où on discute d'évènements étranges et d'histoires insolites. Rien ne ressemblait le moindrement à leurs aventures.

Douloureusement, Nadine a voulu savoir pour Lucette. Est-ce que son passage au Pays de la Terre perdue est responsable des trois tentatives de mettre fin à ses jours et de son suicide, cette fois réussi, l'automne dernier ? Même si la brunette était instable avant sa visite, son exil là-bas a contribué à la rendre encore plus névrosée. C'est à regret que Marie a énoncé l'hypothèse que les trois autres voyageurs n'auraient pas dû traverser avec elle, confirmant ainsi la théorie de Nadine.

Qu'en est-il pour André ? Avant l'aventure, l'homme était comme un gros ourson qui se laisse bercer par la vie. Il était déjà paresseux et trouillard bien avant son expérience. Il est revenu du Pays de la Terre perdue, aigri. Il semblait se souvenir vaguement que Jean-Pierre avait tenté de violer Lucette et qu'il n'avait pas cherché à l'en empêcher. Au retour, il s'est buté au refus catégorique de sa fiancée pour en discuter et à l'indifférence hautaine de Jean-Pierre. Quand Marie a essayé de l'aider, elle a reçu une réponse hargneuse lui rappelant qu'elle était de connivence avec l'affreuse sorcière qui, aux yeux du grand gaillard, portait tous les torts.

Heureusement, ni André ni Lucette n'ont fait le lien entre la nomade du Pays de la Terre perdue et la conseillère aux lunettes de l'Agence Écho Personne. Nadine comprenait maintenant pourquoi Marie a gardé aussi longtemps son emploi pour l'entreprise. Elle frissonne à l'idée que son amie ait enduré stoïquement durant de nombreuses années un patron impossible à vivre et deux collègues qui empoisonnaient le milieu de travail. Sachant que la sorcière allait les rencontrer tous à nouveau, ne pouvant préciser le moment de l'évènement, elle a attendu patiemment.

Puis, quand la tête couleur sel et poivre est réapparue dans sa vie, elle a décidé d'apprendre à la connaître. N'étant pas au fait, non plus, du moment où l'autre se retrouverait au Pays de la Terre perdue, elle a choisi de garder le silence absolu pour protéger leurs existences. Sachant qu'il y aurait plusieurs années avant que l'exil de Nadine ne se présente, elle s'est contentée de lui fournir, graduellement au fil des anniversaires et des occasions, de nombreux livres sur tous les sujets de la nature. « Tu m'as sauvé la vie… » Ce n'est que par l'appel d'Alex, complètement effrayé par la disparition de sa femme, que Marie a compris que le moment était venu. Sans pouvoir lui dire ce qui se passait, elle a tenté de le rassurer le mieux possible.

Qu'est-il arrivé à Jean-Pierre dans tout cela ? Marie pense qu'il ne s'est jamais souvenu de son aventure, sinon très partiellement. Il a traité André et Lucette de malades mentaux quand ils en ont discuté, riant aux éclats. Puis sa vie a suivi son cours, comme un ouragan dans l'existence des autres. Il a continué d'être un collègue exécrable, imbu de lui-même, manipulant les gens pour atteindre ses fins. Puis, utilisant son tempérament beau-parleur, il a décroché contre toute attente le poste de directeur des ressources humaines de l'Agence. Quelques semaines plus tard, Nadine se joignait à l'équipe. Puis Jean-Pierre a fait une grave dépression qui l'a gardé à l'écart du boulot pendant dix-huit mois. Tous croyaient qu'il ne reviendrait pas au travail et on voyait Nadine le remplacer en permanence.

Quand il a repris ses fonctions, il a fait la vie dure à celle qu'il identifiait maintenant comme un obstacle à son succès comme leader. La tête blanche un peu trop rebelle a décidé de présenter sa démission. Quelques mois plus tard, on commençait une enquête contre Jean-Pierre qui avait détourné 20 000 $ du budget qui lui était confié, pour payer une dette de jeu. Cette fois, le conseil d'administration de l'Agence a forcé son départ à la retraite, le menaçant de congédiement et d'un séjour en prison s'il n'acceptait pas de quitter son job sans faire de vagues.

Par la suite, Marie a obtenu le poste de directrice des ressources humaines qu'elle occupe toujours avec beaucoup d'efficacité au grand bonheur des employés. Sous son leadership, André semble reprendre goût à la vie depuis que Lucette, morte par suicide quelques mois avant la disparition de Nadine, n'est plus là pour lui remémorer cette pénible journée au Pays de la Terre perdue. Il affiche un comportement de plus en plus agréable dans l'équipe, même si la paresse demeure son point faible.

Presque rendue à sa destination, Nadine touche son iPhone coincé dans sa poche. À la demande de son mari protecteur, elle l'a gardé ouvert. Elle est même surprise qu'il ne l'ait pas appelée pour vérifier si elle allait bien. Puis une idée lui revient. « C'est certain qu'il utilise la nouvelle application "mes amis" pour me suivre pas à pas... heureusement, nous avons apporté le chargeur solaire... car la batterie se vide rapidement... »

Un sourire se glisse sur son visage ridé par les épreuves. En quelques semaines, la nomade du Pays de la Terre perdue a réappris à vivre à la façon moderne, appréciant toutes ces inventions comme son téléphone cellulaire, son iPad, sa cafetière, ses outils de jardinage, l'eau courante, l'auto, ses bijoux, ses souliers à talons hauts, sa maison. Sachant à quel point la vie devient impossible sans eux, elle prend grand soin de chacun de ces objets, comme s'ils valaient de l'or. « Je sais de source sûre que la civilisation est éphémère et peut disparaître dans un claquement de doigts... ouais ! J'en suis convaincue ! »

Depuis son retour, elle a gardé l'habitude de faire de longues randonnées tous les jours dans les parcs de Montréal même si elle les trouve très petits et trop encombrés d'humains en tous genres. Rien ne l'empêche de marcher, que ce soit la chaleur d'une canicule, ou les orages de Montréal.

Elle lève la tête pour apercevoir le grand corps de son mari, assis sur un banc sur la galerie du gîte de montagne. « Alex... mon amour... tu m'as tellement manqué là-bas. »

Depuis le retour de l'exilée, l'homme est un roc solide sur lequel elle peut s'appuyer pendant qu'elle poursuit sa réintégration un petit pas à la fois. Elle subit un processus nécessaire, une sorte de lente guérison, à la suite de ces deux ans d'aventures peu ordinaires qui l'ont rendue nomade et sauvage. Elle lui est très reconnaissante de l'avoir écoutée, et surtout, de l'avoir crue.

Elle le voit souvent l'observer du coin de l'œil, notant les changements provoqués par une vie dure et dangereuse qu'il ne comprend pas encore très bien. Un jour, elle arrivera à tout lui raconter, même les incidents les plus pénibles. Mais, pour l'instant, elle le protège en ne lui donnant que les informations les moins croustillantes.

Sa randonnée lui a permis de mettre de l'ordre dans sa tête. Elle sait maintenant ce qui comblera les prochains mois. D'abord, elle terminera ses dessins. Avec ses fusains et ses pastels, elle fera revivre le pont, les huttes, la vallée aux noisettes, la grotte, la caverne d'Ali-Baba, la première caverne, Lou, Allie, Jack, Plumo, Tigré, Max, Louise et Anatole. Il y aura le radeau, l'île aux orignaux, l'immense paroi, la Terre de la Forêt verte. Marie confirmera l'exactitude des dessins représentant les endroits qu'elle a elle-même visités, apprenant au passage sur les aventures que Nadine ne lui a pas encore racontées. Elle sourit en revoyant l'air perplexe d'Alex ou des autres chaque fois qu'un croquis vient clarifier un bout de l'histoire de la nomade.

Nadine s'arrête un moment, retire son chapeau, ébouriffe ses cheveux blancs pour les assécher un peu et elle réajuste ses verres fumés sur son nez. Puis elle observe tout ce qui l'entoure : le sentier, les épinettes, les oiseaux ainsi que la balise qui indique la direction à prendre pour trouver le *Nyctale*. Un filet de musique, *les quatre saisons* de Vivaldi, se glisse sur le vent jusqu'à ses oreilles. Elle sourit en se rappelant que Claude pourra profiter également de la batterie solaire pour recharger son iPhone. « Alex avait raison… ce voyage m'est grandement bénéfique. »

Au cours de l'expédition, Nadine a utilisé ses sens, devenus aiguisés à force de vivre dans un environnement qui ne pardonne pas les erreurs, pour enseigner à ses amis de nouvelles informations sur la vie en nature. Elle leur a montré des oiseaux, des lièvres, des perdrix, des chevreuils qu'ils n'auraient pas aperçus autrement. Elle leur a appris la manière de marcher silencieusement dans la forêt. Ils ont été surpris quand elle a détecté avec beaucoup d'aisance des pistes de caribous, du crottin particulier des orignaux, des touffes de poils prises dans les ronces ayant appartenu à un ours, des coups de griffes sur les troncs d'arbres faits par les lynx. Sans son apport, ils n'auraient rien vu de tout cela. Parfois, avec des indices difficiles à trouver, elle identifiait l'animal et expliquait depuis combien de temps il avait traversé le chemin. Les autres appréciaient les nouvelles habiletés de leur amie comme des preuves supplémentaires que son aventure était réellement survenue.

Pour sa protection, maintenant que la nomade comprend que le danger rôde même dans cette forêt apprivoisée, elle garde son couteau attaché à sa ceinture et sa machette à son mollet. N'arrivant pas à s'en départir complètement, elle a transporté sa fronde et sa pochette de cailloux, tout le long du sentier des McGerrigle, camouflés dans son sac de montagne. « Je ne chasserai plus jamais, ni dans ce parc ni ailleurs… je n'en ai plus besoin… »

L'expérience des derniers jours lui a démontré que la proximité du groupe d'amis était un outil de protection plus efficace que n'importe quelle arme. Ainsi, ce matin, quand on les a conduits en VUS jusqu'au gîte du mont Logan, sa fronde et ses cailloux sont restés dans le coffre de leur voiture. « Je me libère… un pas dans la bonne direction… vers la guérison… »

La trekkeuse revoit dans sa tête, le plan de l'expédition. Ils coucheront ce soir dans une cabane confortable sur des matelas épais. Leur repas en sachet acheté au MEC les nourrira mieux que les lanières de chevreuils qu'elle grignotait sur sa route au Pays de la Terre perdue. Demain, ils commenceront la randonnée qui va les amener sur les crêtes jusqu'au lac Cascapédia avant de contourner le mont Albert pour revenir à l'auberge. « Sept jours de randonnée... hors de la civilisation trop complexe... un pur délice... »

Nadine n'a pas dit un mot de tout le trajet en auto. Laissant ses bagages au gîte de montagne, elle a demandé à ses amis de respecter son besoin de solitude. Elle voulait partir en solitaire pour explorer le mont Logan, dont le sommet trônait à plus de 1000 mètres d'attitude, à 3,3 km à pied du *Nyctale*. Alex a résisté :

— Ma belle, ce n'est pas très prudent. Je préférerais t'accompagner...

Se levant sur le bout des pieds, elle a déposé un doux baiser sur les lèvres de cet homme qu'elle aime plus que tout au monde. Comment pouvait-elle lui expliquer qu'elle n'a rien à craindre dans cette forêt ? Avec un sourire taquin, elle lui a montré son couteau à la taille et sa machette attachée à son mollet. Elle replace son cellulaire dans sa poche et vérifie que sa montre est à son poignet.

— Tu vois ! Il n'y a pas de problème ! Je suis en sécurité !

Perplexe, Alex se souvient de l'incident dans la vallée aux noisettes que lui a raconté Marie. Il ferme les yeux sur un frisson qui marque sa peur. « Elle peut se débrouiller, c'est sûr... mais si un portail la happait à nouveau... je ne survivrais pas... non ! Je dois lui laisser sa liberté... comme pour un oiseau fragile... » Le cœur gros, les bras croisés sur sa poitrine, il l'a regardée gravir le sentier puis disparaître dans un tournant.

Quand l'astre du jour commence à descendre du côté de Matane, elle retrouve ses amis au gîte. Un peu plus tard, bien campée au creux des bras forts de son amoureux, elle observe en silence le soleil se coucher au-delà des arbres. La beauté du spectacle lui fait croire, pendant une seconde, qu'elle est de retour au Pays de la Terre perdue, debout sur le toit de sa grotte. Quand la forme allongée des vapeurs dégagées par un avion coupe la boule orange fluo, y laissant une traînée noire, elle conclut qu'elle est bel et bien de retour dans son monde habité par des humains. Si des tremblements bousculent momentanément son corps, les bras confortables d'Alex et les éclats d'émerveillement des trekkeurs la rassurent.

Quelques heures plus tard, le gîte se remplit de cette odeur de cèdres qui lui rappelle ses soirées dans sa grotte. Les membres de son clan parlent et rient, tout en respectant l'air morose qu'affiche la revenante. Parce que ses amis de cet autre monde fantastique lui manquent terriblement. Que fait Lou en ce moment ? Est-ce que Plumo a gardé cette touffe de poils sur la tête ? Tigré s'est-il trouvé une compagne ? Elle ne retournera jamais au Pays de la Terre perdue. Même si elle en avait l'occasion, elle refuserait de s'y rendre, de peur, cette fois, d'y rester prisonnière pour de bon. « Ma vie est ici maintenant… »

Les yeux mouillés, elle observe ce feu dans le foyer de fonte, que quelqu'un d'autre a allumé avec la flamme d'un briquet. Bientôt, elle mangera un repas séché qu'elle prendra dans une enveloppe hermétique provenant du MEC, elle boira un thé de la Thaïlande, en sachet, trouvé à l'épicerie, et pour dessert, elle dégustera quelques biscuits au gingembre acheté chez IKEA. « Tout compte fait, ce n'est pas si pire que ça la civilisation… »

Demain, les six trekkeurs commenceront cette longue randonnée à travers les montagnes, pour revenir au Gîte du mont Albert où ils passeront une nuit avant d'entreprendre leur retour à Montréal. « J'ai hâte de retrouver ma maison et mes crayons… »

Un soupir bruyant s'échappe de son corps, faisant taire automatiquement les autres. Voyant l'inquiétude sur leurs visages et le souci exprimé dans leurs yeux, elle éclate d'un rire franc et clair. « Je les aime tous… »

— Tout va bien ! Je viens juste de prendre une décision importante. Dès mon retour à la maison, je commence l'écriture de mes aventures au Pays de la Terre perdue... en dix volumes s'il le faut...

Chapitre 20

Parc de la Gaspésie — 14 juillet

— Ça fait bizarre d'entendre les automobiles sur la route, intervient Bernard.

Alors qu'un long sifflet retentissant fend l'air non loin d'eux, le groupe s'arrête. Les visages des marcheurs se crispent sur ce son brutal qui vient briser la sérénité des lieux, étouffant du coup le roucoulement des tourterelles qui nichent au-dessus de leur tête et le bruissement du vent dans le feuillage. C'est à ce moment qu'ils saisissent que leur retour à la société est imminent.

— Des freins Jacobson, indique Nadine. Ça ne m'a pas manqué là-bas… par contre, les orages cognaient beaucoup plus fort.

— Sept jours sans civilisation ! C'est merveilleux et ça fait du bien, déclare Claudine. Dommage que ce soit déjà terminé…

Sans le vouloir vraiment, Nadine éclate d'un rire plutôt narquois. Elle ne peut retenir son commentaire.

— Sans civilisation ? Vraiment ? N'as-tu pas remarqué les gîtes confortables, les panneaux pour te dire où te diriger, les escaliers fabriqués à main d'homme en pierres ou en rondins ? Nous avons un GPS et un chargeur solaire dans nos bagages et ton cellulaire sonne à tout moment…

— OK ! réplique Claudine en souriant. Je ne peux pas me passer de tout ! Puis, ce sont les enfants qui m'appellent. Quand même ! Si on t'avait donné le choix, y serais-tu allée dans cet univers de fou ?

Nadine tourne quelques minutes la question dans sa tête avant de reprendre la parole.

— Je ne sais pas. Quand j'étais au Pays de la Terre perdue, je voulais revenir au plus vite. Pourtant, depuis que je suis de retour, je ne vois plus la vie de la même façon. Cette expérience forcée de nomadicité a influencé ma philosophie et a modifié mon caractère. C'est comme si je devais vivre cet exil un moment pour changer, pousser mon existence vers l'avant. Quelque part, j'aime ce que je deviens et j'apprécie ce que j'ai appris là-bas.

— Il te manque encore un peu de fini social, réplique Bernard sur un ton jovial pour détendre un peu l'atmosphère. Ça s'en vient bien... tu vas y arriver... un jour.

Une claque bien sonnée s'accroche à l'épaule de l'homme. Nadine n'a pas voulu le blesser, mais son entraînement rude dans un univers sans pitié où elle devait tout faire a donné beaucoup de vigueur à ses gestes.

— Aïe ! crie son ami d'enfance en frottant son bras pour chasser la douleur. Ça aussi c'est différent. Est-ce que tu perdras bientôt cette force herculéenne ? Je vais avoir une ecchymose, c'est certain. Je sais... Alex ! On a pris ta femme pour la remplacer par un clone bionique ! Maudits extraterrestres !

Devant le rire général, Nadine apprécie le bonheur qu'elle ressent de les retrouver comme avant, à badiner comme des gamins et à se taquiner dans la bonne humeur. Une fois la tension évanouie dans l'air, les trekkeurs se remettent en file pour compléter le kilomètre qui les sépare de l'auberge où la bière fraîche les attend. Les amis terminent ainsi la longue randonnée des crêtes dans le parc de la Gaspésie, entre le mont Logan et le gîte du mont Albert.

Aujourd'hui, la piste de plus de dix-neuf kilomètres les a fait partir du refuge *La Fougère* pour se rendre sur le mont Albert par un sentier balisé qui grimpe du côté ouest de la cime. Après cette montée très difficile, les compagnons de trekking ont fait une pause d'une heure au sommet. Assis sur de grosses roches près d'une plaque de neige qui résistait encore à l'été, leurs sacs de montagne à leurs pieds, ils ont bu de l'eau, mangé quelques noix et, surtout, discuté un bon moment de leur prochaine excursion en bordure du fjord du Saguenay. Tout en leur donnant le temps de se reposer, cet arrêt leur a également permis d'admirer le magnifique paysage que leur offrait l'une des plus belles cimes du parc. Les trekkeurs se trouvaient à 1100 mètres d'altitude, sous un ciel exceptionnellement bleu. Ils pouvaient voir, tout autour de ce plateau appelé la Table de Moïse, les grandes forêts couvrant l'immensité du territoire ainsi que les innombrables lacs laissés là, dans des cirques glaciaires creusés lors du retrait des glaces il y a 10 000 ans.

Assise en bordure de la cuve de la rivière du Diable, où ils descendront pour le reste de l'après-midi, Nadine ne pouvait faire autrement que de penser à la Terre juchée. C'était aussi beau, aride et lunaire. Elle se souvenait avec nostalgie de ce large bout de terrain rocheux campé en hauteur, entre deux falaises. « Je vais dessiner ça en revenant… » Elle savait que la pente rocailleuse qui plonge juste devant elle, le long du cours d'eau en cascade, était fort dangereuse lors d'un orage; même si ces dépressions atmosphériques du Québec étaient moins violentes que celles subies au Pays de la Terre perdue. Ici aussi, il n'y avait rien entre le ciel et le sol pour capter les éclairs, sauf les humains téméraires qui s'y aventuraient. Aujourd'hui, le magnifique firmament ensoleillé la rassurait.

Les amis replacent leurs sacs de montagne sur leurs épaules mises à rude épreuve par sept jours de randonnée. Rompus à des années de trekking, ils reprennent la route dans le calme et la bonne humeur. Puis, leurs bâtons de marche bien ajustés, ils entreprennent la longue et périlleuse descente, la dernière de cette expédition.

Pour suivre la piste à peine balisée, il faut enjamber d'immenses rochers. À tour de rôle, ils s'aident mutuellement pour passer ces barrières naturelles sans danger. On entend quelques phrases succinctes, du style : « Fais attention ! Cette roche n'est pas stable », « la piste passe à droite » ou les occasionnels « ça va ? ». Autrement, les amis sont avares de mots, préférant se concentrer sur les difficultés de la route. Ils connaissent tous la piste, savent où s'arrêter pour souffler et admirer les paysages extra-ordinaires. L'air chaud et asséché par le vent les force à boire souvent et, sous l'effort, leur corps est constamment couvert de sueur.

Nadine observe tout de cette communauté dont elle apprécie au plus haut point la présence. Du coin de l'œil, elle voit un doigt pointé indiquant un petit ruisseau ou une main tendue pour aider un camarade à passer un obstacle. Elle entend le clic d'un appareil photo et une respiration plus saccadée. Le seul fait qu'un des compagnons s'arrête dans la piste est suffisant pour communiquer une foule de détails à tous les autres. La femme apprécie la possibilité de compter sur ses amis, même si, avec le temps, elle a fini par tenir ça pour acquis. « Combien de fois ai-je affronté en solitaire un danger ou une épreuve au Pays de la Terre perdue ? » Elle secoue la tête en se souvenant. « Ce que je dis n'est pas juste… il y avait Lou et Allie… je n'étais pas seule même si mon clan n'était pas là… »

Puis, arrivés près de la chute du Diable, les randonneurs effectuent le deuxième arrêt de leur longue journée. Ces marcheurs expérimentés auraient pu se rendre directe-ment jusqu'au Gîte du mont Albert. Mais ce moment de repos leur permet d'ajouter une heure supplémentaire à cette magnifique excursion. S'ils sont satisfaits de leur expédition, ils savent aussi que le brouhaha de la ville les attend dans quelques jours. La beauté du site enchanteur au-dessus de la chute de la rivière du Diable, où coule l'eau tumultueuse et gonflée de la dernière pluie, les incite à savourer la nature quelques instants encore. Puis, remettant leurs sacs de montagne en place, ils pénètrent dans une forêt d'épinettes qui, à l'abri du vent, conservent l'humidité du sol gorgé d'eau. Une vraie étuve où l'on sue abondamment.

Il y avait beaucoup de circulation dans les sentiers et c'était fort inhabituel. Nadine avait l'impression que tous les pays de la planète entière avaient dépêché des représentants pour faire l'ascension du mont Albert. Ils étaient bruyants et parlaient diverses langues difficiles à identifier. La femme aux cheveux blancs, dont les paramètres sociaux ne se rallumaient que peu à peu, s'impatientait quand elle voyait tous ces gens sans expérience crier et gesticuler pour un tout et un rien. Alors que le groupe doit s'arrêter souvent dans le sentier étroit pour laisser passer des grimpeurs, le visage de Nadine se rembrunit rapidement. À un moment, elle fait même une halte pour tousser un bon coup.

— Chanel Numéro 5. Elle n'avait pas besoin de mettre toute la bouteille ! Tu parles ! Les mouches à chevreuil vont s'en régaler... Hum !

Son rire malicieux s'arrime mal avec celui plus humoristique des autres. Alex lui touche légèrement le bras de sa main.

— Tout ce monde t'agace, n'est-ce pas ? Veux-tu qu'on s'arrête un moment ? On prendrait un peu de temps afin que tu retrouves ton calme.

Nadine ne réalise pas vraiment que son comportement a changé au point qu'Alex souhaiterait lui enlever son couteau et sa machette, de peur qu'elle saute sur quelqu'un. Ses traits tirés, ses yeux de flammes, ses sourcils froncés et ses dents apparentes lui donnent une allure de bête sauvage. Plusieurs grimpeurs sursautent en l'apercevant et refusent de passer à côté de celle qui affiche une telle furie. Nadine fait de gros efforts. Curieusement, le goût de frapper ces gens est bien loin de sa pensée. En fait, elle résiste à l'idée de s'élancer seule en forêt pour mettre le plus de distance possible entre elle et cette civilisation dont le comportement l'agace. Elle regarde Alex et voit son inquiétude. Du coup, son angoisse s'éteint et elle lui sourit.

— Ne t'en fais pas, mon amour ! Je vais bien. J'ai juste hâte de sortir de ce sentier un peu trop rempli d'humains hétéroclites.

Alors qu'ils reprennent encore une fois la descente, un groupe de guides s'infiltrent dans le passage un peu brusquement. Les radios attachées à leur ceinture crachent des ordres incompréhensibles.

— Ceux-là sont vraiment pressés, affirme Claude. Je me demande où ils se rendent à cette allure.

— Je ne sais pas, réplique Bernard, mais ils affichent une expression anxieuse. Un accident dans la cuve peut-être ? Ce ne serait pas la première fois...

— Hum... ajoute Claudine, mais ils ne montent pas avec une civière...

— Bon ! déclare une Nadine passablement agitée. Allons-y pendant que le sentier est libre !

Au cours des derniers kilomètres, ils ont l'impression de circuler dans un four à vapeur, tant l'air de juillet, captif dans la forêt dense, est chaud et humide. Mais aucun des trekkeurs ne se plaint. Aguerris à ces longues randonnées avec un sac de montagne pesant plus de quinze kilos sur le dos, ils marchent à la file indienne, chacun étant perdu dans ses réflexions. La satisfaction face à leur expédition, tout comme la bière froide et la douche tiède qui les attendent au Gîte du mont Albert, les encourage à poursuivre encore quelques instants, tout en gardant leur attention à chaque détail.

Enfin, avec un soulagement qui se reflète dans leurs pas pressés, ils s'engagent dans le petit escalier qui monte vers la route 299, juste en face de l'auberge. Malgré la fatigue, ils accélèrent la cadence. Dans leurs têtes, quelques mots s'effritent. « Presque arrivés... hâte... enfin... ôter les bottes... la piscine... » Ils sont heureux de leurs exploits des derniers jours, et avec raison, ils aspirent au repos.

À ce moment précis, ils remarquent que le stationnement avant de l'hôtel contient quatre auto-patrouilles de la Sûreté du Québec. Plusieurs véhicules de la sécurité du parc sont installés le long de la route 299. Des voitures de journalistes avec leurs antennes paraboliques bloquent littéralement l'entrée du terrain. Sur le site, des membres de chaque clan discutent en petits groupes. L'atmosphère est angoissante… à couper au couteau…

— Ça explique le va-et-vient dans la piste, déclare Alex.

— Je comprends mieux l'utilisation des freins Jacobson, ajoute Nadine.

— Peut-être, répond le médecin, mais il y a assez de monde pour s'occuper de l'urgence, s'il y a. Ne restons pas dans leur chemin, nous pourrions les déranger. Allons plutôt au bar.

Non seulement la boue colle à leurs chaussures, leurs bas et leurs jambes, mais les trekkeurs ont aussi les cheveux et les chandails mouillés de sueur. Leurs chapeaux rendus noirs par l'absorption de la terre des sentiers comme de la pluie couvrent en partie leurs visages salis par la poussière. Les gars ont la barbe longue et les filles portent leur tignasse en broussailles. Leur odeur corporelle se mélange à celles de l'huile contre les moustiques et de la crème solaire. Rien de tout cela ne les dérange. Comme c'est leur habitude, ils se présentent au bar extérieur du Gîte, près de la piscine chauffée, pour déguster la bière froide dont ils rêvent depuis des heures, voire des jours.

Le serveur, accoutumé à l'arrivée régulière des marcheurs camouflés sous la crasse, s'approche afin de s'enquérir de leur besoin. Personne d'autre ne vient les importuner. Des gens avec leur allure, il en sort plusieurs de la forêt tous les jours. C'est normal ici. Personne ne fera de commentaires sur les odeurs qui les entourent. On leur demandera quelle randonnée ils ont accomplie. Les discussions seront marquées d'expériences similaires. Puis, on les laissera tranquilles.

Ainsi, confortablement assis, leurs gros sacs de montagne cordés le long du mur de l'hôtel, les six compagnons savourent la bière froide dans des verres en plastique, sur le patio qui donne accès à la piscine. À tour de rôle, ils soupirent et accompagnent leur gorgée d'expressions bien allongées comme « ouf » ou de « ah ». Ils sont fatigués, certes, mais sous la saleté qui barbouille leur visage, ils ressentent une grande plénitude. Du coin de l'œil, intrigués, ils observent l'achalandage autour d'eux. Quand le barman revient pour leur offrir de renouveler leur boisson, ils s'empressent de le questionner.

— Que se passe-t-il ici ? demande Alex. Pourquoi la Sûreté ?

— Une fillette de trois ans est perdue en forêt depuis midi, les informe le serveur. Tous ces gens la cherchent.

— Qu'est-ce qu'ils font tous en bas de la montagne ? réplique Nadine sur un ton sec. Ils ne trouveront pas l'enfant en se terrant au gîte...

Elle arrête son commentaire dès qu'elle voit le visage courroucé du barman. Pendant qu'il place un peu brusquement des croustilles et des arachides sur la table, les nouveaux arrivants observent la scène qui se déroule à quelques dizaines de mètres d'eux. Un homme imbu de lui-même, tenant un mégaphone en main et bombant le torse, semble prendre plaisir à entendre sa voix sortir avec force de l'appareil. Il informe le groupe autour de lui que les sauveteurs n'avaient que quelques heures pour trouver la fillette. La noirceur tombant bientôt, il ferait cesser les fouilles pour éviter les pertes de vie inutiles. Une femme éclate en sanglots à côté de lui.

— Comment ça ? explose Bernard. Ils ne la chercheront pas durant la nuit ! Sont-ils cinglés ?

L'homme s'indigne. Il n'accepte pas qu'une enfant demeure seule durant toutes ces longues heures. Le médecin parle plus fort. Il sait ce que la fillette vivrait au cours de cette période d'obscurité glaciale et angoissante.

— On la trouvera morte au matin, s'insurge-t-il en se levant d'un bond.

Claude et Alex le retiennent de peine et misère, lui indiquant de rester calme. Les professionnels de la sécurité sont en meilleure position pour prendre ces décisions. Alors que Bernard s'assoit avec mauvaise grâce, la situation change.

La radio du chef craque. Il place l'appareil près de son oreille et écoute intensivement. Ensuite, il porte le mégaphone devant sa bouche et annonce la bonne nouvelle. Le père de la fillette a été retrouvé en milieu de la piste vers le sommet du mont Albert. Comme il est épuisé et déshydraté, il faudra au moins une heure pour le descendre avec un brancard improvisé. L'homme poursuit ses instructions en informant les sauveteurs qu'on attendrait que l'équipe arrive en bas de la montagne avant de continuer quelque recherche que ce soit. Même dans la pénombre laissée par le soleil couchant, on pouvait voir la consternation chez les employés du service de sécurité du parc. De toute évidence, plusieurs n'étaient pas d'accord avec ce délai qui signifiait, à coup sûr, la mort de l'enfant.

— Et la fillette ? rugit Alex à son tour.

Pendant que les amis y vont de leurs commentaires, Nadine reste tranquille sur sa chaise, sans parler et sans bouger. Son visage est marqué autant par la rébellion qui s'inscrit dans ses yeux que par la témérité qu'attestent ses sourcils froncés. Cela indique à quel point l'agitation bout dans sa tête. Quand Alex se tourne vers elle, la panique s'empare de lui. Il voit très bien, à l'expression qui durcit les traits de sa femme, qu'elle cherchera la fillette malgré la fin d'une randonnée épuisante, la fatigue de la journée et l'arrivée de la noirceur. Il sait qu'aucun d'eux ne pourra l'arrêter...

— Nadine ! s'interpose l'homme, je vais avec toi. Il n'est pas question que tu repartes seule. La nuit sera remplie de pièges !

Nadine regarde longuement Alex, puis elle jette un coup d'œil aux quatre autres qui viennent de saisir toute l'ampleur des paroles prononcées par le mari inquiet. Ils fixent tous très intensément leur amie, tentant de comprendre ce qui se passait dans la tête de cette femme rendue nomade. Nadine soupire.

— Pas ici, déclare-t-elle. Allons discuter plus loin.

Les six trekkeurs se retrouvent derrière l'auberge, à l'abri des oreilles des intervenants et de l'homme au mégaphone. Ils sont indignés par l'attitude de celui qui semble être leur chef des opérations. Ils sont inquiets face à ce que prépare Nadine et ils parlent tous en même temps. La rebelle à la tête blanche attend que l'orage verbal passe, puis elle prend la parole. Son idée est déjà faite.

— Je pars seule, tout de suite. La forêt est sauvage et il est urgent de trouver la fillette au plus tôt. Je vais faire ce que je peux pour la traquer.

— Ton champ de recherche est trop grand, réplique Claude. Il faudrait le réduire au minimum avant de commencer les fouilles.

— Ah oui ? lui répond Nadine sur un ton narquois. Comment ferais-tu ça ? Crois-tu que tu peux le demander à l'escogriffe qui se prend pour le chef des opérations ? Merde ! Je n'ai pas le temps !

— Nadine, tente Alex pour la calmer. Nous t'avons vue faire quand Claude s'est égaré. Tu peux la traquer, c'est certain. Je comprends aussi que tu veuilles essayer, mais il n'est pas question que tu t'élances dans cette galère sans aide. Je vais virer fou ! Je tiens à t'accompagner... S'il te plaît !

— Non Alex ! C'est trop dangereux. Je dois partir seule. Je pourrai marcher plus vite et la trouver plus rapidement...

La téméraire tourne la tête à gauche et à droite, tente d'évaluer la situation en avant de l'auberge, fouille des yeux les alentours. Quand Alex la prend par les épaules, elle s'indigne et le repousse violemment.

— Merde ! Tu me fais perdre du temps ! Je dois parler à la mère, savoir quand la petite a disparu, le lieu le plus précis possible où elle a été vue pour la dernière fois.

— Il est hors de question que je te laisse partir seule, répète Alex en levant le ton. Tu es très habile et tu peux le faire, mais je t'accompagnerai. Je ne veux pas te quitter des yeux ! Est-ce que tu comprends ?

Alors que Nadine saisit toute l'angoisse qui sort de la voix d'Alex, associée à la peur de la perdre encore une fois, quelqu'un derrière eux, avec un accent du sud de la France, s'adresse à elle.

— Vous la chercherez ce soir, n'est-ce pas ? N'avez-vous pas besoin d'attendre ? Êtes-vous certaine de la retrouver ?

Nadine se retourne pour tomber face à face avec celle qui a éclaté en sanglots il y a quelques minutes; de toute évidence, il s'agit de la mère de la fillette. Le visage ravagé par les larmes reflétait tant d'espoir que le cœur de la rebelle s'emballe. Si elle avait des doutes sur l'expédition qu'elle envisageait, les yeux de la femme en détresse ont galvanisé sa détermination. Après un long silence, elle s'adresse à la nouvelle venue.

— Cela ne veut pas dire que je réussirai. Il est possible que l'homme au mégaphone ait raison.

— Mais vous êtes prête à essayer, non ? Je peux vous donner toutes les informations dont vous avez besoin. J'ai même un chandail pour les chiens chercheurs, mais ils ne seront là que demain.

— Comprenez-vous que je n'ai pas l'autorisation d'intervenir comme ça ? On pourrait me mettre en prison pour entrave au travail des policiers et des sauveteurs...

— Je sais que vous le ferez quand même, lui répond la dame avec des yeux francs et remplis d'expectative.

Pendant un moment, Nadine hésite. Elle veut agir, partir à la recherche de la fillette, mais a-t-elle le droit de donner autant d'espoir à cette mère ? Si elle réussit, elle sera une héroïne, mais si elle manque son coup, le résultat détruira un peu plus cette femme. Avant qu'elle ne réponde, un autre personnage s'approche et s'adresse au groupe d'une voix forte et déterminée.

— Je peux vous mener directement à l'emplacement où l'enfant a été vue pour la dernière fois, même si la nuit tombe. Je connais ce territoire comme le fond de ma poche.

Surprise, Nadine se retourne pour apercevoir un homme de grandeur moyenne, aux traits amérindiens, portant une longue crinière attachée en queue de cheval dans le dos. Habillé de l'uniforme des gardiens du parc, il s'avance résolument vers la femme aux cheveux blancs qui, de toute évidence, possède l'audace nécessaire pour tenter un sauvetage en pleine nuit et en montagne. D'un ton marqué de compassion, il ajoute :

— La petite n'a aucune chance si nous ne la trouvons pas ce soir.

Chapitre 21

Parc de la Gaspésie — 14 juillet

— Je m'appelle Gilles, se présente le nouvel arrivé en tendant la main à celle qu'il identifie comme le leader du groupe.

Dans le regard perçant et dur de la femme aux cheveux blancs, il voit l'inquiétude tout autant qu'une grande détermination. Il apprécie les yeux rebelles qui le jaugent comme s'ils pénétraient jusqu'à son âme. Il veut rassurer Nadine sur ses intentions.

— L'homme au mégaphone, c'est Tanguay. Ce bureaucrate du ministère remplace temporairement mon patron parti en Europe pour quelques semaines. Il n'a aucune idée sur la manière de mener une recherche. Le père a été trouvé par hasard par des marcheurs qui revenaient d'une randonnée autour du mont Albert. Dans cette forêt, la petite mourra de froid dans les prochaines heures.

Tout est dit. La mère se met à pleurer intensément et Bernard la soutient entre ses bras pour l'empêcher de tomber. Conscient que chaque minute compte pour sauver la vie de l'enfant, Gilles poursuit ses explications.

— Je voulais partir avec mon frère Léon, mais nous ne savons pas comment suivre correctement les traces de la fillette. Puis Tanguay nous l'a interdit.

Nadine regarde longuement le nouveau venu. Elle aperçoit aussi l'autre homme qui s'approche plus timidement. Entendant la voix remplie d'amertume, elle cherche à comprendre la motivation.

— Es-tu prêt à perdre ton emploi ?

— L'enjeu n'est pas là… Natasha n'a que trois ans et elle n'aura pas de futur si on ne fait rien. Des jobs, j'en trouverai d'autres.

Nadine se tourne vers Alex. Elle affiche une expression songeuse un instant puis, saisissant l'angoisse qui étreint la gorge de son mari, elle lui sourit et hoche la tête.

— C'est correct, Alex, nous chercherons à trois. Nous n'avons pas une minute à perdre et il faut prendre certaines précautions. Allons d'abord dans notre chambre pour tout préparer.

Marchant vers l'entrée, voulant bien utiliser le temps à sa disposition, la téméraire s'approche de la mère.

— Vous devez me parler de votre fille et de ce qui s'est passé.

Dix minutes plus tard, le trio est prêt à partir. Malgré son agitation évidente, la dureté du regard de Nadine exprime sa détermination face à l'entreprise. Soulagé que sa blonde accepte qu'il l'accompagne, Alex prépare les outils dont ils auront besoin. Dans leurs sacs à dos, les trois chercheurs porteront des bouteilles d'eau, un peu de nourriture, leurs lumières frontales, des lampes de poche, leur boussole, des vêtements un peu plus chauds pour la nuit et leurs cellulaires. Dans son bagage, par habitude, il ajoute la tente orange, le tapis de sol, un briquet et le petit réchaud. Celui de Nadine contient un chandail et un toutou appartenant à la fillette perdue ainsi qu'une couverture, des débarbouillettes en ratine de l'hôtel et quelques cordes supplémentaires. Les cartes et une radio sont dans celui de Gilles.

Lorsqu'il remarque la machette au mollet de Nadine, son couteau et sa boussole à sa ceinture, le garde du parc comprend toute l'expérience de la femme. Quand cette dernière y insère une fronde qui, de toute évidence, a été fabriquée à la main et ajoute un sac de cailloux, l'homme est impressionné, mais inquiet. « Qu'est-ce qu'elle s'attend à faire en traînant ces outils préhistoriques ? »

Si Nadine n'avait pas emporté sa fronde au cours du dernier trekking, la laissant dans l'auto, elle cherchait ce soir à retrouver la sensation de sécurité que l'objet lui procurait durant son séjour au Pays de la Terre perdue. Tout en se préparant, par souci d'économie de temps, elle explique son plan aux autres.

— Pendant que Gilles, Alex et moi grimperons dans la montagne à la recherche de Natasha, j'ai besoin de votre aide ici à l'auberge.

Munis d'un iPhone, Alex et Nadine enverraient régulièrement des textos à Claude et Martine pour les informer de leurs progrès. Au moyen de l'application « mes amis », le couple suivrait aussi les déplacements du trio, pourvu que le signal reste bon. Léon s'installera près du poste de contrôle pour surveiller les communications des chercheurs officiels.

— Votre responsabilité sera de donner les renseignements à Bernard et Claudine qui, eux, demeureront auprès des équipes de sauvetage avec Madeleine, la mère de la bambine.

Maintenant prête pour partir à la recherche de la petite Natasha, Nadine y va d'une dernière recommandation en regardant la dame française droit dans les yeux.

— Vous devez tous garder le silence sur l'opération; jusqu'à la fin, même quand nous aurons trouvé l'enfant. Le travail de communication officielle passera par Gilles avec la radio. Vous comprenez tous votre rôle, n'est-ce pas ?

Une fois que tous ont eu bien saisi les instructions, les quatre trekkeurs prennent leurs places assignées. Gilles, suivi de ses deux compagnons, se dirige vers le sentier qui amènera les chercheurs là où Natasha a été vue pour la dernière fois. Selon les informations reçues, la fillette de trois ans n'a ni eau ni nourriture avec elle. Natasha est disparue il y a maintenant plus de six heures et il faut faire vite. Les trois sauveteurs n'osent pas penser qu'elle pourrait être déjà morte.

Ils prennent près de deux heures pour gravir la piste qui monte vers la cuve du Diable, par un grand détour afin de rester à l'écart des policiers et des gardes du parc. À plusieurs reprises, Nadine entend des équipes de secours qui reviennent à la brunante. Pour éviter qu'on leur interdise de continuer leur route, pestant contre ce retard additionnel, les compagnons se cachent dans les bois environnants. L'un de ces groupes descend un homme sur un brancard de fortune, probablement Philippe, le père de Natasha. Puis, à un kilomètre au-delà de la chute de la rivière du Diable, Gilles s'arrête finalement.

— C'est à cet endroit que Philippe, Madeleine et Natasha ont mangé leur repas, explique-t-il. Vers midi, les parents ont commencé à ramasser les restes pour refaire leur sac à dos. Cela leur a pris cinq minutes, puis la fillette est demeurée introuvable.

Nadine regarde sa montre. Il est 20 h et la lumière de juillet s'affaiblit de minute en minute. Elle voit mal dans la forêt autour d'eux, identifiant de justesse l'ensemble des traces de pas, tous ces pieds qui, pour bien faire les recherches, ont ratissé le coin. Elle ne pouvait pas trouver de petites empreintes avec toute cette agitation. La femme serre les dents sur sa colère. « Je devrai retrouver les traces de la petite autrement. » D'un bond, elle grimpe sur une roche et s'y accroupit pour bien observer l'environnement.

— Je vais monter plus haut dans le sentier, suggère Gilles.

— Non, réplique la tête blanche. Les parents et les secouristes l'ont déjà fait et ils n'ont rien remarqué. Pour réussir, on doit procéder d'une manière différente.

— On perd du temps, là ! s'impatiente le garde du parc. Il faut bouger !

— Nadine sait ce qu'elle fait, lui indique Alex. Fais-lui confiance. Garde le silence et laisse-la se concentrer.

Le trekkeur se tourne vers son épouse pour voir ce qu'elle fait. Nadine reste un bout de temps immobile. Accroupie sur le rocher, elle regarde autour d'elle. Elle ferme les yeux pour mieux sentir et écouter la forêt. L'ayant déjà observée en train de traquer leur ami Claude, Alex ne s'inquiète pas outre mesure. Il réalise que sa femme a besoin de ce temps d'arrêt pour analyser la situation à sa façon un peu sauvage. Notant l'incompréhension de Gilles qui ne connaît rien des aventures de Nadine au Pays de la Terre perdue, le mari demande calmement :

— Nadine, est-ce que l'on peut faire quelque chose pour t'aider ?

— Je perçois assez bien tous les bruits de la forêt, mais aucun ne m'indique où est la petite. Elle est donc immobile… évanouie peut-être. Comme il y a eu beaucoup de va-et-vient dans les environs, je ne sens pas non plus son odeur. Ça va être très difficile de la trouver.

Gilles demeure perplexe face aux paroles qu'il vient d'entendre. Par contre, devant le calme affiché par le mari de cette femme au comportement plutôt étrange… une *chamane*[13] dirait sa mère, il décide d'attendre la suite sans bouger. « Je suis vraiment en dehors de mon champ de compétence ici… patience… »

— Alex, j'essaie de comprendre ce qui aurait bien pu inciter Natasha à s'éloigner des adultes. Qu'est-ce qui aurait attiré Chloé ? As-tu une idée ?

— Elle aurait pu être intriguée par un petit animal, explique Alex d'un air songeur. Un écureuil peut-être ? Quelque chose de gros l'aurait fait crier et courir vers ses parents… oui… je vois très bien notre petite-fille suivre un lièvre…

---

13   Être humain qui intercède entre les Hommes et les esprits de la nature. Le Chamanisme est l'une des plus vieilles formes de spiritualité de l'Humanité.

— C'est possible, affirme Nadine. Par contre, la forêt est très dense tout autour. Cela aurait dû l'effrayer. Il doit y avoir une place où, toute minuscule, elle pouvait se faufiler sous une branche.

— Qu'est-ce que ça donne de savoir... ? questionne Gilles.

Nadine sent dans le ton de sa voix qu'il est prêt à écouter malgré l'impatience. Cherchant plutôt sa collaboration, la femme lui explique que, lorsqu'elle chasse un animal, elle doit comprendre son comportement et ses habitudes. C'est pareil pour Natasha; elle doit trouver ce qui a attiré l'enfant. Quelque chose a suffisamment capturé son imagination pour qu'elle accepte de s'éloigner des deux êtres les plus importants dans sa vie. Elle n'a pas eu peur, sinon elle aurait crié et ses parents seraient accourus aussitôt.

— Alex a raison, poursuit-elle. La curiosité de voir un petit animal l'aurait séduite. Nous allons d'abord regarder tout autour, sous les arbres, derrière les rochers. Il faut trouver une marque de pas qui nous indiquerait la direction qu'elle a prise.

Les chercheurs s'activent et, la lumière de leur lampe fouillant le sol, ils observent minutieusement les alentours sans succès. Nadine est tout de même persuadée que la fillette n'a pas tracé son chemin à travers les ronces et les racines. Si cela avait été le cas, elle n'aurait pas fait grand route en cinq minutes et elle aurait entendu ses parents l'appeler. Nadine croit plutôt que la petite a trouvé une piste de gibier et qu'elle l'a suivie. Cinq minutes de marche dans cette forêt dense, même pour un enfant de trois ans, seraient suffisantes pour l'amener assez loin; ainsi, elle se serait égarée complètement.

Pour tester sa théorie, Nadine demande à ses compagnons de l'attendre près de la grosse roche et de ne faire aucun bruit. Quand elle répète qu'elle veut « entendre et sentir la forêt », Gilles lui jette un drôle de coup d'œil. Quant à Alex, se souvenant l'avoir vue humer l'air pour tracer la route empruntée par Claude, il y a quelques jours, il se contente de sourire pour rassurer le sceptique. Leur attente silencieuse s'éternise sur une dizaine de minutes, aiguisant l'impatience de l'autochtone. Puis, sans que les hommes l'entendent arriver, Nadine apparaît à nouveau de nulle part et sans aucun bruit, ce qui les fait sursauter. Sans s'apercevoir de leur trouble, elle s'empresse de les mettre au courant de sa découverte.

— J'ai trouvé un sentier d'orignal et une trace de petits pas. Venez !

Quand la femme se glisse sous une branche d'arbre pour emprunter une piste, ses deux compères doivent courir pour la suivre, tant elle marche à cadence accélérée. En chemin, avec sa machette, elle coupe rapidement trois grandes perches de près de deux mètres dont elle affûte un bout avec son couteau. Elle a perçu l'odeur de prédateurs et elle prépare leur défense. À moins de deux cents mètres dans le sentier de gibier, Nadine se penche au-dessus d'un tas de crottin. En plaçant sa lumière directement dessus, elle montre à ses compagnons la minuscule trace de pas dans le milieu de la bouse. Un petit pied a fait une belle empreinte. Il est très facile de voir que la fillette suivait la piste d'orignal vers l'est, s'éloignant d'autant de ses parents.

Se relevant, elle remet un javelot qu'elle venait juste de fabriquer à chacun de ses comparses, gardant le troisième pour elle. Alex regarde sa femme sans comprendre. Gilles affiche un air plutôt insulté en refusant l'outil.

— Je n'ai pas besoin d'un bâton de marche. Merci !

— C'est une lance. Un lynx nous suit depuis au moins une heure et il y a une meute de loups à moins de trois kilomètres au nord. Cette arme servira pour nous défendre en cas d'attaque.

Estomaqué par les paroles, Gilles observe la femme d'un œil nouveau. Il est impressionné, un peu jaloux même, des habiletés de cette... peut-il parler d'autochtone ? De nomade ? Les expressions de *chamane* et de *sorcière* lui viennent automatiquement en tête. Lui, un Amérindien, n'a rien vu, rien entendu, rien senti d'inhabituel dans la forêt. De son côté, Alex est tout simplement dépassé. « Nadine s'attend à ce que j'utilise ce bout de bois qu'elle a appelé une lance ! Vraiment ? » Incrédule, il inspecte l'outil sans pouvoir dire un seul mot, tant l'angoisse lui coupe le souffle. « C'est comme ça qu'elle a vécu là-bas ? Ça explique son air si sauvage… ma belle… pourquoi ne suis-je pas parti avec toi ? » Soudain, le cœur de l'homme s'alourdit et son regard devient embué.

Conscients que le temps presse, les trois compagnons ajustent leur lampe de front et commencent une lente progression dans le sentier en examinant le sol et les côtés très attentivement. Ils notent que Natasha a poursuivi sa marche un bout de temps dans cette piste. Puis la traqueuse montre les traces qui démontrent que la fillette a pénétré dans la forêt, sortant ainsi de la sécurité du chemin. Pour suivre un animal peut-être ? Fatiguée, aurait-elle cherché un coin pour dormir ? Se rendant compte qu'elle ne voyait plus ses parents, la peur l'aurait fait se réfugier dans la zone boisée. Qui sait ce qui s'est passé dans la petite tête de trois ans.

— Pauvre enfant, souffle Alex.

— Il faut vite la trouver, affirme Nadine d'une voix agitée. Sinon les bêtes qui s'approchent la dévoreront sans qu'on ne puisse intervenir.

Le sentiment d'urgence qui l'affecte se transmet d'office aux deux autres. Par contre, les recherches demandent un examen minutieux de la forêt, centimètre par centimètre. Ça prend du temps et la tension monte. Nadine regarde sa montre. 21 h 30. La petite est perdue depuis neuf heures et demie maintenant. « Elle doit avoir très peur… faim et soif… elle serait inconsciente peut-être… » Nadine n'ose pas exprimer à voix haute sa crainte de la trouver morte. Elle ne veut même pas y penser.

Soudain, sous le couvert de la pénombre, les deux hommes voient une forme de couleur foncée s'élancer dans les airs. Nadine saute, étire le bras et propulse sa lance aussi fort qu'elle le peut. L'animal lance un cri déchirant puis tombe au sol.

— Il faut chercher la bête ! hurle Nadine, entraînant ses compagnons dans la forêt. Assurons-nous qu'elle est morte !

Quelques minutes plus tard, Gilles trouve le cadavre du lynx, transpercé par la perche de bois en plein cœur. « Qui est cette femme qui peut tuer un chat sauvage de cette façon ? » Il a remarqué la dureté de son regard, illuminée par la lampe frontale d'Alex, quand elle a sauté pour tuer. Elle n'a jamais hésité. Elle voulait la mort de la bête, rien de moins. « J'ai entendu un grognement sortir de sa gorge… une bête… une sorcière… » Malgré lui, un frisson parcourt le corps de l'homme.

Alex rejoint le garde forestier et, à la vue du cadavre et du sang qui a éclaboussé les environs, il vomit violemment. Nadine s'accroupit à côté de l'animal pour s'assurer qu'il ne respire plus. Son geste est totalement dépourvu d'émotion. Elle fait simplement ce qui est nécessaire à la poursuite de leur expédition de sauvetage. Si elle est désolée d'avoir tué, rien dans son attitude ne le démontre. Elle retient l'action de dépecer la bête pour en garder le scalp; si ce comportement digne du Pays de la Terre perdue renforçait sa nature sauvage ancrée dans la survie, là-bas, il n'a pas sa place ici. Elle porte son attention sur l'essentiel.

— La petite n'est pas loin. Le lynx ne nous attaquait pas, il sautait dans une autre direction. Par là, à droite. Allons de ce côté. Il faut la trouver. Maintenant !

Galvanisés par l'urgence, ils sortent les lampes de poche supplémentaires, et avec toute cette lumière, ils fouillent chacun de leur côté tous les coins où un enfant pouvait se cacher, tout en appelant la fillette. La recherche durait depuis quelques minutes et Nadine s'apprêtait à rallier ses troupes pour tenter une stratégie différente, quand Alex s'exclame.

— Natasha est ici ! Elle ne bouge pas. Venez m'aider !

Même si le ton est empreint de panique et que la peur de l'avoir trouvée morte étreint le cœur de l'homme, la force de sa voix redonne de l'énergie au reste de l'équipe qui se précipite à l'endroit de la découverte. La fillette s'était blottie dans une cavité entre deux rochers. Laissant ses compagnons porter les lampes pour éclairer les lieux, Alex sort délicatement la bambine du trou. Puis, touchant le cou de l'enfant, un grand bonheur l'envahit.

— Elle est vivante ! J'ai un pouls ! Son minuscule corps est si froid ! Elle n'est habillée que d'un short et d'une chemise sans manches. Pauvre petite !

Malgré les cris à proximité d'elle, Natasha reste inconsciente. Bien préparés par Bernard le médecin, les sauveteurs s'activent. En un tour de main, Gilles roule la fillette dans son chandail pour la réchauffer. Assis sur une roche, Alex ramasse Natasha dans ses grands bras pour la coller contre sa poitrine pour lui transférer sa propre chaleur. Aussitôt, Nadine place une couverture autour d'eux pour ajouter une protection additionnelle afin que Natasha soit à l'abri du vent et de l'humidité de la nuit.

Comme convenu dans leur plan de recherche, Gilles s'affaire à préparer un feu, Nadine s'attaque à la prochaine tâche : il faut réhydrater la bambine. Bernard espérait que, même inconsciente, l'enfant de trois ans aurait gardé son réflexe de téter. Nadine prend une débarbouillette de ratine empruntée à l'auberge, la trempe dans sa bouteille d'eau puis met le morceau de tissu dans la bouche de Natasha. Sur le coup, ses souvenirs la ramènent au Pays de la Terre perdue, sur la plage de l'anse à Lou, nourrissant un bébé loup avec un bout de camisole et une soupe aux poissons, sans savoir si la bête minuscule survivrait à cette première nuit. Si le vêtement a sauvé Lou, est-ce que la serviette sera aussi utile pour Natasha ?

— Eurêka ! La petite tête ! Quel bon signe ! Il ne reste qu'à lui donner, lentement, mais continuellement, toute l'eau qu'elle accepte, pour l'hydrater. Alex, garde-la au chaud jusqu'à ce qu'elle se réveille.

Nadine regarde son iPhone sous la lumière de sa lampe puis elle affiche un air un peu découragé. Elle bouge d'un côté et de l'autre. Son insatisfaction la fait grogner.

— Merde ! Je n'ai pas de signal sur le téléphone dans cette petite vallée. Je dois monter quelques centaines de mètres pour envoyer la bonne nouvelle.

— Non ! hurle Alex. Tu ne pars pas toute seule ! Il y a des loups ! Laisse au moins Gilles t'accompagner.

Même avec la lumière diffuse, la nomade voit le regard angoissé d'Alex; cette peur qu'il ressent vivement à l'idée de perdre sa femme. Nadine jette un coup d'œil vers Gilles qui répond d'un hochement de tête à la question qu'elle n'ose pas poser. Rassurée par le soutien de l'Amérindien, Nadine reporte son attention vers l'homme qui voudrait la protéger à tout prix.

— Alex, je dois y aller seule. Comme convenu, Gilles a plusieurs tâches qu'il lui faut accomplir le plus vite possible. Nous avons besoin d'un brancard pour ramener la fillette en bas de la montagne. Toi, tu dois garder l'enfant à la chaleur et lui donner de l'eau. Si elle se réveille, tu lui présenteras son toutou.

Si elle n'a pas ajouté que Gilles serait plus utile pour les protéger, lui et la petite Natasha, Alex l'a tout de même compris. Nadine a vu l'expression désemparée sur le visage de l'homme quand elle lui a offert la lance. Le pauvre ne savait même pas comment la prendre.

Avant qu'il ne réplique, elle empoigne la perche affûtée avec laquelle elle a tué le lynx et elle disparaît dans la forêt. Elle grimpe un bon cinq cents mètres avant de voir apparaître les barres du signal cellulaire sur son téléphone. Puis, comprenant que Claude et Martine se tenaient à l'écart du groupe de secouristes et de la mère, elle écrit : « Natasha inconsciente. Attends l'appel de Bernard. » Les phrases chargées de sens disaient tout. La petite était vivante, mais les sauveteurs avaient besoin du médecin pour s'assurer qu'elle le reste.

Le retour arrive rapidement. Un simple mot « OK ». Puis Nadine s'assoit sur une roche pour attendre. Ses oreilles perçoivent clairement les loups qui se trouvent à moins de deux kilomètres. Elle entendait même leurs grognements, une sorte de langage entre les membres de la meute. Normalement, ils ne s'approchent pas des humains, mais l'odeur du lynx mort les attire sûrement. Elle espère que cette viande fraîche les occupera un certain temps. Par contre, elle en est persuadée, les sauveteurs doivent sortir de la forêt au plus vite.

Elle sursaute quand le iPhone résonne dans sa main, brisant le silence de la nuit et le train de ses pensées. Elle ouvre la communication.

— Bernard.

— Comment est Natasha ?

— Inconsciente. Elle tète. Alex la tient dans ses bras pour lui redonner un peu de chaleur, mais son corps est si froid qu'elle ne tremble plus.

— Beau travail ! Il vaut mieux la garder immobile jusqu'à ce qu'elle reprenne connaissance. Puis, elle doit boire, manger un tout petit peu et rester au chaud. Ensuite, vous la ramenez en bas de la montagne. Est-ce que ça va ?

— D'accord. Nous pouvons attendre un peu. Nous sommes installés dans une petite clairière facile à défendre. J'envoie un texto quand nous serons prêts à redescendre.

— Comment ça ? Que veux-tu dire par « une clairière facile à défendre » ?

Se mordant la lèvre d'avoir parlé trop vite, elle comprend aussi que les quelques secondes d'hésitation rendent son ami encore plus inquiet. Elle décide d'être honnête.

— Des loups rôdent dans le coin.

— Merde ! Aimerais-tu qu'on informe les troupes tout de suite ?

— Non. Ça ne donnerait rien. Le temps qu'ils nous trouvent, nous serons déjà en route.

— D'accord. Soyez prudents…

Nadine retourne auprès des deux autres pour leur préciser la suite des évènements et évaluer la situation. Natasha est toujours inconsciente. Gilles termine la fabrication d'un brancard et un feu jette ses reflets sur la forêt pour la rendre un peu moins menaçante. La montre de Nadine marque 23 h. Il ne reste qu'à attendre.

— Nadine, demande Gilles, à quelle bande appartiens-tu ?

— Pardon ?

— Tu dois être Micmac. J'en ai connus plusieurs avec les yeux aussi bleus que les tiens. C'est ça ?

Nadine réprime un sourire. Gilles essaie de raisonner ce qu'il a vu et entendu dans les dernières heures. Autochtone lui-même, son expérience de vie lui fait interpréter à sa façon les compétences de la femme. Elle lui doit la vérité… du moins à demi.

— Je ne suis pas Amérindienne.

— Je ne comprends pas. Tu es habile comme une Indienne habituée à la forêt.

— Disons que j'ai passé beaucoup de temps en nature, en solitaire.

Gilles l'observe sans vraiment la croire. Son aisance est beaucoup trop marquée pour que ce soit juste « du temps passé seule en nature ». Les compétences de la femme démontrent plutôt qu'elle y aurait vécu toute sa vie.

Le silence tombe autour d'eux. Pendant un long moment, seuls la respiration et le mouvement de tétée de la fillette brisent le calme de la nuit. Même si les loups sont tranquilles, Nadine sait qu'ils sont là tout près. À tour de rôle, Nadine et Gilles alimentent le feu, pendant qu'Alex serre bien fort l'enfant pour lui transmettre sa chaleur. Machinalement, Nadine écoute la forêt et note la progression des prédateurs. Si elle reste de marbre, les deux hommes s'échangent des regards inquiets à chaque bruit inusité autour d'eux. Un hululement inoffensif les fait sursauter. Pendant l'attente, sachant que les loups s'organisaient et se rapprochaient du groupe, la femme aiguise des bouts de branche pour les transformer en autant de lances. Ayant compté six canidés sauvages, elle fabrique six javelots.

Si de l'extérieur, Nadine affiche une attitude calme, son âme s'emballe au souvenir de la terrible bataille sur la plage en face de la première caverne. Ici, Lou n'est pas là pour la sauver de la mort et il lui appartient de protéger trois autres vies humaines qui lui semblent sans défense. Ses yeux, presque noirs dans la nuit, jettent des reflets intenses. « C'est à moi de prendre en charge la situation. Je tuerai tous ces loups, s'il le faut. Je mourrai en essayant de sauver les autres… comme Lou l'a fait avec moi… »

Soudain, des pleurs se font entendre dans la nuit, au grand soulagement des sauveteurs. Natasha se réveille et ses cris d'effrois deviennent une douce chanson à leurs oreilles.

— Tout doux ma belle, lui chuchote Alex. Tu es en sécurité. Tiens ! J'ai ton toutou.

Natasha cherche l'objet un moment puis elle l'agrippe vivement pour le serrer bien fort sur son cœur.

— Dollie !

Des larmes au bord des yeux, Nadine porte tendrement son regard vers Alex serrant l'enfant dans ses grands bras. La fillette tremble comme une feuille et claque des dents. Alex frotte son dos et ses petites jambes pour activer la circulation, comme Bernard lui a indiqué. La femme prend une minuscule main gelée dans la sienne pour la réchauffer.

— Bonjour Natasha. Je m'appelle Nadine et je suis une amie de ta mère. Elle est en bas de la montagne avec ton père. Est-ce que tu aimerais qu'on te ramène à tes parents ?

Natasha hoche la tête puis elle ajoute de son accent français.

— J'ai perdu mon papa et ma maman dans le bois.

— C'est bien, ma puce. Nous redescendrons dans quelques minutes. Pour le moment, Alex va te garder au chaud.

Puis, montrant son téléphone dans sa main au bénéfice de ses compagnons, elle s'élance vers le haut de la montagne. Allègrement, elle grimpe rapidement dans la pente rocailleuse bien éclairée par sa lampe frontale afin d'envoyer un court texto : « On s'en vient ». Elle attend à peine l'« OK » en retour, puis elle revient vers les autres.

Natasha est déjà assise sur le brancard. Des chauffe-corps entourent ses petites jambes. Nadine s'arrête un instant pour contempler ces mécanismes inusités provenant tout droit de la science moderne. Une fois sortis de leurs enveloppes protectrices, ces sachets libèrent une chaleur continue. Alex explique à l'enfant comment il allait l'attacher pour ne pas qu'elle tombe pendant la descente. Natasha le regarde avec de grands yeux remplis d'effroi. Elle hoche la tête.

— Est-ce que ça va ma puce ? demande Nadine

— J'ai un petit peu peur, répond l'enfant.

— À cause du brancard ? Parce que ça va bouger beaucoup ? Tu es très fatiguée et tu ne peux pas marcher. Alex et Gilles te transporteront lentement. Est-ce que tu as encore froid ?

— Non ! affirme la fillette avec un grand sourire. Gilles a du chocolat !

Les secouristes éclatent de rire en même temps. Eh oui ! La friandise fait miracle et elle enlève bien des soucis. Une fois que la petite est bien attachée sur le brancard, les trois sauveteurs remettent leur sac à dos sur leurs épaules pour redescendre de la montagne.

Puis, comme convenu, Gilles ouvre sa radio pour signaler leur retour.

— Contrôle, ici, Gilles.

— Ici, contrôle, parlez Gilles.

— Natasha en santé. Nous revenons avec elle. À vous.

— Redites à nouveau.

Alors Gilles répète la phrase toute simple qui sera transmise rapidement à tous les secouristes, aux policiers, aux gardes du parc et même aux journalistes. Ils se féliciteront tous du succès de la recherche sans vraiment réaliser qu'ils n'ont rien à y voir. Seuls les parents et les trekkeurs, ainsi que Gilles et Léon, sauront l'étendue du travail de Nadine et de ses deux compagnons.

Ensuite, Gilles indique l'heure approximative de leur retour au Gîte du mont Albert. La montre de Nadine marque 2 h du matin. Elle est fatiguée, mais elle rayonne de bonheur. Malgré tout, les bruits de la forêt l'empêchent de se réjouir trop vite. Les loups sont trop près et elle craint une attaque à tout moment.

C'est ainsi que la lente descente commence. Alex et Gilles se concentrent à marcher dans le faisceau lumineux laissé par leurs lampes frontales, sans échapper le petit brancard. En quelques minutes, la fillette bien au chaud s'endort. Les secouristes s'arrêtent chaque demi-heure pour vérifier l'état de leur patiente. On donne à l'enfant un peu d'eau et un bout de chocolat, avant qu'elle referme les yeux. Puis la troupe reprend la route.

Nadine surveille les alentours très attentivement. Les loups sont si proches qu'elle sent leur haleine fétide. Lorsque deux ombres se glissent dans le sentier en avant d'Alex, Nadine agit par pur réflexe. Deux roches sortent de sa fronde coup sur coup. Deux cris de douleur successifs et les deux bêtes déguerpissent. Conditionnés par des siècles d'expérience à côtoyer la civilisation, ils ne reviendront plus. Contrairement aux canidés sauvages du Pays de la Terre perdue, ceux d'ici n'attaquent que très rarement des humains, et ce, seulement s'ils sont convaincus de gagner la bataille. Or, Nadine venait de briser cette certitude. Ils ne prendraient plus le risque.

La frayeur encore inscrite sur le visage, Alex lui envoie un sourire pour la remercier. Gilles reste bouche bée, fort impressionné par l'habileté de la femme. « Ah ! C'est pour ça qu'elle a emporté le machin et le sac de cailloux ! Wow ! » Puis le trio poursuit sa lente descente dans le sentier pédestre sans se faire importuner.

Nadine sait que Bernard et Léon, le frère de Gilles, les retrouveraient à mi-chemin. Le médecin voulait s'assurer le plus vite possible que la petite fille soit en bonne santé avant de continuer leur route. Quand les hommes s'arrêtaient pour échanger le rôle de porter le brancard, Nadine surveillait les alentours à la recherche d'une menace. Les sauveteurs et la rescapée rentrent lentement à l'auberge, deux heures plus tard. Ils étaient attendus par des parents très heureux, de nombreux policiers, quelques gardes du parc ainsi qu'une troupe de journalistes. Madeleine a remercié chaleureusement Nadine sous l'œil sévère de Tanguay qui acceptait mal qu'on n'ait pas suivi ses directives.

L'homme s'approche du petit groupe. Il a l'air fâché.

— Gilles, qu'as-tu fait, là ? J'avais dit que les recherches se feraient demain matin.

L'autochtone fulmine. « Quel goujat, il ne comprend même pas que la petite serait morte. » Gilles s'en tient à l'entente prise avec Nadine; pour conserver son emploi certes, mais aussi pour protéger la femme passible d'une sévère amende, voire la prison.

— C'est par hasard qu'on l'a aperçue. J'avais rendez-vous avec mes amis. Nadine et Alex reviennent aujourd'hui d'une longue randonnée. On a trouvé l'enfant en redescendant dans la cuve du Diable.

— Hum ! lui répond Tanguay. Bon ! On n'en parle plus. Retourne chez toi maintenant.

— Il y a autre chose. On a identifié l'endroit où elle se cachait parce qu'un lynx lui a sauté dessus. J'ai dû le tuer.

— Tu as chassé un chat sauvage ! hurle l'homme. Tu pourrais aller en prison !

— Non, insiste Gilles très calmement. Je suis garde forestier et j'ai le droit d'abattre un animal si la vie de quelqu'un est en danger. C'était le cas.

— Hum ! On verra ! Pour le moment, je ne veux plus te voir ici !

Sans plus s'occuper de Gilles, Tanguay se dirige vers les policiers qui s'apprêtaient à repartir, leur devoir terminé. Puis, bombant le torse, il rassemble les journalistes pour leur donner les dernières nouvelles.

Nadine, Alex, leurs compagnons de trekking, Gilles, Léon, Madeleine, Philippe, ainsi qu'une petite Natasha endormie dans les bras de son père, demeurent encore longtemps dans le salon de l'hôtel, alors que le personnel leur sert du café et des pâtisseries viennoises. Malgré la fatigue, les randonneurs savent que le sommeil ne viendrait pas tant leur corps restait rempli d'adrénaline. Madeleine et Philippe parlent de leur retour en France où ils tenteront de faire oublier toute l'aventure à Natasha.

— Si vous aimez l'ascension des sommets, indique Philippe, vous devez nous visiter dans les Pyrénées. Nous habitons un coin magnifique en bordure de l'Espagne, du côté de la Méditerranée. Notre village, Vinça, se trouve sur le bord du lac du même nom, dans la montagne, à trente-cinq kilomètres à l'ouest de Perpignan.

Avec enthousiasme, ils échangent les adresses courriel et se promettent de rester en contact. Si Nadine et Alex étaient complètement fourbus, la satisfaction d'avoir sauvé la petite Natasha les inondait de bonheur. Aucun des compagnons de trekking n'a dormi au cours de cette nuit remplie de défis et d'émotions qui s'ajoutait à plusieurs jours d'une randonnée épuisante de cent kilomètres à travers le parc de la Gaspésie.

Quand le soleil s'est levé sur un nouveau jour, ils ont décidé de prolonger leur séjour afin de se reposer avant de repartir à Montréal. Ils en ont profité pour reprendre leur sommeil, se baigner et manger des repas gargantuesques arrosés de vin ou de bière. S'ils ont parlé longuement des derniers évènements, particulièrement des exploits de Nadine, c'était pour mieux comprendre ce qu'avait vécu la femme au Pays de la Terre perdue. Aucun d'eux, même pas Alex, ne saisissait vraiment la profondeur de l'expérience. « Quand ils liront mes récits... peut-être... même là, il n'y a rien de certain », se disait la nomade, en répondant généreusement à toutes les questions de ses compagnons.

Le lendemain matin, Natasha a couru vers ses sauveteurs pour se faire prendre. Elle était contente de revoir « Alec » et « Ninine ». Tout le monde a bien ri, y compris la petite Natasha. Avec une joie immense, les Québécois ont accepté de déjeuner avec la famille française. Une belle amitié s'installait. D'ailleurs, en route pour leur pays, les Français résideraient chez Alex et Nadine en attendant leur vol d'avion. Nadine imaginait déjà Natasha et Chloé devenir de bonnes copines.

Gilles est venu voir les trekkeurs, avant leur départ pour Montréal. Il était fier de leur indiquer que son patron avait appelé d'Europe dès qu'il a appris la disparition de la fillette. Quelques coups de fil supplémentaires ont suffi pour que Tanguay retourne dans sa tour de bureaux à Québec et que l'Amérindien occupe le poste de directeur par intérim.

Quelque part, même si son aventure dans une sorte d'univers parallèle était bel et bien terminée, l'expérience que la nomade y a acquise a contribué à sauver Claude et Natasha. Cette expédition dans le parc de la Gaspésie aide Nadine à réconcilier son séjour au Pays de la Terre perdue avec son existence d'avant. « Je n'aurai pas vécu ces deux années d'exil inutilement. » Comme rien ne se perd dans la vie, les compétences et les apprentissages qu'elle a développés là-bas lui permettent de mieux vivre ici. Si un lynx en est mort au passage, Nadine admet qu'elle n'avait pas le choix; elle devait protéger les autres humains. « Comme je l'ai fait pour protéger la harde de Jack et Allie… »

Quand Nadine se remémore la belle image que faisait son grand Alex avec Natasha dans les bras, sa haine contre le Pays de la Terre perdue baisse de quelques crans. La vie de l'enfant s'ajoute à celles de Lou, Allie, Tigré, Marie, André, Lucette, Jean-Pierre et, plus récemment, celle de Claude. Elle retourne à Montréal avec un peu moins de tumulte dans l'âme. Alex a d'ailleurs remarqué que, dans les yeux de sa blonde, une petite parcelle du reflet dur s'est éteinte, laissant place à un nouvel éclat plus clair, plus calme.

L'homme est heureux d'avoir insisté de participer à cette expédition. L'aventure, y compris les deux sauvetages, a aidé Nadine à reprendre le contrôle sur sa vie. Entre autres, quelques repères sociaux sont réapparus. Il sourit au souvenir de son épouse acceptant de neutraliser Tanguay sans essayer de lui taper dessus. Fine stratège, elle a fait confiance à Gilles, un parfait inconnu jusque-là. « Je suis si fier d'elle… elle va y arriver… elle reviendra complètement… son corps, son cœur et son âme seront unis à nouveau dans une belle cohérence. » Bien sûr, Alex a remarqué le regard glacial que sa femme a lancé vers l'imbécile au mégaphone. Si le goujat avait pris le temps d'observer la tête blanche aux yeux de feu, il aurait senti une grande panique l'envahir. Ainsi il aurait couru immédiatement vers Québec, traversant même le fleuve à la nage.

D'autres reflets durs restent campés dans les prunelles de Nadine, mais Alex est certain qu'ils partiront tous un jour. Un morceau à la fois. Il sera là pour l'accompagner sur ce sentier qu'il appréhende tortueux.

De retour à Montréal depuis quelques jours, Alex trouve sa femme sur le patio. Assise en tailleur sur une chaise longue, elle est si belle et si calme avec sa tablette à croquis sur les genoux, ses pastels qui glissent sous sa main habile et un large sourire sur les lèvres. S'approchant, il aperçoit un paysage enchanteur rempli de montagnes aux couleurs d'émeraude et d'une rivière aux eaux vives.

— Que dessines-tu ?

— Une scène de la Terre de la Forêt verte. C'est la rivière Azur. Tu sais, elle était aussi bleue que ça...

— On dirait un tableau sorti d'un conte de fées...

Nadine lève la tête pour observer son mari. Devant le sérieux qu'elle voit dans son visage, elle comprend qu'il ne la taquine pas. Elle explique.

— C'est vrai que le Pays de la Terre perdue est magnifique et qu'il me présentait souvent des images féériques...

— Mais encore ? poursuit Alex devant l'hésitation de son épouse.

— Chaque fois que je le trouvais immensément merveilleux et que je commençais à m'habituer à sa douceur, il garrochait le danger et la mort dans mes pas. C'était étourdissant et déstabilisant. Je le haïssais tout autant que je l'appréciais.

Alex s'assoit sur une chaise en face de Nadine. Un café refroidissant dans les mains, l'homme observe un long moment cette femme qu'il adore par-dessus tout.

— Ma belle, je t'aime plus que tout au monde. Je suis tellement content que tu sois revenue de cette contrée fort étrange.

— Tu sais, Alex, il y a des jours où j'ai peur que tu me quittes. Tu aurais raison d'en avoir assez de tout ça. Si le Pays de la Terre perdue a changé ma vie, mon retour a viré la tienne à l'envers. Je comprendrais...

Alex s'empresse de relever le menton de sa femme afin de la regarder droit dans les yeux.

— Quand tu es disparue, j'ai cru mourir. En Gaspésie, j'ai eu terriblement peur que tu partes seule et que je te perde une deuxième fois. Je suis constamment terrorisé par l'idée qu'un autre faisceau lumineux s'ouvre et te kidnappe à nouveau... Je suis prêt à faire tous les sacrifices qu'il faudra pour que notre mariage tienne, pour te garder près de moi. À jamais.

— Je t'aime aussi. J'accepterais de te redonner ta liberté si ton bonheur en dépendait...

— Non ! Jamais je ne te quitterai. Ce sera difficile, mais nous passerons au travers... nous nous épaulerons l'un l'autre comme nous l'avons toujours fait...

Les paroles réconfortantes d'Alex jettent un baume sur l'âme meurtrie de Nadine. La déclaration de l'homme vient de retirer un énorme poids sur le cœur de la femme. Sa longue route vers la guérison est faite d'efforts, mais elle sait maintenant qu'elle peut s'appuyer sur cet être attachant et solide que la vie a mis sur son chemin un printemps de 1973. Fidèle à son caractère enjoué, elle change radicalement le sujet de conversation en frappant amoureusement la poitrine de son époux.

— Bon ! Les émotions, ça creuse l'appétit ! Si on allait manger !

Partie 3

L'artiste

Chapitre 22

Montréal — 8 octobre

— Je ne veux pas mourir ! Il faut que je me sauve ! Allie ! Lou ! Non ! Je ne peux pas ralentir !

Nadine est hors d'haleine. Son cœur bat à tout rompre. Elle court si vite sur le plateau que ses pieds touchent juste assez le sol pour propulser son corps vers l'avant. « Où est ma lance ? Je l'ai perdue ! » Son cerveau étant concentré sur sa fuite, elle file tellement rapidement qu'elle n'arrive pas à sortir sa machette de son étui attaché à son mollet gauche. Elle tente de prendre sa fronde, mais l'arme glisse de ses doigts. « Non ! J'ai échappé ma fronde ! Je dois m'arrêter pour la ramasser... je ne peux pas... les bêtes vont m'attraper... je ne veux pas mourir... »

Elle manque de souffle et ses poumons brûlent d'un feu nourri par la peur intense. Depuis combien d'heures court-elle ? Elle se souvient d'avoir vu deux lynx sur le dos d'Allie. Elle n'a pu rien faire pour sauver l'animal, car deux autres prédateurs étaient à ses trousses. La jument devra s'en sortir toute seule. Nadine aurait voulu rester là pour l'aider, mais elle n'a pas pu. La terreur poussait ses jambes sans qu'elle puisse résister.

— Lou ! Où es-tu ? Suis-moi !

Sans pouvoir constater si le loup était encore vivant, elle poursuit sa course effrénée qui l'amène directement vers le nord. La sueur coule abondamment sur son corps. Devant elle, il n'y a que le plateau couvert de hautes herbes. Elle a soif. Elle a faim. Malgré la difficulté à respirer, elle continue de cavaler. L'odeur des bêtes la tourmente, même si elle a le vent dans le visage. « Sauver ma peau... je ne peux rien faire pour les autres... courir... survivre... » Trois autres lynx sont tapis dans les broussailles, attendant leur moment. Aujourd'hui, Nadine, Lou et Allie sont leurs proies.

L'humaine ne peut pas s'arrêter. Pas encore. Sinon les fauves la rattraperont. « Je ne vois pas Lou… si petit… il ne peut pas se défendre… les monstres vont le bouffer… » Elle court toujours. Elle saute par-dessus une rivière aux eaux agitées. Elle voudrait pleurer pour ses amis, mais elle en est incapable. Toute son énergie va à ce sprint déchaîné. Pour se sauver. Pour vivre une autre journée… une heure supplémentaire.

Soudain, son bras est accroché par l'arrière. Elle serre les dents. Elle hurle à plein poumon :

— Non ! Vous ne m'aurez pas ! Bande de malotrus !

Elle se retourne et pousse du plat de la main pour déloger la bête. Quand son poignet est à nouveau libre, elle reprend sa course insensée. Puis quelque chose immobilise ses jambes. Elle ferme le poing et cogne de toutes ses forces.

— Aïe ! crie Alex. Arrête de frapper ! Nadine, réveille-toi ! Tu fais un cauchemar !

Coincée dans le rêve maléfique, Nadine voit le plateau s'envelopper d'une brume épaisse et disparaître. Son cœur bat si fort qu'elle respire difficilement. Elle tente de gober de grandes gorgées d'air pour chasser la peur viscérale qui l'affecte encore. Son corps est pris comme dans un étau. Elle ne peut plus bouger. Elle grogne sa rage et secoue sa tête en tous sens. « Où sont passés les lynx ? Ils vont m'attaquer… je dois me libérer de cette pression… »

— NADINE ! Réveille-toi ! Arrête de gigoter ! Tu vas te blesser ! Je n'arrive plus à te retenir !

Le cerveau de la femme en panique finit par lui transmettre les informations dont elle a besoin pour sortir du cauchemar. « Je suis chez moi… à Montréal… » L'horreur qu'elle vient de vivre était si intense et la poussée d'adrénaline tellement vive, qu'elle résiste difficilement à la nausée qui l'assaille. Finalement, sa respiration se calme et son cœur ralentit. Elle ouvre les paupières. Elle tourne la tête pour apercevoir les grands yeux d'Alex qui, à peine éclairés par les lumières de la ville, portent des prunelles noires et brillantes.

— Un cauchemar, dit-elle pour reprendre pied dans la réalité. Un autre. Combien en ai-je fait depuis mon retour ? Ça n'arrêtera donc jamais !

Alex libère les jambes de Nadine qu'il avait coincées entre les siennes pour l'empêcher de tomber en bas de leur lit. Il a eu peur qu'elle se blesse tant ses mouvements étaient erratiques et violents. Puis, il lâche les bras qu'il retenait pour qu'elle ne puisse le cogner à nouveau. La sachant réveillée, il comprend qu'elle ne le frappera plus. Par contre, avant qu'il réussisse à immobiliser la femme qui bougeait avec furie, elle a eu le temps de lui décocher un superbe coup droit. « Je devrais être content qu'elle sache se défendre... j'aurai un œil au beurre noir, c'est certain... »

— C'était quoi cette fois ? demande-t-il. Est-ce que tu te battais contre un ours ?

Nadine note le ton agacé d'Alex et elle décide de ne pas parler pour le moment. « De toute façon, qu'est-ce que je pourrais dire ? » Le Pays de la Terre perdue l'a marquée profondément en lui faisant la vie si dure qu'il continue de hanter ses nuits. Chaque fois qu'elle discute de ses cauchemars avec lui, elle sent qu'Alex s'éloigne un peu plus d'elle, comme si le couple n'arrivait plus à combler ce gouffre causé par cette existence vécue séparément. Deux semaines pour lui. Deux ans pour elle. Comment pourront-ils réconcilier leurs expériences distinctes au cours de cette période ?

Alex en a assez de voir sa femme rêver des horreurs comme celles-là. Le fait qu'elle continue d'avoir mal, malgré son retour depuis cinq mois, l'enrage. Il ne sait toujours pas tout ce qu'elle a subi là-bas, mais il comprend que c'était terrible et extrême. Il s'en veut tellement de l'avoir laissée seule dans la cour, ce matin d'avril. À tout le moins, il aurait pu partir avec elle, au mieux, il aurait pris sa place. Pour le moment, au bénéfice de son épouse, il garde tout de même son calme. Encore. En apparence du moins. Pour épauler Nadine dans sa volonté de guérir.

Il est si fatigué; il souhaiterait pouvoir se retourner, appuyer sa tête sur l'oreiller et poursuivre sa nuit de sommeil. Il ne peut pas. Chaque cauchemar épuise sa femme autant psychologiquement que physiquement. Il doit l'inciter à parler, l'aider à faire sortir de son âme troublée cette terreur qu'elle a rapportée par le portail de lumière. Il allume la lampe de chevet, puis il s'assoit à côté de sa blonde. Nadine se blottit dans ses bras pour retrouver un peu de calme. Il la serre très fort pour la réconforter certes, mais aussi pour se rassurer lui-même. Pendant un moment, il a cru l'avoir perdue à jamais et il n'oubliera pas de sitôt cette sensation de vide qui l'a affecté profondément. Il doit l'appuyer pour qu'elle guérisse et que leur vie reprenne enfin son cours.

— Nadine, tu dois m'expliquer ce rêve si dangereux. Bernard a dit que cela t'aiderait à libérer la tension qui demeure toujours en toi; pour ne plus en refaire.

— Non… j'aimerais mieux ne pas en parler…

Alex colle tendrement ses lèvres sur les oreilles de Nadine et chuchote lentement sa réponse.

— Tu as confiance en Bernard, n'est-ce pas ?

— Il ne peut pas comprendre ce que j'ai vécu là-bas, réplique la femme avec colère, tout en se redressant.

— C'est sûr que personne ne peut saisir véritablement ce que ce Pays t'a forcée à endurer. Même Marie est d'accord avec ça.

Alex frotte le dos de Nadine pour la rassurer. Quand il sent la respiration de sa blonde redevenir normale, il reprend sa conversation.

— Ton ami d'enfance est médecin. Il t'a expliqué que tes cauchemars proviennent de cette vie d'ailleurs qui a été si difficile. Tes aventures imposées t'ont gardée dans une tension continue, une sorte de terreur permanente. Tu as fonctionné en mode de survie pendant deux ans. C'est terriblement long. D'autres en seraient morts. Aucun de nous ne peut imaginer à quel point c'était dur. Bernard est d'avis que ton cerveau essaie de faire le ménage, de trouver un sens à ce qui est arrivé. L'exercice fait travailler un peu trop ton subconscient et provoque ces épisodes effrayants. Il faut que tu en parles pour évacuer le stress.

— Oui, je sais, répond Nadine après quelques secondes de silence. Si je te raconte le rêve, j'aide ma cervelle à nettoyer les horreurs vécues. Donne-moi encore quelques minutes. S'il te plaît. C'était si violent… terrible… épouvantable… je manque de mots pour décrire la scène.

Dans le noir, Nadine ferme les yeux pour mieux se concentrer sur ce que son inconscient vient de lui garrocher. Elle prend deux grandes respirations, puis elle appuie sa tête sur la poitrine de son époux. Quand elle sent les bras de son mari entourer ses épaules pour la réconforter, elle raconte son cauchemar d'une voix caverneuse, presque éteinte. Les mots sont là et les images sont décrites avec un peu trop de détails pour la sensibilité de l'homme, mais elle n'arrive pas à exprimer les émotions vives et violentes qu'elle a ressenties durant l'incident. « Je dois garder mes propos neutres… pour protéger Alex. Il souffre beaucoup de ne pas m'avoir suivie là-bas… »

Au fur et à mesure que Nadine parle, Alex sent monter une rage folle en lui. Il voudrait se rendre dans ce Pays de la Terre perdue avec une scie à chaîne et laisser sa colère faire des blessures profondes. « Je le détruirais ! Centimètre par centimètre ! Jusqu'à ce qu'il n'existe plus ! » Il mettrait le feu aux herbes du plateau et brûlerait toute la forêt pour tuer tous les prédateurs malicieux qu'elle peut contenir. Pour le moment, il doit restreindre ses propres émotions pour aider Nadine. Il se contente de serrer sa femme tremblante dans ses grands bras. Estomaqué par ce qu'il vient d'entendre, il reprend sur un ton qu'il voudrait calme, mais qu'il sait empreint de trémolos.

— Est-ce que tu as vécu cet épisode pour de vrai ?

Nadine sent la colère et la peur dans la voix d'Alex. Tout ce qu'il a écouté depuis des semaines, lui fait détester ce pays. Avec le temps, elle devra lui apprendre à l'aimer aussi. « Ça passera par mes écrits... » Elle veut le rassurer.

— Non. Je n'ai pas connu cette scène-là particulière-ment. Jamais je n'ai été traquée par des bêtes. Du moins... pas comme ça.

Nadine voit qu'Alex se calme un peu. Il sait déjà au sujet de l'attaque du lynx qui lui a infligé la blessure sur son bras. Elle souhaite qu'il interprète ses paroles comme s'il n'y avait jamais eu d'autres batailles. C'est suffisant pour l'instant. Il apprendra bien assez vite à propos des combats violents au nord de la première caverne ou sur la Terre de la Forêt verte; quand il lira ses textes. Pour le moment, elle tient à le rassurer. Puis, avec sa façon habituelle de saisir le cœur d'un problème, Alex la surprend par sa question suivante :

— Est-ce que tu fais ces mauvais rêves parce que tu as peur pour la survie d'Allie et de Lou que tu as laissés là-bas ? Tigré aussi ?

Nadine reste songeuse quelques secondes avant de répondre. Elle a fait de nombreux cauchemars où elle voyait l'un de ses amis, parfois plusieurs en même temps, mourir sous ses yeux. Il y a un lien bien sûr, une sorte de dualité qui la rend inconfortable. Heureuse d'être de retour avec les siens, elle s'en veut d'avoir quitté le Pays de la Terre perdue. « Je n'aurai jamais fini de me torturer le cœur... une autre sorte de distorsion, émotive, celle-là ! » Malgré tout, elle tente d'expliquer... sans provoquer un choc...

— Tu sais, quand j'ai choisi de revenir, je comprenais que je les laissais là-bas. Je me sentais déchirée de prendre cette décision. Au fond de moi, je crains qu'il leur arrive malheur et que je ne sois plus là pour les protéger. Je m'en veux de les avoir abandonnés. J'ai peur qu'ils meurent par ma faute.

— Ce sont des animaux sauvages. Ils sont encore mieux équipés que toi pour survivre au Pays de la Terre perdue. C'est leur monde à eux. De plus, d'après ce que tu m'as déjà raconté, ils sont en mesure de prendre soin d'eux.

— Je sais ! Ce n'est pas très rationnel, explique la femme. C'est pourtant ce que je ressens. Le bouleversement émotif est si vif que j'ai peine à le supporter. Il me frappe de plein fouet, surtout quand je dors.

Alex et Nadine restent un moment, collés l'un à l'autre, pendant que leurs cœurs tentent de battre à l'unisson malgré la distance intangible qui les sépare. Puis Alex brise le silence et questionne sur un ton plus doux.

— Est-ce que tu te sens mieux maintenant ? Est-ce que tu veux que j'aille te faire une tisane ?

— Non merci. Tu dois essayer de dormir, car tu travailles demain.

Malgré le relent encore intense du cauchemar, Nadine retrouve le sommeil facilement, comme si le fait de décrire l'expérience la faisait disparaître de son âme. Bernard avait raison. La thérapie fonctionne, même si cela la force à raconter son histoire en commençant par les bouts les plus terrifiants. Elle comprend qu'Alex s'enfonce de plus en plus dans la colère au fur et à mesure que les aventures difficiles se dévoilent. Elle voudrait le protéger de tout cela… mais comment ? « J'ai tellement besoin de lui… »

Alex ne se rendort pas aussi facilement. S'il se forçait à rester immobile, c'était pour permettre à Nadine de mieux se reposer. La respiration régulière de sa femme jetait tout de même un baume sur sa rage croissante. Même s'il sait que la guérison viendra un jour, ce qu'elle raconte au fil des cauchemars tombe lourdement sur l'âme de l'homme. Chaque fois qu'une nouvelle parcelle de ces deux ans d'exil est dévoilée, il a l'impression que son propre cœur s'effrite un peu plus. Avec chaque récit, le spectre nébuleux causé par la séparation s'installe un peu plus entre elle et lui. Il reconnaît une sorte de distance émotive dont la source réside dans l'éloignement forcé par l'expérience accumulée par Nadine en dehors de leur couple. Pour lui, c'est comme une plaie ouverte qui suinte depuis cinq mois et il ne sait pas comment la refermer.

Écoutant les coups de l'horloge grand-père sonner chacune des heures, il veille sur sa femme, pour qu'aucun autre cauchemar ne vienne troubler son sommeil. « Je voudrais lui enlever toutes ces douleurs… mais je ne connais pas la façon… » Il aimerait pouvoir détruire les mauvais rêves avant même qu'ils ne se transforment en violents soubresauts dans la nuit.

Il a longuement parlé avec Bernard. Le médecin a expliqué que ces épisodes font partie du processus de guérison. Nadine est revenue du Pays de la Terre perdue physiquement en santé. Elle n'avait aucune carence alimentaire et elle était en forme. Depuis son retour, elle a aussi repris un peu de poids, ce qui lui va à merveille. Mais les blessures psychologiques subies pendant ces deux ans d'une vie dure où la mort rôdait quotidiennement racontent une tout autre histoire. Nadine a dû poser des gestes qui, normalement, sont contre sa propre nature. Alex se demande souvent si lui-même aurait été capable de survivre ainsi. D'une certaine façon, il est fier de sa femme, mais, d'une autre manière, il reste perplexe face aux choix qu'elle a dû faire. Surtout, il n'aime pas la dureté qu'il voit maintenant dans son regard bleu.

Si ce qu'il a entendu jusqu'à présent des aventures de Nadine le déstabilise, il est convaincu qu'elle ne parle que des faits faciles à décrire. Il comprend qu'elle veut le protéger. Il appréhende le moment où elle lui racontera les bouts plus difficiles. Il ressent constamment la douleur qui déchire le cœur de sa femme et il doit admettre qu'elle a abandonné une bonne partie de son âme dans ce monde impitoyable. Il reconnaît également que Marie qui passe beaucoup de temps avec Nadine n'arrive pas à la ramener totalement de cet univers inconnu situé on ne sait où.

Les cauchemars qu'elle fait deux à trois fois par semaine lui font aussi mal à lui qu'à elle. Il a l'impression que le Pays de la Terre perdue ne veut pas la laisser revenir complètement, même si elle l'a quitté depuis plusieurs mois maintenant. Quelque part, Alex a peur qu'elle tente de retourner là-bas, si on lui en donnait l'occasion. Marie a beau lui répéter que le voyage est inconcevable, il n'est pas convaincu. Pourquoi Nadine scrute-t-elle les environs après un orage ? Sinon pour en évaluer la possibilité ?

Satisfait de sa réflexion, le sommeil profond et calme de Nadine aidant, il conclut que le temps seul arriverait à guérir sa femme. Pour le reste, il faut attendre qu'elle soit prête à tout raconter. D'ici là, ils accumuleront des expériences ensemble pour faire contrepoids à ces années perdues ailleurs. Si cela n'efface jamais l'écart de ces deux années intenses, au moins ces nouveaux moments s'ajouteront à leurs 35 ans de vie commune. Finalement apaisé, Alex s'assoupit au cours des dernières heures de la nuit. Quand il se réveille pour de bon, le soleil d'automne est à peine levé et la maison sent le café.

Encore fatigué, il tente d'ouvrir les paupières. La douleur lui arrache un petit cri et il fait une grimace de dégoût. Le cauchemar de Nadine revient à sa mémoire. Il porte sa main sur son œil pour y découvrir un magnifique hématome qui gonfle tout le côté droit de son visage. « Elle frappe fort, celle-là... » Il se lève et marche jusqu'au grand miroir. « Wow ! Elle m'a vraiment pris pour une bête sauvage... »

Il descend à la cuisine, remplit une tasse de café frais et en avale une gorgée. Puis il fouille dans le congélateur pour trouver le sac de gel qu'il y laisse en permanence depuis quelque temps. Il l'applique sur son œil. Ainsi équipé, il rejoint sa blonde sur le patio où, de par sa nature toujours aussi contemplative, elle regarde le soleil se lever sur son jardin. Lorsqu'elle entend les pas de son mari, elle se retourne, un magnifique sourire sur les lèvres. Quand l'homme baisse le sac de glace pour qu'elle évalue l'ampleur de l'hématome, le visage de la femme s'empreint d'une grande tristesse. La peau rougie, bleuie même, empêche l'œil d'Alex d'ouvrir complètement. Du coup, elle échappe sa tasse de café qui se fracasse sur le sol dallé, éclaboussant le plancher de liquide brun sur plusieurs mètres carrés. Dans un geste de déni, elle porte ses mains à ses joues.

— Ce n'est pas vrai ! Est-ce que je t'ai fait ça ?

Alex tente tant bien que mal de traiter la situation avec un brin d'humour.

— Ouais ! Par contre, ça fait moins mal que le coup de pied que tu m'as donné la semaine dernière sur le genou. J'ai boité pendant deux jours...

— Peut-être... est-ce très douloureux ? demande-t-elle en faisant une mimique découragée. C'est terrible ! Ça ne peut pas continuer...

Alex s'assoit sur une chaise de parterre et invite sa femme à s'installer à côté de lui. Grimaçant, il replace la glace sur son visage. Pour détendre l'atmosphère, il se contente d'avaler une gorgée du liquide amer en souriant. Il a grand besoin de caféine pour remettre un peu d'énergie dans sa tête engourdie par une nuit fort agitée. Puis, réalisant que Nadine n'a plus sa tasse, il lui offre de boire à même la sienne, comme ils le font si souvent avec le vin, la bière et d'autres breuvages. Il veut dédramatiser...

— Heureusement, ajoute-t-il, je peux prendre congé pour les prochains jours. Malgré tout, ça va encore paraître quand je retournerai au bureau. Je me demande quelle explication je devrai inventer... je ne peux tout de même pas leur dire que c'est toi... à part Claude et Anne, personne ne me croira...

À l'air piteux qu'affiche Nadine, Alex rit de bon cœur malgré la douleur. Certes, il a raison. On aurait normalement de la difficulté à s'imaginer que ce petit bout de femme peut donner une volée à son grand mari. Elle mesure 1,57 m et elle pèse moins de 50 kilos alors que l'homme de 1,88 m porte près du double de son poids. À tout le moins, on demanderait, de façon narquoise, ce qu'Alex a fait pour avoir eu droit à ce coup de poing...

Nadine ne trouve pas ces arguments très drôles. Elle se sent mortifiée. Si son comportement brutal est digne de sa vie au Pays de la Terre perdue, Alex, lui, ne mérite pas ça.

— Ça ne peut pas continuer, dit-elle sur un ton sec. Je vais coucher dans la chambre d'ami jusqu'à ce que les cauchemars disparaissent.

— Te rappelles-tu ce qui s'est passé la dernière fois que tu as dormi là ? Loin de moi ? lui indique Alex avec un sourire douloureux.

— Oui, soupire Nadine. Je ne suis pas sortie de l'horreur par moi-même et on a dû acheter une lampe de chevet, un cadran et des draps neufs pour remplacer ceux que j'ai détruits lorsque je me suis débattue avec des monstres dans mon rêve. Puis j'ai hurlé à faire peur aux voisins.

— La prochaine fois, lui réplique Alex, j'immobiliserai tes bras avant de neutraliser tes jambes.

— Comment peux-tu prendre ça à la légère ? Je trouve ça pathétique ! Je n'aime pas ces cauchemars. Je ne veux plus me réveiller en réalisant que je t'ai blessé.

— Je sais que ce n'est pas moi que tu frappes. Ces rêves douloureux vont finir par passer. Je te rappelle que tu n'en as pas fait au cours de nos expéditions de trekking. Puis, j'ai l'impression que tu en fais moins souvent depuis que tu as entrepris l'écriture de ton livre. Dessiner ce pays de fou t'aide aussi. Je crois que ton cerveau a commencé à se débarrasser de la rage qu'il a emmagasinée durant ton séjour là-bas. Qu'en penses-tu ?

Nadine observe son mari qui la regarde de son œil valide. Elle secoue la tête pour chasser l'inconfort. Elle n'arrive pas à accepter qu'elle l'ait encore frappé. La dernière fois, c'était le genou, quelques jours avant, l'épaule. Il a porté un bleu sur la poitrine pendant une semaine. Habituellement, elle abhorre toute forme de violence. Elle réalise bien sûr qu'elle ne le cogne pas volontairement et que ces coups sont le reflet de ses mouvements de défense pour ce que lui fait vivre le mauvais rêve. Tout ça la laisse avec un malaise fort embarrassant.

— Si je demandais à Bernard de me recommander un psychologue ?

— On en a parlé. De quelle façon expliquerais-tu tes cauchemars ? Est-ce que tu imagines l'expression du spécialiste quand tu lui raconteras tes aventures ?

Nadine ne répond pas. Elle se sent coincée et cela la désole. « Je me croyais en prison quand j'étais là-bas... j'ai rapporté quelques barreaux de cellule dans mes bagages... ici, on appelle ça des cauchemars. » Malgré la tristesse qu'affiche le visage de la femme, Alex poursuit ses explications.

— Je suis d'accord avec Bernard. Laisse-toi quelques semaines supplémentaires. L'écriture du roman semble t'aider. Puis, tu me raconteras tes cauchemars, pour qu'ils disparaissent un par un. Si, dans quelques mois, ça continue au même rythme, il sera encore temps de consulter un psychologue. Tu dois faire confiance à ton ami. De plus, je suis prêt à t'épauler autant qu'il le faut. Est-ce que ça te convient ?

Nadine demeure un grand moment sans parler. Perdue dans ses pensées, elle ressasse ses dernières conversations avec le médecin. Alex se contente de l'observer, laissant les bruits ambiants briser le silence absolu. Un colibri matinal qui s'accroche à une fleur fait glisser un air surpris sur le visage de la femme. « Qu'est-ce qu'il fait encore ici en octobre ? C'est loin le sud pour ce petit oiseau... » Au loin, une porte d'auto claque : un voisin s'en va au travail, partant tôt pour éviter le trafic montréalais. Alex observe avec intérêt le vent ébouriffer les cheveux de sa blonde. « Ils sont plus blancs qu'avant… deux ans… que de différences… » Si les changements physiques l'étonnent, il reste surtout perplexe devant ceux d'ordre psychologique.

Pour briser son train de réflexion qui fait monter sa rage, il porte un regard autour de lui. Il voit la tasse cassée dont les morceaux sont éparpillés à leurs pieds; le liquide brun a commencé à sécher sur le plancher. « Une autre différence… » Normalement, Nadine aurait tout ramassé dans la minute… plutôt dans la seconde qui aurait suivi la catastrophe. En ce moment, elle n'est même pas intéressée, ces détails ayant perdu leur importance.

Prenant une autre gorgée de café, Alex poursuit son inventaire des changements. Avant son aventure, Nadine était incapable de rester en place plus d'une minute à la fois. Elle réfléchissait alors qu'elle coursait, faisait le lavage, passait l'aspirateur, conduisait son auto ou en lisant un bon livre. Rien ne diminuait la force vitale de cette femme pleine d'énergie. Elle n'arrivait pas à faire moins de deux choses à la fois. Quelque part au cours de son exil, elle a perdu son tempérament hyperactif. Depuis son retour, il la voit souvent assise, complètement immobile pendant de longues minutes, voire des heures. Il sait que, dans ces moments-là, en apparence très calme, l'âme de Nadine est bouleversée par des émotions vives et des souvenirs difficiles. Alors, il attend qu'elle soit prête à expliquer ce qui la rend si morose.

— Bernard viendra me porter des livres sur les cauchemars tantôt, reprend-elle tout d'un coup. Il faudra lui montrer ton œil.

Alex regarde sa femme avec un large sourire. Elle a fait le tour de la question dans sa tête et elle est maintenant rassurée. Comme d'habitude, elle s'élance vers l'avant. Il est heureux qu'elle l'inclue dans la démarche.

— Je vais me chercher du café, affirme-t-il. Est-ce que tu en veux aussi ?

— Oui bien sûr. Qu'est-ce qu'on fait pour le petit-déjeuner ? Des crêpes ?

Alex éclate de rire. Il y a tout de même des choses qui ne changeront jamais. Nadine est gourmande. Une fois le stress estompé, l'idée de manger revient au premier plan. Ensemble et en harmonie, ils ramassent les dégâts sur le patio puis ils préparent leur repas alors que cette journée s'ajoutait à la longue période de convalescence de Nadine.

Alex sait que sa femme prend sa guérison au sérieux. Elle récupérera un morceau à la fois le bout de son âme qui est encore accroché au Pays de la Terre perdue. L'homme est conscient que la douleur qu'il ressent dans son œil n'est rien à comparer avec ce que Nadine a enduré là-bas. Une bouffée d'amour réchauffe tout son corps. Il pardonne sans exiger de promesse.

« Je l'aime tellement... je veux que nous restions un couple uni... il le faut parce que je refuse de la perdre à nouveau... »

Chapitre 23

Montréal — 25 décembre

« C'est Noël ! Que c'est beau chez nous ! »

Un feu brûle dans le foyer du grand salon. Nadine a utilisé une allumette achetée à l'épicerie. Lentement, pour mieux ressentir toute la joie que la technologie lui apporte, elle a placé dans l'âtre du petit bois trouvé dans un *Canadian Tire*. Dans les espaces laissés par le matériel, elle a inséré des feuilles du journal *La Presse,* livré tous les matins sur le perron. Sur le dessus de la pile, elle a ajouté deux bûches écologiques provenant de chez *Rona l'entrepôt.* Puis, retirant l'allumette à longue tige de l'emballage, elle a frotté le bout inflammable sur le côté grattoir de la boîte. Elle a admiré un instant l'efficacité du mécanisme. « J'aurais tellement aimé avoir ces inventions au Pays de la Terre perdue... je me serais brûlée moins souvent... tout de même, c'est sur ce modèle que j'ai inventé mes petites torches. C'était brillant ! » Elle a placé la petite flammèche sous la pile et elle a attendu un moment, juste ce qui était nécessaire pour que le feu commence à pétiller. « Trois secondes... merveilleux... là-bas, cela me prenait parfois une heure quand les conditions étaient trop humides... »

Cinq minutes plus tard, elle renfonçait son corps dans son fauteuil préféré pour admirer les belles flammes orange qui dansaient et crépitaient dans l'âtre. Une douce chaleur caressait agréablement son visage. « Tout est facile ici... ce n'est donc pas étonnant que j'aie l'impression d'avoir vieilli de dix ans au lieu de deux... là-bas, tout était si compliqué... »

Depuis son retour, elle s'étonne tous les jours des petits et des grands avantages que la technologie lui apporte. Dans son existence d'avant, Nadine ne voyait plus ces détails qui rendaient sa vie plus agréable. Elle les considérait comme étant parties prenantes de son quotidien. Or, son passage dans cet autre monde étrange lui a fait comprendre que ces inventions sont des produits de la civilisation. Si celle-ci disparaissait, tous ces beaux outils cesseraient d'exister.

Par exemple, la tâche d'allumer des feux au Pays de la Terre perdue était lente et aiguisait sa patience. Bien sûr, elle avait ses roches à pyrites qui facilitaient l'activité. Autrement, elle aurait dû se familiariser avec la méthode de frottement qu'elle n'a jamais réussi à maîtriser et qui prend beaucoup plus de temps. De plus, sans ses lectures sur les manières ancestrales et sans ses cours de survie, aurait-elle compris comment utiliser ces cailloux ? Son côté rebelle tente de chasser le malaise qui l'accable. « Je me serais débrouillée autrement… j'aurais appris à frotter des bouts de bois… mais, si je n'avais pas su que ce moyen existait… merde ! Tête hyperactive ! Tu ne peux pas me lâcher un peu ! »

Elle reporte sa réflexion sur le matériel sec qu'elle employait au Pays de la Terre perdue. Peu importe ce qu'elle choisissait, tout prenait plusieurs jours à se déshydrater. Elle devait prévoir des semaines à l'avance pour s'assurer qu'elle en avait toujours en sa possession, surtout l'hiver. Le processus d'allumage durait au moins une demi-heure dans de bonnes conditions : il lui fallait d'abord utiliser de la mousse ou des champignons en charpie; ensuite, elle ajoutait des brindilles, puis des feuilles; quand la flamme était solide, elle y plaçait des branches et des bûches pour renforcer le feu. « C'était si long… même après deux ans d'exil je craignais chaque fois de ne pas réussir… »

Nadine respire profondément pour calmer son âme. Elle veut atténuer l'angoisse qu'elle ressent encore chaque fois qu'un souvenir de ses aventures au Pays de la Terre perdue refait surface. « Bon ! Nadine ! Tu es revenue maintenant… cesse de t'en faire… tu connais le mécanisme et tu pourrais donc éviter d'y retourner… » Elle ferme les yeux sur ses larmes brûlantes quand des images de ses amis de là-bas reviennent dans sa tête. « Lou… Allie… Plumo… Jack…

Blondie… Max… Louise… Anatole… Tigré… il y a aussi Billy, l'étalon couleur de miel rencontré près de la caverne d'Ali Baba; je suis convaincue qu'il serait devenu un bon ami lui aussi. Je m'ennuie tellement d'eux. Est-ce si mal de vouloir y retourner pour revoir cette famille que je me suis forgée dans ce monde fantastique ? »

La femme replace le châle qui recouvre ses épaules et croise ses bras sur sa poitrine comme pour éviter que son âme se désintègre sous la douleur. « C'est Noël et je vais voir les miens, ma vraie famille, dans quelques heures. » Elle tourne la tête vers sa gauche pour admirer le magnifique arbre de Noël qu'elle et Alex ont décoré il y a quelques jours. Ce matin, elle était levée bien avant l'aube. Elle a laissé toutes les lumières de la maison éteintes et elle a baissé toutes les toiles de la pièce pour empêcher les lueurs de la ville de filtrer dans la résidence. « Avec les indices de l'humanité toujours proche, ce ne sera jamais aussi noir que dans ma grotte… » Puis elle a admiré les couleurs brillantes que porte le sapin artificiel. Elle voulait les voir scintiller. « C'est certain que je ne pouvais pas reproduire, là-bas, cette merveille de la technologie d'ici. »

Maintenant que s'ajoute le feu de foyer, elle admire le reflet des flammes sur les boules décoratives très brillantes. Toutes ces couleurs vives et fluorescentes lui ont tellement manqué là-bas. Il y avait bien sûr les plumes jaunes, rouges et bleues que les oiseaux laissaient sur son chemin et dont elle se servait pour enjoliver sa grotte les jours d'apparat. Si les teintes chatoyantes des fleurs de l'univers parallèle se paraient de lumière éclatante sous le soleil, rien de tout cela ne prenait les tons presque psychédéliques qu'elle retrouve dans ce monde moderne. Si la brillance naturelle des choses de là-bas lui semblait enivrante, elle doit admettre que la vivacité artificielle des objets d'ici la fascine.

Un beau souvenir se glisse dans sa tête. C'était l'automne au Pays de la Terre perdue et Nadine gavait ses yeux des couleurs flamboyantes rouges et orange des érables et le jaune frappant des saules et des bouleaux. Sous le soleil éclatant, ces teintes chaudes se mariaient avec les divers tons de vert des conifères. « Que c'était beau ! » Elle a visité les Cantons de l'Est au début d'octobre, poussant son voyage sur la route du mont Orford; ce n'était pas aussi beau que dans l'autre monde. « Ce doit être la pollution... c'est comme regarder les choses à travers un filtre... tout pâlit... la définition de l'image diminue... »

Durant l'été, au Pays de la Terre perdue, une grande variété de plantes aux couleurs différentes attirait les insectes butineurs. Même si, étant éphémères, elles ne restaient ouvertes que quelques jours à la fois, Nadine s'arrêtait souvent pour les admirer et respirer leurs parfums distinctifs. Là-bas, les roses, les chrysanthèmes et les violettes poussaient librement en bordure des sentiers. Ici, alors que l'humanité tond le gazon et place ses boutons aromatisés préférés dans des jardins, il n'y a presque plus de ces champs naturellement fleuris... Bien sûr, les plate-bandes de sa maison de Montréal contiennent des espèces exotiques qu'elle ne voyait pas sur l'immense plateau ni dans les forêts d'érables. Soudain, elle plisse le nez. « Il n'y avait pas de pissenlit non plus, là-bas. » Elle se promet tout de même, l'été prochain, de trouver quelque part, sans doute dans un parc sauvage, toutes ces teintes et ces odeurs du Pays de la Terre perdue. « J'irai les chercher en pleine forêt, s'il le faut... »

Un léger courant d'air fait bouger une boule accrochée dans l'arbre et la lumière du foyer lui donne un scintille-ment plus éclatant. « Presque aussi bleu que la rivière Azur de la Terre de la Forêt verte... aussi brillant que le ciel du Pays... » C'est la première différence qu'on remarque en revenant de là-bas. D'abord, Nadine a cru que le ciel était voilé par l'humidité, mais elle a vite compris que le bleu céleste d'ici est moins vif. « La pollution encore... proba-blement... et la couche d'ozone qui s'amincit... »

Puis il y a eu l'arrivée de la neige... même celle fraîche-ment tombée à Montréal n'a pas la blancheur de celle du Pays de la Terre perdue; comme si celle d'ici amassait une couche de crasse jaunâtre en sortant des nuages. Dans sa tête, elle revoit la mer de là-bas qui passait d'un bleu aveuglant à un gris terne, morne, presque méchant. « Au moins, au Québec, il n'y a pas de ces orages meurtriers... » Nadine ferme les yeux un moment pour tenter de taire l'angoisse ressentie au seul souvenir de ces terribles ouragans qui prenaient sa grotte pour une caisse de son. « Je suis chez moi maintenant... en sécurité... » Elle respire profondément pour ralentir son cœur, puis elle retourne à ses pensées.

Durant ces deux ans d'exil, la luminosité qui garnissait tous les lieux fréquentés l'a marquée énormément : les tons de vert s'intensifiaient, pâlissaient ou devenaient plus foncés selon l'inclinaison du soleil ou la période de l'année; l'astre du jour utilisait l'humidité comme un filtre sur la nature pour l'embellir; la couche de nuages flottait sur cet univers fantastique pour jeter des contrastes sur le sol. Tout cela s'accompagnait d'un milliard d'odeurs suaves ou aigres ainsi que d'un million de sons. Chacun de ces éléments avait une signification pour elle. En quelques mois, elle avait appris à les reconnaître et à en tenir compte dans ses déplacements. Ils annonçaient un danger ou la présence d'un plaisir, mais toujours, la vie du Pays de la Terre perdue lui parlait aussi distinctement que la plus claire des présentations vidéo.

Écoutant les sons de sa maison, qu'elle entend avec une telle netteté depuis son exil, elle note qu'Alex est réveillé. Il descend les marches lentement, gardant ses pieds nus pour éviter de faire du bruit. Combien de fois, dans les derniers mois, s'est-il approché d'elle pour l'observer en silence, croyant qu'elle ne s'en apercevait pas ? Cependant, les habiletés que la nomade a développées durant son séjour au Pays de la Terre perdue l'aident à percevoir le moindre mouvement de l'homme. Sans même se retourner, elle sait qu'Alex se tient debout, les bras croisés et l'épaule appuyée sur le cadre de la porte du salon. Nadine le laisse faire sans lui dire qu'elle a senti sa présence; parce que pour lui, cet exercice d'observation est important afin de mieux comprendre cette nouvelle épouse qui est sortie du faisceau de lumière. Disparue pour deux semaines, la femme qui est réapparue était inexorablement transformée. Malgré la déclaration d'amour d'Alex, en juillet dernier, Nadine a encore des doutes. Un frisson d'angoisse secoue son corps et la fait trembler. Elle se tourne lentement vers celui qui est toujours l'homme de sa vie.

— Réalises-tu que, si tu n'avais pas été là quand j'ai ouvert le portail, je ne suis pas certaine que j'aurais complété la traversée ?

Le cœur noué par l'émotion vive, Alex essuie les larmes qui glissent sur ses joues. Il a eu si peur de l'avoir perdue à jamais. Il sait que, malgré les mois qui s'écoulent ici, Nadine se bat encore entre son amour de cet autre univers étrange et sa volonté de retrouver sa vie d'avant. Quant à lui, il hait un peu plus chaque jour ce monde fantastique et il craint que Nadine y reste accrochée au point de vouloir y retourner. Il s'approche d'elle puis, ayant obtenu son accord, il prend l'iPad laissé à côté d'elle et lit ce que sa femme a écrit sur la magnificence de ce Pays de la Terre perdue.

— Est-ce si beau que ça, là-bas ? Plus merveilleux qu'ici ?

— C'est un endroit à la fois étrange et envoûtant, mais je dirais plutôt que c'est différent.

— Mais tu détestes la pollution de notre monde qui rend tout plus terne...

— Je n'aime pas ça, c'est sûr. Mais je conviens que c'est un produit de cette société qui m'est nécessaire pour accomplir ma vie. Tu sais, l'Humain n'est pas fait pour vivre seul. J'ai fait l'expérience et je n'ai pas apprécié tant que ça. La civilisation n'est pas parfaite et elle évolue encore. Je tiens à en faire partie.

— Oui, je comprends. Par contre, je réalise que c'est difficile pour toi de revenir... C'est comme si le Pays de la Terre perdue t'avait envoûtée...

L'homme ne peut terminer sa phrase tant sa gorge nouée l'étouffe. Nadine prend un moment pour absorber ces paroles teintées d'appréhension. Puis, elle regarde Alex droit dans les yeux.

— Te rappelles-tu notre expérience plutôt fumante dans le parc Harriman dans l'état de New York ? Nous avons dû nous réfugier dans la rivière pour sauver notre peau. C'était brutal. Nous avons subi en quelques heures l'horreur de voir toute cette destruction autour de nous.

— Oui, je me souviens. Nous avons eu terriblement peur d'y laisser notre vie.

— Quand nous sommes revenus, ça nous a pris des semaines pour nous sortir de cette angoisse marquante. Nous avons acheté une tente neuve et remplacé les vête-ments perdus dans les flammes. Chaque jour nouveau nous éloignait de la terreur engendrée par l'évènement.

— Je me souviens surtout que nous avons mis des mois avant de pouvoir retourner en forêt; nous refusions de vivre dans un gîte sans craindre de mourir par le feu qui gobe tout ce qui se trouve sur son passage à une vitesse vertigineuse.

— C'est ça ! Tu vois... nous avons tous abandonné un peu de nous-mêmes dans l'épisode. Mon voyage au Pays de la Terre perdue a duré deux ans. Il a été rempli d'angoisse, de terreur, de peur intense et aussi d'une joie immense. J'ai laissé une bonne partie de mon âme là-bas...

— Hum ! Tu es restée si longtemps dans cet univers parallèle que tu as changé de peau...

Nadine éclate de rire. Bien sûr, l'homme a raison, même si le ton employé était teinté de mépris. Puis elle reprend de façon un peu plus sérieuse.

— C'est en plein ça. Je ne suis plus tout à fait la même personne. Pour perdre l'angoisse qui m'affecte au sou-venir de ce que j'ai vécu là-bas, je dois me réadapter ici. Mais il y a des facettes que j'ai acquises lors de mon exil que je ne veux plus changer. J'ai encore besoin de temps pour les identifier. C'est comme essayer de faire un vieux casse-tête duquel on aurait fait disparaître des morceaux et ajouté d'autres pièces. C'est plus long pour compléter l'exercice.

Elle ravale la boule d'émotion qui se coince dans sa gorge puis, profitant de ce doux moment d'intimité, elle poursuit de plus belle.

— Tu sais, Alex, j'ai surtout peur que tu n'aimes plus la personne que je deviens.

Surpris par l'argument, Alex la regarde avec des yeux humides, brillants. Il s'approche de sa blonde et prend les doigts de celle-ci dans les siens. De ses pouces, il flatte le dos de la main de sa femme. Dans ce geste vieux de plus de 35 ans, il reconnaît la douceur habituelle de la peau. Du coup, il se souvient de tous les efforts de Nadine pour enlever la rugosité que le traitement de deux ans d'exil a laissé sur son corps. Combien de pots de crème a-t-elle versés sur son épiderme depuis son retour ? Il tente de rassurer sa femme.

— Mon amour, je t'adore comme tu es maintenant et je t'aimerai comme tu décideras de devenir. En ce qui me concerne, ma plus grande crainte est que tu essaies de repartir vers ce monde étrange... sans moi.

Nadine se lève et se blottit dans les bras de son mari. Reniflant, elle redresse la tête pour mieux voir le visage d'Alex.

— Je sais que je ne retournerai jamais là-bas, même avec toi. Ma vie est ici et je veux la vivre avec toi, entourée de nos enfants, de nos petits-enfants et de nos amis. Je comprends que le processus pour réintégrer mon existence antérieure sera long et que je ne serai plus jamais la même... Je réalise que tu aurais le droit de...

— Chut ! C'est ta personne entière que j'apprécie, non pas un morceau ni ce que tu étais avant. Je t'aime comme tu es, peu importe où cette expérience folle t'entraînera finalement. Nous verrons ensemble ce que la vie placera sur notre chemin.

— Il faudra être persévérant... la transformation s'effectue une journée à la fois...

— Nous avons le reste de notre existence... puis... la patience, c'est une qualité que je possède, contrairement à toi... aïe !

Nadine avait claqué le plat de sa main sur la poitrine de son mari avant d'éclater de ce rire clair, franc, presque enfantin, qui est devenu le sien au Pays de la Terre perdue. Elle sait que cet enjouement est l'un des effets qu'elle tient à garder à tout prix.

Aujourd'hui, blottie dans les bras de l'amour de sa vie, Nadine prend le temps d'admirer toutes les lumières reflétées par le feu du foyer sur les boules de l'arbre de Noël ainsi que sur les papiers d'emballage et les rubans décoratifs qui enveloppaient les nombreux cadeaux. « Que j'ai hâte de voir leur réaction ! La vie en famille est remplie de petits bonheurs... »

Ce Noël 2011 n'est pas comme les autres. Elle a pensé l'avoir passé toute seule dans sa grotte. Rongée par l'ennui, elle était partie marcher sur la neige d'une blancheur éclatante, avec Lou et Allie, pour s'occuper et oublier la peine qui brûlait son âme. Pendant les deux années loin des siens, elle a cru qu'elle avait échappé tous les anniversaires de naissance des membres de sa famille et de ses amis; elle a même pensé les avoir perdus deux fois. Puis elle est revenue. Si son exil l'a vieillie de deux ans, la distorsion temporelle associée au portail a réduit son absence à deux semaines. Ce phénomène rend sa réadaptation parfois difficile, surtout pour certains ajustements avec sa vie d'ici. « J'y arriverai ! J'ai connu de bien pires situations et j'y ai survécu... »

Un souvenir refait surface. Elle plonge son visage dans l'épaule confortable de son mari et se remémore l'évènement. Un jour de mai dernier, deux semaines suivant son retour, elle fouillait dans le tiroir de la commode dans sa chambre. Elle cherchait un bijou qu'elle voulait porter quand sa main est tombée sur l'écrin qui contenait un couteau à la lame décorée et au manche nacré. Alex et Nadine l'avaient acheté en Europe lors d'un voyage, et ils s'étaient promis de le remettre à Dominique au moment de son anniversaire.

Sur le coup, Nadine est restée interdite. Assise sur le bord de son lit, elle regardait l'objet précieux sans comprendre. Soudain, elle ne savait plus si elle devait être fâchée qu'Alex ait privé leur fils de ce beau cadeau ou être heureuse d'avoir la chance de contempler la réaction du jeune homme à la vue de l'arme d'apparat. Pourquoi Alex ne l'a-t-il pas remis à Dominique ?

C'est ainsi qu'Alex l'a rejointe quelques minutes plus tard, alors qu'une expression songeuse alourdissait les traits de la femme. Quand il a aperçu le couteau dans les mains de Nadine, ses yeux sont devenus lumineux. Il était si fier de cette trouvaille; le couple avait fouillé plusieurs boutiques avant d'acheter celui qui convenait le mieux pour leur fils. Nadine avait un air si contrit que le sourire de l'homme a disparu sur-le-champ.

— Qu'est-ce qui te tracasse, ma belle ?

— Pourquoi n'as-tu jamais remis le cadeau à Dominique ?

Alex la regarde en fronçant les sourcils, son visage empreint d'inquiétude.

— N'avions-nous pas décidé de lui offrir ce présent ensemble à son anniversaire ?

— Oui, mais tu n'avais pas besoin d'attendre que je revienne.

Alex reste songeur un moment, sans pouvoir répondre. Il ne comprenait pas. Puis Nadine poursuit sa pensée.

— Tu aurais dû lui remettre le cadeau sans moi.

Alex observe sa femme. De quoi parle-t-elle ? Donner le couteau à Dominique sans qu'elle soit là. Pourquoi aurait-il fait ça ? Il demeure bouche bée devant l'incongruité de ce que propose Nadine. Puis soudain, il ouvre grand les yeux. Il venait de saisir le désarroi de Nadine. Elle a vécu deux ans loin des siens. Pour elle, la date était passée depuis longtemps. Tendrement, il prend sa femme par les épaules et l'aide à se lever. Il place un doux baiser sur son front. Puis, avec un sourire qu'il veut conciliant, il plonge son regard dans les prunelles bleues de sa blonde.

— Nous le lui donnerons ensemble. L'anniversaire de Dominique est dans un mois. Tu sais, selon notre univers, nous venons d'acheter ce truc… il y a à peine quelques semaines…

Nadine a alors compris son erreur. Quatorze jours… deux ans… Elle a tellement pleuré tous ces moments qu'elle a cru avoir manqués durant son aventure. Mais ici, ils n'avaient pas encore eu lieu. Une immense joie l'a aussitôt envahie. Ce jour-là, elle s'est promis de fêter tous ces évènements en grande pompe. Elle allait acheter tous les cadeaux qu'elle a imaginés, seule dans sa grotte.

Le 18 juin, Alex et Nadine ont remis le couteau décoré à leur fils. Elle a regardé avec un énorme plaisir la surprise sur le visage de son grand rouquin. Elle croyait avoir perdu à jamais ce bonheur au fond de son exil.

Puis, il y a eu la fête de leur fille Anne, le 16 octobre. Sachant que la citadine apprécierait les escapades bien douillettes, Alex et Nadine lui ont offert une fin de semaine pour deux dans un Spa dans les Cantons de l'Est. Anne a sauté de joie et Étienne était content de pouvoir accompagner sa blonde. Car, bien sûr, le cadeau comprenait aussi un certificat de gardiennage pour leurs petits. C'est ainsi qu'en novembre, malgré la grisaille à l'extérieur, la maison des grands-parents s'est remplie de soleil et de cris d'enfants.

Éric a eu deux ans le 30 novembre. Le bambin a reçu plus de jouets que sa chambre pouvait en contenir.

Puis, ce fut le tour de Chloé qui a fêté ses cinq ans le 14 décembre dernier. Sachant que la fillette adorait les livres, Nadine l'a emmenée bouquiner dans trois librairies de Montréal, là où un coin spécial lui permettait de passer du temps avec sa petite-fille; elle s'émerveillait de voir Chloé s'exclamer sur les couleurs et les dessins. La dame et l'enfant ont pris des heures pour regarder les ouvrages, les feuilleter et, finalement, en choisir quelques-uns. Une journée magnifique pour la grand-mère et la bambine. « Ce moment n'avait pas de prix… » Chloé était si fatiguée qu'elle s'est presque endormie durant le dîner, son visage penchant dangereusement vers son gâteau de fête.

Un large sourire s'étire sur les lèvres de Nadine alors qu'elle songe à un autre anniversaire. « Demain, le 26 décembre, c'est le tour de Marie. J'ai hâte de lui parler via *Facetime.* » Pour l'occasion, Alain a offert à son épouse un voyage en Grèce. L'homme s'en veut encore de ne pas avoir écouté sa femme il y a 25 ans. La rouquine lui a pardonné bien sûr, et ce, sans condition. Elle était si heureuse que son mari accepte enfin de croire à ses aventures sur cette terre éloignée. Cette fois, elle peut lui en parler sans que leur union soit menacée.

Elle soupire. « Finalement, je n'aurai manqué qu'un seul anniversaire, celui soulignant notre mariage le 1er mai dernier. » Alex a eu beau lui répéter que ce n'était pas grave, rien n'enlevait le chagrin de Nadine. Alors, un jour de juin, l'époux généreux est revenu à la maison avec deux billets d'avion. À la question de la femme, il s'est contenté de répondre d'un air taquin :

— Je voulais me faire pardonner d'avoir oublié notre anniversaire de mariage…

Nadine n'a pu faire autrement que d'éclater de rire devant la manière désinvolte utilisée par Alex pour alléger sa peine. Ainsi, en septembre, ils sont partis pour le sud de l'Espagne. Bien sûr, Alex avait raison. Elle a laissé son chagrin quelque part entre Montréal et Marbella sur un des nuages qui flottaient sous l'avion.

Puis, avant de revenir au Canada, ils ont fait un détour vers Perpignan en bordure des Pyrénées pour visiter Philippe, Madeleine et Natasha. La bambine avait déjà oublié l'incident qui a failli lui coûter la vie. Mais elle se souvenait très bien de ses amis Alex et Nadine à l'accent du Québec. La fillette les connaît bien grâce à la technologie; les communications via *Facetime* ont permis aux deux familles de rester en contact après le sauvetage de l'enfant dans le parc de la Gaspésie.

C'est ainsi que, depuis son retour d'exil, chaque anniversaire a été souligné dans la joie la plus totale. Nadine a senti que tous ces petits bonheurs remplaçaient peu à peu la rancœur face à toutes ces larmes amèrement versées au Pays de la Terre perdue. Comprenant mieux que son absence n'était que de deux semaines, elle a fini par saisir que ce qu'elle croyait avoir vécu quelque part dans son passé était, en fait, une expérience dont elle profitera pleinement dans son futur. Son désarroi d'avoir échappé une partie de la vie des siens s'est ainsi estompé au fil des mois.

La magie de Noël reflétée par le sapin décoré lui semble magnifique. L'arbre est synthétique comme d'habitude, car Nadine et Alex n'ont jamais voulu couper des naturels pour cette occasion annuelle trop éphémère. Cette coutume s'est installée dans leur routine dès le début de leur existence commune. Estimant la durée de leur mariage à plus de 40 ans, ils ont convenu que deux ou trois conifères artificiels achetés au cours de cette période allaient sauver une quarantaine de beaux sapins qui pourraient poursuivre leur croissance dans la forêt. Anne et Dominique, élevés avec des principes solides visant la protection de l'environnement, ont continué la tradition avec leur propre famille.

Il y a tellement de paquets sous l'arbre qu'ils ont dû retirer quelques meubles du grand salon pour les accommoder. Elle a hâte de voir la joie des petits-enfants. Elle s'amuse à imaginer l'expression de surprise que prendront les visages d'Anne et de Dominique ainsi que ceux de leurs conjoints face à tous ces cadeaux qu'elle a identifiés dans sa tête quand elle était au Pays de la Terre perdue et qu'elle a cherchés dans les magasins de la ville, parfois par Internet. « Que dira Alex quand il ouvrira son cadeau ? » Elle lui a acheté la nouvelle Olympus qu'il va régulièrement admirer chez *Lozeau*, sur la rue Saint-Hubert à Montréal, en se promettant de se la procurer dès sa retraite.

Elle sourit à la vue des paquets qui portent son propre nom. « Malgré tout, j'ai gardé mon cœur d'enfant... » Que contiennent ces boîtes de toutes tailles ? Il y en a huit... Elle a passé des heures à examiner les colis, pour tenter de deviner ce qu'ils renferment. Elle a eu du mal à maintenir le code d'honneur de la famille, c'est-à-dire regarder seulement, sans toucher ni secouer un cadeau. « En après-midi, je vais pouvoir les ouvrir. Je découvrirai enfin ce qu'on m'offre ! »

Se libérant des bras de son mari, Nadine s'approche du foyer pour empoigner sa tasse qu'elle avait déposée sur la pierre pour que le liquide reste chaud. Elle prend une gorgée et savoure autant le goût que l'odeur. « Je me suis tellement ennuyée de ce petit bonheur... deux ans sans boire du café. C'était terrible ! » Elle se souvient de cette journée pluvieuse alors qu'elle a bu sa dernière tasse de café. « J'habitais la première caverne... c'était avant la grande vadrouille qui m'a amenée jusqu'à la grotte puis à la péninsule sud. »

Son visage s'éclaire soudainement, car l'habitude de garder son breuvage au chaud près de la flamme était sienne bien avant qu'elle se retrouve au Pays de la Terre perdue. Elle l'a d'ailleurs reprise aussitôt qu'Alex et elle ont commencé à faire des feux dans le foyer, à l'automne. Elle ferme les yeux pour chasser le trouble qui menace de la faire pleurer. Aujourd'hui, le geste lui rappelle ce temps différent, dans un autre univers. Combien de fois, au cours dès deux dernières années, a-t-elle placé ainsi sa tasse sur une pierre d'un cercle de roches ? Probablement des milliers d'occasions. Ses deux vies se mélangent... une sorte de confusion apportée par une tasse déposée au coin de l'âtre dans sa maison ou sur la bordure d'un foyer dans ce monde fantastique; des endroits différents par leur nature, dans sa résidence, sa grotte, un campement, son patio.

L'action simple, celle de prendre une gorgée alors qu'elle est perdue dans ses pensées, lui permet de réfléchir, planifier, ordonner ses idées. Elle accomplit le mouvement plusieurs fois par jour depuis autant d'années qu'elle boit du thé, de la tisane, du café ou un chocolat chaud. Le rituel n'appartient pas à l'un ou l'autre de ces deux mondes qui l'ont vue vivre. Le geste est le sien, bien à elle, peu importe où elle se trouve. Le comportement réconfortant a traversé le temps et l'espace; il définit l'humaine qu'elle est restée dans toute l'intensité de sa personnalité. Elle prend à nouveau une gorgée avant de parler.

— Tu sais, Alex, le café m'a terriblement manqué, là-bas. Pourtant, ici, c'est l'odeur et le goût des breuvages aux herbes du pays que j'aimerais retrouver... Penses-tu qu'un jour j'arriverai à me faire une idée sur ce que je veux vraiment ?

— Hum... je ne crois pas. C'est dans ta nature. C'est comme en voyage. Aussitôt que nous partons, tu commences à t'ennuyer de la maison. Puis, dès que nous revenons, tu souhaites ne pas avoir quitté si tôt l'endroit visité...

— Hum... je resterai donc une éternelle insatisfaite...

À la vue des yeux de sa blonde empreints d'une grande inquiétude, Alex éclate de rire.

— Je dirais plutôt que tu as une personnalité très intense... N'est-ce pas pour ça que tu mets tout ce temps à planifier nos voyages et que tu narres nos rencontres par des récits enlevants ? Ne fais-tu pas ainsi durer le plaisir de trotter de par le monde ?

— Tu as raison. Ça m'est utile pour bien intégrer ce que j'apprends. C'est pour ça que j'ai décidé de rédiger l'histoire de mes aventures là-bas. Pour mieux me souvenir. Pour m'aider à reprendre ma vie ici.

Nadine jette un coup d'œil aux images d'Allie et de Lou qu'elle a dessinées au pastel. Alex les a choisies parmi la dizaine d'œuvres qu'elle a produites; il appréciait certes l'éclat des couleurs, mais il aimait surtout l'intelligence presque humaine dans le regard des deux bêtes. Puis il a fait encadrer les portraits. Les toiles sont accrochées au mur, de chaque côté du foyer, Lou à gauche et Allie à droite.

— Tu comprends, Alex, je n'oublierai jamais mes deux protégés, ni Tigré ou Plumo par ailleurs. Je m'ennuie terriblement d'eux. Je souhaiterais bien savoir comment ils ont poursuivi leurs aventures sans moi. Je réalise que je ne retournerai jamais là-bas et cela me chagrine beaucoup.

— Ne m'as-tu pas dit qu'ils seraient morts sans ton intervention ? Tu as fait ce que tu devais en leur permettant de vivre de façon autonome. Ils survivront bien grâce à toi.

— Tu as raison, mais la situation déchire mon âme. Je voudrais continuer de les protéger… même si je sais qu'ils n'ont pas besoin de moi.

Bien sûr, Nadine est heureuse d'être de retour à Montréal. Debout dans la lumière du portail, elle a vu les deux côtés et elle a choisi de revenir. Elle ne le regrettera jamais. Cependant, deux ans de son existence se sont passés là-bas. Une période très intense et remplie d'aventures éprouvantes. Elle ne pourra jamais oublier ce qui lui est arrivé. L'expérience et les apprentissages associés font maintenant partie d'elle, à jamais.

Son séjour dans cet autre monde l'a changée profondément. À son retour, elle a fait beaucoup d'efforts pour s'adapter à nouveau à cette vie contemporaine. Elle sait que cette réintégration sociale n'est pas encore complète et qu'il lui reste beaucoup de chemin à parcourir. Elle ne sera plus jamais la Nadine insouciante et un peu naïve qu'elle était avant son aventure.

À titre d'exemple, la femme moderne ne tient plus pour acquis toute la science qui l'entoure ainsi que le confort qu'elle lui procure. Elle a appris de façon brutale que tout cela est artificiel et peut disparaître du jour au lendemain, d'une minute à l'autre, le temps d'un simple claquement de doigts. Dans ces circonstances, seule l'essence de la vie reste à nue. Bien sûr, elle ne veut plus se passer de la technologie qu'elle apprécie encore mieux depuis son retour. Chaque jour, Nadine s'arrête un moment pour se rappeler ce que devient la réalité quotidienne sans la science.

Son aventure a aussi changé sa philosophie. Elle a compris à quel point elle tenait à sa retraite, à sa famille et à ses amis. Elle cherche à savourer chaque instant. Nadine refuse maintenant de s'adonner à cette façon moderne de survoler la vie à un rythme effréné, comme si une tempête ou un animal sauvage lui courait après. Vivre trop vite, c'est de prendre le risque de passer juste à côté de l'essentiel, de perdre la conscience de notre propre existence.

Un frisson parcourt le corps de Nadine et elle serre ses bras sur sa poitrine pour tenter de chasser le malaise, éviter que son cœur ne se brise sous l'impact de l'appréhension. Qu'arriverait-il si les changements qui continuent de s'opérer au plus profond de son être l'éloignaient d'Alex ? Elle glisse sa main dans celle de son mari pour attirer son attention.

— L'aventure m'a tellement transformée que je ne suis pas certaine de la direction qui se dessine devant moi. Cette fois, pour survivre, c'est au fond de mon âme que je dois voyager. Je comprendrais que tu ne veuilles pas m'y accompagner...

Alex serre la menotte de sa femme pour la rassurer et secoue la tête pour l'arrêter de parler.

— Non ! Je ne te quitterai pas. À force de t'entendre me raconter ce que tu as vécu là-bas, je change moi aussi. Parce que tu m'inclus dans ton voyage intérieur, j'aborde maintenant la vie avec plus de sérénité.

— Je suis si souvent coincée dans mes pensées ou cachée dans ma salle d'artiste à dessiner et écrire...

— Nadine ! J'ai eu si peur de te perdre ! Je ferai tout pour mieux comprendre ce que t'ont fait subir ces deux années d'exil loin de moi. Je ne te laisserai pas ! Jamais !

— Notre vie ne sera plus tout à fait comme avant...

Alex éclate de rire et, malgré les tremblements qui secouent son corps, il poursuit la discussion.

— Quand je t'ai demandée en mariage, il y a 36 ans, je savais que mon existence ne serait plus jamais la même ! Aujourd'hui, je veux toujours vivre avec toi pour voir où tout cela nous amènera. Ensemble, nous écrirons les prochaines pages de notre histoire commune.

Nadine reste silencieuse un long moment. Elle observe chacun des traits du visage de son époux. Une immense vague d'amour rend sa peau chaude et moite et fait battre son cœur à tout rompre. Que ferait-elle sans lui ? Pourquoi suggérer de briser leur union de 35 ans ? « Parce que je l'aime assez pour lui donner sa liberté... » Elle apprécie la réaction vive de l'homme face à l'offre qu'elle vient de lui faire. Puis elle pousse un peu plus loin sa pensée.

— Comme ça, raconter mes aventures te fait changer d'avis sur plusieurs sujets !

— C'est plus que ça ! Ma vision sur la vie elle-même se modifie. Je me surprends à souhaiter que le temps ralentisse pour que je puisse vivre plus intensément. Je réalise que j'aime la modernité et, bien sûr, je tiens à garder toute cette merveilleuse technologie. Par contre, je diminuerais le tempo pour profiter de tous les instants et apprécier adéquatement ce qu'elle me procure.

— Intéressant... sais-tu que c'est aussi pour cela que je veux écrire mes aventures ? Je pense que je pourrais influencer les autres à mieux savourer chaque moment qu'ils passent dans l'univers. Pour ça, il faudrait que je publie mon roman...

— Fais-le, ma belle. Je ne peux que t'encourager. Je serai à tes côtés.

C'est ainsi que les priorités de Nadine sont devenues plus précises. Volontaire et sûre d'elle, la femme aux cheveux de neige a repris son écriture avec une nouvelle joie de vivre. Si ses acquis sociaux se réinstallent un peu trop lentement, elle s'appuie sur Alex qui l'enveloppe de douceur et lui confère sa patience légendaire. Cependant, quand elle se voit dans un miroir, Nadine ne peut faire autrement que d'observer une certaine dureté qui reste encore au fond de son regard bleu. S'effacera-t-elle un jour de son visage ? Elle en doute.

Parce qu'elle se souvient du coût exorbitant de la vie au Pays de la Terre perdue. Dans ce monde totalement déshumanisé, elle a réussi à survivre; mais à quel prix ? « J'ai tué pour manger... J'ai tué pour défendre mon territoire... J'ai tué pour protéger mes amis... tant de morts pour que je puisse vivre... » Depuis le sauvetage de Natasha dans le parc de la Gaspésie, elle sait qu'elle abattrait à nouveau un animal si les circonstances l'obligeaient; pour protéger sa famille ou ses amis. Survivre n'est ni un sport ni un plaisir. Le vrai prix de la vie dans ce mode d'existence est une douleur vive qui s'accentue jour après jour, surtout quand on doit tuer pour qu'on puisse contempler le lever du soleil une fois de plus.

Voyant l'expression de Nadine se durcir au fur et à mesure que sa réflexion se poursuit, il cherche un moyen de la ramener dans la réalité du moment. Il la prend dans ses bras, l'embrasse doucement puis la repousse délicatement. Glissant les mains de Nadine dans les siennes, il plonge son regard dans celui de la femme qui l'observe avec un air de surprise sur son visage.

— Nadine, j'ai eu si peur de te perdre. Puis, j'ai été effrayé par la sorcière sauvage qui est sortie du portail de lumière. Aujourd'hui, quand je te vois aborder la vie avec une énergie nouvelle, je te retrouve enfin. Je t'aime et je tiens à poursuivre le reste de mes jours avec toi. Veux-tu m'épouser ? Une autre fois ?

Si les différences forcées par ses expériences dans un monde insolite sont encore visibles chez Nadine, elle possède cette détermination si caractéristique et extraordinaire qui l'aide à reprendre le cours normal de son existence. La nomade redevenue moderne lance un magnifique sourire à l'homme de sa vie.

— T'épouser à nouveau ? Je dois réfléchir... J'aurai besoin de temps...

Si un air boudeur transforme le visage de Nadine, Alex porte plutôt attention aux yeux vifs, si bleus qu'il a parfois l'impression de s'y noyer, comme s'il se fondait dans l'océan. La réponse qui brille au fond des prunelles azur est claire. Il n'y aura pas de divorce dans la maison. Nadine devient sérieuse, puis elle s'explique.

— Quand j'étais là-bas, je n'arrivais pas à trouver le chemin pour revenir. Au fil du temps, j'ai cru que je t'avais perdu à jamais... Je me suis même imaginé que tu m'avais remplacée... Mais je n'ai jamais cessé de t'aimer. De tout mon cœur.

Le cœur d'Alex se gonfle de joie. Que peut-il demander de plus ? L'amour de cette femme lui suffit pour être heureux.

Chapitre 24

Sutton — 27 janvier

— J'en ai assez ! Je veux aller dehors !

Nadine jette une dernière fois un œil sévère sur l'épaisse couche de glace qui recouvre le perron avant de sa maison. Il a plu du verglas toute la journée. « Je ne peux même pas marcher dans la rue ! Dire que d'ici deux jours, il tombera 25 cm de neige et que la température baissera sous les -25° C ! Quel monde de fou ! »

Nadine avait tout simplement l'impression de vivre une autre sorte d'exil, cette fois, à l'intérieur de sa propre maison moderne et confortable. Elle trépignait dans la pièce qu'on surchauffait pour combattre le froid de l'hiver. Elle tremblait d'impatience. En somme, à ce moment, la vie que lui offrait le Pays de la Terre perdue lui semblait douce et invitante. Elle aurait voulu y retourner, ne serait-ce qu'un tout petit instant. La mélancolie qui l'affectait lui faisait mal aux os. « Pourquoi suis-je revenue ? J'étais bien là-bas ! Ici, tout est si difficile… » Du coup, des images en vidéo lui revinrent en tête : la bataille contre Brutus, la mort du lynx sur le pont de son navire, les blessures du cheval tombé dans le ravin. « Non ! Les difficultés d'ici me font croire que c'était plus facile là-bas… pourtant… »

La grande peine causée par le désarroi intense a bondi de sa tête pour se précipiter dans son cœur, son ventre et ses jambes. Nadine refusait que son âme se déchire encore plus. Elle voulait hurler. Prisonnière chez elle, elle tentait de reprendre le contrôle. Le cri sorti de sa gorge était si empreint de meurtrissures qu'elle était heureuse d'être seule en ce moment. Alex n'aurait pu supporter cette douleur contre laquelle il ne pouvait rien. Collant son front sur la vitre gelée de la porte-fenêtre, plaçant ses deux mains à plat de chaque côté de sa tête, Nadine laisse le froid pénétrant réduire cette fièvre qui ne la quittait plus depuis quelques jours. Un mince filet de parole s'écoule entre ses dents, frileusement d'abord puis plus résolument.

— Je n'en peux plus ! Je suis revenue depuis plus de huit mois, mais c'est si dur… pourtant, je dois réussir… mon avenir est ici… mon exil est terminé… je dois absolument me réadapter à cette vie qui a été mienne si longtemps. C'est ça ! Je dois trouver le moyen d'aller dehors ! Il y a certainement des parcs ouverts en cette saison ! Je monterai en Gaspésie s'il le faut !

Cet éclat de colère, tant en paroles qu'en pensée, était arrivé au début de janvier. Depuis, Nadine était sortie plusieurs fois pour déneiger l'entrée, absorbant l'air froid à pleins poumons à chaque reprise. Elle avait même acheté des crampons à porter sous ses chaussures… au cas où le verglas reviendrait. Mais la rage qu'elle ressentait face à l'impossibilité de retourner à sa vie de nomade continuait de la brûler. Les longues marches pour se déplacer vers le dépanneur ne suffisaient pas à la contenter. Son odorat, rendu précis et puissant par son aventure dans l'autre monde, lui faisait suspecter que l'atmosphère de la ville était plus polluée qu'avant son départ. C'était une illusion et elle le savait, mais elle ne pouvait s'empêcher de retrousser le nez sur les parfums trop âcres, les poubelles débordantes, les effluves de restaurants. Tout couvrait l'essence de la vraie vie… celle des fleurs, des animaux et même de la neige.

Elle avait besoin de se retrouver dans la nature, de reprendre son existence de nomade. Bien sûr, revenue depuis déjà huit mois, sa santé était bonne et elle se portait de mieux en mieux. Par l'écriture et le dessin, l'exilée transformée en artiste réintégrait lentement mais sûrement son quotidien moderne et rapide. Par contre, Nadine étouffait en ville. Il n'y avait tout simplement pas assez de place entre les bâtisses et elle avait l'impression de devenir claustrophobe. Elle avait besoin de voir de grands espaces, de sentir la neige non polluée par l'urbanisation, d'entendre la forêt au lieu du bourdonnement constant des souffleuses et des camions de transport.

Malheureusement, l'hiver a pris son temps pour recouvrir de poudre blanche la région. Même Noël avait été plutôt vert. Puis, au cours des semaines suivantes, elle avait arpenté, pendant des heures, les rues aux trottoirs encombrés de flocons sales et de gadoue froide. Nadine a visité les parcs de l'île de Montréal ainsi que ceux de Rigaud et d'Oka pour y faire du ski de fond. Les pistes tracées et balisées lui ont rappelé amèrement qu'au Pays de la Terre perdue rien ne venait limiter ses mouvements; là-bas, elle pouvait explorer la forêt ou le plateau selon sa fantaisie. Ici, elle devait accepter la contrainte que nécessitait la présence de civilisation. Alex et Nadine ont grimpé le mont Royal plusieurs fois en raquettes, tout comme le mont Saint-Hilaire.

Toutes ces sorties revêtaient un peu trop une allure sociale, mais aucune de ces escapades n'arrivait à contenter Nadine. Peu importe où elle se présentait, les bruits de la société grouillante couvraient tous ceux qu'elle aurait aimé entendre dans les bois. Les pistes des environs de Montréal étaient très populaires; il y avait trop de monde et cela pesait lourdement sur le besoin de solitude de la femme.

Alex lui a offert de partir loin, de trouver un gîte perdu quelque part où elle pourrait se reposer de tout ce stress. Est-ce qu'un refuge dans les Rocheuses albertaines pourrait l'aider à mieux sentir la terre, la forêt, les animaux ? Si l'idée de se retrouver en montagne lui plaisait, elle n'aimait pas l'image de l'auberge et du feu dans l'âtre.

— Trop civilisé... je veux une escapade de nomade, avait-elle répondu.

C'est ainsi qu'un soir, alors que les six compagnons de trekking dînaient ensemble pour parler des expéditions de l'année qui commençait, Nadine a proposé d'organiser une fin de semaine de camping d'hiver au mont Sutton, dans l'Estrie. Si elle avait un besoin viscéral de prendre l'air à sa façon sauvage, elle admettait que la sortie serait plus sécuritaire si ses amis l'accompagnaient. En échange, elle leur montrerait comment survivre en forêt au cœur de la saison froide. Elle rêvait de leur enseigner comment on pouvait allumer des feux avec les roches, même avec les mains chaudement vêtues de mitaines.

À son grand soulagement, tous les trekkeurs ont été fort emballés par l'idée de faire du camping tôt dans l'année… puis Nadine leur explique qu'elle songeait à placer cette expédition en janvier, au plus tard la première semaine de février. Si les hommes l'ont regardée d'un air un peu incrédule, Claudine et Martine ont eu le réflexe de serrer leurs bras sur leur poitrine, comme si elles voulaient chasser un froid pénétrant.

Bien sûr, tous les ans, les compagnons de trekking préparaient ce qu'ils appelaient « une expédition d'hiver », c'est-à-dire une escapade de plusieurs jours où ils se promenaient en raquettes et dormaient dans une tente déposée sur le manteau blanc et gelé. D'habitude, cette randonnée marquait le début de leur saison de marche en montagne; elle était généralement prévue en avril ou mai.

— Pourquoi faire une expédition en janvier ? demande Martine. C'est beaucoup trop froid. Penses-y, Nadine, il pourrait même y avoir une tempête de neige !

Nullement découragée, la nomade a expliqué son plan ainsi que les activités qu'elle souhaitait accomplir. Il y avait quelques précautions à prendre, bien sûr, mais c'était plus que faisable. Le parc de Sutton avec ses pistes courtes en flanc de montagne était parfait pour une telle aventure.

— Est-ce que je saisis bien tes propos ? affirme Bernard. Si nous refusons, tu t'y rendras par toi-même. Ton goût pour le grand air est-il si fort que tu assumerais le risque de faire cette expédition en solitaire ?

— Elle ne sera pas seule, réplique aussitôt Alex. Parce que je l'accompagnerai, peu importe votre décision.

Il se tourne vers sa femme et note son attitude butée. Il plisse les yeux en comprenant que, de toute évidence, Nadine comptait y aller sans lui. Alex poursuit son idée.

— Je réalise que tu as besoin de cette escapade hors des circuits trop empruntés par la civilisation. Par contre, je refuse que tu partes seule, surtout en hiver. Je t'accompagnerai. Un point c'est tout !

Il fallait s'attendre à ce que les amis de trekking, tous aussi téméraires les uns que les autres, ne veuillent pas être en reste face à cette expédition qui s'annonçait plutôt extraordinaire.

— Ce serait préférable qu'un médecin vous suive, affirme Bernard d'une voix songeuse.

— Bernie ! s'indigne Claudine, tu ne partiras pas sans moi !

— Je m'occuperai de la cuisine ! réplique Martine.

— Ben voyons donc ! rétorque aussitôt Claude. OK ! Vous aurez besoin d'un… spécialiste des étoiles… la nuit.

Avec des yeux brillants de joie, Nadine observe tour à tour chacun de ses compagnons. « Quels bons amis ! Ils me suivraient jusqu'au Pays de la Terre perdue si je leur demandais de m'accompagner ! » Émue, elle parle d'une voix tremblotante.

— Merci beaucoup ! Vous ne pouvez pas savoir toute l'importance de cette expédition dans ma réadaptation… j'ai tellement l'impression de dépérir depuis l'arrivée de la neige. J'étouffe ici ! Vous êtes des amis formidables !

— Bien sûr, réplique Bernard sur un ton taquin, nous ne le faisons que pour tes beaux yeux !

C'est ainsi que les trekkeurs se sont donné rendez-vous, un peu avant l'heure du midi en ce vendredi 27 janvier 2012, au centre de ski du mont Sutton pour entamer leur fin de semaine hivernale. Assis à une longue table, ils ont avalé un repas chaud tout en revoyant le plan des deux prochains jours. Tout le matériel dont ils avaient besoin était prêt. L'excitation face à l'exploit qu'ils s'apprêtent à réaliser s'exprimait sur leur visage. Derrière eux, une voix masculine s'immisce dans leur conversation :

— Bonjour ! J'imagine que vous êtes les six trekkeurs un peu fous que j'attendais. Avez-vous toujours l'intention de passer la fin de semaine en flanc de la montagne ?

— Bonjour, répond Nadine avec un sourire. Nous sommes les hurluberlus qui font du trekking d'hiver. Êtes-vous Jean-François, le directeur du parc ?

— Oui. C'est moi qui aurai la responsabilité d'aller vous chercher si quelque chose tourne mal. Savez-vous qu'on annonce -30° C cette nuit ? C'est froid ça !

Nadine ayant organisé de nombreuses expéditions dans les zones de réserve de la faune et de la flore du monde entier, elle comprenait que leur présence dans les pistes et au refuge au cours de la fin de semaine dérangeait. En cette saison, les risques étaient grands même pour des gens aguerris au camping d'hiver. Sutton n'étant pas le Pays de la Terre perdue, la planificatrice n'avait pas les coudées franches. Devant suivre la réglementation, elle avait précisé l'itinéraire aux autorités. Jean-François possédait aussi tous les numéros de téléphone cellulaire pour rejoindre les compagnons de trekking si les conditions changeaient... ou pour se rassurer que tout se déroule bien. Le refuge n'est généralement pas accessible durant l'hiver et Jean-François avait hésité à approuver l'expédition quelque peu inusitée. Mais un appel de leur ami Gilles, garde forestier en Gaspésie, a confirmé le sérieux de leur démarche; il a convaincu l'employé du parc de Sutton de permettre à « ces experts » de passer les deux nuits et trois jours dans les sentiers « pour une petite expérience ».

Même si elle n'appréciait pas le ton plutôt acide du directeur du parc, elle comprenait qu'elle lui avait tout de même forcé la main. Avec sa verve habituelle maintenant réinstallée dans sa façon de transiger avec les gens, elle prend une voix mielleuse, mais ferme, pour répondre.

— Je vous remercie de nous laisser utiliser les pistes de marche à cette époque de l'année. Ne vous inquiétez pas ! Nous sommes très bien organisés. Tout est planifié au quart de tour. Puis, nous avons un médecin avec nous. Je suis experte en survie. Je tiens à vous dire que nous apprécions votre générosité. Puis, nous avons votre numéro de cellulaire afin de communiquer avec vous si quelque chose nous obligeait à chercher des secours. Comme convenu, nous reviendrons au chalet de ski pour vous informer de notre sortie des sentiers, avant de reprendre la route vers la ville.

Jean-François a ajouté quelques recommandations et revu avec eux les instructions établies pour l'expédition. Bien sûr, les compagnons de trekking ont accepté toutes les conditions exigées par les autorités du parc et signé toutes les décharges. Nadine confirme l'accord obtenu par l'entremise de Gilles pour allumer un feu à ciel ouvert.

Le directeur regarde par la fenêtre vers les pentes enneigées où l'on pouvait apercevoir des skieurs emmaillotés pour mieux résister au froid intense empiré par le vent féroce. Machinalement, il secoue légèrement la tête et son visage disait fort éloquemment : « Ces gens sont complètement fous ! » Tendant un trousseau à Nadine, il s'adresse plutôt à Bernard qui venait de s'identifier comme médecin.

— Voici les clés des bâtiments, car vous avez demandé à avoir accès aux hangars. Ne tentez donc pas la chance inutilement ! Je ne veux pas trouver six corps gelés lundi matin !

Remerciant chaleureusement le directeur des lieux, les amis ramassent leurs affaires et sortent dehors. L'euphorie flottant dans l'air, les trekkeurs avaient hâte de partir. Mais il leur fallait d'abord déplacer les automobiles au stationnement de l'Altitude 520, là où commence le sentier qui monte au *Round Top*, l'une de leurs destinations de la fin de semaine.

Dans un silence qui détonnait avec leur haut degré d'anticipation, ils prennent leurs bagages lourdement appesantis par tout le matériel dont chaque couple avait besoin pour un seul week-end : une tente, des sacs de couchage, une chaufferette et un poêle au gaz, des vêtements de rechange, de la nourriture, de l'eau, des ustensiles pour la cuisine, des outils en tous genres. Une certaine appréhension se lit sur leur visage, sauf sur celui de Nadine qui marque plutôt une grande impatience. Leurs mouvements ancrés dans le doute sont un peu plus saccadés que d'habitude, mais aucun n'exprimera le désir de se retirer de l'expérience.

Habillés chaudement et chaussés de leurs bottes doublées, les montagnards portent également des mitaines épaisses et des chapeaux à oreillettes du même type que ceux dont se coiffent les Quichuas d'Équateur. Avec leurs bâtons de ski de fond accrochés aux poignets et leurs lunettes de soleil sur le nez, les trekkeurs grimpent trente marches pour atteindre le point où commencera véritablement leur aventure. Puis, sans un seul mot, ils glissent leurs pieds dans les raquettes « pattes d'ours » plus adaptées au trekking en forêt.

De l'autre côté de la rivière qui délimite les pistes de ski des sentiers de randonnée, des sportifs emmitouflés dans des combinaisons multicolores dévalent les pentes à toute vitesse. Leur tête étant cachée par les lunettes, les casques et les larges crémones, il devenait impossible de découvrir leur visage. Même si le crissement des planches à neige dérangeait un peu le besoin de solitude de Nadine, cette dernière savait que, plus haut dans la montagne, elle pourrait savourer les odeurs et les sons de la forêt, sans aucune interférence.

Les trekkeurs étaient fin prêts pour profiter de l'expérience. Les compagnons prennent quelques grandes bouffées de cet air froid et sec pour activer leur cœur puis ils commencent à grimper lentement dans le sentier qui longe un moment les pistes de ski avant de pénétrer profondément dans la zone boisée.

Comme à leur habitude, aucun des marcheurs ne parle, sauf pour l'essentiel. Un bras pointé indiquera un écureuil, un arbre qui a poussé dans une forme bizarre, l'apparence curieuse de la neige accumulée sur une roche, un petit ruisseau courant sous la glace, une trace d'animal, le jeu de l'ombre et de la lumière sur une scène particulière. De temps en temps, le clic d'un appareil photo rappelle que la technologie les entoure. « Je me suis tellement ennuyée de ce truc moderne qui permet de croquer des images en souvenir de l'expédition... », se répète Nadine pour la millième fois. Les amis font du trekking ensemble depuis plus de 30 ans et ils sont très à l'aise les uns avec les autres. Ils se comprennent sans aucune communication verbale. De plus, leur longue expérience de la nature aidant, ils économisent leur énergie dont ils auront grand besoin au cours de la fin de semaine.

Tout comme elle l'a fait au cours de l'été dernier, Nadine a pris les devants pour ouvrir la randonnée. Avec les compétences acquises au Pays de la Terre perdue, elle aurait pu se rendre à destination beaucoup plus rapidement que ses amis, mais elle marche à leur rythme tout en respectant leur capacité. Consciente des efforts nécessaires pour un tel exercice, la guide s'arrête souvent et les invite à boire de l'eau, à manger des fruits séchés et des noix. Bref, elle prend soin d'eux et ils se sentent privilégiés. Puis, ils reprennent la route à la file indienne dans la piste à peine balisée, trouvant étrange ce sentier qu'ils connaissent mieux en saison estivale.

La distance n'est pas très longue; un peu moins de trois kilomètres entre le point de départ et le refuge à l'Altitude 860. Normalement, cette randonnée ne dure qu'une heure, mais aujourd'hui, le fait de marcher en raquettes sur la neige fraîchement tombée réduit la vitesse de progression. De plus, les lourds sacs de montagne affectent leur équilibre et menacent de les faire culbuter la tête la première à tout instant. Ainsi, les trekkeurs ont mis plus de deux heures pour se rendre à leur destination.

Arrivée au gîte, Nadine prend quelques minutes pour bien observer les lieux. Bien sûr, ce n'est pas le Pays de la Terre perdue, mais, cette fois, elle s'en contentera. Quelque part à sa droite, elle perçoit les cris des skieurs et les bruits du monte-pente. « Bientôt, tout ça sera silencieux… » C'est avec un sourire sur les lèvres qu'elle regarde l'énorme refuge dont la fenêtre panoramique lui permet d'entrevoir la grande cuisine où il y a assez de tables et de chaises pour asseoir au moins trente personnes. Ils n'auront pas accès au lieu pendant leur séjour puisque la bâtisse est fermée pour la saison : l'eau est coupée, l'électricité aussi. L'endroit ne comprend aucun foyer pour y faire du feu. Le fait que Jean-François leur ait laissé la clé démontre à quel point il n'est pas un adepte du camping d'hiver. Même si les trekkeurs s'y trouvaient à l'abri du vent, ils n'arriveraient pas à réchauffer la pièce suffisamment pour y survivre. « C'est comme la grotte… sans feu, elle restait trop humide, froide et inhabitable. »

Elle sourit en se souvenant que, durant l'été, les campeurs ont accès à des toilettes modernes et des douches chaudes. « Ils appellent cela du camping sauvage... parce qu'ils doivent marcher trois kilomètres pour atteindre le site… s'ils savaient… » Elle tourne les yeux vers une petite bâtisse de bois dont la porte et le cadre de la fenêtre étaient peints en vert. Au moins, pour la fin de semaine, les compagnons de trekking utiliseront une bécosse sèche. Nadine laisse échapper un soupir rempli d'amertume. « Même sans peinture, ma bécosse était plus belle… la nostalgie m'étouffe au souvenir de ce que j'ai construit dans cet autre monde… Est-ce que la petite cabane de bois tient encore debout ? »

À gauche, on trouve trois petites huttes en bois que les guides du parc utilisent pour y ranger du matériel. En hiver, elles sont vides. Si les trekkeurs devaient se réfugier

quelque part, en cas de tempête par exemple, ils pourraient facilement s'engouffrer dans l'un de ces cabanons;
ils arriveraient à le rendre habitable avec une chaufferette
au gaz.

« Heureusement, aucune tempête n'est prévue pour les
prochains jours… de toute façon, ce n'est rien à comparer
aux orages du Pays de la Terre perdue… » Le défi réside
tout de même avec le froid intense. Cependant, Nadine
n'est pas inquiète. Les campeurs sont bien équipés; ils y
résisteront. Ils ont l'expérience nécessaire. D'ailleurs, ils
ont même apporté, dans leurs bagages, des sacs chauffants
comme ceux que Gilles a utilisés pour garder la petite
Natasha au chaud, dans le parc de la Gaspésie. « Nous
sommes prêts pour toutes les éventualités… » Nadine
examine les environs une dernière fois.

À gauche du refuge, elle identifie des plateformes; en fait,
elle voit les monticules de neige qui indiquent la présence
des tabliers en bois. Construits en flanc de montagne, ils
présentent des surfaces planes et horizontales auxquelles
on accroche les tentes pour plus de solidité. L'une d'elles
est assez grande pour qu'ils puissent installer, côte à côte,
les trois habitacles de toile ainsi qu'un demi-baril qu'ils
utiliseront pour brûler des bûches. Ce feu leur servira
de foyer pour les prochains jours. Ils s'y réchaufferont
et ils y prépareront leurs repas. Elle sourit à l'idée que
chacun d'entre eux a dans ses bagages un Zippo et des
allumettes. Avec ces outils modernes, ils obtiendront en
quelques secondes seulement une flamme orange, cha-
leureuse et réconfortante. « Je vais quand même leur faire
une démonstration de ma technique développée durant
mon exil, même si ça prend une bonne demi-heure pour
allumer un feu. »

Soudain, un souvenir récent s'immisce dans sa tête et lui
donne froid dans le dos. À son retour d'exil, elle a tenté
de trouver des roches à pyrites, comme celles qu'elle
a rapportées de cet univers parallèle. Elle a été étonnée
par la grande difficulté de s'en procurer. « Si je n'en avais

pas trouvé là-bas... aurais-je survécu ? » Elle a beau se répéter qu'il y a d'autres techniques, elle convient que celle impliquant le frottement des pierres lui a été fort bénéfique, beau temps, mauvais temps. Doucement, elle place sa main sur la pochette à sa ceinture. Au Pays de la terre perdue, la petite sacoche contenait des cailloux pour sa fronde. Aujourd'hui, l'outil protège ses roches à feu. « Je n'ai pas pu partir en expédition sans elles... elles me réconfortent... je sais que je peux survivre longtemps avec celles-ci alors que l'utilisation d'un briquet et d'allumettes reste éphémère. » Même avec son usage restreint, elle aime cette technologie qui lui a tant manqué là-bas.

Quand les trekkeurs s'approchent d'elle, Nadine réalise qu'ils ont froid. En cette fin d'après-midi, le soleil d'hiver est moins chaud et il amorce déjà sa descente qui se ter-minera bien avant que le repas du soir soit prêt. Enlevant son sac à dos pour le déposer sur une roche, elle se tourne vers les autres.

— Nous sommes arrivés à notre première destination ! Allez ! Au travail tout le monde ! Sinon, nous gèlerons sur place.

Le groupe commence l'organisation du camp. Les rôles étant prédéterminés par des années d'expérience de trekking, les gars s'affairent à dégager la plateforme, à installer les tentes et à préparer le feu. Pendant ce temps, les femmes, toujours chaussées de leurs raquettes, patrouillent dans la forêt avoisinante à la recherche du bois. Bien sûr, il y a des bûches en quantité suffisante sous le refuge. Non seulement avaient-ils la permission de les prendre, mais ils allaient en utiliser souvent au cours de la fin de semaine. Par contre, l'idée de l'expédition était de faire comprendre aux autres ce que Nadine a vécu au Pays de la Terre perdue. Personne ne coupait son bois pour elle, là-bas. Elle devait le ramasser tous les jours.

Quand Nadine, Martine et Claudine sont revenues, elles avaient les bras chargés de branchages secs. Les hommes terminaient l'installation du camp. Un feu brûlait dans le demi-baril trouvé, comme prévu, dans l'un des cabanons. Alex avait tapé la neige sous la plateforme et la montait présentement en forme de mur tout autour pour protéger les tentes du vent qui venait de la vallée, car rien ne l'arrêtait en flanc de cette montagne. Ce banc de blocs gelés allait permettre aux habitacles de toile à double paroi de mieux garder la chaleur fournie par les petites chaufferettes. Claude charriait de larges bûches vers le coin où le foyer est installé; elles leur serviront de sièges et de tables. Quant à Bernard, il avait placé une grille sur le baril pour y déposer un chaudron de métal dans lequel fumait déjà de l'eau dans le but de préparer des chocolats chauds; une coutume du trekking d'hiver.

— Salut les filles ! s'exclame Bernard d'un air taquin. Avez-vous fait une belle randonnée pendant que les gars travaillaient ?

— Oui, répond Claudine sans se préoccuper de la boutade. Ce fut très instructif. Je ne pense pas que j'aurais aimé ça rester au Pays de la Terre perdue ! C'est long ramasser des branchages !

Songeuse, Martine se tourne vers son amie. De toute évidence, le bois qu'elles ont cueilli à trois ne suffirait même pas pour la nuit.

— Nadine, tu devais consacrer beaucoup d'heures chaque jour pour obtenir suffisamment de matériel pour garder un feu allumé toute la journée, non ?

Nadine est heureuse de recevoir ce commentaire. Martine démontre avoir compris une des grandes difficultés de la vie en forêt, particulièrement si on est seul. Elle prend quelques secondes pour réfléchir avant de répondre à la question.

— C'était très long. Si je n'en collectais pas assez, le risque de mourir à la suite d'une attaque d'une bête sauvage augmentait. Je devais en avoir beaucoup et il fallait l'utiliser judicieusement durant la nuit pour ne pas en manquer...

Nadine s'arrête subitement. Elle vient de voir une sorte de terreur se glisser sur le visage de ses amies. Bien sûr, il n'y a rien à craindre pour les prochaines heures; par contre, Martine et Claudine réalisent soudainement l'intensité du stress avec lequel Nadine devait vivre sur une base quotidienne durant son exil.

— Wow ! s'exclame Claudine. Je panique s'il manque du lait dans le réfrigérateur ! Je ne sais pas ce que je ferais si je devais chercher du bois… comme ça. Ça m'étonne tellement ! Je n'arrive pas à m'imaginer… comment tu t'y prenais pour t'en sortir.

Nadine veut les rassurer. Cependant, elle refuse de mentir, car l'effet serait contraire à ce qu'elle essaie d'accomplir, c'est-à-dire faire comprendre à ses amis ce qu'elle a vécu durant son exil. Elle poursuit son explication avec quelques précisions.

— C'était dur, angoissant et, surtout, très fatigant. Par contre, j'ai développé des trucs pour aller plus vite. Par exemple, le travois m'était fort utile. En hiver, je changeais la roue pour un ski. Puis, je prenais mes précautions. En automne, je cueillais du bois tous les jours en grande quantité; beaucoup plus que pour mes besoins quotidiens. Après les orages, je trouvais des branchages partout autour de la grotte et sur la plage; je ramassais tout. Puis, il y avait Allie qui m'aidait avec son immense travois. Alors, quand l'hiver se pointait, j'avais déjà une bonne réserve pour compenser la difficulté de sortir tous les jours pour en chercher.

C'est à ce moment que Bernard crie joyeusement pour se faire entendre de tous les campeurs.

— L'eau est chaude ! C'est l'heure du chocolat ! Venez !

Quelques minutes plus tard, les six compagnons de trekking étaient assis sur les grosses bûches que Claude avait placées autour du feu et sur lesquelles il avait déposé des bouts de toile pour couper l'humidité. Nadine en a eu l'idée en se souvenant des morceaux de peaux qu'elle installait un peu partout, surtout l'hiver, pour protéger ses vieux os. « Au Pays de la Terre perdue, j'ai copié mes trucs d'ici pour améliorer mon sort puis j'ai inventé d'autres techniques que j'utilise maintenant ici. Ma vie est une spirale; des brins de mes aventures de là-bas et de mes expériences d'ici s'entremêlent délicatement pour faire un tout plutôt génial... »

Les trekkeurs conversaient doucement, commentant l'immensité du paysage qui les entourait : une vallée s'étalait devant eux; le soleil se couchait en douce; une forêt s'étendait à gauche comme à droite. « C'est si bon d'entendre les autres comme ça... c'est rassurant... je ne suis pas seule. » Nadine les écoutait discuter de la prochaine expédition prévue pour le mois de mai, dans les Pyrénées à la frontière de l'Espagne et de la France. Leur pied-à-terre sera la grande maison de Philippe et Madeleine, leurs amis français et parents de la petite Natasha. Absorbant leur voix en sourdine, Nadine porte son regard autour d'elle pour voir le paysage s'estomper et l'obscurité les envelopper peu à peu. Elle ne ressentait aucune angoisse. Cette fois, elle possède la technologie nécessaire pour passer la nuit au chaud. Aucun animal dangereux ne s'approchera de leur camp. Surtout, elle n'était pas toute seule pour affronter cette épreuve.

Nadine était silencieuse, mais elle souriait.

À la lueur de leur feu, Alex observe sa femme. Est-ce qu'il imagine le tout ou si les yeux de Nadine avaient vraiment perdu un cran de dureté ? Remarquant qu'elle paraissait contentée par l'aventure, il se félicitait d'avoir supporté l'idée de cette expédition. Il sentait que Nadine était plus calme qu'elle ne l'a été depuis son retour. « Si ça ne prenait que ça... nous ferions une autre expédition la semaine prochaine, quitte à partir juste à deux... »

— Nadine, s'inquiète Bernard, tu ne parles pas. Est-ce que ça va ?

Sortant de sa bulle de réflexion, Nadine regarde son ami d'enfance avec un magnifique sourire qui rassura tout le monde instantanément.

— Oh oui ! Je me sens très bien. Je savoure ce bonheur d'être dans la nature. Merci à tous de m'avoir accompagnée dans cette folie… plutôt fraîche ! Ça me fait vraiment chaud au cœur…

— « Fraîche », dis-tu ? affirme Martine sur un ton moqueur. Il fait froid ! Non ! Le temps est glacial. Je suis même certaine que nous gèlerons cette nuit. Mais je suis contente d'être ici. Le coin est calme. C'est très beau. C'était une bonne idée.

— Moi aussi, je suis heureuse de me retrouver dehors malgré le vent frisquet, déclare Claudine.

— Nadine ! énonce Claude d'un air songeur, je pense que tu viens de commencer une tradition. Nous ajouterons cette expédition de janvier à notre programme annuel. L'an prochain, on devrait inviter Gilles et Léon. Je suis certain qu'ils seraient enchantés de participer à notre escapade hivernale.

— Ouais ! réplique Bernard. Même si le temps est glacial en janvier. Regardez ! Mon thermomètre indique -22° C. Ça va baisser encore d'ici quelques heures.

— Il faut donc bouger ! intervient Claude. Nadine, où as-tu mis tes roches ? Je veux essayer d'allumer un feu avec ces trucs-là.

Joyeusement, les compagnons de trekking se sont activés pour chasser le froid humide apporté par la fin du jour. Il était temps de faire le dîner. Ainsi, Alex et Martine, désignés par le tirage au sort, commencent les préparatifs en riant comme des enfants. Pendant que Nadine aide Claude à comprendre comment utiliser les roches, Bernard et Claudine s'affairent à transférer le reste du bois dont ils auront besoin au cours de la nuit, pour le corder sur la plateforme à proximité du baril.

Nadine savoure son bonheur pendant un bon moment, mangeant lentement et, surtout, en écoutant battre son cœur. Pour la première fois depuis son retour d'exil, elle a l'impression que son âme retrouvait enfin cette force vive qui l'a toujours habitée. La nomade qui bataille fort pour redevenir citadine saisit du coup que sa transformation fait un bond formidable par l'aventure présente. Elle s'étonne encore de sentir cet heureux mélange entre la femme urbaine et la sorcière un peu sauvage. Les traits de personnalité multiples qui, d'apparence en opposition, définissent si bien Nadine dans toute sa complexité.

Soudainement, la nuit enveloppe le paysage. La voûte céleste s'est d'abord teintée en bleu foncé puis elle s'est appuyée sur le noir profond. Si la lumière des astres n'était pas assez vive pour réchauffer leur corps, elle nourrissait leur âme. Plus tard, leur conversation les ferait discuter de la vie qui existait peut-être quelque part sur une planète qui tourne autour de l'une de ces étoiles. Ils en parleraient longtemps, se demandant même si le Pays de la Terre perdue n'était pas sur l'une d'elles…

Pour le moment, Nadine est surtout excitée à la prochaine portion de leur expédition. « J'ai hâte de voir leur réaction… je parie que ce sera… intéressant. »

Chapitre 25

Sutton — 27 janvier

— Es-tu certaine, Nadine ? demande Martine. N'est-ce pas un peu dangereux ?

À la lueur du feu de foyer, Nadine observe ses amis. Elle comprend leur inquiétude. Jamais elle n'aurait envisagé une telle escapade nocturne avant son séjour au Pays de la Terre perdue. Ainsi, ce qu'elle propose leur apparaît fort téméraire, voire étrange et menaçant. Par contre, elle sait qu'elle peut se rendre facilement à destination dans la pénombre et retrouver son point de départ sans aucun souci. Le sommet du mont Sutton n'est qu'à deux kilomètres du refuge. Avec des lampes de front, c'était un jeu d'enfant pour la nomade; en revanche, pour les autres, l'entreprise leur semblait périlleuse. Elle tente de les rassurer.

— Alex, as-tu pris la position du camp avec ton GPS ? demande Nadine.

— Oui, je l'ai fait en arrivant.

— Si jamais je me perds là-haut, pourrions-nous utiliser le GPS pour revenir ici ?

— Bien sûr. Sans difficulté.

— Puis, ajoute Bernard, si jamais cela ne marche pas, on pourrait simplement redescendre de la montagne et sonner à une porte pour se faire aider. Non ?

Sur le coup, Nadine éclate de rire au point d'avoir une crampe. Les autres s'étonnent de la soudaine hilarité de leur amie, mais ils attendent patiemment que la crise passe. Bernard, de son côté, affiche un air renfrogné.

— Bon ! Est-ce que j'ai dit quelque chose de drôle ? Descendre en bas de la montagne serait l'option la plus sensée si on se perdait ! Il y a des condos un peu partout...

Nadine éclate de plus belle. Puis, finalement calmée, elle explique la raison de sa réaction si vive.

— Quand je me suis réveillée sur le sommet dénudé, j'ai cru que vous m'aviez fait une blague en me laissant toute seule sur la cime du mont Logan en Gaspésie. J'ai même imaginé que vous aviez mis des caméras dans les arbres pour me surveiller. Pour déjouer vos présumés plans, j'ai décidé de retrouver mon chemin par moi-même. J'ai choisi de descendre en bas de la montagne pour chercher une habitation ou une auberge. Je n'ai pas trouvé le moindre indice de la présence d'une civilisation. Mon aventure a commencé comme ça, en tentant de localiser une ferme.

— Je suis désolé, répond Bernard. J'avais oublié ce bout de ton histoire. N'empêche que j'ai raison ! Si on s'égare...

— On ne se perdra pas, coupe Claude. J'ai confiance en notre guide... puis il y a toujours les étoiles...

Malgré le froid mordant, les membres du groupe avaient hâte d'accomplir cette nouvelle expérience que Nadine leur proposait. « Quels bons amis ! se répétait la femme aux cheveux blancs. Je ne peux qu'imaginer comment se seraient déroulées les aventures au Pays de la Terre perdue s'ils avaient été avec moi. Ça aurait été si agréable... »

Après le repas du soir, les compagnons de trekking réajustent leurs habits, tortillent leur crémone pour protéger leur visage, sortent leur lampe de front, mettent leurs raquettes et empoignent leurs bâtons de ski de fond au large panier mieux adapté à la neige poudreuse. Puis, ils empruntent à la file indienne, le sentier qui monte *au Round Top*, ce point aménagé tout au sommet du mont Sutton, à 967 mètres d'altitude. L'air est aussi clair que le cristal et il n'y a presque pas de vent. Les arbres craquent sous l'effet du froid. La neige crisse sous leurs pas. Si la température est glaciale, le thermomètre apporté par Bernard marquant -28° C, les trekkeurs sont habillés en conséquence.

Nadine voulait les faire marcher dans cette forêt durant la nuit. C'était la meilleure manière, pour eux, de comprendre pourquoi l'exilée ne pouvait pas circuler au Pays de la Terre perdue après le coucher du soleil, même l'hiver. S'ils suivent un sentier qu'ils empruntent souvent au cours de la saison estivale, les membres de la troupe avancent dans une zone boisée dense qui leur apparaît totalement différente, quelque peu oppressante. Leur lampe de front leur permet de bien voir le sol et une bonne portion des alentours. Malgré tout, ils doivent puiser dans la force du groupe pour chasser l'angoisse qui les affecte.

Ils marchent lentement pour éviter de s'échauffer et de transpirer; sinon, sous le froid extrême, la sueur se transformerait rapidement en glace. Nadine s'arrête plusieurs fois. Les randonnées de l'été dernier les ont habitués aux manœuvres de celle qui, à leurs yeux, est devenue une nomade complètement adaptée à n'importe quel habitat. Les trekkeurs comprennent que, à moins d'aller passer deux ans en exil au Pays de la Terre perdue, ils ne pourront jamais établir une telle connexion avec leur environnement. Ainsi, quand leur guide s'arrête, les membres du groupe cessent tout mouvement. Même si leur cœur s'emballe en anticipation de ce que Nadine leur enseignera, ils réussissent à ralentir leur respiration… pour mieux écouter la nature. La première pause leur permet d'observer un magnifique harfang des neiges; la deuxième leur fait entrevoir un renard roux; plus loin, elle leur montre des traces de chevreuils.

Nadine est heureuse. Elle apprécie cette randonnée de nuit. Dès que le groupe arrive au *Round top*, elle invite les trekkeurs à fermer leur lampe frontale et à rester immobiles. Elle regarde un bon moment la vallée qu'elle devine plus qu'elle aperçoit en bas de la montagne. Elle sait que de l'autre côté de cette dépression, à quelques dizaines de kilomètres seulement, il y a l'état du Vermont aux États-Unis. Remuant à peine la tête, elle écoute la forêt : un arbre craque; le vent froid fait frissonner les branches couvertes de givre; de nombreux rongeurs nocturnes marchent dans le boisé. La nomade sourit et une grande tendresse déplace la dureté qu'affichent habituellement ses yeux.

— C'est si beau… presque aussi magnifique que le Pays de la Terre perdue. La neige est presque aussi blanche, les étoiles presque aussi brillantes…

Entendant les paroles empreintes de regrets, Bernard jette un regard du côté d'Alex. Dans la pénombre, les deux hommes échangent un signe de tête fort éloquent. Si cette expédition d'hiver aide Nadine dans sa réadaptation vers la santé mentale, son aventure dans cet autre monde l'a marquée si profondément que le chemin complet n'est toujours pas terminé. Bernard veut encourager son amie d'enfance. Il dépose une main sur l'épaule de Nadine.

— « Presque aussi merveilleux »… je n'ai pas connu ce pays, mais je suis convaincu qu'il possédait des laideurs et des malheurs pires que ceux d'ici. Tu n'es peut-être pas encore capable de te souvenir de ça. Ne t'en fais pas, tu y arriveras un jour. Donne-toi, disons… deux ans. Après, tu verras. D'accord ?

— D'accord, répond Nadine en riant à belles dents.

Il faisait froid et le thermomètre accroché aux habits de Bernard avait perdu trois degrés depuis une heure. Les trekkeurs ne pouvaient pas rester immobiles plus d'une minute dans cette humidité glaciale. À regret, une fois qu'elle a eu rassasié son besoin de silence, Nadine entraîne le groupe vers le sentier qui les ramènera au refuge.

En route, environ à un kilomètre du camp, la guide s'arrête au beau milieu d'une petite clairière sise dans cette forêt dense. Elle invite ses élèves à éteindre leur lampe de front pendant quelques minutes, le temps que leurs yeux s'ajustent à la noirceur. Une autre expérience commence et les amis rient de bon cœur, comprenant que la nomade leur prépare un nouvel apprentissage.

— Bon ! déclare Nadine. Je sais que nous avons tous hâte au chocolat chaud que nous nous servirons bientôt, mais j'ai un dernier jeu à vous proposer. Fermez vos paupières et, si vous voulez profiter de l'enseignement, ne les ouvrez que lorsque j'aurai donné le signal. Que je n'entende pas un mot non plus !

Les fous rires fusent et Nadine réalise que les trekkeurs sont nerveux. Aux fins de l'exercice, elle bouge chaque personne en les tournant sur eux-mêmes et en changeant leur position par rapport aux autres. Elle tente de bousculer leur sens d'orientation pour mieux démontrer toutes les difficultés de trouver son chemin. Pour compliquer le jeu, elle tape la neige complètement autour d'eux, pour rendre impossible l'identification rapide du sentier qu'ils ont emprunté.

— Ça y est ! Vous pouvez ouvrir les yeux. Je vous demande de regarder autour de vous et de vous placer de façon à ce que la direction à prendre pour retourner au camp se situe en face à vous. Alex ! Tu le fais sans le GPS !

— Tricheur… lui souffle Claude d'un air enjoué.

Nadine reste au centre du groupe pour mieux observer la réaction des autres. À la suite de cette sortie de nuit et les deux petits exercices, ses amis la bousculeront avec de nombreuses questions; elle veut tout noter pour présenter des explications complètes.

Claude se place en premier, fort correctement d'ailleurs. Sans même regarder autour de lui, il a levé les yeux vers le ciel. Puis il a positionné son corps pour avoir le dos à la montagne et le camp directement devant lui. « Bon ! C'est moi qui aurai des questions pour apprendre comment il fait cela… j'aurai au moins deux heures d'explication; cette fois, je trouverai ça intéressant… »

Martine jette un coup d'œil à la forêt un moment puis elle baisse son corps pour regarder directement vers le bivouac. Ensuite, elle se redresse et fixe sa position. Nadine sourit. Sous le couvert de la nuit, même à cette distance, son amie a su trouver la lueur du feu de baril qu'elle a laissé brûler exprès. C'est une bonne réaction. De son côté, Claudine observe la zone boisée puis elle s'installe en direction du bas de la montagne. « Pas mal… elle a trouvé la pente. » Alex fait un tour concentrique en périphérie de la clairière. « Bravo… il cherche le sentier. » Il prend position face à l'entrée de la piste qui descend au camp. Bernard tournoie en rond un moment puis il lève les bras dans un geste d'impatience.

— Ça va, j'ai compris ! Je me perdrais sûrement si je ne vous avais pas ! Mais je suis un excellent docteur !

Nadine laisse les autres rire de bon cœur. Elle sait que le commentaire du médecin visait à exprimer son désarroi de façon humoristique. Elle s'empresse de faire bouger le groupe pour éviter que les gens commencent à geler.

— Ne t'en fais pas Bernard. Maintenant, on s'en va au camp et tu nous feras ce chocolat dont nous avons tous envie.

De retour au bivouac, ils s'enveloppent de couvertures et s'assoient sur les bancs en face du feu. Les trekkeurs échangent sur l'exercice dans la clairière. Bernard est le premier à parler.

— Je dois admettre que, même avec la lampe de front, je n'aurais jamais trouvé le chemin. Si j'avais été seul, j'aurais paniqué… je ne suis pas certain que j'aurais pu me rendre au plus proche condo… Ça me donne froid dans le dos de savoir que tu as eu à vivre ça durant deux ans.

— C'est vrai, affirme Nadine. Cette difficulté de m'orienter une fois le soir venu était l'une des deux raisons qui m'empêchaient de voyager après le coucher du soleil. Sans aucun signe de la civilisation, c'était tellement noir que, au cours des nuits sans lune, je ne voyais pas mes doigts devant moi… et le nombre d'étoiles toujours en mouvement me donnait la nausée.

La nomade observe ses amis quelques secondes et cherche comment mener cette discussion pour que tous se sentent à l'aise. Ils attendent patiemment, mais il fait si froid qu'elle ne veut pas prolonger la rencontre inutilement.

— Claude, à notre retour à Montréal, je pense que tu devrais monter un cours sur l'astronomie, sinon pour les autres, du moins à mon bénéfice. Pour le moment, j'aimerais que tu expliques rapidement comment tu t'y es pris pour pointer dans la bonne direction.

— OK ! Je vais faire vite ! En fait, surtout la nuit, je garde en tête l'organisation des étoiles dans le ciel. Quand tu as donné le signal, j'ai placé mon corps de façon à retrouver la position qu'elles faisaient par rapport à moi avant que je ferme les yeux. Ce n'est pas très exact parce que les astres bougent constamment, mais le temps très court m'a permis d'identifier la direction facilement.

— Merci, répond Nadine. Je dois te dire que j'ai regretté plus d'une fois de ne pas avoir écouté tes longs exposés dans le passé. Ça m'aurait servi énormément, surtout en mer.

La nomade observe l'homme relever les épaules et absorber le beau compliment. Alors qu'il s'apprête à reprendre ses explications, Nadine l'en empêche.

— Alors ! Quelles autres méthodes avez-vous utilisées ?

— Moi j'ai aperçu la lueur des flammes dans le baril en me penchant sous les branches.

— Oui, Martine. C'est un bon moyen. D'ailleurs, quand je devais bouger la nuit à l'extérieur de mon camp ou de ma grotte, je m'assurais d'avoir de la lumière pour voir mon chemin. Par contre, si nous avions éteint le feu avant de partir, comment aurions-nous pu nous retrouver ?

— J'ai regardé la pente, indique Claudine. Sachant que le refuge était vers le bas, je me suis orientée dans cette direction.

— C'est un bon moyen pour descendre de la montagne. Cependant, ta méthode est imprécise et elle t'aurait fait passer à au moins deux cents mètres des tentes.

— Ah ! réplique Claudine d'un air songeur. Il aurait fallu que je confirme la route autrement...

— Quant à moi, explique Alex, j'ai cherché le sentier. Ici, j'aurais pu me rendre au refuge facilement, mais, si je saisis bien, là-bas tu n'avais aucune piste pour t'aider... N'est-ce pas ?

— Hum... pas au début. Par contre, à la fin, j'avais fait ma trace en empruntant le même chemin tous les jours... J'ai fait comme les chevreuils pour marquer mon territoire...

Nadine est contente. Par cette simple démonstration, ses amis comprennent mieux les difficultés qu'elle devait surmonter pour survivre au Pays de la Terre perdue. Bien sûr, elle réalise que la nuit de Sutton, illuminée par la civilisation tout autour, n'est pas aussi noire que celle de là-bas. Puis, ici, il y a tout ce savoir acquis à leur portée... elle peut vivre sans technologie, mais pourquoi s'en passerait-elle si la science est disponible ?

Elle touche de sa main la lampe de front en songeant également à la pile de rechange qu'elle a apportée dans ses bagages. « C'est comme le briquet... ça n'aurait pas duré longtemps... » Même le truc de recharge solaire ne durerait pas éternellement. Pendant que sa réflexion la transporte à nouveau dans cet autre monde, les gars préparent les chaufferettes au gaz qui garderont les tentes dans une chaleur relative pour la nuit.

Nadine voit Martine remplir de neige deux chaudrons de métal et placer ces derniers sur la grille, juste en bordure du baril. Le geste fait sourire la nomade... « Mon amie agit en fonction de ce que je lui ai raconté... demain matin, non seulement la neige sera fondue, mais elle sera assez chaude pour le café... » Elle se souvient de ses cailloux et de ses cuillères à grands manches qu'elle utilisait pour chauffer de l'eau dans un contenant de bois. « C'était un processus tellement long ! Aujourd'hui, j'apprécie cette petite bouilloire qui peut chauffer l'eau en un rien de temps. » Elle affectionnait le modernisme, même si elle savait que c'était illusoire et que cela pouvait disparaître en un simple claquement de doigts.

— Nadine, demande Martine, tu as dit que la difficulté de t'orienter la nuit était l'une des deux raisons pour ne pas sortir après le coucher du soleil. Quelle était la seconde ?

Quand ses élèves se tournent vers elle pour entendre la réponse, Nadine hésite. Elle prend une gorgée de chocolat chaud pour se donner une contenance. Puis elle décide d'être honnête avec ses amis.

— Il y avait beaucoup de prédateurs au Pays de la Terre perdue et ils n'avaient pas développé de crainte ni de respect pour l'humain. Pour eux, j'étais un autre animal et, comme j'étais plus fragile et moins rapide, ils me voyaient comme une source de nourriture. Marcher seule la nuit me plaçait à risque. Le feu les éloignait certes, mais ils rôdaient toujours en bordure du camp. En dernier, c'était moins important parce que Lou me protégeait…

La femme aux cheveux blancs sent la peur s'immiscer dans les gestes de ses amis. Les filles serrent leur poitrine de leurs bras. Les gars se redressent et sondent la forêt du regard. Nadine les rassure.

— Ne vous en faites pas ! À part le renard roux rencontré en début de soirée, il n'y a pas de prédateurs dangereux à proximité.

— Comment peux-tu dire ça ? demande Claude.

— C'est comme tes connaissances des étoiles… j'ai appris à sentir la vie animale et évaluer les distances. Il n'y a pas de loups dans le coin ni de lynx. L'ours est très loin en bas de la montagne…

— OK ! Ça suffit ! s'indigne Claudine en plaçant ses mains emmitouflées sur ses oreilles. Je ne veux pas savoir ! Tu me dis qu'il n'y a pas de danger et je te crois !

Rassurés par les habiletés de leur amie, les trekkeurs poursuivent joyeusement la préparation du camp pour leur séjour. Par couple, les compagnons s'installent dans les tentes et glissent leur corps dans les sacs de couchage qui supportent jusqu'à -30° C. Ils seront fort utiles au cours des prochaines heures pour les garder au chaud… en plus des chaufferettes.

Bien sûr, Nadine ne fermera pas beaucoup l'œil. Préoccupée par la sécurité du groupe, elle se réveillera quatre ou cinq fois au cours de la nuit. Ce comportement développé au Pays de la Terre perdue avait largement contribué à sa survie et elle revenait dans ses habitudes aussitôt qu'elle se retrouvait en nature. Si elle n'a pas besoin d'alimenter le feu, les gars s'étant portés volontaires, elle écoutera les bruits de la forêt et les respirations régulières des campeurs autour d'elle. Puis, satisfaite que son monde d'ici soit en ordre, elle se rendormira profondément... pour une heure ou deux à la fois.

Bien évidemment, toutes choses égales d'ailleurs, il fallait s'attendre à ce que Nadine se lève avec le soleil. Elle se sent reposée et plus calme. Prenant l'eau chaude préparée la veille par Martine, elle s'infuse un café. Elle apprécie le feu qui la réchauffe suffisamment pour enlever l'humidité de la nuit qui colle encore à ses vêtements. Le thermomètre que Bernard a laissé sur le banc, affiche -25° C. À cette heure matinale, il fait toujours très froid; un peu plus tard, le soleil aidant, la température grimpera à -15° C. « C'est l'ambiance annoncée pour le milieu de la journée, par l'application *MétéoMédia* que contient mon iPhone. » Les compagnons de trekking ayant prévu de faire le tour du mont Sutton en utilisant divers sentiers, ils apprécieront l'ambiance un peu plus agréable. Ils marcheront pendant au moins six heures. La randonnée sera tout de même coupée en deux par un dîner dans une auberge de montagne accessible par une piste de raquettes. Ils s'y réchaufferont devant l'immense foyer central et ils mangeront un repas digne des gourmets. Le confort total. Ensuite, ils reviendront passer la nuit dans leur camp hivernal.

Pour le dernier matin, les trekkeurs déjeuneront tranquillement sur la plateforme dans la forêt tout en prenant leur temps pour savourer l'expérience. Ils déferont leurs installations et mettront de l'ordre au site de l'Altitude 860. Puis, leur sac de montagne sur les épaules, raquettes aux pieds, ils retourneront au stationnement pour retrouver leurs autos. Ils iront dîner au centre de villégiature Sutton, dans la cohue créée par les skieurs bruyants qui frapperont le plancher de bois de leurs grosses bottes rigides. C'est ainsi que les compagnons de trekking rejoindront la civilisation. Ils informeront les représentants du parc qu'ils sont sortis vivants des sentiers puis ils reviendront à Montréal, en fin d'après-midi.

Pour l'instant, comme elle l'a si souvent fait au Pays de la Terre perdue, Nadine savoure son breuvage chaud en profitant de ce moment de répit que la vie lui procure. Elle se laisse envahir par ce bonheur incommensurable. La nomade est heureuse. Ce voyage au fond de l'hiver lui permet de renouer avec la nature. La technologie aidant, l'expédition se déroulait sans cette angoisse qu'elle subissait quotidiennement durant son exil. Ici, il n'y avait aucun souci pour s'approvisionner, faire du feu, trouver de l'eau ou se protéger; surtout, elle n'était pas seule.

Soudain, Nadine sent que des yeux l'observent; Alex l'a rejointe. Dans le froid mordant de l'aube, l'homme s'empresse de mettre ses mains dans ses mitaines. Son épouse l'accueille d'un large sourire.

— Bonjour mon amour ! Veux-tu un peu de café ?

— Ah ! Du café ! Quel confort ! Heureusement que nous ne sommes pas au Pays de la Terre perdue !

Alex remplit sa tasse et il s'assoit sur une bûche à côté de Nadine. Il regarde sa femme avec des yeux qui expriment un grand bonheur. Il flatte le dos de son amoureuse d'une main emmitonnée.

— As-tu réalisé que tu as vécu les vingt-quatre dernières heures en souriant constamment ? Ça faisait longtemps que je ne t'avais pas aperçue aussi sereine et radieuse. J'aime tellement te voir heureuse.

— Oui. Tu as raison. Je me sens bien. Je suis beaucoup plus calme que je ne l'ai été depuis des mois... des années peut-être.

— Je suis content d'avoir appuyé ce projet même si je le trouvais un peu... insensé...

Se levant, il place les deux tasses de café sur la bûche à proximité du baril qui sert de poêle. Il entraîne sa femme dans ses bras pour la serrer tendrement.

— Je t'aime Nadine.

— Je t'aime aussi.

Alors que leur baiser enflamme leur corps malgré le camouflage d'hiver, Bernard sort la tête de son habitacle de toile.

— Eh ! Vous deux ! Cela suffit, les amourettes !

Son intervention contribue à réveiller les autres ce qui a eu pour effet de briser l'enchantement qui se glissait doucement dans la vie du couple. Nadine et Alex ne peuvent qu'éclater de rire. En quelques secondes, on entend les fermetures éclair des tentes s'ouvrir juste assez pour que les caboches ébouriffées puissent observer ce qui se trame à l'extérieur; la curiosité les poussait dans l'action, malgré le froid intense. Poursuivant son attitude joviale habituelle, Bernard s'approche du baril.

— J'espère qu'il reste au moins du café !

Nadine et Alex éclatent de rire à voir les campeurs sortir des habitacles de toile en frissonnant dans l'air glacial du matin tout en se dépêchant de les rejoindre près du feu pour se réchauffer un peu.

Pendant que les discussions fusent et que le petit-déjeuner communautaire se prépare, Nadine savoure son bonheur. Elle apprécie au plus haut point la présence des autres. Depuis son retour, elle réalise toute la chance qu'elle a de recevoir leur amitié inconditionnelle. Au fil des semaines, elle a tenté d'expliquer à maintes reprises ce qu'elle avait vécu là-bas, mais elle s'était heurtée à leur incompréhension. Ce n'était pas un manque de bonne volonté de leur part, mais plutôt une totale incapacité à s'imaginer les aventures abracadabrantes que racontait Nadine, les risques associés et les dangers qu'elle a dû affronter quotidiennement.

Au cours des dernières heures, elle a senti que ses amis saisissaient mieux l'ampleur de son exil. Les questions ont même changé de ton. Depuis son retour, elle recevait souvent des commentaires typiques du genre : « Tu aurais dû faire ceci ou cela… » Aujourd'hui, on lui demandait plutôt : « Comment as-tu réussi à éviter tel ou tel danger ? » L'admiration qu'ils avaient déjà à son égard, pour ce qu'elle avait survécu là-bas, était montée d'un cran. Ses amis avaient lu en partie le récit de ses aventures et ils avaient vu les dessins. Par contre, c'était difficile pour des gens submergés dans la science depuis leur naissance de saisir l'ampleur de la vie en solitaire dans la nature sauvage, et ce, sans technologie. « Ça m'a pris trente-cinq jours pour comprendre que j'étais toute seule et j'ai dû apprendre à vivre rapidement sans la science… » Dorénavant, ils ne chercheraient plus à lui trouver des solutions toutes faites à des circonstances impensables dans un monde moderne. Ils comprendraient qu'aucune manière d'ici ne s'applique à ce qu'elle a vécu là-bas. Elle a dû inventer sa survie.

Elle avait hâte de reprendre son projet d'écriture. Cette sortie hivernale lui a donné un souffle nouveau. Des idées flottaient dans sa tête pour mieux expliquer ses aventures et elle les mettra en pratique pour décrire chacune des situations. « Je dois inviter le lecteur à se mettre à ma place… lui faire peur peut-être… le faire vibrer dans l'aventure par le texte… » Certainement ! Comme ça, les gens comprendront un peu plus… « C'est sûr que l'éditeur va mettre mon récit dans une collection fantastique… »

Nadine observe chacun des membres du groupe et absorbe leur jovialité spontanée. « J'étais comme eux avant… Est-ce que cette bonne humeur non contenue reviendra un jour dans ma vie ? » Elle sait que la blessure psychologique profonde que l'exil lui a imposée prendra du temps à cicatriser. « Avec Alex, ma famille, les trekkeurs et Marie, j'arriverai à achever mon passage difficile entre deux mondes. » La route sera longue. Une vague d'impatience se glisse dans son cœur et cela la met en colère. Pourquoi ressentait-elle encore cette rage folle au fond de son âme contre ce pays qui l'a confrontée de façon si brutale ? « Est-ce que ça s'effacera un jour ? »

« Si je pouvais seulement trouver le moyen de m'assurer que mes amis sont en sécurité… »

Chapitre 26

Montréal — 7 mai

Alex immobilise sa Subaru Outback noire dans le stationnement de son domicile, juste à côté de la Toyota Corolla bleu acier de Nadine. Du coin de l'œil, il remarque, par la fenêtre avant de la maison des voisins de gauche, la silhouette de Nicole qui, de toute évidence, attendait impatiemment son arrivée. « Qu'est-ce qui s'est passé encore ? »

Il tient le volant de sa voiture si fort avec ses mains que ses jointures deviennent blanches. Puis, desserrant les dents, il respire profondément. L'exilée est de retour depuis un an, mais sa réinsertion sociale n'est pas encore tout à fait terminée. « J'en ai plus qu'assez… » Hier, Nadine a fait un feu à ciel ouvert dans la cour arrière. « Juste pour vérifier que j'étais encore capable d'utiliser mes roches... », lui a-t-elle expliqué. Même si les flammes étaient minuscules, Martin, le voisin de droite a pris peur et il a appelé le service d'urgence. Un détective a communiqué avec lui parce qu'il a trouvé sa femme assise à l'indienne devant son feu de brousse; concentrée dans sa bulle, elle répondait à peine aux questions des policiers. Cette fois, il a pu s'en sortir en expliquant que Nadine écrivait un roman qui se passait en nature et qu'elle devait vérifier certaines hypothèses. Un avertissement s'en est suivi, mais on ne leur imposera pas d'amende.

Il a « perdu » sa femme pendant deux semaines l'an dernier. Ça fait douze mois qu'elle est revenue physiquement de ce voyage incroyable, mais son âme flotte encore entre les deux mondes. Certains jours où l'envie de retourner là-bas devient irrésistible, Nadine s'éloigne de lui en s'enfermant dans ses souvenirs. Puis il y a ces moments où elle plonge dans l'écriture et le dessin avec une frénésie qui efface tout ce qui se passe autour d'elle, y compris la présence de son époux. Comme hier. Parfois, elle ne s'aperçoit même pas qu'il dépose un café ou une tisane sur sa table de travail. Sa femme est revenue de l'exil, mais il la sent toujours aussi loin de lui comme si un gouffre invisible s'était creusé entre eux. « Parfois, j'ai même l'impression que l'écart s'agrandit... »

Aujourd'hui, il a rencontré Bernard sur l'heure du déjeuner. Ce dernier les aide à traverser cette période si difficile. Alex voulait lui parler pour mieux comprendre ce qui arrivait à sa femme.

— J'ai besoin de savoir, affirme Alex. Est-ce que Nadine fait une dépression ?

— Non, d'après ce que je crois, elle est loin de cette maladie. D'ailleurs, c'est aussi son avis. Elle est bien placée pour le détecter, car elle a vécu un grave épisode lors de son deuxième hiver...

Bernard observe le visage d'Alex blanchir. Ce dernier pose ses doigts sur ses tempes pour les masser afin de tenter de retrouver un peu de contenance. Des larmes s'installent au coin de ses yeux.

— Tu n'étais pas au courant, reprend Bernard. Je suis désolé. Je pense qu'elle est en train d'écrire cette partie. Elle te la fera lire bientôt. Je le sais parce qu'elle voulait des livres de référence pour mieux décrire cette maladie qu'elle a subie seule au fond de sa grotte.

— Est-ce pour ça que son comportement a changé depuis quelques semaines ?

— Je crois, oui. Je la sens nerveuse et le souvenir la bouleverse terriblement. Alors que sa vie était menacée plus que jamais, elle a cessé de se battre. Ce ne fut qu'un instant, mais elle aurait pu mourir là-bas, sans revenir. C'est dur pour elle d'absorber ça. Elle perçoit cet épisode comme un échec. Elle a honte de ce qu'elle décrit comme une lâcheté. Tu sais comment elle prend mal l'insuccès... Elle se juge trop sévèrement, selon moi.

— Bernard, j'ai tellement peur. Quand elle s'enfuit comme ça, dans sa tête, j'ai l'impression qu'elle vit à un million de kilomètres de moi. Cet isolement m'empêche de l'aider.

— Garde ton courage, mon ami. Sois patient. Je pense qu'elle a besoin de ce temps pour terminer l'écriture de son roman. Quelques mois supplémentaires. Tu la connais aussi bien que moi. Quand elle aura fait le tour de ses souvenirs douloureux, elle rebondira. J'en suis convaincu.

S'il était satisfait de sa rencontre avec Bernard, Alex n'était plus certain d'avoir encore l'énergie nécessaire pour continuer. La patience est une qualité qu'il a obtenue en abondance à sa naissance, mais cette capacité commence à s'effriter. Par moments, il voudrait effacer cette période de séparation avec Nadine et reprendre sa vie de couple comme avant. Son côté pragmatique lui dicte que cela n'est plus possible. Son cœur fond chaque fois qu'il voit sa femme se battre contre cette envie de retourner là-bas. Les efforts de Nadine pour réintégrer son existence d'ici sont si douloureux qu'il aimerait pouvoir l'endormir et, par l'effet d'une magie quelconque, l'aider à faire le chemin tout d'un coup. Elle se réveillerait un matin et elle serait dans la peau de la nouvelle Nadine, un mélange de l'ancienne et de celle du Pays de la Terre perdue. « Quelle utopie ! Je ne peux pas la protéger comme ça… elle doit faire ce chemin seule… je ne peux que rester dans l'ombre, un peu comme le filet de sécurité d'un équilibriste de haute voltige… »

Toujours assis dans l'auto, refusant de faire face à la situation dans la prochaine seconde, il secoue la tête et poursuit sa réflexion. « Bernard a raison. Nadine a besoin de temps. Je dois être patient. Encore un peu. » Il lève les yeux pour voir Nicole, la voisine de gauche, qui descend de sa galerie pour le rejoindre. Elle serre un châle bigarré autour de ses épaules frêles et ses pieds sont chaussés de bottes à fourrure. « Des mukluks dignes des habitants du Nord canadien… en mai à Montréal… vraiment bizarre. » Alex sort lentement de sa voiture puis il se dirige vers le coffre arrière pour en retirer sa mallette de travail et un paquet enveloppé de papier brun. Puis, alors qu'il force son cœur à cesser de battre au rythme de sa rage, il s'adresse à sa voisine.

— Bonjour, Nicole. Avez-vous passé une bonne...

— Elle a crié ! coupe Nicole sur un ton anxieux. Hurlé plutôt ! Elle devient folle ! J'ai failli appeler la police, comme Martin l'a fait hier...

Alex ne peut faire autrement que de jeter son regard sur les chaussures étranges que porte la femme. « Regardez donc qui traite ma femme de folle... » Il assume un air songeur pour lui répondre sans l'insulter.

— Elle a crié hein... lui as-tu parlé ? T'a-t-elle expliqué pourquoi ?

— Oui. Elle m'a demandé ce que j'en pensais. Quand je lui ai dit que je trouvais son gueulement un peu trop animal, elle a souri bizarrement. Elle était contente... je t'affirme qu'elle est folle à lier...

Alex se place directement devant la femme un peu hystérique... Ce n'est pas la première fois qu'elle menace de faire intervenir la police. Il tente de l'inciter au calme, cherchant une réponse plausible.

— Hum... ce doit être pour son histoire... tu sais qu'elle écrit un roman fantastique, non ?

— Je comprends ! Mais elle ne me donne pas cette explication ! Elle me regarde en souriant... ses yeux sont si durs...

— Ouais ! C'est vrai que Nadine est très intense. Parfois, j'ai l'impression qu'elle vit dans son monde inventé... c'est ça, être auteur; est-ce que tu saisis ?

Dépassant la femme de trente centimètres, il se penche pour approcher sa bouche de l'oreille de Nicole. Il emploie un air de connivence en lui chuchotant quelques mots.

— Je te fais une confidence. J'ai vraiment hâte qu'elle termine ce livre... je voudrais lire ce qui lui passe par la tête, mais tu sais, les écrivains sont jaloux de leur texte. Ne t'offusque pas si elle ne te donne aucun détail.

— Elle n'est donc pas folle. En es-tu vraiment certain ? Je pensais... elle est tellement bizarre depuis sa disparition... comme si une autre personne était revenue...

Alex rassure sa voisine, un peu commère, concernant la santé mentale de sa femme, puis il se dirige vers sa maison. Quand il pénètre chez lui, des sons inhabituels l'accueillent. D'abord, il entend la fin d'un orage, puis un chant d'oiseau le remplace. Il dépose sa mallette sur le meuble dans l'entrée puis, curieux de découvrir cette étrange mise en scène, il traverse le salon puis la cuisine, jusqu'à la porte-fenêtre qu'il trouve grande ouverte. « Il fait si beau... c'est évident que je vais trouver Nadine dehors... » Son précieux paquet sous le bras, il sort sur le patio et, des yeux, il fait un tour d'horizon. Il sourit en apercevant sa femme. Elle a installé une table et une chaise sous le gros orme. Il note le long câble électrique auquel sont connectés son MacBook Air, son iPhone ainsi que deux haut-parleurs. Les sons qu'il entendait dans la maison sont ici décuplés. Il voit Nadine toucher son téléphone et la musique de brousse s'arrête. Elle ajuste ce qu'elle veut écouter et le bruit de chute d'eau recommence.

Soudain, le cœur d'Alex s'emballe. Nadine est si belle. Habillée de noir, elle affiche une silhouette élancée. Ses cheveux blancs, longs jusqu'aux épaules, flottent au vent. Son teint respire la santé. Il note qu'elle a mis les bijoux qu'il lui a offerts à Noël : un pendentif et des boucles d'oreilles qui portent de magnifiques pierres vertes du Connemara en Irlande. « Si elle était dépressive... elle ne porterait pas de tels artifices... c'est certain ! » La femme est si calme. Elle respire la vie. Seul son visage un peu crispé démontre toute l'agitation qui bouillonne dans sa tête. « Je l'aime tant... j'ai hâte de voir ce qu'elle est en train de devenir... de voir le résultat final. Elle mérite que je sois patient. »

L'homme fait les quelques pas qui le séparent de sa femme. Puis, comme pour couvrir le bruit de la chute qui sort des caisses de sons, il crie :

— Bonjour, ma chérie ! C'est nouveau, cette musique ! J'ai déjà hâte de lire ce que tu vas écrire de tout ça !

Fort surprise de voir arriver Alex sans qu'elle ait entendu le vrombissement de l'auto tant elle était concentrée sur son travail, Nadine lève la tête pour observer son mari qui s'amène avec un air enjoué. Du coin de l'œil, elle aperçoit le visage de Nicole juste au-dessus de la clôture qui sépare les deux propriétés. Du coup, elle comprend l'attitude un peu trop joviale d'Alex. Elle poursuit l'illusion en parlant un peu plus fort que nécessaire.

— Je les ai téléchargés par iTunes cet après-midi. C'est génial pour m'aider à décrire des scènes. Quant à mettre ta main sur mes textes, tu devras être patient ! Je ne veux pas que tu lises avant que je n'aie terminé. Bientôt. Je te promets.

Du bout du doigt, elle pousse un bouton sur son iPhone pour faire taire le son de la chute. Elle se lève pour se blottir contre la poitrine de son mari. Ce dernier la serre fort de ses bras puissants. Doucement, il chuchote à l'oreille de sa femme.

— Il paraît que tu as crié comme une sauvage… tu as fait peur à la voisine.

Nadine redresse la tête pour regarder Alex droit dans les yeux. Voyant cet air taquin qu'il affiche si souvent pour camoufler son désarroi, elle tente de le rassurer.

— J'étais fâchée, c'est tout. Tu sais comment je suis quand je compose un bout d'histoire. Il faisait beau et je ne voulais pas rester dans la maison. Je suis sortie rapidement avec mon matériel, puis j'ai commencé à écrire… j'ai oublié le temps. Lorsque mon écran est devenu noir, j'ai réalisé que j'avais omis de le connecter à la prise de courant. J'ai eu peur d'avoir perdu tout mon texte... j'ai crié... un peu fort. Le beuglement est parti tout seul ! De la frustration ! C'est tout ! Je te jure !

Alex reste pensif un moment. Il saisit ce que Nadine lui explique et il convient qu'il hurlerait de rage si l'incident lui arrivait. Il est cependant inquiet par la réaction des voisins. Il regarde autour de lui et note tous les changements que sa femme a faits dans le jardin. Une idée fait son chemin dans sa tête... pour contenter les habitants de leur rue.

— Mon amour, je comprends que tes agissements sont... euh... disons... un peu plus vifs, depuis ton aventure. Mais nous avons gardé les voisins en dehors de tout ça. Je conviens qu'il valait mieux de ne pas les mettre au courant, mais, en absence d'informations concrètes, les gens interprètent. C'est la quatrième fois en quelques semaines qu'on me demande si tu es atteinte de folie ou si tu fais une dépression majeure.

Voulant dédramatiser la situation, Alex change de ton.

— J'ai le goût de leur dire qu'ils ont raison... que tu es complètement dérangée... aïe !

Sans un mot, Nadine avait claqué la poitrine de son mari avec le plat de sa main. Son mouvement était si vif que l'homme n'a pu prévenir le geste.

— Aïe ! Tu frappes fort... je vais sûrement avoir une ecchymose... je ne pourrai pas me promener torse nu pour au moins un mois !

— J'espère que tu auras un bel hématome ! Dire aux voisins que je suis folle ! Tu n'y penses pas tout de même !

— Non ! J'avais plutôt l'idée de faire une réception pour leur montrer que tu ne l'es pas.

La tête de Nadine se relève d'un coup et ses yeux deviennent d'un bleu perçant. Son visage rayonne de joie.

— Un party ! Quand ça ? Ça prend une raison, n'est-ce pas ?

— Regarde cette cour. Tu l'as tellement embellie. C'est le plus joli du coin. On est en mai seulement et on sent déjà toutes ses odeurs suaves. Ce sera notre prétexte.

Nadine se retourne pour examiner les lieux. Elle voit l'épinette qui trône au milieu de ce que deviendra bientôt son jardin d'ombre. Les plants de gingembre sauvage, achetés à prix d'or, commencent à montrer leur tête vert pâle. Tout près, sous un if, elle sèmera sous peu de l'ail des bois. Les rosiers rustiques et les talles d'herbes à dinde reprennent vie. D'ici quelques semaines, les couleurs s'annonceront ici et là. La vigne des rivages prend déjà l'allure d'une plante envahissante.

— C'est une merveilleuse idée ! Nous pourrions mettre une table là-bas, le long de la clôture... on pourrait demander que les gens apportent leurs chaises de parterre... on inviterait les enfants, les amis de trekking, Marie et sa famille, maman... et tous les habitants de la rue.

Alex éclate de rire. S'il a cru que sa blonde était dépressive, elle venait de lui démontrer le contraire. Puis, reprenant un ton plus sérieux, il poursuit la discussion.

— Ils te poseront des questions sur ta disparition... c'est pour ça que nous n'avons pas fait de party avec les voisins depuis ton retour... t'en souviens-tu ?

— Ça va... je pense que je les ai toutes reçues... à l'épicerie, chez la coiffeuse, au centre commercial, quand nous déambulions dans la rue... aucun d'eux ne s'est gêné... Cette fois, je leur parlerai de mon roman. Je prendrai plaisir à laisser planer le secret de l'histoire... je suis certaine que ça va marcher.

— Ils te demanderont quand tu publieras. As-tu réfléchi à cette option ?

— Hum... je ne suis sûre de rien. J'hésite encore... cette œuvre est si particulière. Je trouverai une réponse... ne t'en fais pas pour ça ! Je crois même que les voisins m'encourageront. Bon ! Quand aura lieu ce party ? Hum... dimanche dans deux semaines... qu'en dis-tu ?

Nadine virevolte sur place, désignant un coin pour la bière, un autre pour quelques tables à l'ombre. Elle pointe du doigt l'endroit où la cuisinette sera installée, en cas de pluie. Elle détaille les emplettes à faire, les secteurs de son jardin qu'elle tentera d'améliorer d'ici l'évènement. Elle tourne sur elle-même avec cette façon enfantine que le Pays de la Terre perdue n'a pas réussi à lui voler.

— Assez ! déclare Alex en bougeant sa tête de gauche à droite. Tu m'étourdis ! Je te laisse planifier tout cela ! Viens ici ! Je veux te serrer dans mes bras ! Je t'aime tellement.

Du coup, Alex échappe le paquet qu'il tenait dans ses mains. Il l'avait totalement oublié. Pourtant, il le rapportait pour sa femme.

— Qu'est-ce que c'est ? demande Nadine. Ça a l'air lourd.

— J'ai fait un tour chez John, le marchand de couteaux. Tes… armes… étaient prêtes.

Nadine note l'hésitation dans la voix de son mari. Ayant lu plusieurs chapitres de son roman, l'homme sait qu'elle a utilisé ces outils en mode de chasse et pour sa défense. S'ils servent généralement en camping et en forêt pour débiter du bois, elle a tué des animaux et sauvé sa vie, celles de Lou, Allie et Tigré lors de son exil. Déballant le paquet, elle passe son doigt sur le tranchant de l'instrument.

— Alex, tu réalises que ces accessoires ne seront dorénavant employés que pour couper des branches et des bouts de ficelles. John a fait du beau travail. Regarde, les lames sont bien droites et l'affûtage est égal.

— Il m'a expliqué à quel point il a eu de la difficulté. Quand je lui ai précisé qu'on les aiguisait sur des pierres qu'on trouvait dans la forêt, il a froncé les sourcils et son sourire s'est effacé. J'ai cru entendre un mot sortir de ses lèvres : « amateurs ». C'était plutôt drôle.

Deux étuis s'échappent du paquet et tombent dans l'herbe. Nadine connaît bien le premier, cette housse pour sa machette qu'elle a confectionnée d'un bout de peau alors qu'elle était encore au Pays de la Terre perdue. L'autre est neuve. De la même couleur que la première, elle a été fabriquée en cuir naturel dans un format plus compact. La nomade glisse ses doigts sur le tissu et les coutures pour mieux en apprécier la qualité.

— L'étui est tellement beau… le matériau si souple. Où l'as-tu trouvé ?

— La pochette que tu utilisais pour ton couteau était trop usée. J'ai demandé à l'artisan de chercher quelque chose qui ressemblait à celui que tu as rapporté de ton voyage dans cet autre monde parallèle… sans lui dire d'où elle venait, bien sûr.

Alors que Nadine affiche cet air perdu, les yeux dans le vague, il comprend qu'un bout de son âme flotte là-bas, sur cette terre qu'il ne connaîtra jamais. De ses prunelles tristes, Alex observe le changement soudain dans le comportement de sa femme. Il hait ce Pays qui lui a volé une partie de l'amour de sa vie. « Je voudrais me rendre là-bas et arracher de force tous ces petits bouts de l'âme de sa blonde qui y collent encore. Je serais capable de me battre… la violence me ferait peut-être du bien… » Malgré l'amertume qui l'étouffe, il reprend la discussion sur un ton plus calme.

— Tu ne devineras jamais ! Il a dû se procurer l'étui d'une communauté malécite qui réside près de Madawaska. Pour répondre à ses questions plutôt pointues, je lui ai dit que tu avais acheté celui pour la machette dans un village similaire dans le coin de Saguenay… je ne suis pas certain que je l'ai convaincu. Il m'a simplement répliqué qu'il n'avait jamais vu un aussi bel objet cousu à la main…

Nadine lève les yeux… une idée surgit dans sa tête et elle éclate de rire.

— Qu'est-ce qui te fait glousser comme ça ?

— Je pense à sœur Crochet ! Je me demande si elle est toujours vivante… je pourrais me présenter au couvent pour lui montrer que mes talents ont maintenant dépassé ses enseignements.

— Sœur Crochet ? Quel drôle de nom ! Je ne savais pas que tu avais une connaissance chez les religieuses…

Nadine rit de plus belle. Elle laisse l'éclat secouer tout son corps avant de répondre au commentaire d'Alex.

— Ce n'était pas une amie. Elle s'appelait sœur Marie-Marguerite, mais, à mes yeux, elle demeurait sœur Crochet à cause de son nez. J'avais 13 ans et je détestais la couture.

Nadine retourne dans sa bulle réflective pendant quelques instants. Machinalement, elle marche jusqu'à son MacBook Air tout en emportant ses armes nouvellement affûtées. Notant la présence d'Alex, elle lui explique ce qui trotte dans son cerveau.

— Quand j'étais au Pays de la Terre perdue, ces rappels de certaines personnes que j'ai connues jadis m'ont aidée à passer au travers des épreuves difficiles. Cette religieuse apparaissait dans ma tête aussitôt que je devais coudre, surtout au cours du premier automne. Ça me choquait, mais cela me forçait à pousser plus loin, à me dépasser. Ça fait partie de mon expérience là-bas, comme si, puisant dans mes souvenirs, mon esprit pouvait mieux générer des options afin de survivre.

Du bout du doigt, elle fait le tour de l'écran encore noir. Perdue dans ses pensées, Nadine faisait ce geste de façon machinale. Puis son visage s'illumine, comme si une nouvelle vie l'animait. Elle pousse la touche pour réveiller l'appareil et inscrit le code pour déverrouiller l'ordinateur. Regardant Alex, elle explique.

— J'avais oublié tout ce que cette religieuse m'a apporté quand j'étais seule là-bas. Je dois absolument l'écrire. C'est important.

Dès lors, les yeux de Nadine se concentrent sur le texte et ses doigts pianotent furieusement sur le clavier. Alors que les mots défilent à toute vitesse sur l'écran, Alex comprend que Nadine n'est plus avec lui. Elle vient de faire un bond dans le temps, à un moment où elle était au Pays de la Terre perdue. Il ressent un pincement au cœur. « Elle est toujours exilée là-bas... ouais, ma femme est encore prisonnière, mais chaque phrase qu'elle compose lui sert de clé pour déverrouiller l'une des serrures qui, par millions, la gardent enfermée... »

Réalisant que, par ses écrits, Nadine arrive à décrocher un par un les bouts de son âme qui sont restés pris là-bas, il la laisse seule avec ses mémoires. « C'est bon ça... elle va y arriver... j'ai confiance. »

Retournant dans la maison, il lance à l'endroit de la voisine qui se colle encore à la clôture :

— Bon ! Elle vient de replonger dans son roman ! Ça a bien l'air que je devrai m'occuper du repas pour ce soir !

Chapitre 27

Dorval — 5 août

— Marie, je ne suis pas convaincu que c'est une bonne idée, déclare Alex d'un ton songeur.

— Si ta femme te dit que tout ira bien...

— Oui. Mais Jean-Pierre sera sûrement présent. Les gestes de Nadine peuvent être brusques, tu le sais... elle pourrait le frapper...

Le silence s'installe dans la conversation. Marie réfléchit un moment. Jean-Pierre n'a pas été invité à la cérémonie, mais il trouvera probablement le moyen de s'immiscer dans la fête, comme il fait à tous les piqueniques de l'Agence. Il est comme une tache d'huile que rien ne fait disparaître. Du coup, elle se souvient de sa discussion avec Nadine quand elle lui a remis son carton officiel.

— Qu'est-ce que c'est ? s'enquiert la femme aux cheveux blancs.

— L'Agence Écho Personne souligne son 50e anniversaire de fondation et le président offre à tous les anciens directeurs de participer à l'évènement.

— J'étais seulement intérimaire... as-tu fait des pressions pour que je reçoive cette invitation ?

Voyant l'éclat presque meurtrier dans les prunelles de Nadine, Marie s'était empressée de répondre rapidement.

— Ça vient directement du chef de l'entreprise lui-même. Seul Jean-Pierre n'obtiendra pas de carton d'entrée.

Nadine lève ses yeux bleus vers son amie. Du tac au tac, elle réplique.

— Ne m'as-tu pas expliqué qu'il se présentait aux piqueniques annuels sans invitation ? C'est certain qu'il sera là. C'est une peste !

— Quel effet cela te fait-il de devoir le revoir ?

Nadine a sondé son cœur et son âme avant de répondre. Elle se souvenait de la colère qui habitait son corps entier à la seule mention du gros homme. C'était avant la visite de Jean-Pierre au Pays de la terre perdue, son territoire à elle. Au cours du séjour du goujat dans cet autre monde, Nadine en avait profité pour faire la paix avec elle-même. Si l'être maléfique ne méritait pas qu'on lui pardonne ses écarts envers Nadine, cette dernière avait décidé qu'elle pouvait mettre de côté toute cette histoire. Tourner la page une fois pour toutes et trouver la sérénité.

Étrangement, elle ne retrouve pas cette rage qu'entraînait le souvenir de son insuccès face à ce patron misogyne, narcissique et fort désagréable. D'une certaine façon, la fierté engendrée par toutes ses réussites lors de ses aventures là-bas, y compris sa façon de neutraliser les agissements du grossier personnage, a tout simplement éclipsé ce sentiment de honte associé à l'obligation d'avoir dû plier l'échine devant cet individu abject. Cette réalisation l'avait aidée à éteindre cette sensation d'impuissance, la source de cette colère contre le gros homme. Elle était convaincue que Jean-Pierre ne pouvait plus la déstabiliser, encore moins l'humilier devant des témoins.

— Je ne ressens plus de rage, avait-elle expliqué. S'il se présente, ça me permettra de confirmer qu'il ne peut plus me blesser.

Sortant de sa réflexion, Marie poursuit sa conversation avec Alex.

— Nadine et moi en avons parlé. Elle est certaine que la présence de Jean-Pierre ne peut l'affecter comme avant. Je suis prête à lui faire confiance.

— OK, lui répond Alex après un instant de silence. Mais, si cet énergumène s'attaque à ma femme, je le ferai rouler cul par-dessus tête jusque dans la rue.

* * *

Nadine et Alex se présentent à l'Hôtel Marriott de Dorval, là où se déroulait la fête. Nadine est habillée d'une élégante robe qui laissait son dos et ses épaules à découvert, mettant en valeur ce bronzage acquis au fil des heures de plein air. Ses souliers de satin à talons hauts et son écharpe en soie fine de couleur écrue complétaient harmonieusement sa tenue de soirée. Toute vêtue de noir, elle plaçait en évidence les émeraudes qui ornaient son pendentif léger, ses courtes boucles d'oreilles, sa délicate bague et son bracelet étincelant. Son visage légèrement maquillé respirait la santé. Elle s'appuyait fièrement au bras d'Alex.

— Tu es charmant dans ton smoking. Tu portes si bien le nœud papillon. Je vais te garder à l'œil pour faire comprendre aux autres femmes que tu es marié.

— Avec la jolie dame qui m'accompagne, elles verront tout de suite qu'elles n'ont aucune chance.

Pendant qu'on annonçait officiellement leur entrée, Nadine ajustait son écharpe en la glissant sur ses épaules et Alex passait son doigt sous le col empesé de sa chemise pour tenter de le desserrer un peu.

— Explique-moi, demande-t-il à sa blonde. Pourquoi ne pouvions-nous pas porter nos jeans et nos Adidas pour cette sortie ?

Pouffant de rire, Nadine entraîne son mari pour retrouver le président de l'Agence Écho Personne. Il était accompagné de son épouse. De plus, Marie et Alain conversaient avec eux. La nomade déguisée en femme du monde s'adresse au patron.

— Bonsoir Gustave. Je vous remercie de cette invitation. Ça me fait énormément plaisir d'être ici ce soir.

— Ce n'est rien du tout. Je suis d'ailleurs fort content de vous voir. Je tenais à vous rencontrer pour réparer un tort que nous vous avons fait il y a quelques années. À l'époque, si j'avais eu des couilles, j'aurais fait fi du Conseil d'administration. J'aurais congédié Jean-Pierre et je vous aurais nommée directrice des ressources humaines.

Ébahie par le commentaire énoncé si directement, Nadine jette un coup d'œil vers Marie. Celle-ci n'est absolument pas surprise des propos du président. Gustave poursuit la conversation.

— Je suis content que vous arriviez avant les autres. Je voulais vous parler de quelque chose de vraiment important.

L'homme explique brièvement que, au cours des derniè-res années, il avait fait plusieurs changements au conseil d'administration de l'Agence Écho Personne. Entre autres, il avait ajouté des postes occupés par des personnes exter-nes à l'entreprise. Il tentait de développer l'organisation vers un marché international et ce virement de cap impo-sait ce renouveau. Cela lui permettait d'avoir à sa portée, des consultants indépendants dont les liens avec la firme n'étaient pas à priori le salaire et l'emploi. Il cherchait des gens dont l'intérêt et les compétences pouvaient aider à l'atteinte des objectifs.

— Quand Marie m'a recommandé d'ajouter un poste pour faire rayonner nos relations avec les travailleurs partout dans le monde, j'ai tout de suite pensé à vous.

— Je ne sais pas quoi dire… énonce Nadine.

— Alors, acceptez ! J'aimerais annoncer votre nomina-tion ce soir.

Quelque peu estomaquée par la demande imprévue, Nadine jette un regard de côté vers Marie dont la surprise non contenue s'affiche sur son visage. La rouquine tente d'encourager son amie à acquiescer la proposition, et ce, sans faire de coup de tête trop apparent. Nadine lui sourit, mais elle ne veut pas sauter sur le poste sans savoir de quoi il s'agit.

— Donnez-moi quelques heures. Ce retour au travail serait une grande transformation dans ma vie de retraitée. J'aimerais d'abord en parler avec Alex. Aussi, je vais avoir besoin de comprendre ce que vous attendez du titulaire d'une telle charge.

— Parfait ! réplique Gustave. Marie peut vous expliquer en quoi cela consiste. Quant au changement, cela ne vous demanderait qu'une quinzaine d'heures par mois.

Quand d'autres invités arrivent, le président et son épouse s'avancent pour les saluer. Nadine se retourne vers son amie et la toise d'un air sceptique.

— Marie, c'est toi qui lui as mis en tête l'idée de me faire cette offre, n'est-ce pas ?

— J'ai proposé le poste, souligne la rouquine, mais je n'ai pas énoncé ton nom. Tu sais bien que je t'en aurais parlé avant de le faire. Cependant, je ne suis pas surprise que Gustave ait pensé à toi. Il y a quelques semaines, il a fait sortir toutes sortes de statistiques, sur plusieurs années, pour évaluer l'état des relations avec les employés. J'ai fait moi-même la présentation des chiffres devant le CA. Ça ne ment pas. Lors de la période la plus intense, quand la cohérence entre les revenus de l'entreprise et l'efficacité des ressources humaines était au plus fort, tu étais la directrice de ce département. Je crois que c'est pour ça qu'il t'offre le poste.

Alors que Nadine reste songeuse, Marie poursuit.

— Tu ne vas pas refuser ça, tout de même ! Penses-y ! Ce n'est que quinze heures par mois.

— Ma belle, ajoute Alex, tu aimes cette organisation. Tu as passé des heures dernièrement à discuter avec Marie de ce volet international. Plonge si tu le désires.

Avant de pouvoir répondre, Nadine jette un regard sur la salle qui se remplissait rapidement. « Est-ce que je suis prête à reprendre cette carrière ? Parce que c'est exactement ce que me demande Gustave. Les quinze heures deviendront trente, puis quarante... Je me connais... »

Du coin de l'œil, elle aperçoit au fond de la salle un gros homme au crâne rasé qui s'avance. Il se dirige tout droit sur le groupe composé de Marie, Nadine et leurs conjoints. « Bon ! C'est ici que ça se passe ! Voyons voir… »

Dès cet instant, Alex remarque que le niveau de nervosité chez Nadine monte d'un trait. Il porte son regard vers sa droite pour apercevoir Jean-Pierre. Il interprète que la présence de celui-ci est responsable du changement de comportement de la femme aux cheveux blancs. Sans qu'il comprenne vraiment ce qui se passe, il voit Nadine tourner le dos à son ancien patron. Alex dénote le sourire machiavélique qui se glisse sur les lèvres de sa blonde. « Qu'est-ce qui se passe ? Prépare-t-elle un coup fumant ? Une revanche devant tout le monde ? » Il prépare son corps à réagir alors que l'adrénaline circule à toute vitesse dans tous ses muscles. Nerveusement, il ferme et ouvre ses mains plusieurs fois.

Tentant de contrôler son inconfort, Alex attrape le regard de Marie qui lui fait simplement un clin d'œil. De son côté, comprenant la crainte de son mari, Nadine flatte son bras pour l'apaiser. Alex n'en revient pas. « Comment se fait-il que ce soit elle qui tente de me calmer… » Un peu fendant, Jean-Pierre s'approche du groupe.

— Salut ! Je n'ai pas été invité, mais je me suis présenté pareil ! N'est-ce pas, ma cocotte ?

Marie et Nadine sont stupéfiées de voir la jeune femme qui accompagne leur ancien patron. La nouvelle flamme de Jean-Pierre est une copie conforme de Lucette à 30 ans. Alex tente de s'interposer en se plaçant entre sa blonde et le tortionnaire, mais Nadine est plus rapide que lui. Elle fait un pas directement vers l'homme disgracieux.

— Bonjour Jean-Pierre. Est-ce que tu nous présentes ton amie ?

— Qu'est-ce que tu fais ici, toi ? réplique le goujat sans tenir compte de la question qu'on vient de lui poser. On n'invite pas quelqu'un qui a été congédié…

Sans s'occuper de lui, Marie s'adresse à sa compagne en lui offrant sa main.

— Bonjour, je m'appelle Marie et voici Alain, mon mari. Je te présente Nadine et son conjoint Alex.

Jean-Pierre laisse impatiemment les salutations se terminer. Puis il s'approche de Marie. Pointant son doigt boudiné vers le visage de la femme, le goujat adopte un ton hargneux.

— C'est de ta faute ! Tu t'es arrangée pour que je ne reçoive pas d'invitation. Ça ne passe pas ! J'ai été directeur plus longtemps que toi et je méritais d'être ici. Cinquante ans, ça se fête ! Tu n'avais pas à t'en mêler !

Sous les yeux ébahis d'Alex, Nadine se déplace doucement vers la compagne du gros homme, bousculant ce dernier juste assez pour éviter qu'Alain ne le frappe de son poing fermé. Voyant Nadine directement dans le champ de Jean-Pierre, Alex prend peur. Mais il n'a pas le temps de réagir. Tout en faisant un signe de négation vers Alex, l'incitant à ne pas se mêler de la situation, Nadine s'adresse à la jeune femme.

— Pardon, je n'ai pas compris votre nom. Comment vous appelez-vous ?

Sans laisser une chance à son accompagnatrice de parler, Jean-Pierre s'interpose et attrape le bras de Nadine pour tenter de la pousser. C'était sans compter sur la force physique de la nomade. Alex voit passer une lueur de colère dans les yeux de la survivante… n'était-ce pas plutôt une forme d'amusement qui s'arrime avec le sourire devenu si… angélique ? Alex n'en revient pas. « Merde ! Qu'est-ce qui se passe, ici ? Je ne reconnais plus ma femme ! »

Nadine se retourne lentement vers la brute. Il est si grand qu'elle doit relever la tête pour le regarder en plein visage. L'attitude de la femme est calme, neutre même. Tout doucement, d'une voix presque mielleuse, elle s'adresse à l'homme narcissique.

— Jean-Pierre. Je suis en train de parler avec ta blonde. Lucette. C'est son nom n'est-ce pas ?

Jean-Pierre est si surpris par le ton et l'affirmation qu'il recule de quelques mètres, poussant au passage un autre groupe. Il est blanc comme un drap et il tremble comme une feuille. Sa bouche est sèche. Il regarde Nadine une dernière fois, comme s'il voyait un monstre devant lui, puis son visage se remplit d'horreur. Ses yeux deviennent exorbitants. Il bafouille.

— Manon. Ma blonde s'appelle Manon. Pas Lucette. Manon. Juste Manon.

Accrochant le bras de la jeune femme, Jean-Pierre s'éloigne à toute vitesse.

— Viens, bébé ! On s'en va ! Je ne veux rien savoir d'eux ! La sorcière ! C'est elle !

Marchant en titubant, comme s'il était soûl, Jean-Pierre bouscule un peu tout le monde sur son chemin. Pendant ce temps, Alain et Alex tentent de se calmer. Ils étaient tous les deux prêts à s'emparer du gros homme pour le jeter cavalièrement hors de l'hôtel, quitte à lui asséner quelques coups de pieds en passant. Alex est le premier à réagir.

— Les filles ! Vous nous expliquez ce qui vient de se passer. Je m'attendais à ce que ma femme fasse étalage de son nouveau tempérament plutôt sauvage pour lui donner une bonne raclée. Tout ce que j'ai vu c'est un sourire angélique et une réaction mielleuse... Je ne comprends plus rien !

Marie fait un signe discret à son amie pour l'inciter à commenter la situation. Les faits doivent sortir un jour, même si Nadine refuse toujours de parler de cet incident qui a eu lieu au Pays de la Terre perdue. Elle ressent encore une honte inavouable; Marie est la seule à savoir ce qui est véritablement arrivé. La rouquine est convaincue que Nadine doit profiter de l'occasion pour raconter ce qui s'est passé ce jour-là, pour que cette plaie puisse enfin se refermer. La femme aux cheveux blancs plonge dans le récit.

— Alex, j'ai essayé de le battre. Là-bas. Je lui ai même cassé le nez. Mais ma rage n'a pas diminué pour autant.

— Comment ça ? Ce tas de merde a visité le Pays de la Terre perdue ! Tu ne m'avais pas dit ça !

— Je suis en train d'écrire sur l'arrivée de Marie; elle ne débarque pas seule. Jean-Pierre est l'un des trois autres personnages dont je t'ai parlé.

Voyant le regard inquisiteur d'Alain et l'incompréhension d'Alex, Nadine explique sommairement ce qui s'est passé. Les deux gars secouent la tête pour tenter d'intégrer ce nouveau fait. Alain se tourne vers Marie.

— Voilà pourquoi tu n'as jamais voulu me dire qui étaient tes compagnons de voyage. Si tu avais parlé, j'aurais pu échapper l'information... nuire au retour de Nadine...

Il prend sa femme dans ses bras et caresse son visage du bout des doigts.

— Tu as gardé le secret pendant tout ce temps pour protéger ton amie. Je suis si fier de toi !

Entretemps, Alex tentait d'assimiler ce qu'il venait d'apprendre, ce qui lui suggère un autre bout de l'histoire. Il attire l'attention de Nadine pour la questionner plus à fond.

— De la description que tu m'as faite, l'une de ces personnes devrait être Lucette, celle qui s'est suicidée il y a presque deux ans. Le quatrième, qui était-il ?

— Je préférerais attendre pour te donner cette information. Dans une semaine ou deux, tu pourras lire ces chapitres. Il y a beaucoup de circonstances très difficiles à raconter sur cet épisode de ma vie là-bas. J'aimerais que tu sois assis tranquille pour les apprendre sous la forme du roman. Ainsi, tu comprendras mieux.

Alex se replie, déçu de la tournure des évènements. Il voudrait pouvoir quitter les lieux, enlever son nœud papillon, enfiler ses bottes de marche et courir jusqu'au sommet du mont Royal. Mais cette soirée est importante pour sa femme. Elle a mis beaucoup de soin pour s'habiller, allant acheter ce qu'il lui fallait pour se parer de beaux atours. Puis, on vient de lui offrir un poste au conseil d'administration… « Non ! Je suis certain qu'il y a plus que ça ! » Il ouvre les yeux très grands.

— Nadine ! Tu savais que Jean-Pierre serait ici ce soir ! Tu souhaitais qu'il t'apostrophe ! Tu as tout planifié ! C'est pour cela que tu as accepté de te présenter à la cérémonie !

— Tu as en partie raison. Je suis principalement venue à cet évènement pour voir mes anciens camarades et j'en suis fort contente. Malgré les manigances de mon patron du temps à mon égard, j'étais heureuse de travailler au sein de cette organisation. Je savais que Jean-Pierre n'était pas invité. D'une autre façon, pour être honnête j'espérais que le goujat se présente.

Nadine explique que cette confrontation lui a permis de confirmer ce qu'elle avait appris dans les derniers jours de la présence des visiteurs au Pays de la Terre perdue. Au début, elle l'a laissé vivre parce qu'il devait obligatoirement retourner dans son passé. Par contre, au fil du temps, la femme a fini par comprendre l'insignifiance de l'homme. Elle avait rencontré d'énormes défis là-bas et ceux-ci étaient très intenses. Elle en avait retiré une telle fierté que sa honte d'avoir dû quitter un boulot à cause de la relation empoisonnée avec Jean-Pierre en fut atténuée. Au cours des derniers jours de leur passage dans ce monde fantastique, travaillant de pair avec Marie, elle avait réussi à trouver la manière d'éliminer l'effet des agissements de Jean-Pierre sur ses états d'âme.

— Si, avant que j'arrive là-bas, Jean-Pierre avait la capacité de me blesser profondément, il a cessé d'avoir ce pouvoir lors de sa visite.

— J'ai bien vu ça ! répond Alex. Un vrai renversement de situation !

— Au Pays de la Terre perdue, grâce à Marie, j'ai enfin compris que l'arrogance et la violence de l'homme se nourrissaient de la réaction des autres, que ce soit la peur ou, comme dans mon cas, la résistance passive. J'alimentais involontairement son besoin de dominer. Aujourd'hui, je suis capable de neutraliser son comportement. Comme tu as vu, nous l'avons plutôt ignoré. Marie et moi, nous avons mis l'attention sur son amie. Pour le reste, il me suffisait de refuser la bataille quand il a tenté de me bousculer. C'était d'ailleurs le plus dur... tu sais, avec mon nouveau tempérament...

Alex porte un regard différent sur sa blonde. Il est fier d'elle. La rancœur qu'elle ressentait face à cette vieille affaire s'est effacée. Si son séjour dans cet univers étrange lui a permis de tourner cette page si douloureuse de sa carrière, il ne peut qu'en être ébahi. Un détail le préoccupe encore...

— Jean-Pierre a visité cet autre monde en même temps que Marie. Il avait donc 32 ans. Comment ça se fait qu'il t'ait engagé 15 ans plus tard ?

— Il n'a jamais compris que Nadine de 45 ans était aussi la sorcière de 57 ans, explique Marie.

— La sorcière ? demande Alain.

— Oui, réplique Nadine. C'est à cause de la distorsion du temps. Je ne pouvais pas leur dire qui j'étais vraiment... puis Jean-Pierre m'a affublée de ce surnom dès ses premiers mots.

— Par contre, ajoute Marie, je suis certaine qu'il vient de faire le lien. Il t'a traitée de sorcière en partant... Je ne sais pas ce que ça va donner... que penses-tu qu'il fera de l'information ?

— Ça n'a plus d'importance, réplique Nadine. Nous sommes tous revenus correctement dans le même espace-temps. Tous ces évènements sont dans notre passé et personne ne peut plus les influencer. Imagine ça ! Qui le croirait s'il commençait à raconter son histoire ? L'homme en prendrait un coup !

— Tu as raison ! s'exclame Alain. Ne perdons plus notre salive pour cet imbécile !

Les amis éclatent de rire avant de ramasser un verre de mousseux sur un plateau que leur présentait un serveur stylé. Pour le reste de la soirée, Nadine et Alex ont fait le tour des invités, discutant avec chacun. Le mari s'amusa à observer sa femme qui reprenait contact avec ce milieu qu'elle a tant aimé. Quand, lors du discours, Gustave a annoncé la nomination de Nadine au poste de conseillère externe en ressources humaines, la nouvelle a été accueillie avec de chaleureux applaudissements.

Après le repas, Alex a fait valser sa blonde sur le plancher de bois verni à souhait pour les prestations. Il s'enorgueillissait de voir les joues de Nadine s'enflammer sous l'exercice et ses yeux rayonner de bonheur. « Ce n'est pas si pire pour un couple de notre âge... 56 ans... non... Nadine a plutôt 58 ans... ça ne fait rien ! Je l'aime toujours autant ! »

Si d'autres lui ont emprunté sa femme le temps d'une danse, il ne s'en est pas formalisé. Il voit qu'elle est heureuse et cela remplit son cœur d'un espoir nouveau. Est-ce que l'altercation avec Jean-Pierre a contribué à ramener cette joie dans tout son être ? Poussant cette histoire au rang des choses sans importance, elle savourerait enfin un vent de liberté... Il hausse les épaules. « Peu importe ! Je suis fier de ma femme et je l'adore ! »

Nadine aime les gens et ses habiletés de communicatrice refont surface. Ce soir, elle vit intensément. Tout son être vibre d'un éclat plus marqué que les émeraudes qu'elle porte. Un détail demeure préoccupant. Le regard de Nadine garde cet aspect rigide et implacable. Sans doute, parce qu'il y a encore un bout de son âme reste accroché solidement à cet autre monde.

La question qu'il n'ose jamais formuler le rattrape. Que se passerait-il si on offrait à Nadine la possibilité de retourner au Pays de la Terre perdue ? Cette idée rend Alex à moitié fou. Parce qu'il n'est pas vraiment certain de la réponse...

Chapitre 28

Montréal — 18 décembre

Alex sort de la maison pour retrouver Nadine. L'air glacial et humide de décembre le fait frissonner malgré ses vêtements adaptés à la saison froide. Il s'arrête un instant pour mieux observer sa femme. Alors qu'elle est de retour d'exil depuis 20 mois, elle affiche encore ce comportement qui donne l'impression que la nomade flotte entre deux univers, incapable de décider dans lequel elle veut poursuivre sa vie pour de bon. En ce moment, elle est assise sur ce bloc de bois placé au milieu de la rocaille qu'elle a aménagée dans le fond de son jardin au cours de l'été. « Ça me donne l'impression que je retrouve mon patio au Pays de la Terre perdue... sauf que c'est sur le sol au lieu d'une corniche », lui a-t-elle expliqué.

L'homme sent monter en lui une vague de haine intense contre ce monde insensé qui a fait tant de mal à sa compagne. Puis, il est jaloux de ce pays qui prend toujours autant de place dans la tête et le cœur de l'éternelle exilée. « Quand me reviendra-t-elle pour de bon ? »

Nadine est habillée de ses vêtements de trekking d'hiver. Seule une partie de son visage est visible. Un signe qu'elle voulait rester dehors très longtemps. Elle ne bouge pas. Ses pieds sont bien plantés au sol et ses coudes sont appuyés sur ses genoux, laissant son dos courbé et ses mains libres. Alex sait qu'elle a entendu la porte-fenêtre s'ouvrir. Son sens de l'audition est si aiguisé qu'elle percevrait une mouche en train de voler un kilomètre plus loin. Alex observe le visage fermé, presque buté, de sa femme. Ses yeux sont hagards. A-t-elle pleuré encore ? Non. Il a plutôt l'impression que son faciès exprime une certaine rage... une déception sans doute. « Qu'est-ce que je peux faire pour l'aider ? L'encourager peut-être... Je ne peux que l'aimer profondément... le reste viendra en son temps... »

Alex s'approche de Nadine, réajuste la peau de renard sur la deuxième bûche et prend place à côté d'elle. Il sourit en se souvenant de sa surprise quand il a vu l'ajout du deuxième banc en avant de la grosse roche plate. Elle lui a simplement répondu : « Là-bas, j'étais seule. Ici, je veux que tu sois le plus souvent possible avec moi, même dans ce repaire qui me rappelle un autre univers que tu ne connais pas. » Il avait été touché par le geste, sentant que Nadine avait fait un pas de plus vers la guérison. Aujourd'hui, il était content de pouvoir la rejoindre.

— J'ai vu la lettre sur la table de la cuisine. C'est le quatrième refus, je pense...

— Le cinquième. Toujours la même réponse : « Votre roman n'entre pas dans nos collections... »

Alex observe un instant les flocons de neige qui virevoltent depuis un bon moment dans le ciel de Montréal. Quelques amas de poudre blanche recouvrent les petites dépressions qui constituent les jardins de Nadine. Il frotte ses mains emmitonnées pour les réchauffer.

— Tu sais, si tu veux que je passe du temps ici, avec toi, au cours de l'hiver, il faudra trouver le moyen de garder l'ambiance un peu plus confortable... non ! C'est interdit de faire du feu à ciel ouvert à Montréal ! ajoute-t-il à la vue du visage de sa femme qui devient soudainement un peu trop éclairé.

— En fait, je pensais plutôt à ces grosses lanternes au propane qu'on utilise à Paris pour chauffer les terrasses fermées. On en trouvera sûrement chez *Rona l'entrepôt*. Ça ne sera pas assez chaud pour les froids de janvier et février, mais ça étirera le temps pour apprécier l'extérieur de quelques semaines.

— Va pour le fanal. Est-ce qu'on achète ça durant le week-end ?

— D'accord ! Tu sais... c'est pour toi que je fais ça. Moi, je me sens bien quand l'air est glacial. Cet hiver qui commence me rappelle mon premier là-bas. Il y aura beaucoup de neige cette année.

En réponse à la boutade à peine voilée, Alex laisse un sourire s'étirer sur ses lèvres. Puis, comprenant l'importance de revenir au sujet douloureux, il pose sa main sur celle de sa femme.

— La lettre... tu es déçue.

— Terriblement. Je me demande si c'était une bonne idée de proposer mon livre pour publication. Personne n'en veut.

— N'es-tu pas un peu sévère ? Tous ceux qui ont lu le manuscrit ont complimenté ton talent exceptionnel pour l'écriture. Combien de réponses attends-tu encore ?

— Deux ou trois. Il y a d'autres maisons d'édition, mais j'ai des doutes sur la poursuite du projet. Même si mes amis l'aiment, je pense que le récit n'est tout simplement pas à la hauteur...

— Tu y as mis tellement d'énergie. Voudrais-tu abandonner maintenant ? Ce n'est pas toi, ça.

Nadine baisse la tête et ferme les yeux. Alex a raison. En ce moment, elle ressent un certain épuisement. Depuis son retour, il y a vingt mois, sa vie a été remplie d'émotions en tous genres. Elle a travaillé fort pour revenir à la réalité d'ici. Le chemin parcouru a été long et parsemé d'embûches. Maintenant, elle ne rêve plus de s'exiler à nouveau là-bas. Ses cauchemars ont finalement disparu. Presque tous ses repères sociaux sont réapparus. Elle se sent à l'aise dans sa nouvelle peau. Elle regarde le futur avec une grande sérénité. Par contre, une certaine tristesse demeure collée au fond de ses yeux. Elle ne saura jamais ce qui est advenu de ses amis restés au Pays de la Terre perdue.

Pour l'aider à retrouver son équilibre psychologique, elle s'est garrochée tête baissée dans la création artistique, la seule activité qui occupe en même temps sa tête, son cœur et son âme. Comme si, quand elle prend un crayon quelconque dans sa main, toutes les facettes de son existence s'alignaient ensemble dans une harmonie d'idées : lorsqu'elle écrit ou dessine, sa santé physique, son attitude mentale et ses réactions émotives ne font qu'un tout magnifique qui la fait vibrer au diapason de la vie.

Ainsi, depuis cette expédition au mont Logan dans le parc de la Gaspésie avec ses compagnons de trekking, en juillet 2011, elle a entrepris la narration de ses aventures au Pays de la Terre perdue. Née avec des gènes d'artiste, Nadine avait auparavant peint régulièrement et elle a accumulé de nombreux récits de voyage. Jeune étudiante, elle a même vu quelques-uns de ses textes publiés dans le journal de son école secondaire. Si elle avait les connaissances nécessaires, elle demeurait perplexe quant à sa capacité de rendre l'expérience enrichissante. Un livre, de quelle façon écrit-on ça ?

Pour Nadine la téméraire, il lui fallait absolument relever le défi. Après tout, deux ans dans un pays où elle a dû tout inventer l'avaient convaincue de son habileté à se dépasser et surmonter toutes les embûches placées sur son chemin. Pour compléter sa guérison, elle avait besoin de raconter son histoire; alors elle allait l'écrire… dans un roman à part ça ! Pour la femme rebelle et sûre d'elle, « ne pas savoir comment faire » n'était qu'une illusion en attendant de trouver ou de développer une méthode. Avec cette attitude qui l'a si bien servie pendant deux ans d'exil, elle a réfléchi et elle a fait un plan.

Ainsi, un soir d'été où elle dégustait une dernière tisane en compagnie d'Alex, Nadine a sorti son iPad et elle a commencé à rédiger. Une page à la fois. Puis, peu à peu, elle s'est prise au jeu. Elle a été agréablement surprise de la facilité avec laquelle elle a couché son histoire sur papier. Si elle avait beaucoup de difficulté à raconter de vive voix parce que les émotions l'étouffaient, le récit coulait avec clarté et précision. Le clavier et l'écran lui permettaient de se rendre au-delà des tumultes bouleversants et souvent contradictoires, pour narrer ses aventures remplies de danger, de mortalité, de courage et de survie.

Dès que l'imprimante crachait quelques pages, Alex se précipitait pour prendre connaissance des textes encore plutôt embryonnaires. Il ne voulait pas attendre. Ce monde mystérieux lui avait volé du temps avec sa blonde et il tenait à tout savoir. Tout de suite. Même si la lecture des chapitres faisait monter en lui un violent sentiment de jalousie, qui se mêlait à une haine comme il n'en a jamais ressenti auparavant, il persistait à parcourir les mots immédiatement.

À la demande de Nadine, Bernard a aussi consulté les textes au fur et à mesure qu'elle les produisait. Le médecin lui servant aujourd'hui de psychologue, elle voulait qu'il puisse comprendre ses états d'âme. Pour mieux l'aider. Si l'homme trouvait difficile d'absorber tout ce que son amie d'enfance avait vécu, il déchiffrait plus aisément les périodes les plus noires afin de l'inciter à en parler. Au fur et à mesure que le temps passait, Bernard constatait qu'il était plus facile pour Nadine de consigner ses péripéties sur papier. Sa guérison progressait au même rythme.

La nomade a aussi proposé à sa mère de lire les textes dès leur première impression. Vu l'âge de celle qui venait de fêter ses 94 ans, Nadine voulait lui permettre de comprendre les aventures avant que la vieille dame ne puisse plus en bénéficier. Irène s'est approprié lentement le récit; elle n'en revenait tout simplement pas. Ce que racontait sa fille était si extraordinaire qu'elle pleurait souvent devant l'immense douleur tant physique que morale qui explosait à travers les mots. Elle riait en s'amusant à imaginer sa benjamine rebelle en train de coudre… des peaux avec des fils fabriqués avec des tendons. Elle posait beaucoup de questions et l'écrivaine en profitait pour améliorer une phrase ou préciser une information.

À la demande de Nadine, les autres ont accepté d'attendre que le roman soit terminé avant d'en prendre connaissance. De toute façon, les trekkeurs avaient décidé d'appuyer les efforts de Nadine d'une manière différente; n'ayant entendu son histoire que partiellement, ils la forçaient à vivre dans le présent et, quand c'était nécessaire, la femme devait expliquer verbalement certains évènements. Marie n'avait pas besoin de lire tout de suite, préférant plutôt aider son amie à faire la paix avec son retour difficile. Anne et Dominique, tout comme les frères et la sœur de Nadine, se contentaient des images de l'artiste afin de tenter de visualiser ce magnifique pays.

Elle a pris un an pour compléter une première ébauche du manuscrit à laquelle s'ajoutaient des centaines de sketches au fusain. Elle avait aussi des tableaux au pastel de tous les animaux qui avaient tenu une si grande place dans sa vie là-bas. Lou apparaissait sous la forme du nourrisson, du louveteau puis dans sa taille adulte. Nadine avait croqué Allie quatre ou cinq fois. Elle avait mis l'accent sur la fière allure de Jack et la crinière retroussée de Plumo. Les aigles étaient tout simplement royaux. On remarquait facilement la patte mutilée de Tigré. L'artiste avait dessiné Billy avec son troupeau de chevaux à la fourrure pâle.

Puis elle a révisé son roman, y intégrant des détails supplémentaires, corrigeant un fait et améliorant le style. Le livre prenait forme sous sa plume : deux ans de sa vie se déclinaient en aventures fantastiques qui, elle le croyait, permettraient aux gens de mieux saisir toute la complexité de ce qu'elle a vécu au Pays de la Terre perdue. Régulièrement, elle ajoutait un dessin en souvenir d'un autre épisode de son exil.

Satisfaite de savoir que son roman a acquis une grande stabilité, elle a demandé à Marie de le lire et de proposer des modifications. Deux semaines plus tard, la rouquine s'est pointée à la maison de son amie avec le manuscrit sous le bras. Nadine l'a reçue avec une agitation nerveuse.

— Dis-moi comment tu l'as perçu. N'hésite pas ! Je suis capable de prendre la critique.

— Je n'en doute pas, répond Marie sur un ton amusé. J'ai trouvé le récit magnifique et l'histoire coule parfaitement. C'est facile à lire. Tu écris très bien. J'ai reconnu sans effort ma propre visite au Pays de la Terre perdue même si tu as nommé le personnage Marie-Claire.

— Ah ! Je suis vraiment contente que tu aies aimé le roman. Pourquoi pleures-tu ? demande-t-elle après avoir remarqué les yeux mouillés de larmes de son amie.

— Ce sont les autres passages qui me touchent, commence Marie d'une voix tremblotante. Ceux d'avant mon arrivée et ceux d'après mon départ me bouleversent. Je savais que le Pays t'avait fait la vie dure, mais j'ai été estomaquée par tout ce que tu as subi là-bas. Ce deuxième hiver... c'était terrible. Puis, je comprends mieux pourquoi tu as tabassé Jean-Pierre... tes repères face aux humains s'étaient effacés. Je suis grandement soulagée que tu ne l'aies pas tué.

— Tu ne te doutais vraiment pas de ce que j'avais vécu avant votre visite, n'est-ce pas ? Pourtant, nous en avons parlé quand nous étions dans la vallée aux noisettes. Il faut croire que j'avais autant de difficulté à m'expliquer là-bas qu'ici.

— Ton roman contient tellement plus de précisions. Ton habileté à nous faire sentir les émotions est superbe. Je suis convaincue que tous les éditeurs se l'arracheront...

— On verra ! Je n'ai pas encore décidé. Tu sais, pour bien faire les choses, ce serait mieux de le diviser en cinq tomes. Sinon je devrais enlever trop de détails.

— Non ! Surtout pas ! Ce sont ces éléments qui donnent une grande crédibilité à ton œuvre. Prends le temps de réviser le manuscrit une dernière fois. J'ai ajouté quelques commentaires, des liens possibles. Si j'étais à ta place, j'exigerais de le publier en cinq volumes. Ça rend l'histoire plus plausible.

— Vraisemblable, hein ? Tu as certainement raison. Peu de lecteurs sauront que ces péripéties ont eu lieu réellement.

Nadine était contente de la réaction de Marie. Elle se sentait maintenant confortable pour présenter le manuscrit aux membres de sa famille et à ses amis qui voulaient mieux saisir l'ampleur et l'intensité de son exil. Il y avait plusieurs épisodes de ses aventures qu'elle était encore incapable de raconter de vive voix. Les bouleversements émotifs que forçaient ses souvenirs étaient si vifs que les mots ne venaient pas. Elle restait sans voix.

C'est ainsi qu'elle a consacré des heures à décrire ces évènements difficiles et dangereux ou, par ailleurs, ceux de cette dépression qui l'avaient plongée dans un abîme profond. Tantôt avec un crayon en main pour dessiner ou en faisant courir ses doigts sur le clavier, elle a pu lâcher prise sur des agitations troubles enfouies profondément au fond de son âme. Sa guérison se poursuivait à travers son art. Son récit est plus éloquent que tout ce qu'elle pourrait essayer de raconter verbalement.

Quand elle a imprimé le manuscrit complet, elle s'est sentie affranchie de l'emprise que le Pays de la Terre perdue avait toujours sur elle. Au cours des longs mois, elle était redevenue en apparence une dame sophistiquée, enjouée, pleine d'énergie, à l'aise en société; cependant, sa famille et ses amis savaient qu'un bout de son âme restait encore accroché là-bas. Elle souriait en voyant les pages de son roman s'agglomérer sur le coin de son bureau. Au fur et à mesure que le plateau de l'imprimante se libérait, le cœur de la femme acceptait de faire une place à cette nouvelle Nadine, une nomade moderne, qui pouvait dorénavant mordre dans la vie et affronter son futur.

Nadine lève la tête et plisse les yeux. Sur son patio improvisé au fond de son jardin, la neige s'intensifiait. Les gros flocons s'éclataient sur son visage. Pendant un instant, elle savoura ce plaisir immense de pouvoir sentir l'air humide chargé des odeurs de l'hiver. À ses côtés, Alex frissonnait.

— As-tu froid ? Veux-tu rentrer ?

— Pas tout de suite. À te voir ainsi absorbée dans le bonheur, je comprends un peu plus l'envoûtement que ce pays a eu sur toi. Plus j'en saurai sur tes aventures, moins je le haïrai.

— C'est drôle. J'avais plutôt cru que tu étais envieux de lui. Pourtant, tu seras toujours l'amour de ma vie. Lui, je l'ai aimé et détesté en même temps…

Un silence s'installe et devient quelque peu inconfortable. Cependant, Alex doit énoncer ce qu'il y a dans son cœur. Quand Nadine lui a demandé de lire à nouveau le manuscrit, il a eu le goût de refuser. Il la sentait craintive. Il connaissait déjà l'ensemble des évènements de l'exil de Nadine. Tolérerait-il facilement toutes ces couleurs vives, ces touches d'émotions ajoutées qui rendaient ce monde d'ailleurs si beau et envoûtant ? Il acceptait que Nadine fût si subjuguée par l'intensité de son expérience là-bas qu'elle demeurait incapable de tout mettre en mots. Elle n'arrivait pas à lui en parler à cause de la douleur associée et toujours présente en elle, malgré le passage du temps. L'homme sensible n'était pas certain de vouloir savoir; il avait peur que sa rage contre le Pays de la Terre perdue monte encore de quelques crans.

Nadine avait saisi qu'un fort sentiment de jalousie s'était ajouté au fur et à mesure qu'Alex lisait les chapitres. Alex bouillait intérieurement à l'idée que Nadine aurait pu choisir d'y rester au lieu de revenir vers celui qui a été l'amour de sa vie. Cartésien de nature, il avait un peu honte de consacrer la personnalité masculine de cet univers. Il avait cependant compris dans les récits que Nadine le rendait humain. Elle attribuait à ce monde qu'elle percevait vivant et conscient, les malheurs qu'elle a subis là-bas; mais l'homme trouvait plutôt difficile à supporter l'envoûtement qu'elle ressentait encore... une sorte de bonheur qu'elle voudrait retrouver à tout prix.

Pendant l'écriture de la première ébauche dont il a pris connaissance au compte-gouttes, Alex a souvent pleuré au cours de la lecture d'un chapitre particulier, alors qu'il réalisait la profondeur des épreuves et des souffrances qu'elle avait endurées durant ces deux ans. Il était resté sans voix devant la narration si intense de la mort de Brutus. Dans une autre partie, il a simplement affirmé : « J'aurais aimé ce Lou ! Si jamais je le vois, je vais lui donner tous les os à ronger que je pourrai trouver ! » Quand il a lu sur la bataille avec les lynx, il a pris sa femme dans ses bras pour la serrer très fort. Il était incapable de parler tant l'agitation l'étouffait.

Pour lui, la deuxième version était bien pire. Parfois, Alex devait s'arrêter de lire tant la colère le faisait trembler. Nadine avait finalement laissé libre cours à toutes les émotions qu'elle avait ressenties au fil de ses aventures. L'amoureux avait été particulièrement touché par ces moments où l'ennui d'Alex et de sa famille devenait intolérable. Le texte décrivait vivement les états d'âme créés par la solitude. Il a tremblé en voyant l'aplomb de Nadine qui admettait simplement que, de retour, le Pays de la Terre perdue lui manquait tout autant. La déchirure dépeinte par la femme, face à l'impossibilité de repartir là-bas, a dardé le cœur de ce lecteur fragilisé aussi.

Que Nadine lui demande de lire le roman, sans aucune mise en garde, expliquait ce désir de tout lui dévoiler. Elle tenait à lui faire comprendre, sans ambages, le dilemme qui se présentait à elle ce matin-là, sur le mont Logan. C'est vers Alex qu'elle a marché, repoussant du coup le Pays de la Terre perdue, lui laissant seulement une place dans son passé. L'amoureux saisissait l'enjeu, mais l'homme avait de la difficulté à accepter que Nadine ait eu à faire ce choix terrible. Il interprétait avec un certain malaise que Nadine a hésité, ne serait-ce qu'un instant éphémère, à revenir vers lui.

Frottant ses mains pour chasser l'engourdissement que forçait le froid intense, il a avalé la boule qui bloquait sa gorge avant de parler.

— C'est un virus épouvantable, ce que l'on appelle la jalousie. Je ne comprends même pas. Rationnellement, je sais que le Pays de la Terre perdue n'est pas un rival. Par contre, ton aventure là-bas a mis une telle distance entre nous. Ce monde parallèle a pris tellement de place dans ton existence que je le sens en compétition avec moi, pour mériter ton amour.

Nadine plonge ses yeux dans ceux d'Alex. Elle lui doit une réponse aussi claire et nette. Il lui a si généreusement offert son support et sa patience depuis qu'elle est de retour. Elle adore par-dessus tout cet homme bon et extraordinaire qui lui a donné son appui au point de lui faire une nouvelle demande en mariage.

— Jamais ce pays n'a été un adversaire pour toi. Tu étais et tu demeures toujours l'amour de ma vie, sans égard à cette aventure bizarre. Là-bas, j'ai failli mourir en m'imaginant que tu m'avais remplacée. Puis, depuis que je suis revenue, je ne peux pas concevoir mon existence sans toi, malgré ma peur viscérale que tu puisses ne pas apprécier ce que je deviens.

— Jamais ! Je ne voudrais pas d'une autre ! JE T'AIME COMME TU ES ! Pour le reste, nous verrons ensemble ce que l'avenir nous réserve.

— Merci mon amour ! Je t'ai dans la peau et je tiens à vieillir avec toi. Allez ! On rentre ! J'ai faim !

Alex éclate de rire. Si ses péripéties au Pays de la Terre perdue ont changé plusieurs aspects du caractère de sa femme, la gourmandise est restée aussi intense. Il y avait tout de même des différences importantes. Par la lecture du roman, Alex a également compris pourquoi l'insouciance qu'affichait Nadine avant son périple avait disparu et ne reviendrait plus jamais. Il a saisi que la dureté au fond du regard de Nadine ne partira pas complètement; sa perception même sur la valeur de la vie s'est modifiée. La femme pourrait oublier chacune de ses aventures là-bas, mais il lui serait totalement impossible de mettre de côté l'empreinte profonde qu'ont laissée ses années d'exil loin de toute humanité.

Alex soulève sa blonde et il la fait tournoyer pendant quelques secondes. Leurs cris stridents vont alerter le voisinage, mais ils s'en moquent, ne voulant qu'absorber ce moment d'euphorie partagé par tous les pores de leur peau.

De retour dans la maison, un repas chaud devant eux, Nadine remarque que son mari ne mange pas. Il affiche un air béat, les yeux brillants et la bouche un peu entrouverte. Inconsciemment, il frappe sa fourchette sur la table dans un cliquetis fort désagréable pour cette femme à l'audition aiguisée.

— Regarde donc celui qui me reproche de me cacher dans ma tête ! À quoi penses-tu en ce moment ?

— À toi bien sûr, répond-il d'un ton taquin et tout en gobant un morceau de saumon.

— Merveilleux ! Mais encore ?

Alex dépose son ustensile en bordure de son assiette et joint ses mains au-dessus de son plat.

— Je réalise à quel point l'aventure t'a fait grandir. Tu es plus forte, plus sage. Tu es moins naïve et plus... absorbée... j'aime ça. Dans le fond, je ne devrais pas être jaloux du Pays de la Terre perdue. Il m'a aidé à changer de femme... Je pense que je vais lui pardonner.

Malgré l'ironie qu'elle sentait dans les propos de l'homme, Nadine nageait dans le bonheur. Elle ne voulait pas qu'Alex reste blessé de toute l'aventure. Si elle avait réussi à guérir en décrivant ses tribulations dans un roman, elle appréciait le fait que le manuscrit permette également à son mari de se débarrasser de ses émotions négatives face à toutes ses péripéties loin de lui.

Maintenant, elle avait hâte que les autres complètent l'exercice. Sans tenir compte des rejets des maisons d'édition qui demeuraient avares de mots, elle avait déjà reçu quelques bons commentaires de ses amis et de sa famille. Parallèlement, elle voulait voir l'effet qu'aura sur eux l'expérience de la lecture qui leur fera mieux comprendre ce qu'elle a vécu. Son aventure prenait une seconde vie par le partage avec ses proches; est-ce que ces derniers se laisseront influencer aussi fortement qu'Alex ? Sûrement pas, mais tout de même un peu...

Lentement, elle faisait son deuil du Pays de la Terre perdue où elle ne retournerait jamais. Elle pouvait maintenant se rappeler certains épisodes sans ressentir cette peur viscérale ou une vive douleur physique ou morale. Par contre, elle réalise que cet autre monde étrange, quelque part elle ne sait où, l'habitera à jamais.

Nadine devait revenir chez elle. « Non ! Ce n'était pas mon devoir, mais bien ma volonté ! » Pour retrouver Alex, elle a quitté cette contrée où elle s'était forgé une vie par le sang. Elle y a laissé une empreinte si grande qu'elle ne disparaîtra pas de sitôt. Mais tout cela était temporaire; sa place, sa vraie place, c'est ici à Montréal, avec Alex, leur famille et leurs amis.

La femme redevenue moderne tourne les yeux vers la porte-fenêtre d'où elle pouvait apercevoir l'effet de la tempête qui faisait rage sur Montréal. Les flocons de neige, rendus glacés par le vent violent, claquaient contre la vitre. Elle ne voyait pas la maison des voisins. Elle reporte ses prunelles bleues vers Alex.

— Tu sais, je réalise que je ne retournerai jamais là-bas. Mais je relirai mes textes aussi souvent que j'en aurai besoin. Je continuerai de dessiner ce monde, pour ne jamais l'oublier.

— Hum… Tu ne me parles plus d'édition. As-tu abandonné l'idée ?

— Bien sûr que je vais publier… Anne et Dominique m'ont convaincue. Marie et toi supportez également cette décision.

— D'accord. Mais toi, tiens-tu à rendre ton bouquin public ?

— J'aime le concept visant à faire connaître mon histoire au plus grand nombre de lecteurs possible. Ce récit de mes aventures, que les autres comprendront comme un roman fantastique, contient mes peines et mes apprentissages. Une sorte de voyage initiatique. Je pense qu'il peut aider les gens à réfléchir sur la présence de la technologie dans nos vies, de la nécessité de protéger l'environnement et surtout… il me permet de partager mes valeurs personnelles. S'ils le veulent, les lecteurs pourront faire le même cheminement, sans avoir à se rendre au Pays de la Terre perdue. Là-bas, j'ai refusé de devenir aussi sauvage que les lynx et les ours que je chassais sans merci. J'en suis fière. Pour moi, l'Humanité est importante. Notre capacité extraordinaire de nous positionner par rapport à l'univers détermine en grande partie ce que nous sommes; elle nous distingue des animaux.

— Tu es rendue philosophe… je l'aime de plus en plus ce pays de fou.

— Très drôle !

Après un moment de silence, Nadine explique ce qui lui trottait dans la tête.

— Tu sais, j'hésitais à envoyer mon manuscrit aux éditeurs. Je n'étais pas certaine si mon histoire pouvait intéresser les lecteurs. Par contre, les commentaires reçus de mes amis et de ma famille m'indiquent que je dois poursuivre cette nouvelle aventure dans le monde littéraire.

— Comment feras-tu ? De tes recherches, j'ai compris qu'il y a des centaines de maisons d'édition au Québec. Ça va te prendre des années pour explorer toutes les pistes…

— Au Pays de la Terre perdue, j'ai développé un goût particulier pour les activités qui nécessitent beaucoup de temps pour les accomplir. Construire un pont ou un radeau là-bas devient en soi une expérience enrichissante : il faut tout faire à la main, attacher le tout pièce par pièce pour faire un ensemble cohérent et, souvent, recommencer l'exercice. Je ferai de même pour la publication du bouquin. Un pas à la fois. De plus, ici, j'ai l'avantage de l'informatique, des réseaux sociaux et d'Internet pour accélérer mon travail. Ainsi, je continuerai de proposer mon manuscrit à plusieurs éditeurs en même temps. Puis j'ai l'auto. Je me présenterai dans les Salons du livre, poserai toutes sortes de questions pour mieux comprendre et publiciser mon œuvre.

— Ça pourrait être long...

— Dix ans s'il le faut ! Ce n'est absolument rien. De toute façon, je suis certaine que je vais trouver quelqu'un avant ça. Tu me l'as dit ! Il est bon mon récit ! Tant pis pour ceux qui le refusent !

Riant aux éclats, Alex lève son verre rempli de vin rosé au bout de son bras.

— Voilà l'assurance que t'a donnée ton aventure ! Merci à toi, Pays de la Terre perdue !

Nadine porte sa coupe pour la cogner légèrement à celle d'Alex.

— Santé !

— Gare à vous les éditeurs ! Ma femme arrive ! Vous ne résisterez pas !

Pendant que les amoureux terminent leur repas gastronomique, vidant la bouteille sans bouder leur plaisir, Alex devient songeur. Nadine s'inquiète.

— Bon ! Qu'est-ce qui trotte dans ta tête ?

— Hum... je pensais aux Salons du livre... tu vas encore me quitter...

— Ce ne serait que pour quelques jours à la fois...

Observant un peu mieux les yeux brillants de son époux, Nadine constate qu'Alex la taquine. Elle s'est fait prendre à nouveau. Même après 36 ans de mariage, la tactique fonctionne toujours. Du coup, elle comprend…

— Tu veux m'accompagner… n'est-ce pas ? Tu pourrais t'arranger avec Claude pour obtenir plus de congés…

— En fait, j'hésitais à t'en parler… tu sais… je craignais ta réaction…

Nadine observe le visage d'Alex se déformer pour montrer une expression plutôt tendue, apeurée presque. Elle ne le croit pas… Elle perd patience.

— ALEX ! Crache le morceau avant que je t'étripe comme un lynx !

— D'accord ! Claude et moi avons décidé de prendre un peu de recul par rapport au travail. Ton aventure nous a fait réfléchir beaucoup et nous voulons passer plus de temps avec nos blondes. Nos jeunes, Anne et Luc le fils de Claude, progressent très bien au sein de l'entreprise. Ils ont acquis une certaine notoriété et leur compétence est reconnue de tous les employés. Nous tenons à leur donner une petite poussée supplémentaire. En devenant partenaires, ils pourraient absorber plus de boulot et libérer leurs pères en vue d'une préretraite. Ainsi, je songe à réduire mes heures à trois jours par semaine environ…

— Mais Anne est enceinte ! Ce sera difficile pour elle !

— Nous en avons longuement discuté. Elle se sent prête. Elle termine le premier trimestre et tout se passe bien. Ce défi lui donne de l'énergie. Puis, nous ferons la transition en douceur… je resterai au courant des dossiers… en juin prochain, elle prendra quelques mois en congé de maternité… je ferai plus d'heures. Tu connais Étienne, il veut sa part de temps avec ce petit bébé…

— Si vous croyez que ça peut marcher…

— Je t'assure ! Même Claude y mettra du sien…

Un grand soulagement s'installe dans le cœur de Nadine. Elle aura son Alex auprès d'elle pour cette nouvelle aventure dans le monde littéraire. Elle se lève d'un bond pour laisser éclater sa joie.

— Hourra ! Tu pourrais m'accompagner partout en province ! Puis il y aura le Salon du livre de Paris ! Celui de Francfort... New York... Dakar...

— Wow ! Je regrette d'avoir dit que le Pays de la Terre perdue t'avait rendue calme ! Tu es en train de remplir mon calendrier... un petit répit serait bienvenu !

— Tu as raison. Je m'emporte un peu trop vite. Commençons par les maisons d'édition et quelques évènements... pour 2013... après je verrai...

— D'accord ! Tu veux un café irlandais avec le dessert...

Les yeux de Nadine sont d'une intensité si brûlante que le cœur d'Alex s'emballe. Le visage de la femme s'enflamme et sa respiration devient saccadée. « Ce qu'elle est belle ! » se dit Alex. Se levant et faisant le tour de la table, il attrape la main de sa blonde pour l'entraîner vers l'escalier qui monte à leur chambre.

— Je pense que nous prendrons le dessert un peu plus tard !

Chapitre 29

Québec — 12 janvier

L a sonnerie d'un téléphone portable se fait entendre dans toute la maison. Dans un geste d'impatience, Nadine claque sa langue sur son palais. Avec sa main droite, elle touche la manette de contrôle de son iPod et le groupe Pink Floyd cesse automatiquement de chanter *The Wall*. « C'est ma chanson préférée sur cet album ! Bon ! Je l'écouterai plus tard. » Du coin de l'œil, elle regarde le paysage qu'elle était en train de coucher sur papier... « Merde ! La magie n'est plus là ! » Serrant les dents, elle se lève pour empoigner son iPhone et, du coup, elle réalise qu'elle l'avait laissé dans la cuisine.

— Maudit téléphone ! Que me veut-on encore ? Il y a dix minutes, on m'offrait un abonnement à un centre de bien-être à Matane. Franchement ! Je ne peux pas travailler tranquille. Ça va ! J'arrive ! Il n'y a pas le feu !

Montant les marches deux par deux, elle trouve l'appareil juste à temps. Un peu plus, elle aurait dû patienter jusqu'à ce que le système d'enregistrement des messages lui signale si la personne avait laissé une note verbale ou pas. Essoufflée, elle répond sur un ton un tantinet énervé. Le commentaire suivant la surprend.

— Bonjour ! Madame Nadine, je m'appelle Carole. Monsieur Olivier souhaiterait vous rencontrer concernant le manuscrit que vous nous avez fait parvenir.

— Ah bon ! A-t-il aimé mon roman ?

— Je ne sais pas madame. Je suis juste secrétaire ici et je prends seulement les rendez-vous.

— Oups ! D'accord, Carole ! Je vous écoute.

— Pouvez-vous vous présenter au bureau de monsieur Olivier, demain à 16 h ?

Soudain, Nadine sent ses jambes ramollir. Son cœur bat si vite qu'elle est certaine que Carole perçoit les cognements malgré la distance. Puis elle tente de se souvenir à quelle maison d'édition travaillait Olivier. « *Les étoiles du Québec...* c'est ça ! » Elle reprend aussitôt la conversation.

— Demain 16 h ? À son bureau ? Est-ce bien à Québec ?

Nadine entend un long soupir exaspéré s'échapper du téléphone. Ses oreilles aiguisées et la qualité de l'appareil lui font voir clairement que Carole est très ennuyée. Cette dernière lève le ton :

— OUI ! C'EST À QUÉBEC ! Pouvez-vous être là, oui ou non ?

— Je vais y être ! C'est sûr que je m'y rends sans faute !

Puis l'appel se termine brusquement sur une Nadine médusée. La nervosité subite provoque une transpiration abondante qui la laisse pantoise. Elle marche vers la porte-fenêtre puis observe la situation dehors. « J'espère qu'on ne prévoit aucune tempête pour demain... je pourrais trouver un hôtel et m'y rendre ce soir... maintenant peut-être... » Elle secoue la tête pour faire cesser le tourbillon d'idées qui se bousculent dans son cerveau. « Je ne sais même pas si ce Olivier aime mon livre... » Sachant Alex en réunion pour la journée en dehors du bureau, elle n'ose pas l'appeler. Elle tente de lui envoyer un message SMS, mais elle doit s'y prendre à trois fois tant ses doigts sont gourds. Un rire nerveux sort de sa gorge. « C'est idiot ! Je viens d'écrire un roman en cinq tomes, mais, en ce moment, j'ai de la misère à composer trois lignes... » Le texto finit par partir. Elle calcule rapidement : deux secondes pour la transmission; cinq secondes pour la lecture... « C'est bien long ! » L'impatience la gagne.

— Merde ! Alex ! Réponds-moi !

Elle regarde sa montre pour réaliser qu'à peine vingt secondes se sont écoulées depuis l'envoi de ces quelques lignes. « À qui pourrais-je parler ? Marie est à Toronto...

Dominique est au laboratoire… Anne est avec son père… Maman ? Ça va prendre un temps fou pour la rejoindre à travers les dédales du système téléphonique de sa résidence. Non. Je vais plutôt envoyer un courriel à Alex. Je vais ajouter Anne. C'est sûr qu'un des deux va me répondre rapidement… » En moins de deux minutes, elle avait communiqué avec Alex pour lui dire qu'elle avait un rendez-vous pour son manuscrit le lendemain.

En attendant le retour d'information, Nadine tourne en rond dans la maison. « Merde ! Avec toute cette technologie, je dois quand même attendre ! Encore ! Patience, Nadine… Alex va t'appeler aussitôt qu'il le peut… » Elle remet son iPod en marche et tente de se concentrer sur les sons; très vite, la musique rock progressive et très psychédélique l'agace. Elle change pour l'album *Beau Dommage* du groupe du même nom. « Ça va me calmer », se dit-elle. Quand le chanteur entame *la complainte du phoque en Alaska*, la quatrième chanson du disque, Nadine n'en peut plus. Sa valise était prête. Une chambre d'hôtel était réservée. Elle avait planifié les repas d'Alex pour deux jours. Ses vêtements pour l'extérieur étaient placés sur le dos d'une chaise, attendant que la femme les enfile. Nadine veut hurler.

Quand le téléphone sonne, elle sursaute et laisse sortir le cri qu'elle retenait avec peine. L'affichage sur le combiné lui indique qu'Alex l'appelle de son cellulaire. Elle frappe le bouton pour décrocher et écoute la voix de son mari.

— Félicitations, ma belle !

— Ne vends pas la peau de l'ours avant de l'avoir tué. Je ne sais pas encore si la maison d'édition acceptera mon livre.

Elle explique la conversation un peu curieuse avec la dénommée Carole. Elle entend Alex qui éclate de rire. Puis il reprend de plus belle.

— Je suis certain qu'Olivier te fait venir pour discuter de la publication de ton roman. Allez ! Je passe à la SAQ en retournant à la résidence. Nous fêterons ça ce soir. Aimerais-tu inviter les enfants ?

— Je suis déjà prête pour la route... je souhaite partir pour Québec dès maintenant. Je ne veux pas manquer le rendez-vous...

Alex écoute les propos décousus de sa femme pendant quelques secondes. « Elle est trop énervée et je n'aime pas ça. Si elle part maintenant, dans cet état, elle aura un accident... » Dans sa tête, il révise son emploi du temps prévu pour les jours suivants, puis il se décide.

— Aimerais-tu que je t'accompagne ? Je peux prendre congé pour les prochains jours. Je serai à la maison en fin d'après-midi. Nous pourrions manger ici, sinon on dénichera un resto sympa en route.

— Alex ! Tu ferais ça ! J'en serais enchantée ! Pourrais-tu vraiment te libérer ? Vous êtes sur un dossier si important...

— Anne est parfaitement compétente pour prendre la relève...

— D'accord ! Je t'attends.

Quand elle raccroche, Nadine demeure incapable de rester en place. Elle décide de s'habiller chaudement et d'aller faire une longue marche dans les rues avoisinantes. Du coin de l'œil, elle regarde le thermomètre électronique qui indique que la température extérieure marquait -18° C. « Pas si pire... je vais pouvoir marcher au moins deux heures... il faut que j'évacue ce stress... »

Nadine et Alex sont partis pour Québec le soir même. Trop énervée, la femme a refusé d'avaler quoi que ce soit avant de commencer ce voyage. Cependant, une fois rendue à Drummondville, la gourmande n'en pouvait plus. Le couple a donc fait un arrêt d'une heure, puis ils ont repris la route vers la Capitale. Lorsque le duo métallique et illuminé des ponts de Québec et Pierre-Laporte est apparu dans la nuit, l'auteure a senti que son stress diminuait un peu.

— J'aime tellement Québec. J'ai presque l'impression d'être en vacances. Nous avons été si heureux ici. Le début de ma vie adulte... ton arrivée dans mon existence...

— Nadeige et Germaine, poursuit Alex sur le même ton.

— Oh ! J'avais oublié ces deux infirmières, de vraies marâtres ! Tu n'aurais pas dû me les rappeler...

— C'était la belle époque, glisse Alex avec une pointe de nostalgie dans la voix. Te souviens-tu du petit restaurant où je travaillais quand nous nous sommes connus ?

— Le casse-croûte *chez Ben*. Est-ce que tu crois qu'il existe encore ? Il faudrait passer demain...

— Avant ou après ton rendez-vous...

— Hé ! Ce n'est pas gentil ça ! J'avais presque oublié ce détail... Tu viens de renouveler d'un seul coup toute cette nervosité qui m'a fait transpirer depuis l'appel...

— Ne t'en fais pas avec ça. Nous arrivons bientôt à l'hôtel puis... j'ai mis une bouteille de champagne dans mes bagages. Je te promets que tu vas bien dormir cette nuit... dans les bras de ton homme.

— Voyez-vous ça ! Une seule bouteille... Ce que tu peux être vantard !

Brisant la discussion, le téléphone de Nadine résonne dans l'habitacle. Reconnaissant le numéro d'Anne, elle s'empresse de pousser le bouton du haut-parleur afin qu'Alex puisse participer à l'appel même s'il conduit la voiture. Sans donner le temps à l'interlocutrice de prononcer le moindre mot, Nadine s'élance dans la conversation avec impatience.

— L'écographie ! J'avais oublié ! Qu'est-ce que c'est ?

Elle entend Anne et Étienne éclater de rire.

— C'est un bébé, maman ! Il est en pleine forme !

— Oui, mais sais-tu si c'est une fille ou un garçon ?

Anne poursuit ses taquineries et laisse Étienne mettre son grain de sel.

— Quelle différence cela fait-il, Nadine ? Tu es aussi gâteuse avec tes petites-filles que tes petits-fils…

Alors que la conversation cesse, Alex voit le désarroi sur le visage de sa blonde. Il comprend que, si elle le pouvait, elle courrait jusqu'à Montréal pour tordre le cou d'Étienne.

— Ça suffit les jeunes ! C'est moi qui dois vivre avec le caractère brutal de Nadine ! Alors, est-ce que vous le savez ? Le premier pyjama que nous achèterons sera-t-il rose ou bleu ?

— C'est un garçon !

La bonne humeur revient dans le véhicule qui roule sur la route asphaltée. La douce chaleur qui sort par les multiples bouches d'aération les empêche de réaliser que la température extérieure frise les -30° C. Mais le bonheur de ces deux êtres réchauffe leurs corps alors que leurs cœurs battent à l'unisson et que leurs âmes communiquent avec passion.

Toute la journée du rendez-vous, ils ont déambulé dans la Vieille-Ville, ensemble, main dans la main, grimpant et descendant les nombreux escaliers et les rues en pente, ou en empruntant le funiculaire pour admirer le fleuve au pied de la cité. Même si le soleil était présent, il faisait tout de même un froid de canard. Nadine et Alex se servaient de la météo comme excuse pour rentrer dans les petits cafés et s'y réchauffer. Puis, quand l'auteure commençait à se frotter les mains de nervosité, les deux amoureux reprenaient leur marche pour visiter un autre coin du Vieux-Québec. La journée s'est ainsi écoulée en douceur et la tension de Nadine a été tenue en échec. Leur randonnée un peu échevelée les a menés vers la Haute-Ville où se trouve la bâtisse qui abrite la maison d'édition *Les étoiles du Québec.*

— Quelle bonne idée de m'avoir accompagnée ! Merci Alex ! Sinon je serais devenue un paquet de nerfs et je parlerais de façon inintelligible.

— De rien, ma belle. Je suis certain que tout se passera bien. Vas-y maintenant. C'est l'heure.

À 15 h 45, Nadine a laissé Alex dans un restaurant *Tim Hortons*, situé juste en face de l'édifice où travaille Olivier. Sa mallette contient un exemplaire de son manuscrit ainsi que quelques dessins numérisés et imprimés. D'un pas décidé, elle se présente à la réception. Pendant l'entrevue que subirait sa femme, Alex avait l'intention de réviser quelques dossiers pour son bureau. Pour briser sa nervosité, il fera aussi quelques appels. « Je fais le fanfaron devant Nadine, mais je suis aussi énervé qu'elle… j'espère qu'elle décrochera le contrat… » L'homme prend une gorgée de café, frotte ses mains ensemble pour chasser l'agitation et se force à lire le premier document.

De son côté, dès son entrée au quatrième étage, l'écrivaine aperçoit Carole. Si son air désabusé a suffi à la reconnaître, la plaque d'identification sur son chemisier l'a confirmé.

— Bonjour, je suis Nadine. J'ai rendez-vous avec Olivier.

Sans lui répondre, Carole affiche une expression faciale froide et hautaine. Elle indique, du bout du doigt, la petite salle d'attente tout à côté. Aucun bonjour, aucun sourire. « Ça commence bien… l'atmosphère est tellement froide. Est-ce que j'arriverais à travailler avec ces gens ? » Les doutes de Nadine augmentent quand on la laisse seule dans le minuscule boudoir, sur une chaise inconfortable, bien au-delà de l'heure prévue pour la rencontre.

Puis, alors que l'attente s'éternise, elle prend son courage à deux mains. Tentant de retirer de sa voix l'agacement qu'elle ressent intensément, elle se dirige vers le bureau de Carole pour lui demander si on l'avait oubliée.

— Ce n'est pas mon travail, répond Carole d'un ton sec. Si vous êtes tannée d'être ici, vous pouvez toujours partir. La porte n'est pas barrée.

Nadine retient le commentaire cinglant qui brûlait sa langue, puis elle retourne s'asseoir dans la salle d'attente. « Ce n'est pas cet énergumène qui va me faire partir... je vais attendre encore dix minutes. Si, d'ici là, personne ne vient me chercher, je vais me rendre dans le couloir et frapper à chacune des portes. Je ne quitte pas les lieux sans avoir parlé à l'éditeur... » Patiemment, Nadine sort son Kobo et tente de lire ce magnifique roman de Gabrielle Roy, *la petite poule d'eau*, qu'elle a retrouvé il y a quelques jours. Peut-être que les descriptions à l'emporte-pièce réussiront à réduire son stress.

C'est ainsi qu'Olivier rejoint Nadine. Le jeune homme d'à peine 25 ans est venu la chercher pour la rencontre. Invitant à son bureau la femme assez âgée pour être sa mère, il lui offre un café. L'écrivaine accepte, même si elle aurait préféré un thé ou une tisane. Assise sur la chaise qu'Olivier lui avait présentée, Nadine prend lentement une gorgée du liquide chaud et amer. « Il n'est pas question que ce jeunot réalise à quel point je suis nerveuse... » L'attitude de l'auteure est positive. Si Olivier lui a donné rendez-vous, c'est qu'il est intéressé au manuscrit. À lui de s'expliquer.

De son côté, Olivier observe Nadine un bon moment avant de parler. Quand il l'a vue dans la salle d'attente, il a failli l'appeler « Pascale », comme l'héroïne des romans. Il savait que plusieurs auteurs calquaient leur personnage sur eux-mêmes, mais Nadine s'est surpassée; la ressemblance est tout simplement déconcertante. Malgré son apparence élégante et très moderne, l'éditeur imagine facilement cette femme habillée de peaux, portant des cheveux longs et nattés, tenant une lance dans la main gauche et courant sur un plateau herbeux avec son loup. Il doit secouer la tête pour ne pas perdre le fil de ses idées.

Pour reprendre une certaine constance, il s'assoit sur sa chaise et il concentre son attention sur l'énorme manuscrit qui est étendu sur son bureau en pièces détachées. Il l'a parcouru trois fois. Finalement, le malaise causé par l'arrivée de Nadine s'estompe suffisamment pour qu'il ose commencer la conversation.

— J'ai lu votre roman, lance-t-il de but en blanc.

Nadine hoche la tête sans répondre ouvertement. Puis elle jette un coup d'œil aux chapitres éparpillés à la portée de sa main avec une expression qui semble dire quelque chose comme « j'avais compris cela ».

— C'est une histoire un peu fantastique, affirme Olivier.

Nadine penche encore son front. Elle savait ça aussi. Le jeune éditeur est de toute évidence de plus en plus inconfortable, mais l'auteure n'a aucune raison de l'encourager. « Il m'a fait venir de Montréal… à lui de se débrouiller. » Olivier racle sa gorge.

— Ce n'est pas certain que nos lecteurs vont aimer ce roman, ajoute-t-il.

Nadine fronce les sourcils pour indiquer son désaccord; d'ailleurs, elle s'attendait à une telle tactique pour la déstabiliser. Sans s'en apercevoir, Olivier poursuit sur sa lancée.

— Le manuscrit est bien écrit, mais il faudrait travailler encore le texte avant de le publier.

Nadine se contente de hocher la tête tout en pinçant les lèvres. Elle avait anticipé cela aussi. Elle garde son calme. Une réaction trop rapide ne donnerait rien. Elle préfère d'abord comprendre ce qu'il s'apprête à lui offrir. Elle se souvient des paroles de Marie, quand elle lui a parlé en matinée : « Si celui-là est intéressé, d'autres le seront. C'est à toi de négocier de façon serrée. » Assise en face d'Olivier,

Nadine mettait en pratique tous les trucs que Marie lui a appris au cours de cette fameuse expédition entre la grotte et la péninsule sud alors que les deux comparses avaient manipulé Jean-Pierre pour qu'il fasse leurs quatre volontés sans qu'il ne s'en rende compte. La femme aux cheveux blancs réprime un sourire.

Olivier cesse de parler et il regarde Nadine intensément. Les choses ne se déroulent pas comme prévu. Quand il a parcouru le roman, il a été très impressionné par la qualité de la narration. Cette écrivaine rédige avec fougue et on sent l'énergie passée à chaque chapitre. S'il est jeune, il a assez d'expérience pour comprendre que les lecteurs vont accrocher dès la première page pour ne lâcher le livre qu'à la dernière; ils seront même déçus que l'histoire soit finie. Sachant que Nadine était à son premier roman, il s'attendait à rencontrer une auteure moins âgée. Cette tête blanche, ce front volontaire et ces yeux bleus très vivants, presque durs, l'intimident.

Il veut absolument publier ce manuscrit et il a l'impression que cette femme détecte directement ce qu'il ressent au fond de son âme. Lui, le petit nouveau de la maison, celui qui a aussi le désavantage d'être le fils du grand patron, doit faire ses preuves. C'est ce roman qui l'aidera à y arriver. Il le sait. Il ne lui reste qu'à s'entendre avec l'auteure. Il prend une profonde respiration pour tenter de contrôler les battements de son cœur. Il s'avance un peu sur sa chaise et il pose ses mains en avant de lui à plat sur le bureau. Il tient à retrouver l'avantage de la conversation.

— N'avez-vous rien à répondre, Nadine ? C'est difficile de discuter quand l'interlocuteur ne réagit pas.

Nadine le fixe droit dans les yeux. Son regard est de glace et Olivier sent un frisson se glisser le long de sa colonne vertébrale. D'une voix mielleuse qui détonne avec les rayons destructeurs de ses yeux, Nadine lui explique quelques faits de la vie.

— Je ne réponds pas parce que je n'ai pas encore entendu de questions. De plus, dans ce que vous avez énoncé, il n'y a rien que je ne sache déjà. Je suis certaine que vous ne m'avez pas convoquée, de Montréal, pour me dire que mon bouquin n'est pas bon et que vous n'êtes pas intéressé.

Puis, voyant le visage d'Olivier s'éclairer, Nadine détend son attitude et continue avec un calme déconcertant.

— Si on discutait des vraies choses. Votre maison d'édition souhaite publier mon roman. Oui, ou non ?

Olivier éclate de rire. Devant les yeux bleus qui dégageaient une vive énergie et le sourire désarmant, la timidité de l'homme s'est envolée. Il l'aimait déjà cette Nadine avec son franc-parler. À ce moment seulement, il cesse de mélanger Nadine et Pascale et il comprend que l'auteure assise en face de lui est une femme d'affaires moderne et sûre d'elle. Alors, avec un air badin, il s'amuse à lui répliquer, d'une voix mielleuse :

— Non, nous ne sommes pas intéressés à « votre » roman.

Puis, satisfait de voir le sourire espiègle s'effacer du visage de Nadine et la glace revenir dans ses yeux, il reprend sur un ton rieur :

— Nous voulons publier « vos cinq tomes ».

Nadine savait que le potentiel était là; elle avait même présenté son manuscrit de cette façon aux dix maisons d'édition sollicitées. Mais, elle n'osait pas trop espérer autre chose qu'un seul bouquin avec une histoire aseptisée. Entendant les paroles d'Olivier, elle ne peut que s'enorgueillir face à cette belle surprise.

— Merci pour le compliment Olivier. Maintenant, qu'avez-vous à me proposer ?

Leur rencontre dure deux heures. Ils revoient le document et Olivier suggère quelques modifications. Ensemble, ils décident à quel endroit, dans le texte, il était nécessaire d'insérer des bris pour bâtir les cinq tomes. Ils discutent la manière de répéter certaines informations, une sorte de résumé, au début de chaque section pour que le lecteur ne perde pas le fil. Une fois le travail expliqué et accepté, il a fallu parler de contrat. Olivier souhaitait clore l'entente sur-le-champ.

— Non. Je veux que mon notaire et mon comptable l'examinent avant la signature.

— Ce n'est pas nécessaire, nous avons les nôtres.

Le regard outragé, empreint même d'une certaine violence, que Nadine lui lance fait reculer Olivier de quelques centimètres. Le son de sa chaise à roulettes sur le plancher de bois indiquait la vitesse de sa réaction.

— Ce n'est pas négociable, l'informe Nadine. Je ne signe pas aujourd'hui. Un point c'est tout. Cependant, je veux en discuter avec vous, particulièrement la partie des redevances.

Olivier prend le document déjà préparé et tourne quelques pages. Il présente les chiffres pour que Nadine puisse mieux les voir. L'auteure prend note des montants sans sourciller. Le pourcentage sur les ventes était ce qui convenait; on lui offrait aussi un paiement forfaitaire sur la signature puis un autre pour chacun des lancements. Le contrat indiquait que ces versements étaient prévus « pour payer les dépenses inhabituelles encourues par l'auteure ». Elle tourne la page pour réaliser qu'on lui garantissait une présence dans tous les Salons du livre au Québec pour un an, et ce, pour chaque tome. C'était si merveilleux qu'elle devait faire un gros effort pour retenir tous ses muscles de s'emballer de façon désordonnée. Sinon, elle ferait une petite danse sur le bureau d'Olivier… Ce ne serait pas convenable. Les sommes sont plus élevées que ce à quoi elle s'attendait, mais il n'est pas question qu'Olivier s'en aperçoive. Elle voulait « négocier de façon serrée », comme Marie lui avait conseillé. Elle se mord la lèvre inférieure, fronce les sourcils et donne l'apparence d'une intense réflexion.

Olivier ne sait plus comment se comporter. Il a l'impression que l'affaire va lui échapper. Cette femme est plus forte que lui. Ce contrat propose déjà plus que d'habitude. Il ne peut offrir davantage. S'il est certain que l'histoire sera un immense succès, il doit tout de même s'assurer que la maison d'édition y trouve un profit. Il y avait le risque qu'il se trompe... Il perdrait son emploi même s'il est l'enfant chéri du grand patron. Olivier ferme les yeux. « Je veux publier ce manuscrit ! Les cinq tomes. Ce projet servira à mon succès dans l'entreprise, sinon ce sera ma ruine. »

Il retourne à sa conversation avec son père au premier jour de son emploi. Il sortait de l'université et il était si nerveux. Œuvrer avec cet homme qui a changé la façon d'éditer les livres au Québec l'enchantait, mais le fait que son paternel devienne son patron le terrorisait. Le chef d'entreprise l'avait mis à l'aise, lui expliquant qu'il ne serait pas toujours sur son épaule pour le surveiller. Surtout, il lui avait confié une tâche extraordinaire.

— Fais ton travail du mieux que tu peux. Tu apprendras vite. Puis, scrute tous les manuscrits pour découvrir celui qui va t'étonner. C'est celui-là qui fera ton succès. Quand cela arrivera, ne lâche pas le morceau...

Le récit de Nadine l'a surpris par la fraîcheur des idées, la justesse de la réflexion et la grande qualité de l'écriture. Il ressent au plus profond de son être que c'est de cela que lui parlait son père. Le roman se vendra avec un effet viral; Nadine deviendra une auteure très populaire et l'organisation *les Étoiles du Québec* en sera fière.

Quand il sent que le calme et la détermination sont revenus, Olivier s'élance dans toutes sortes d'explications sur le processus d'édition, de correction, d'infographie, d'impression et de diffusion. Nadine écoute attentivement tous les détails, notant au passage que tout cela est dispendieux et que le risque financier que la maison devait assumer était élevé. Bref, Olivier ne pouvait renchérir l'offre. Elle comprenait.

— D'accord, affirme Nadine. Vous pouvez envoyer le contrat à mon notaire dont voici la carte professionnelle. Par contre, les montants que vous me proposez n'incluent pas les dessins.

— Quels dessins ?

Alors Nadine affiche un air espiègle; elle sort de sa mallette les impressions qu'elle avait apportées. Dix croquis présentaient la première caverne, l'anse à Lou, la caverne d'Ali Baba, la grotte, le radeau, le pont, la vallée aux noisettes, une hutte, une chaudière et son bain en roche.

Olivier examine les images au fusain pendant de longues minutes. Son œil de connaisseur lui fait noter la qualité des créations. Lentement, il nomme chacun des lieux et chaque objet. Il les reconnaît tous en raison des descriptions vives que le roman contient.

— Vous avez fait ces œuvres, n'est-ce pas ? Quelle question ! Bien sûr que vous les avez produites. Combien y en a-t-il ?

— J'ai fait 250 fusains et une vingtaine de pastels... ce chiffre est approximatif parce que j'en ajoute régulièrement.

Olivier se lève d'un bond. Il n'en peut plus. C'est trop gros. Des représentations du monde créé par l'auteur se greffent aux écrits ! S'ils étaient tous de la même qualité, il ne pouvait qu'imaginer ce qu'il pouvait faire avec ça...

— Je veux les voir tous ! Les originaux ! Je dois reparler avec mon patron. Je ne suis pas certain de ce qu'il faut faire.

— Moi je sais très bien que tous mes dessins peuvent servir dans les livres, ou dans le processus de publicité entre les romans, la carte du Pays de la Terre perdue...

— Vous avez fait une carte du Pays...

Olivier se redresse nerveusement et défait sa cravate. Un peu plus, la bave aurait coulé de sa bouche. S'il avait été plus vieux, il aurait risqué une crise d'apoplexie. Nadine réalise à quel point son histoire intéresse ce jeune homme. Cela la rendait énormément fière. Sa recherche sur l'entreprise l'a satisfaite sur sa solvabilité... sauf pour l'attitude de Carole bien sûr. Les relations avec les auteurs lui ont semblé excellentes. Elle veut décrocher ce contrat. Puis, elle a pitié de ce négociateur junior qu'elle vient de malmener quelque peu.

— Voici ce que l'on va faire, lance-t-elle. Vous gardez les copies de ces croquis pour consulter votre directeur. Puis, disons d'ici une semaine, vous envoyez l'entente par courriel. J'examinerai le document avec mon notaire et mon comptable. Puis je vous inviterai chez moi à Montréal, avec votre patron s'il le faut, et vous regarderez mes dessins originaux. Puis nous rediscuterons les détails de toute l'affaire.

— Vous êtes très forte. Que faisiez-vous dans la vie avant d'écrire ? Négocier des contrats, j'imagine...

— Non. J'étais une spécialiste en gestion des ressources humaines.

Encore une fois, Olivier éclate de rire; Nadine aime ce son franc qui montre une grande vivacité et, surtout, une facilité à s'émerveiller. Leur association s'annonçait bien.

— En passant, Carole...

Olivier ne lui laisse pas le temps de terminer sa phrase.

— Ne vous en faites pas... l'horrible créature occupe l'emploi pour seulement quelques jours encore. Geneviève revient lundi prochain de congé et nous avons tous hâte de la revoir. Vous n'êtes pas la seule à faire des commentaires.

— Je suis vraiment soulagée...

Une fois qu'Olivier eut accepté son plan, Nadine a retrouvé Alex qui commençait à être très nerveux. Mais, quand il a aperçu le sourire de Nadine, il a compris que son manuscrit serait publié. Il l'a serrée très fort dans ses bras.

— Alex, je suis complètement vidée. J'ai besoin de me promener dans les rues pour évacuer le stress accumulé durant l'entrevue. Que dirais-tu de descendre dîner au restaurant le *Cochon dingue* dans le quartier du Petit-Champlain ? En nous y rendant, je t'expliquerai ce qui se passe.

— Es-tu certaine ? Le soleil est couché et le thermomètre vient de plonger à -25° C...

— J'ai chaud ! Il faut que je marche ! Allons ! Ce n'est pas si pire que ça !

Nadine avait accepté le plan de révision de l'éditeur. Elle savait donc que les prochaines semaines ressembleraient à un vrai marathon de boulot intensif qui serait ponctué de visites à Québec pour rencontrer l'équipe qui l'aidera à publier ses bouquins. Comme elle le souhaitait, son histoire prendra forme en cinq magnifiques volumes. On y insérera des esquisses monochromes pour accentuer une scène ou l'autre. Olivier a aussi parlé d'un recueil de dessins qui pourrait s'ajouter à la collection. Le lancement du premier roman de la série se fera en grande pompe dans le cadre du Salon international du livre de Québec à la fin d'avril, dans moins de quatre mois... Juste d'y penser, elle a le souffle court... C'est tellement gros...

— Tu réussiras, lui répète Alex. Rappelle-toi tout ce que tu avais à faire lors de ton premier automne au Pays de la Terre perdue... pourtant tu as fini par t'en sortir. Quand l'hiver est arrivé, tu étais prête.

— Je sais que tu as raison. J'ai quand même l'impression de me jeter tête baissée dans une aventure que je ne comprends pas tout à fait...

Elle s'arrête de parler quand elle voit Alex s'étouffer avec son vin. L'homme riait aux éclats. Il épongeait ses yeux avec la serviette de table, puis le gloussement reprenait de plus belle.

— Qu'est-ce qui est si drôle ? Tu es ivre...

— Non, je ne suis pas soûl... sinon peut-être d'amour pour toi. C'est ce que tu as dit qui me fait rigoler. Tu es impayable.

Il touche les mains de Nadine puis il explique son fou rire tout doucement.

— Tu es tombé dans un monde étrange sans le vouloir. Tu as accompli des choses absolument incroyables en deux ans d'exil. Tu étais totalement seule pour tout faire sans aucune technologie. Les circonstances étaient extrêmes et tu n'avais aucun contrôle sur elles. Tu es revenue grandie de l'expérience. Aujourd'hui, tu hésiterais à t'embarquer dans une aventure parce que tu ne connais pas tous les aléas d'avance. Pourtant, toute ta famille et tes amis sont à tes côtés pour te donner leur appui... Est-ce que tu te rends compte à quel point ta réaction m'apparaît loufoque ? Ça me fait me marrer... aux éclats...

— Tu penses que je m'en fais pour rien...

— Là-bas, si tu t'étais trompée, tu aurais perdu ta vie. Ici, il n'est question que d'une maison d'édition. Si ça ne fonctionne pas, tu essayeras ailleurs ou autrement.

— Tu as raison.

Quand Alex recommence à rigoler, Nadine se fâche.

— Quoi encore ? Vas-tu arrêter de rire de moi ?

— Je ne me moque pas de toi, mon amour. Je réalise que tu ne seras plus jamais la même après ton passage au Pays de la Terre perdue. Par contre, par la publication de ton roman, c'est l'Humanité entière qui ne sera plus jamais la même. Aucun des humains qui choisiront de lire ton histoire ne saura vraiment ce qui l'attend...

— Ouais... vu comme ça... c'est certain que le jeu en vaut la chandelle... tous les gens sur la Terre... toutes les langues... j'aime ça !

Chapitre 30

Montréal — 8 mai

« Il y a deux ans, je revenais d'exil en passant par un portail de lumière… après deux semaines d'absence qui m'ont fait vivre vingt-quatre mois d'aventures rocambolesques… j'ai de plus en plus de difficulté à le croire… une belle histoire fantastique… non ! Mes protégés existaient vraiment… je ne les oublierai jamais. » Nadine ferme les yeux pour repousser le malaise qui l'affecte chaque fois qu'elle se souvient de les avoir laissés là-bas. Elle comprend qu'elle n'avait pas le choix, mais elle voudrait pouvoir s'assurer qu'ils vivent une existence pleine et entière. « Je dois me concentrer sur le présent… »

Nadine observe autour d'elle. On l'attend pour une séance de dédicace. Une pile de livres s'étale sur la table de façon à mettre en valeur le produit : son magnifique roman. Du bout du doigt, elle touche la couverture embossée et laisse l'euphorie du moment flotter dans son âme et la remplir d'un bonheur incommensurable. Machinalement, son index fait le tour de l'image de la tente orange qui, illuminée de l'intérieur, transperce l'espace de la page bleue.

Déjà, devant le rideau qui ferme l'habitacle qu'elle occupera pendant plusieurs heures, des gens attendent patiemment, en file, qu'elle prenne place. Les oreilles sensibles de la nomade identifient les frottements de pieds sur le sol, les reniflements, les paroles en sourdine.

— Es-tu prête, Nadine ? demande Olivier.

La femme aux cheveux blancs ébouriffés à la dernière mode vérifie que son veston marine est bien ajusté. Du revers de la main, elle chasse un grain de poussière qui collait à sa jupe. Sa blouse d'un bleu clair fait ressortir l'éclat de ses yeux. Son teint légèrement basané respire la santé. Une immense fierté illumine son visage. Elle porte ses doigts à ses oreilles pour s'assurer qu'elle a bien mis ses nouvelles boucles qui brillent de la même couleur que la rivière Azur de la Terre de la Forêt verte. D'une main, elle touche le pendentif en argent qui arbore une large pierre presque transparente. L'ensemble est un cadeau d'Alex pour souligner le lancement de son premier tome de la collection *Le Pays de la Terre perdue*.

Un sourire se glisse sur ses lèvres au souvenir de son époux lui présentant l'écrin rouge avant qu'elle ne parte pour l'évènement qui allait la faire connaître à son public pour la première fois. Les yeux noisette d'Alex étaient lumineux. Le bonheur transpirait de tout son être. Son visage était un tantinet enflammé et sa respiration était légèrement saccadée. Nadine voyait dans ces signes le grand amour que l'homme lui vouait.

Remettant son esprit un peu trop vagabond dans le présent, elle se tourne vers Olivier qui, plutôt nerveusement, attendait avec une certaine appréhension que cette femme d'âge mûr se décide à prendre place devant les lecteurs. Nadine réalise qu'il est impossible pour Olivier de vraiment comprendre tout ce que cette nouvelle expérience représente pour la nomade revenue d'exil. L'écrivaine se livre à un double jeu et elle s'y perd parfois. Souvent, elle parle des aventures que l'héroïne Pascale subit dans ce monde fantastique censé être inventé par l'auteure. À quelques occasions, Olivier a observé Nadine s'investir dans l'histoire au point qu'on aurait pu croire qu'elle racontait ses propres péripéties. L'éditeur s'imagine que la romancière fait exprès pour confondre son public; admettant qu'il en profite énormément du point de vue marketing, il ne se mêle pas de la situation.

Nadine se souvient de sa surprise quand elle a aperçu le nombre de gens présents lors du lancement du premier tome, le 12 avril dernier à la bibliothèque Gabrielle-Roy de Québec. Olivier l'avait informée que les réponses aux invitations venaient rapidement, mais elle ne s'attendait pas à un succès aussi éclatant. Le livre intriguait et on voulait en savoir plus. Bien sûr, Anne et Dominique, ainsi que leurs conjoints participaient à la cérémonie. Pour son grand bonheur, elle s'amusait à observer ses petits-enfants grouiller entre les chaises. Elle voyait Marie et Alain, dans le fond de la salle; leur présence la rassurait. Plusieurs membres du conseil d'administration de l'Agence Écho Personne avaient fait le voyage pour assister à la rencontre. Les absents avaient pris le temps de souligner l'évènement par un bouquet de fleurs, une carte ou un simple texto. Elle appréciait au plus haut point la solidarité qui se développait avec ses collègues. Il y avait aussi des critiques littéraires, des journalistes, des libraires... Quelques photographes se tenaient debout, pour mieux croquer le déroulement de la cérémonie. La salle était pleine à craquer. Émue, elle a montré son livre avec une joie extrême et répondu facilement à toutes les questions.

Sa sœur et ses frères ont préféré se rendre au lancement qui a eu lieu la semaine suivante à Montréal; Éric avait même profité de l'occasion en venant de la Suisse avec sa famille afin de l'encourager. Ses amis de trekking avaient également attendu ce second évènement pour souligner le succès de Nadine. L'auteure était fort heureuse que sa mère, qui aura 95 ans sous peu, ait pu y participer. En écoutant sa fille parler de son roman, Irène l'admirait avec des yeux brillants et les joues rosies par l'excitation. Quand un journaliste lui a demandé si elle était fière d'avoir vu sa benjamine se rendre aussi loin, elle l'a regardé d'un air sévère en répondant d'une voix claire : « Vous n'avez aucune idée du chemin parcouru par ma fille ! Vous ne pouvez imaginer à quel point elle s'est rendue loin ! » Le souvenir de l'expression éberluée sur le visage de l'homme a fait sourire Nadine.

Depuis, le roman fait fureur. On parle déjà de le retrouver sur la liste des best-sellers dès juin. La maison d'édition planifie une réimpression pour septembre. Nadine est devenue très populaire du jour au lendemain. Ses présentations et les informations sur son livre ont pris une forme virale sur le net. Elle a été fort étonnée de voir des clips de ses discours sur les réseaux de télévision Radio-Canada et TVA. Les demandes d'entrevue tout comme les invitations des critiques littéraires se sont succédé à un rythme accéléré. Si son succès la garde dans un état d'euphorie totale, elle accepte avec une grande joie ce tourbillon de la vie qui la transporte dans un monde rempli de beauté et d'amour; comme aujourd'hui.

Elle se tient debout en avant de cette table qui met en évidence son magnifique roman. Juste avant d'entreprendre sa dernière séance de dédicace de la semaine, elle laisse son esprit déambuler dans les replis de sa mémoire. Elle se souvient d'une rencontre fort spéciale vécue la veille. Elle prenait son repas du midi dans une petite salle isolée du public quand le lieutenant-détective Davis était apparu devant elle.

— Je vous demande de me pardonner d'avoir utilisé mon badge de policier, mais je voulais vous voir « dans le particulier », dit-il en guise d'excuse.

— Ah bon, énonce Nadine avec un sourire éclatant sur le visage. Pourquoi ne pouviez-vous pas vous contenter d'attendre comme les autres ?

— Parce que j'avais une question très spéciale à poser. C'est même indiscret, je pense. Je ne suis pas convaincu que vous auriez pu répondre adéquatement devant tout le monde.

— Ah oui ? Quelle est donc cette demande si compliquée ?

Davis lui présente le bouquin qu'il tenait dans ses mains. Ses sourcils froncés, auxquels s'ajoute le fait qu'il mord sa lèvre sans arrêt, montrent son incertitude à mettre à jour son idée.

— Allez monsieur le détective. Plongez dans l'intrigue ! affirme Nadine sur un air rieur.

L'homme glisse son doigt dans son col de chemise cravaté. Il sue. Le malaise est intense. Puis il se décide. Il ravale puis tape le bouquin du plat de sa main.

— C'est votre histoire, n'est-ce pas ? C'est le récit de ce qui est arrivé quand vous avez disparu il y a deux ans...

Nadine empoigne le livre et l'examine. L'ouvrage montre toutes les évidences d'avoir été lu. Prenant son stylo, elle se prépare à y mettre une dédicace. Puis elle s'arrête et lève ses yeux bleus vers le policier.

— Si je vous avais raconté cette histoire-là il y a deux ans, m'auriez-vous crue ?

— Jamais.

— Pourquoi accepteriez-vous mon récit comme étant vrai, maintenant ?

Davis est de plus en plus mal à l'aise. Il a l'impression que cette femme sûre d'elle-même lit son désarroi jusqu'au fond de son âme avec une certaine arrogance. Elle a la certitude d'avoir raison. Il se sent complètement dépourvu devant elle. Il attend quelques secondes pour reprendre les arguments dont il a besoin.

— Parce que j'ai envie de défier l'invraisemblable. Je sais que ce n'est pas rationnel, mais ce que j'ai déchiffré dans ce bouquin constitue l'explication la plus plausible de votre disparition, même si cela paraît impossible à première vue.

— Alors, détective, croyez sans réserve !

Nadine lui remet son exemplaire. Le policier l'ouvre à la première page pour lire la note. Puis il éclate de rire. Nadine avait écrit : « À William Davis, un professionnel de la loi à l'esprit ouvert, merci de croire ! »

L'homme a chaleureusement serré la main de Nadine. Il n'y avait plus rien à discuter entre les deux. Tout était maintenant clair. Le détective pouvait enfin fermer le dossier qui traînait sur son bureau depuis deux ans. Il avait hâte que les autres tomes soient publiés pour qu'il saisisse l'ampleur des aventures de cette femme extraordinaire au Pays de la Terre perdue. Il savait que l'année qu'il lui fallait patienter serait terriblement longue, mais il relirait plusieurs fois l'exemplaire qu'il possède déjà...

Nadine a aussi revu André. Comprenant son air interrogateur et devinant intuitivement le sujet de sa réflexion, elle a offert à son ancien collègue de déjeuner avec elle plutôt que d'attendre en ligne. Il a d'abord hésité puis il a fini par accepter l'invitation. Le grand gaillard avait changé; il était devenu morose et son attitude démontrait qu'une profonde transformation le bousculait. Comme si sa hargne envers le monde entier s'était épuisée, même si un restant de négativisme collait au fond de son âme.

— Depuis la mort de Lucette, explique André, je me pose des tas de questions sur ma vie, sur les choix que j'ai faits.

— C'est sain de revoir son vécu, réplique Nadine pour l'encourager à poursuivre sans trop s'impliquer.

André semblait soucieux. Il frottait ses mains sans arrêt. Il tremblait au point d'avoir de la difficulté à manger. Si elle se doutait de ce qui ébranlait l'homme, Nadine savait qu'elle ne pouvait pas le bousculer; son attitude habituelle de trouillard lui ferait prendre la poudre d'escampette sans que la conversation ait une seule chance de commencer. Elle s'est contentée d'attendre patiemment qu'André se décide à lui expliquer ce qu'il avait sur le cœur.

— Lorsque, j'ai trouvé le livre sur un rayon de la librairie, j'ai d'abord reconnu le titre. C'était comme ça que... la sorcière appelait ce coin de pays que j'ai visité, il y a longtemps. Puis j'ai aperçu ton nom. Ça m'a bouleversé. Ça confirmait l'impression que j'ai eue quand je t'ai rencontrée aux funérailles de Lucette...

Comprenant qu'André hésitait, pour l'encourager, elle a poursuivi à sa place.

— Tu ne m'avais pas revue depuis cinq ans. J'avais vieilli et je ressemblais maintenant à cette... nomade aux nattes blanches habillée de peaux...

— Trouver ainsi ton bouquin, il y a quelques semaines, a ravivé mes craintes perçues ce jour-là. Puis j'ai lu. D'un couvert à l'autre. J'ai reconnu plusieurs des endroits que tu décris dans le récit… la péninsule sud, le lac aux brochets, la grotte…

La voix de l'homme commence à trembler et il se tait. Ses yeux se remplissent de larmes et il fait de gros efforts pour ne pas hurler sa douleur. Une peur viscérale le secoue, parce qu'il n'arrive plus à définir son avenir; d'un autre côté, il ressent une colère vive face à son passé qui contient tant de couardise. Le voyant échapper son contrôle précaire, Nadine met une main sur celle de l'homme; pour l'aider, elle continue d'une voix douce, mais ferme.

— Cela te fait réaliser que tu as vraiment visité ce lieu étrange. Ça t'oblige à revenir sur ce bout de ton existence auquel tu refusais de croire jusqu'à présent. Est-ce bien ça ?

— Nadine, j'y ai perdu Lucette ! Elle était l'amour de ma vie. Je préférais ne pas me rappeler comment ça s'était passé. J'avais honte. Aujourd'hui, je comprends que j'ai tout gâché lors de ce... voyage.

— Rien n'est jamais fini. Peut-être que tu ne retires aucune fierté de ton séjour là-bas et que tu n'arrives pas encore à vivre avec le souvenir; par contre, l'important est plutôt de décider ce que tu vas faire maintenant pour rendre ton futur plus agréable.

André reste silencieux un grand moment. Nadine voit son visage changer au fil de sa réflexion. Elle attend patiemment. Puis, le gaillard plonge son regard brillant dans les yeux de Nadine.

— Tu es la sorcière, n'est-ce pas ? Tu as battu Jean-Pierre et pour cela, nous t'avons haïe. Par contre, tu nous as sauvé la vie en nous retournant chez nous. Je voudrais être sincère en te remerciant, mais je me demande s'il n'aurait pas mieux valu que je meure là-bas.

— Non, réplique Nadine très rapidement avant de préciser sa réponse. Je suis convaincue que, si un seul de votre groupe était resté sur place, notre existence à tous aurait été en danger. Un jour, je t'expliquerai cette drôle de relation que nous avions avec la distorsion du temps…

— Peut-être. En ce moment, je n'aime pas ce que j'ai vécu depuis ma naissance… Je souhaiterais tout recommencer… Repartir de zéro.

Nadine lui fait un léger signe pour lui signifier qu'elle comprend. Si l'homme n'a jamais été un ami, elle ne lui en veut pas de son attitude. La femme est cependant fort préoccupée par l'aspect hagard d'André. Le gaillard n'a pas l'habitude de faire face à ses responsabilités. Il a plutôt tendance à se mettre la tête dans le sable pour mieux s'imaginer que la crise n'existe pas. C'est d'ailleurs ce qu'il fait depuis 27 ans. Tout ce temps, il se rappelait sa visite, mais il a simplement refusé d'admettre que ce qu'il avait vécu était réel. Probablement pour avoir moins mal.

— André, qu'est-ce que tu vas faire maintenant ? Tu dois ajouter foi à cet exil. Il te faudra faire face à tout ça…

— J'ai commencé une thérapie en psychologie depuis quelques mois. Je ne peux cependant pas parler de cet épisode de ma vie… personne ne me croirait. Du moins, je devrai changer le contexte. Alors, si ton livre me secoue énormément, il m'aide à comprendre et à accepter mon passé. Ça confirme que ce que j'ai subi était vrai, même si Jean-Pierre m'avait convaincu du contraire. Je suis fatigué de toute cette hargne dans laquelle je me suis enveloppé trop longtemps. Je tiens à vivre pleinement… au grand jour.

Nadine veut l'encourager à poursuivre sa démarche.

— Peu importe où notre existence nous amène, sans égard à l'épreuve qui se pointe, il est toujours temps de prendre en charge sa réponse. André, je suis convaincue que ce ne sont pas les évènements que la vie place devant nous qui forgent notre caractère; c'est plutôt notre façon d'y réagir qui définit ce que nous sommes et ce que nous deviendrons.

— Je ne savais pas que tu étais si philosophe. Ce que tu viens de dire est vraiment zen.

— C'est nouveau. Avant, je courais partout, trop vite. Mon expérience là-bas m'a transformée. En exil, j'ai eu beaucoup de temps pour réfléchir. Depuis mon retour, je vois la vie et le monde très différemment.

— J'ai peur de ne pas pouvoir changer comme toi. Je crains que mon passé hypothèque mon futur.

— L'avenir n'est défini pour personne. Tu dois choisir le tien par toi-même. Tu es le seul à pouvoir décider du roman que tu as envie de développer à partir de maintenant. Il faut juste que tu t'accroches, que tu ne lâches jamais. Tu dois faire un pas à la fois… si petit soit-il, il te fera progresser.

Nadine prend l'exemplaire du livre qu'André avait apporté au restaurant et elle y inscrit une note d'encouragement, puis elle signe « Nadine, la sorcière ». Quand André lit le billet, il éclate de rire. Heureux de sa conversation avec la nomade qu'il a connue d'abord dans un autre monde, il quitte les lieux, d'une allure plus légère. Cette femme extraordinaire, sûre d'elle et encore un peu fauve croit qu'il peut y arriver; alors il se convainc que ça vaut la peine de poursuivre sa démarche de guérison.

Fière de sa façon d'avoir donné à André un certain élan sans le bousculer, Nadine retourne à sa séance de dédicace. D'une certaine façon, celle qui n'aime pas la bataille est enchantée de sa discussion avec son ancien collègue. Une sorte d'entente amicale s'était invitée à leur dîner au lieu d'une chicane comme celles qui marquaient leurs rencontres à l'Agence Écho Personne. Elle espérait même le revoir… ne serait-ce que pour connaître où le cheminement difficile de l'homme le mènera.

Un sourire sur les lèvres, Nadine sort soudainement de sa bulle de réflexion et prend note de l'endroit où elle se trouve. Olivier l'observe avec un air inquiet. Pour le rassurer, elle s'empresse de répondre à la question du jeune éditeur.

— Bien sûr que je suis prête !

Prenant place à la table, elle puise de son sac à main le stylo qui lui permettra de dédicacer les exemplaires que les lecteurs se préparent déjà à lui présenter. Derrière elle, la carte du Pays de la Terre perdue attire l'œil et suscite l'intérêt. Avec son sens auditif très aiguisé, elle entend les conversations qui s'installent parmi les fans en attendant que le rideau s'ouvre. Amusée, elle écoute discrètement.

— Penses-tu que c'est son aventure à elle ?

— Où est cette contrée ?

— En Gaspésie, je crois…

— Non, voyons ! C'est dans le nord de l'Ontario !

— J'ai lu et je dirais que c'est plutôt dans les Adirondacks. Ou quelque part en Estrie…

Pour garder le mystère, elle affichera un air taquin pour répondre que c'est peut-être son histoire… ou pas. Quant au lieu… comment faire comprendre qu'elle ne le sait pas ? S'agit-il d'une autre planète, une dimension parallèle ou tout simplement une époque différente de notre Terre ? Toujours, elle sourira et laissera planer la confusion la plus totale, permettant au lecteur de s'imaginer qu'il a trouvé l'improbable.

Un garçon d'environ dix ans s'approche avec son exemplaire dont les pages sont déjà écornées, une évidence nette qu'il l'a parcouru au moins une fois. Il s'avance rapidement, pressé de libérer son cerveau d'une question qui le dérange.

— Comment Pascale a-t-elle fait pour savoir qu'au Pays de la Terre perdue, le soleil se lève aussi à l'est ? Pourquoi pas à l'envers d'ici ? À l'ouest par exemple ?

Nadine demeure perplexe un long moment devant le commentaire fort pertinent. Alors, elle décide de lui retourner l'énigme.

— Dis-moi, jeune homme, qu'aurais-tu fait à la place de l'héroïne ? Comment aurais-tu procédé ?

Le gamin reste songeur une bonne minute puis, avec ses grands yeux clairs, il répond d'une voix nette et assurée :

— J'aurais fait pareil, je pense. Changer les coordonnées pour le soleil aurait rendu l'orientation un peu trop compliquée. J'aurais pu perdre le nord et ça, c'est important !

Au fond des prunelles très noires, Nadine voyait l'intelligence, la capacité de réfléchir ainsi que la facilité à analyser et à énoncer une conclusion. « Il ira loin ce gamin… » Le regard perçant l'a tout de même troublée. L'enfant semblait savoir que Pascale du roman et Nadine était la même personne. D'ailleurs, l'inconfort de la femme s'est accéléré quand le garçon lui a dit : « Au revoir Pascale… j'ai hâte de suivre le reste de tes aventures. » Nadine doutait que l'erreur, en soi banale, fût due à ce jeune âge où la limite du merveilleux se mélange avec la réalité…

Nadine a ainsi passé la journée à la librairie Chapters de la rue Sainte-Catherine, coin Stanley, au centre-ville de Montréal. Elle a autographié au moins une centaine d'exemplaires depuis deux jours. Si certains étaient tout neufs, d'autres avaient tous les signes d'avoir été lus. Ceux-là s'ajoutaient aux trois cents bouquins dédicacés la semaine dernière à Québec. Hier, elle a en a signé pendant plus de quatre heures. En début d'après-midi, Olivier, lui a signifié qu'on l'invitait à Gatineau, Trois-Rivières, Rimouski, Sherbrooke pour d'autres évènements. Elle a accepté toutes ces demandes.

Elle est émerveillée par le succès de son livre. Elle se souvient d'avoir rêvé d'une retraite remplie de dessins et de textes, mais elle n'avait certainement pas envisagé une vie d'artiste aussi intense. Elle a créé un roman en cinq tomes : le premier est sorti de presse il y a quelques semaines ; les quatre suivants, tous terminés, subiront bientôt le processus de revue afin de se retrouver en librairie à raison d'un bouquin par année. C'est une décision de la maison d'édition avec laquelle Nadine est d'accord. Entre temps, pour garder le suspense, la compagnie publiera des documents d'appui comme des images, des cartes, un calendrier des évènements, et autres.

Du coin de l'œil, elle aperçoit Marie qui arrive et, par son habitude, se place juste à côté d'elle pour faciliter la tâche d'Olivier à gérer efficacement la file d'attente. Son aisance à communiquer aide les fans à mieux patienter. Quand les clients se dispersent, elle glisse en sourdine quelques mots à l'auteure. En raison du temps entre les réponses ponctuées de signatures, on pourrait croire à une conversation décousue. Pourtant, les deux femmes profitaient d'une magnifique connivence.

— Tu as l'air fatiguée, mon amie, précise Marie.

Nadine dédicace deux livres et remercie les lecteurs.

— J'ai juste hâte d'enlever mes chaussures à talons, réplique Nadine. Je voudrais retrouver mes mocassins. T'en souviens-tu ? Ceux que j'ai rapportés de ma grotte du Pays de la Terre perdue...

Marie invite deux autres personnes à s'approcher. Puis, quand elles partent, elle ajoute quelques mots avec ironie.

— Pauvre Nadine... c'est l'âge tout ça...

La dame aux cheveux blancs sourit et signe encore deux dédicaces. Puis elle retourne à la boutade de son amie.

— Tu es drôle ! Nous avons le même âge.

Sans attendre, la réplique s'énonce avec fougue. La femme taquine avait préparé son coup et manipulé le dialogue pour que Nadine tombe dans le piège tendu.

— Non ! Tu as 59 ans. Tu es plus vieille que moi d'au moins deux ans.

Les deux complices éclatent de rire en même temps. Puis, le rythme de la soirée se poursuit avec une régularité déconcertante. Jusqu'à ce qu'une conversation dans la file d'attente, un monologue plutôt, attire l'attention des deux comparses.

— Je suis un ami intime de Nadine... vous allez voir.

Quelques lecteurs se déplacent pour laisser passer un homme bedonnant et portant le crâne rasé; il monte le ton d'un cran pour s'assurer que tous les gens présents entendent ses propos.

— Je la connais depuis longtemps... C'est même moi qui lui ai donné l'idée du livre.

Jean-Pierre se tient dans la file d'attente. Le pauvre est toujours aussi déplaisant. Marie jette un regard vers son amie, pour voir si elle devait neutraliser l'indésirable par elle-même. Apercevant les yeux rieurs de Nadine, la rouquine comprend que celle-ci a déjà choisi sa manière de réagir. Marie se place donc en retrait et guette avec anticipation la suite de la scène qui se déroule devant elle. Quand Olivier tente de s'en mêler, Marie l'invite à laisser l'auteure se charger de la situation.

— Bonjour, Jean-Pierre, intervient Nadine. Approche-toi de la table.

Le gros homme bombe le torse et affiche un air suffisant qui semblait crier haut et fort : « Je vous l'avais dit ! » Bousculant les autres lecteurs, il s'avance d'un pas grossier. L'écrivaine note le soulagement de plusieurs clients, malgré le fait qu'elle fasse passer Jean-Pierre devant eux. L'intrus repousse vivement le mouvement de recul spontané que lui procure cette vision de la sorcière, alias Nadine. Il se souvient, la femme en est convaincue. Par contre, le goujat trop narcissique ne peut s'empêcher de tenter de tourner la situation à son avantage; il décoche une boutade vers l'artiste, assez puissamment pour s'assurer que tous entendent.

— J'espère que tu as calqué l'un de tes personnages sur mon caractère au moins !

Nadine signe à peine l'exemplaire puis le remet à son ancien patron. Sa réplique d'une voix très forte vise à informer les autres fans que Jean-Pierre n'avait pas la place qu'il prétendait dans son existence.

— Qui es-tu pour croire que tu as été assez remarquable dans ma vie pour que j'écrive sur toi ?

Puis, elle invite les deux gardes de sécurité, à qui Olivier avait fait signe de s'approcher, d'escorter Jean-Pierre à la porte du magasin. Elle ne fait aucun cas du regard noir que lui décoche le lourdaud. Son visage reste impassible.

— Nadine, demande Olivier. Qui était ce malotru ?

— Quelqu'un qui n'a pas d'importance ! répond Nadine tout en souriant à son prochain client.

— Il verra bien que tu parles de lui dans le tome IV, lui chuchote Marie.

— Non, Marie. Tu le connais autant que moi. Maintenant qu'il a perdu la face devant tout le monde, il ne lira pas le livre, ni celui-là, ni les autres. Son narcissisme n'a rien à y gagner. Il passera à autre chose…

Après le départ de Jean-Pierre, Nadine continue d'accueillir ses lecteurs avec un sourire engageant. Un seul lui a dit, à la blague, qu'il aimerait mieux qu'elle ne se fâche pas contre lui; il avait remarqué le regard dur et le ton glacial que Nadine avait utilisés pour faire taire le gros homme. Une fois qu'une dizaine de clients ont eu leur exemplaire dédicacé, Marie se penche à nouveau pour chuchoter dans l'oreille de Nadine.

— Je pense que c'est préférable que Jean-Pierre ne lise pas la série. Comment réagirait-il s'il apprenait que tu as affublé le personnage qui le représente du nom d'Adolphe ?

Marie et Nadine sont prises d'un tel fou rire qu'Olivier profite du moment pour décréter une pause. « Elles sont comme des enfants, celles-là… Je me sens comme un père de famille aux prises avec deux gamines ! » Devant l'expression si sérieuse sur le visage d'Olivier, Nadine ne peut que le taquiner un peu plus.

— Olivier ! Il faudra que je t'envoie au Pays de la Terre perdue ! Pour que tu abandonnes cet air sévère et que tu apprennes à ne plus te prendre au sérieux !

Chapitre 31

Montréal — 8 mai

En dépit de la pause qu'Olivier lui avait accordée pour reprendre son souffle, Nadine était encore très fatiguée. Elle avait hâte que cette séance de dédicace se termine. Il ne restait que quelques minutes à cette journée chargée d'émotions en tous genres. Nadine trouve que les heures de rencontre avec les fans sont épuisantes. Elle voudrait discuter plus longtemps avec les lecteurs, mais Olivier la presse de passer au suivant.

— Olivier, je sais que tu as raison, mais c'est si difficile ! J'ai tellement l'impression de malmener les gens.

L'éditeur jette un regard boudeur vers Nadine et Marie. Depuis l'arrivée de cette dernière, l'auteure ne tient pas en place. Puis, le jeune homme est agacé par tous ces bouts de phrases chuchotées.

— Si vous ne vous comportiez pas comme des écolières, je n'aurais pas besoin de pousser…

Les deux comparses se consultent des yeux, puis éclatent d'un rire si communicatif qu'Olivier ne peut retenir le sien. Il est clair qu'il n'aura jamais le dernier mot dans n'importe quelle affaire les concernant. Elles agissent comme deux fillettes qui se liguent contre un père totalement incapable d'être strict avec elles. Puis, une fois que les amies furent plus calmes, Nadine poursuit sa besogne avec un sourire engageant, malgré l'épuisement qui s'accentue de minute en minute. En silence, elle compte les secondes qui la séparent du repos bien mérité dont elle profitera pour au moins une semaine avant de se rendre à Gatineau… « Peut-être était-ce Sherbrooke ? Merde ! J'en perds mon latin ! »

Au moment où les femmes s'apprêtaient à quitter les lieux, laissant Olivier terminer le ramassage du matériel, un vieil homme s'approche d'elles. Il marchait lentement en s'aidant d'une canne. Il semblait très essoufflé.

— Madame Nadine, criait-il. Ne partez pas ! S'il vous plaît !

— Prenez votre temps, grand-père... je vous attends.

Nadine aime les gens et elle trouvait beau ce patriarche qu'elle a automatiquement accueilli de cette méthode gaspésienne que son amie Martine lui avait apprise. Tout d'un coup, le visage ridé lui rappelait vivement le vieux Tom croisé au hasard d'une randonnée vers le sommet du mont Jacques-Cartier. Malgré la nostalgie que le souvenir lui impose, elle sourit au nouvel arrivant. Le groupe se rencontre au milieu d'une allée, à proximité de la sortie du magasin. Le vieillard est accompagné d'un jeune homme qui s'empresse d'énoncer son désarroi en dépit de l'agacement évident du doyen.

— Ne vous fâchez pas, mon grand-père n'a plus toute sa tête. Enfin, oui et non !

Le nouveau client jette d'abord un regard irrité vers son compagnon. Puis il redresse le dos et reprend son souffle avant de s'expliquer.

— Je l'ai vue, votre grotte.

Habituée à ce genre de commentaires de la part de ses lecteurs, Nadine observe ce personnage d'un air un peu incrédule, sans toutefois perdre son sourire.

— Mais encore ?

Le patriarche s'agite et son petit-fils tente de le calmer. Le vieillard repousse le jeune homme doucement, mais fermement. Il cherche à contrôler les émotions vives qui le font trembler. Il poursuit ses explications d'une voix rauque en pesant sur chaque mot.

— J'ai habité dans votre grotte. J'ai dormi sur la peau d'ours. J'ai trouvé le lance-caillou suspendu à la paroi.

Nadine demeure bouche bée. Le récit de la mort de Brutus n'arrive qu'au deuxième roman. De plus, l'ayant complètement oubliée, elle n'a jamais parlé de sa première fronde restée accrochée à un pic de roche dans le gîte de pierre. Son cœur s'emballe. Ses sourcils se froncent. Son expression faciale s'intensifie. À côté d'elle, Marie comprend soudainement que quelque chose d'extraordinaire est en train de se produire. Son corps s'enflamme sous l'effet de l'anticipation.

Nadine plonge son regard bleu dans les yeux du vieil homme; elle veut s'assurer qu'il ne s'agit pas d'une blague cruelle. Elle observe les prunelles d'une couleur plutôt grise qui lui rappellent étrangement ceux de Lou. Un grand malaise s'installe dans le cœur de l'auteure et elle baisse la tête pour mieux contrôler son trouble.

Pendant la scène, le petit-fils se confond en excuses, mais Nadine ne l'écoute pas.

— Quand ? demande-t-elle simplement.

— J'étais jeunot, bien avant que je marie sa grand-mère, précise son vis-à-vis en pointant l'homme à ses côtés.

Puis, comme si de rien n'était, avec des doigts tremblants, le vieillard dépose dans la main de Nadine un briquet tout usé. Le Zippo d'André est reconnaissable aux lettres « J » et « P » gravées maladroitement sur le devant. Sous le choc que lui procure la vue de l'objet, Marie laisse échapper un cri étouffé.

Nadine n'arrive plus à contrôler les émotions qui la bouleversent. Elle se sent étourdie et s'efforce de ne pas vomir. Son visage devient blanc comme neige. Sa bouche s'assèche douloureusement. Elle veut tout savoir. Maintenant.

— Combien de temps y êtes-vous resté ?

— Tout un hiver, réplique le vieillard. L'été suivant, j'étais de retour sur la ferme de mes parents. Ils m'avaient cherché pendant des jours. Moi, j'ai été parti un an.

Un vertige frappe Nadine. Elle s'agrippe à une étagère pour ne pas tomber. Les images dans sa tête roulent trop vite. Les questions s'y bousculent. « Maudit Pays ! Tu m'emmerdes avec cette distorsion du temps ! Qu'as-tu fait encore pour m'embêter ! » Elle tente de contrôler ce tourbillon d'émotion par une analyse rationnelle. Il est clair que cet homme est allé au Pays de la Terre perdue, mais quand ? Après son retour puisqu'il est revenu avec le briquet. Nadine observe Marie du coin de l'œil. Cette dernière, qui affiche un visage livide, ne fait qu'un hochement de tête pour signifier ses encouragements.

— Je veux entendre votre histoire, affirme Nadine. Avez-vous le temps ? On pourrait s'asseoir dans un restaurant et vous pourriez me raconter.

Le vieil homme se fâche et lève le ton.

— Ce n'est pas une histoire ! C'est arrivé pour vrai ! Pourquoi personne ne me croit !

— Viens, grand-père, l'invite l'autre en le prenant par le bras. Cela ne donne rien; il ne faut pas t'énerver pour ça.

Nadine tient à les retenir à tout prix. Elle tremble de tous ses membres; si elle échappe cette occasion, elle pourrait ne jamais apprendre ce qui s'est passé après son départ de là-bas. Elle parle vite, d'un ton de voix qu'elle ne voulait pas si fort.

— Je vous crois. Je sais que vous avez habité la grotte.

Le jeune homme regarde tour à tour son grand-père puis l'auteure. Sa bouche est grande ouverte et ses yeux deviennent hagards. Il ne comprend plus rien... Il ne peut que se taire et attendre de voir ce qui va se passer; pour protéger son aïeul... au cas où ces femmes seraient en train de se payer sa tête... Ce serait si cruel.

— Comment vous appelez-vous ? demande Nadine.

— Je me nomme Emmanuel, réplique le vieil homme. Voici Sébastien, mon petit-fils. Votre livre, madame Nadine... prouve que ce que j'ai dit était véridique !

Marie, qui réussit finalement à sortir de sa torpeur, remarque que la discussion attire beaucoup trop de monde; certains curieux voudraient bien en savoir plus. Délicatement, elle s'immisce dans l'échange qui pourrait devenir compliqué.

— Nous devrions continuer cette conversation ailleurs. Nous avons une réservation dans un restaurant sur Stanley, à un coin de rue d'ici. Nous vous invitons.

Emmanuel regarde son petit-fils et hoche la tête. Dans un silence difficile à définir, le groupe se déplace vers le bistro. Impatiemment, ils attendent qu'on leur prépare une table pour quatre. Une fois que le serveur eut déposé les habituels verres d'eau, Marie commande une bouteille de vin. Puis Emmanuel commence son récit devant les yeux ébahis de Sébastien. Les commentaires très directs des deux femmes le rendent encore plus inconfortable. Quant à Emmanuel, il comprend rapidement que, par la nature de leurs remarques, Nadine et Marie ont toutes deux séjourné au Pays de la Terre perdue. Il tente d'en savoir plus, mais elles réussissent à dévier toutes ses questions. Le vieil homme décide donc de raconter sommairement son expédition involontaire dans ce monde fantastique.

C'était par un jour de printemps. Emmanuel étouffait dans la maison de ferme de ses parents. Enfilant négligemment une chemise de chasse, il s'est rendu à la cabane située au fond de l'érablière. Il devait en faire l'inspection de fond en comble. Ce serait bientôt le temps des sucres. Il a été surpris par un violent orage et il a dû passer la nuit dans la petite hutte. Puis au matin, une odeur de soufre et une lueur intense lui ont fait croire que la forêt était en flammes. Il est sorti en trombe de son refuge au toit de tôle. Un faisceau de lumière très vive l'a aussitôt aveuglé puis le paysage a changé. Il ne savait plus où il était rendu. Il apercevait une large rivière à côté de lui. Ce n'était plus le printemps comme à la ferme, mais toute la nature était en été.

— J'ai marché vers un groupe de rochers et j'ai vu un abri. En fait, c'était une grosse bécosse. Puis j'ai trouvé une sorte d'établi un peu délabré. Quand j'ai déplacé la toile qui pendait du sommet du monticule, j'ai découvert l'entrée de la grotte. Je m'y suis réfugié d'abord, puis elle est devenue mon habitation.

Emmanuel a vécu près d'un an au Pays de la Terre perdue. Tout ce temps, il a souhaité désespérément que les gens qui avaient aménagé l'endroit reviennent pour l'aider à retourner chez lui. Il a eu froid, il a mangé de la viande crue. S'il a survécu, c'est grâce à ce gîte et aux caches pleines de nourriture qu'il a trouvées, tant dans la grotte que dans les autres huttes en forme de tipi.

Puis, quand l'hiver a passé et que le printemps s'est changé en été, il a perdu l'espoir que les habitants des lieux réapparaissent un jour. Alors il est sorti au beau milieu de l'orage. Il souhaitait mourir calciné par la foudre. Les éclairs ont frappé autour de lui, sans le toucher.

— J'étais désorienté et je suis tombé à pleine face. Je ne voulais plus me relever et je suis resté, grelottant, sur le sol; j'ai fini par m'endormir sous la pluie vive. Quand je me suis réveillé, l'air sentait tellement le soufre que j'ai vomi. Puis, le faisceau lumineux m'a envahi et j'ai aperçu la cabane à sucre au fond de la terre de mes parents. J'ai roulé sur l'herbe puis sur la neige pour m'y rendre.

— Vous avez dit, demande doucement Marie, que ce que vous avez vécu n'était pas une simple histoire, mais que vous espériez qu'on vous croie. Vous avez donc raconté votre expérience à votre retour, n'est-ce pas ?

— Oui. J'ai essayé, répond Emmanuel d'une voix très lasse. Mes parents ont interprété que j'étais parti me taper une cuite avec le voisin et que je ne voulais pas l'avouer. J'ai tenté d'expliquer plusieurs fois, mais personne n'a donné du crédit à mon récit. J'ai fini par cesser d'y croire moi-même.

— J'aimerais comprendre un peu plus… commence Nadine. Vous avez dit que vous étiez très jeune…

— Oui, précise Emmanuel. Je m'en souviens comme si c'était hier. J'ai disparu en 1943 et j'avais 18 ans. Ça fait 70 ans que ça m'est arrivé, mais je perçois encore tous les détails dans ma tête : les odeurs incroyablement pures... les couleurs si vives... les sons perçants.

Nadine et Marie écoutent l'homme âgé pendant plus d'une heure, se satisfaisant ainsi qu'il s'était bien retrouvé à la grotte après que la nomade soit partie. Puis, Emmanuel étant trop fatigué pour retourner à Sherbrooke le soir même, l'auteure les invite chez elle. Alors que le vieillard s'endort rapidement dans la chambre d'amis, Sébastien reste un moment, dans le grand salon en compagnie Nadine, Marie et Alex qu'on avait mis sommairement au courant de ce développement plutôt inattendu.

— Je n'arrive pas à accorder quelque crédit que ce soit à tout ça, énonce Sébastien avant de prendre une gorgée du scotch que vient de lui servir Alex.

— Je sais qu'il dit la vérité, réplique Nadine. Par contre, j'admets que c'est un peu difficile d'accepter... sans preuve.

— Ma femme a raison, affirme Alex. Sans ses cheveux longs, sa perte de poids impossible et ses vêtements déchirés, je n'aurais pas avalé non plus ce qu'elle racontait.

Tenant dans ses mains les photos croquées au retour de la nomade, Sébastien tente de donner du sens à tout ça. Il veut croire. Il aime son grand-père. Pourtant, cette histoire tient tellement de la fabulation qu'il n'arrive pas à en saisir la véracité.

— Vous comprenez que, durant toute sa vie adulte, Emmanuel a passé pour un hurluberlu. Il racontait son voyage quand il avait pris un petit verre de trop. Personne ne pouvait penser que c'était réel.

— Sébastien, intervient Nadine, s'il s'avisait de la décrire à nouveau, peu importe à qui, on le traiterait encore de fou. Olivier, mon éditeur, ne sait pas que le roman est en fait le récit de mes aventures. Il ne pourrait pas comprendre. J'ai eu beaucoup de difficulté à convaincre mes amis et ma famille, même avec des preuves fort évidentes.

— Qu'est-il arrivé pour qu'Emmanuel revienne sur ce sujet en ce moment ? questionne Marie.

— C'est de ma faute. J'ai acheté le livre de Nadine et, voulant le taquiner, je lui ai récité quelques paragraphes. Je lui ai affirmé que l'auteure avait une imagination aussi fertile que la sienne. Mon grand-père en a redemandé.

Intrigué, Emmanuel a regardé les images. Il est resté songeur durant de longues minutes, tournant les pages, lisant quelques passages, touchant un dessin de ses doigts... Cette nuit-là, le vieil homme n'a pas dormi. Sébastien l'a même entendu fouiller dans sa chambre.

— Il cherchait le briquet... sans doute, affirme-t-il. Grand-père marmonnait sans cesse, parlait de Rex et de Champion. J'étais tellement malheureux. J'avais l'impression qu'il avait complètement perdu la raison.

Au matin, Emmanuel a demandé à plusieurs voisins de le conduire à Montréal pour venir rencontrer l'auteure de cette série qui le captivait complètement. Personne ne voulait entrer dans sa folie. Sébastien a fini par accepter d'accompagner l'entêté lorsque ce dernier a appelé un taxi pour se rendre au terminus d'autobus. Le jeune homme a emprunté la voiture d'un ami puis il a emmené Emmanuel jusqu'au magasin Chapters de la rue Sainte-Catherine où la séance de dédicace avait lieu.

— Je t'en remercie beaucoup, réplique Nadine. Je suis contente d'avoir rencontré ton grand-père. Ayant visité le Pays de la Terre perdue après moi, il pourra m'en parler, m'expliquer ce qui s'est passé après mon départ.

Un moment de silence se glisse dans la pièce. La douce chaleur du foyer qu'Alex avait allumé pour chasser un peu de l'humidité du printemps engourdit leurs émotions vives. Marie comprend que l'arrivée d'Emmanuel permettra à Nadine de finalement fermer le chapitre sur cette histoire fantastique, ce que même la rédaction de son roman n'a pu accomplir. Elle saura enfin si ce monde qui l'a si magistralement bouleversée a survécu après son retour dans sa vraie vie. Mais tout ça peut-il attendre à demain, quand Emmanuel sera avec eux ? Pour le moment, son habitude de voir le côté humain dans toutes les situations la rend curieuse. Elle s'avance sur le bout de sa chaise et s'adresse au jeune homme.

— Parle-nous de vous deux. J'ai compris que vous résidez à Sherbrooke, n'est-ce pas ?

Sébastien se sent en confiance avec ces gens. Il raconte lentement sa vie. Lui et son grand-père sont seuls au monde. Emmanuel a pris son petit-fils à charge quand les parents de l'enfant ont été tués dans un accident d'auto. Le gamin avait huit ans. Il y a de cela presque onze ans. Puis les yeux du jeune homme se remplissent de larmes.

— Je vais le perdre bientôt. Mon grand-père est très malade. Son cancer de la prostate produit des métastases. Il refuse tout traitement. Ce n'est qu'une question de mois avant que... je sois totalement seul au monde, confie-t-il avec une grande tristesse.

Nadine ressent vivement cette douleur que Sébastien exprime à demi-mot. Elle comprend le malheur qui se pointe dans l'existence du petit-fils. Elle se souvient de la terreur qu'elle a subie là-bas, enfermée dans sa grotte pour l'hiver. « Non, Sébastien ne restera pas seul au monde... » Elle jette un regard vers son mari qui lui fait un léger signe de tête. Comme s'il avait lu dans ses pensées les plus profondes, Alex a saisi le désarroi de sa femme face à la situation et il est d'accord avec ce qu'elle s'apprête à faire, c'est-à-dire accueillir les hommes, le vieillard et le jeune adulte, dans leur vie.

— Pour cette nuit, commence Nadine, nous avons tous besoin de sommeil. Par contre, demain, avant que vous repartiez pour Sherbrooke, je veux reparler de tout ça avec ton grand-père. Alex, pourrais-tu lui montrer sa chambre ?

Restée seule dans le grand salon, Nadine écoute le bois craquer dans l'âtre. Les flammes orange l'hypnotisent un moment. Puis elle plonge dans sa mémoire. Elle se souvient d'avoir mis de l'ordre dans les campements et dans sa grotte. Bien sûr, elle essayait particulièrement d'effacer toutes les traces du passage de ses visiteurs indésirables. Mais aussi, elle avait agi par habitude, pour garantir que tout serait accessible à nouveau si elle devait y revenir... « Même en comprenant le mécanisme, je n'étais pas certaine de pouvoir ouvrir le portail... j'avais accumulé tellement d'échecs que j'ai voulu en prévoir un autre; j'ai donc planifié mon retour, bredouille, à un campement ou à la grotte. » Alors, c'est le visiteur suivant qui a profité de toute cette dépense d'énergie qu'elle avait trouvée insensée à l'époque. En agissant ainsi, elle a possiblement sauvé la vie d'Emmanuel.

Si Nadine a réussi à revenir chez elle, une partie de son âme était encore accrochée là-bas. L'arrivée du patriarche lui procure des informations qui lui indiquent que le Pays de la Terre perdue avait continué d'exister comme elle l'avait connu, avec ce qu'elle avait construit. Emmanuel a parlé « du pont et de l'aménagement de la grotte », il a dormi sur la peau de Brutus et habité les huttes. Il a dit avoir pris de la nourriture « dans les cabanes... » Lesquelles a-t-il visitées ? Celle de la forêt aux érables, de la petite zone boisée au sud de la rivière, de la péninsule sud. S'est-il rendu dans la vallée aux noisettes ? Quel bonheur ! Elle sait maintenant qu'au moins quelques-unes de ces constructions avaient résisté au temps !

Nadine entend la porte de la chambre qu'elle partage avec Alex se refermer. « Cher amour. Tu as compris que je ne dormirais pas cette nuit... merci de respecter mon besoin de solitude... » La femme se lève et marche de long en large dans le salon, puis elle fait un tour dans la cuisine, ouvre la porte-fenêtre et s'assoit sur une chaise de parterre sur le patio. L'air froid de cette nuit de mai la secoue. Elle laisse les idées se bousculer à grande vitesse dans sa tête. « Je voudrais avoir des réponses à mes questions tout de suite ! » Elle regarde l'écran lumineux de sa montre et note qu'il n'est que deux heures. Elle soupire. Ce sera si long jusqu'au matin... « Combien de fois, alors que j'étais exilée au Pays de la Terre perdue, ai-je ainsi attendu le lever du jour ou la fin de l'orage avant de poursuivre mes activités ? » La vie est remplie de ces moments où le temps s'étire dans l'anticipation que les secondes s'égrènent enfin... Il faut juste les subir...

Elle ferme les yeux et s'imagine sur son autre patio, sur le toit de la grotte. Elle respire profondément et apprécie l'air froid qui s'infiltre en elle. Quand le calme s'installe, elle se blottit confortablement dans la chaise de jardin et allonge le dossier. Le ciel étoilé l'émerveille. Comme toujours. Ici ou là-bas. Lentement, Nadine laisse errer ses idées jusqu'à ce moment où tout se clarifie. La liste des questions qu'elle posera à Emmanuel, le matin venu, se met à défiler.

Le vieillard, encore blessé par le doute, ignore qu'il possède la clé pour permettre à Nadine de trouver la guérison totale. Elle boira ses paroles comme un cadeau. Il lui apporte des nouvelles du Pays de la Terre perdue après son départ. Elle est certaine qu'Emmanuel y cherchera aussi sa sérénité. Elle veut savoir quand l'homme âgé, ou plutôt le jeune homme de 18 ans y est allé... « Je croyais en avoir fini avec cette distorsion de temps, mais voilà que ça recommence... je suis ballottée comme une poupée de chiffon... ça me donne la nausée... »

Il a dit que c'était l'été... Est-ce tout de suite après le départ de Nadine ? Emmanuel a parlé d'un établi délabré... ce ne peut pas être le même été parce qu'elle venait de le réparer... Serait-ce l'année suivante ? Deux ans plus tard ? Elle sait que sa méthode pour sécher des aliments lui permettait de les conserver très longtemps. Deux ans, c'est tout de même une durée inattendue. Trois ans, ce serait presque impensable. Soudainement, elle ressent une vague d'orgueil monter en elle. « C'est drôle ! Je ne me rappelle pas avoir aussi souvent ressenti ce sentiment de grandeur avant mon exil... Ce que j'ai fait là-bas était si exceptionnel que l'émotion ressentie allait au-delà de la fierté… c'était… de l'orgueil un point c'est tout ! Assume ton rôle, ma belle ! Là-bas, tu étais tout simplement la meilleure ! »

Elle se redresse soudainement alors que son cœur s'affole. Qui sont Rex et Champion dont a parlé Emmanuel ? Est-ce qu'il a croisé la harde de chevaux à la fourrure foncée ? A-t-il remarqué Allie ? Plumo a-t-il grandi ? Jack est-il toujours le chef du troupeau ? Elle n'ose pas se demander s'il a rencontré Lou; ce dernier était resté tellement au nord de la grotte. A-t-il vu Tigré ? Elle prend sa tête dans ses mains et ferme les yeux un instant pour tenter de faire taire toutes ces questions. « Je verrai demain matin… il faudra que je fasse attention pour ne pas trop le bousculer… »

Elle se lève et marche jusqu'au fond de son jardin pour retrouver la grosse roche sur laquelle trône une chaufferette au gaz. Elle s'assoit sur une bûche placée à côté, une sorte de siège à la façon nomade. Elle tente de calmer ses tremblements. Elle est excitée par ce nouveau développement dans sa vie, mais elle a la trouille… encore… « Ce pays ne veut pas me laisser tranquille… il déclenche toujours ces émotions contradictoires ancrées à la fois dans le bonheur et la détresse. Peut-être devrais-je simplement accepter qu'il continue de vivre en moi… »

Au fur et à mesure que sa réflexion se poursuit, la puissante détermination qui lui a permis de survivre dans un monde rude et sauvage reprend son rôle dans cette nouvelle étape de la vie de Nadine. Elle se lève et jette un regard rebelle vers le ciel et pointe son doigt vers l'étoile du nord. Avec cette assurance qui est devenue sienne, elle confie à cet astre brillant, sa grande décision.

— Cher Pays de la Terre perdue, je comprends maintenant que tu vivras en moi jusqu'à ma mort ! Tu es aussi têtu que je le suis ! Cette fois, c'est toi qui seras prisonnier de mon cœur ! Je ne te laisserai jamais t'échapper !

Elle observe ce firmament nocturne qui lui semble moins rempli d'étoiles que cette autre voûte qu'elle a contemplée si souvent au cours de ses deux ans d'exil. Puis elle reprend le fil de sa déclaration.

— Je t'ai gardé en vie en racontant mes aventures dans un livre. On te connaîtra aussi par le récit du séjour d'Emmanuel. S'il est malade et qu'il ne lui reste que peu de temps à vivre, je vais l'aider à retrouver la paix de l'âme.

Tout comme Nadine, Marie, Jean-Pierre, Lucette et André, Emmanuel n'a pas fabulé et il n'est pas fou. Son expérience deviendra le sixième tome de la collection *Le Pays de la Terre perdue*. Puis Nadine partagera les péripéties du vieillard avec le monde entier. Si les humains qui habitent cette Terre surpeuplée doutent encore que ses tribulations soient réelles, tous seront subjugués par ces aventures présentées sous forme de roman.

— Je le ferai pour Emmanuel. Je sais à quel point sa vie y a été changée à jamais. Son histoire est importante. Je le ferai me décrire chaque détail de son séjour forcé. Il sera enfin pris au sérieux; il verra sa fierté se réveiller, car il n'est plus seul… Parce que la solitude du Pays de la Terre perdue demeure une brûlure difficile à oublier.

Soudain, une étoile filante laisse une traînée brillante dans le ciel. Surprise, Nadine admire la manifestation silencieuse. Les prophètes anciens ne présentaient-ils pas le phénomène comme un signe indiquant qu'un évènement grandiose se prépare ?

— Dors bien cette nuit, Emmanuel, car demain tu deviens mon informateur par-delà le temps et l'espace…

À SUIVRE...

La collection à découvrir :

Tome I – Le Réveil

Nadine ignore qui lui a joué ce tour… Comment s'est-elle retrouvée ainsi, seule dans sa tente, loin de sa famille ? Pour survivre, elle ne peut compter que sur sa résilience, ses connaissances, sa capacité d'inventer des solutions, de comprendre son environnement et son immense désir de retrouver les siens.

Heureusement, elle a un caractère indomptable et cette aventure devient une quête passionnante. Vous adorerez suivre Nadine dans ses péripéties qui l'amènent à relever des défis dignes des sports extrêmes. Sans technologie, qui de nous pourraient survivre à une telle immersion ?

Tome II – L'Hiver

Quarante jours après son réveil, l'hiver représente une menace bien plus grande encore que tout ce qu'elle a affronté depuis qu'elle explore le Pays de la Terre perdue. Constamment ramenée à l'urgence d'agir, même si le temps pour Nadine n'a plus aucun sens mathématique, c'est la nature cette fois qui crée cette course contre la montre, en la poussant aux limites de ses forces. Où puisera-t-elle son énergie ? Pourra-t-elle espérer s'en sortir vivante sans tomber dans la naïveté ou sombrer dans la folie ?

Tome III – La Mer

Après ce réveil inexpliqué, cette exploration et un premier hiver, Nadine réapprend la vie en nature sans technologie. C'est une femme transformée qui surgit de sa grotte, toujours aussi déterminée à retrouver la civilisation. Par-delà la mer, elle entrevoit une terre lointaine. L'idée de traverser cet océan l'amène à construire son premier radeau, celui qui lui fera découvrir la liberté. L'attendent des dangers et des désespoirs· qui, comme une lame de fond, la confronteront à sa témérité. Lou réussira-t-il à la secourir ?

Tome IV - *Les visiteurs*

Le second hiver de Nadine au Pays de la Terre perdue se termine après les quelque 600 jours de cette difficile quête de survie qui l'ont complètement transformée. L'exploration de son royaume devient sa seule raison de vivre, ayant renoncé à l'espoir de retrouver sa famille. Nadine la guerrière aura à affronter une épreuve bouleversante. L'arrivée inopinée de quatre personnages plutôt singuliers lui donnera matière à réflexion. Les visiteurs savent-ils où se trouve la clé de son grand retour ? Qui lira verra…

Tome V - *Le retour*

Nadine habite le Pays de la Terre perdue depuis près de deux ans. Sa quête pour trouver la route du retour pourrait-elle aboutir enfin ? C'est en assistant au départ de ses visiteurs que Nadine commence à planifier la manière d'y arriver. Une crainte remplit cependant son âme, car elle se demande quel sera l'accueil de ses amis et de sa famille en la voyant rentrez chez elle. Vont-ils seulement la reconnaître, sous ses traits de métèques ?

Tome VI : *Emmanuel*

Nadine est enfin revenue de son exil au Pays de la Terre perdue. Si sa réintégration à Montréal s'est effectuée difficilement et graduellement, elle a réussi à se tailler une nouvelle place dans ce monde qui vit en accéléré. Par contre, malgré son bonheur renouvelé, une ombre colle à ce tableau rempli de lumière : un bout de l'âme de la nomade reste accroché à cet autre univers. Le Pays de la Terre perdue la hante. Nadine fera la connaissance d'un homme qui l'aidera à retrouver la sérénité dont elle a besoin.

Une grande saga sur l'apprentissage se terminera en refermant ce dernier tome; Nadine ne sera jamais oubliée, comme elle le craignait, puisque 3000 pages de textes la rendront immortelle.

Achevé d'imprimer au Québec
en février 2015